LA LANCE
DU DESTIN

La Malédiction du Centurion

LA LANCE DU DESTIN

éditions
PRATIKO

Édition électronique : Infoscan Collette
Illustration de la couverture : Marty illustration

Diffusion pour le Canada :
DLL PRESSE DIFFUSION INC.
1665, boul. Lionel-Bertrand
Boisbriand (Québec) J7H 1N8

ISBN 2-922889-57-4

Dépôt légal : 4e trimestre 2009
Bibliothèque nationale du Québec
Bibliothèque nationale du Canada

Imprimé au Canada

À ma douce adorée...

PROLOGUE

Au temps jadis, quand la Terre était encore vierge d'hommes mais peuplée de créatures destructrices et gigantesques que l'on nommait les « Titans », une grande bataille s'annonçait. Étant donné l'emplacement stratégique de la planète au sein de la galaxie et voyant que les Titans la menaient droit vers l'abîme, le Grand Architecte de l'Univers, Créateur de tout, décida d'y envoyer sa plus belle œuvre pour la chérir : les humains. Créatures nées de la glaise mais habitées d'une âme à l'essence divine.

Au préalable, un grand ménage s'imposait car la survie des hommes s'avérait impossible dans ce monde hostile. Il mandata alors le plus talentueux de ses archanges, Sathanaël, de s'en charger. Hélas ! Ce dernier en secret vouait une haine viscérale à son Maître et, jaloux de l'amour que celui-ci portait aux hommes, fit exactement le contraire des ordres reçus et causa ruine et désolation partout sur son passage afin que nul ne puisse venir l'y déloger.

Le Grand Architecte de l'Univers finit par prendre connaissance de la traîtrise de Sathanaël et il en fut grandement déçu. Il le déchut de ses fonctions, et sa place à ses côtés et dans son cœur fut à jamais perdue. Agissant sous les ordres du Grand Architecte, l'Armée céleste composée des plus formidables esprits de Lumière qui soient, fut chargée de la capture du traître.

Suite à une première sommation, Sathanaël, dans son fol orgueil, releva le défi. Il déclara le monde comme sien et prépara ses armées à son tour. La guerre éclata sur Terre comme dans les cieux et dura des siècles. Un jour pourtant, au terme d'un spectaculaire duel dans le ciel, Michaël, le Grand Général, terrassa l'Ennemi qui alla s'écraser sur la surface terrestre. L'effet de choc fut ressenti à des lieux à la ronde. Michaël et les siens se rendirent sur les lieux de la chute et retrouvèrent le corps déformé de l'Ennemi mais non son esprit mauvais qui avait eu le temps de s'enfuir.

Par chance, ils mirent la main sur le joyau qui ornait le devant de sa couronne de fer; l'émeraude maléfique. Sa principale vertu était qu'elle permettait à son possesseur de contrôler l'esprit des créatures monstrueuses qu'étaient les Titans. Une partie de la mission initiale de Sathanaël avait été de détruire ces bêtes immondes. Toutefois, prenant compte de leur puissance et de leur utilité pour ses entreprises despotiques, il décida plutôt d'en faire ses esclaves. L'Armée céleste, qui comptait une centaine de milliers de guerriers dans ses rangs, était bien trop puissante pour qu'il espère remporter la victoire sans l'aide des Titans. C'est pour cette raison qu'il créa l'émeraude maléfique. Finalement, tous ses efforts s'avérèrent inutiles et sa défaite fut cuisante.

Ignorant où l'esprit de l'Ennemi pouvait se trouver, Michaël et son armée se contentèrent de pourchasser et d'anéantir les Titans et autres aberrations de la nature qu'ils chassèrent avec zèle. Comme ils étaient beaucoup trop nombreux et dispersés pour en venir à bout avant la venue prévue des humains, la décision fut prise de faire dévier une météorite de faible diamètre de sa course afin qu'elle vienne percuter la Terre dans le but de provoquer un cataclysme qui finirait d'éliminer toute cette faune malsaine, quitte à devoir tout reconstruire par la suite afin d'y accueillir l'humanité. Le danger était grand de causer des dommages irréversibles mais le risque en valait la peine. L'impact fut si terrible que le continent unique se fragmenta en plusieurs parties. La croûte terrestre fut remodelée, des chaînes montagneuses surgirent et des océans se créèrent. Une multitude de volcans entrèrent simultanément en éruption, crachant leur lave jusqu'à des hauteurs vertigineuses, et les immenses nuages de poussière qui en résultèrent cachèrent l'éclat du soleil d'un voile opaque pendant de très longues années. Une ère glaciale suivit, ce qui congela sur place la majeure partie des premiers résidants encore vivants. Toutefois, quelques spécimens réussirent à survivre malgré tout.

Dans sa guerre contre l'Armée céleste, Sathanaël, en plus des Titans, pouvait compter sur l'appui de ses démons. Créés de sa propre main afin de le seconder, ces esprits de la noirceur possédaient une infime partie de sa grande puissance et étaient dotés d'une volonté propre. S'ils servaient fidèlement leur Maître, c'est qu'ils partageaient les mêmes ambitions que lui, mais surtout qu'ils craignaient ses terribles colères. L'émeraude, qui avait un pouvoir maléfique sur les Titans, n'avait aucun pouvoir sur ces démons, mais Sathanaël était leur dieu et chacun de ces démons s'empressait d'accomplir ses moindres volontés. Du moins, jusqu'à ce que l'assaut de l'Armée céleste soit donné.

Nombre des moins puissants d'entre eux, que l'on désigne sous le nom de « Démons inférieurs », périrent lors du cataclysme, mais certains spécimens, tout comme pour les Titans, survécurent malgré tout. Les plus fidèles avaient suivi leur maître dans sa fuite et les autres s'étaient mis à l'abri dans de sombres recoins et errent depuis en liberté sur la surface terrestre sous une forme ou une autre.

Les plus puissants d'entre eux, qui étaient au compte de sept, se désignèrent eux-mêmes sous l'appellation de « Barons du Chaos ». Ces « Démons supérieurs » détenaient un pourcentage plus important de l'énorme pouvoir de Sathanaël et eurent la sagesse de le quitter au plus fort du conflit afin de se réfugier dans de sombres cachettes, attendant leur heure. Car, dès que l'Armée céleste quitterait cette planète vers d'autres obligations, chacun d'eux désirerait reprendre le trône laissé vacant par leur Maître déchu pour diriger à leur tour en tyran cette Terre pleine de richesses. Jamais Sathanaël ne leur pardonna cette trahison.

Cependant, les Archanges et leurs légions restèrent sur place durant des milliers d'années, le temps de s'assurer qu'aucune manifestation de l'Ennemi n'était à l'œuvre et que la nouvelle restructuration terrestre se déroulait correctement. Malgré tous leurs efforts, jamais ils ne purent retrouver les sept Barons du Chaos.

Finalement, la Terre parvint à une stabilité adéquate et les premiers hommes firent leur apparition. Parmi ceux-ci, les capitaines de l'Armée céleste choisirent deux représentants; un homme et une femme parmi les plus prometteurs. Ils les firent monter dans l'un de leurs grands vaisseaux interstellaires. Ils les déposèrent par la suite à un endroit merveilleux et isolé quelque part sur Terre pour leur transmettre une partie de leur immense savoir.

Ce couple d'humains représentait tous les espoirs car ils devaient par la suite retransmettre leurs connaissances à leurs semblables afin d'accélérer l'évolution de l'humanité et leur faire prendre conscience de la nécessité de protéger leur monde. Afin de les aider dans cette tâche ardue, de grands dons leur seraient accordés si auparavant ils réussissaient quelques tests d'aptitudes. Alors que tout se déroulait relativement bien et que le couple batifolait dans la vallée paradisiaque à laquelle il avait été confiné, un grand malheur survint. Les élus bravèrent un interdit et se montrèrent ainsi indignes de confiance. L'expérience fut un échec. Ils redevinrent primitifs et perdirent la chance de conserver l'immortalité de leur corps physique. Leur mémoire fut effacée et ils retournèrent vivre auprès de leur tribu respective. Cet échec éveilla cependant la vigilance de l'Armée céleste.

Des indices témoignaient en effet de la présence de Sathanaël derrière tout ça. L'Armée céleste le traqua sans relâche dans l'espoir de le retrouver afin de le neutraliser avant qu'il ne souille à nouveau la planète. Lorsqu'ils le trouvèrent caché avec le gros de ses armées dans une caverne située au creux d'une montagne près des côtes de la mer du Nord, ils s'y rendirent à grands renforts.

Possédant de faibles effectifs, l'Ennemi ne put qu'offrir une mince résistance. Toutefois, les lois qui régissent l'univers empêchaient l'Armée céleste de l'anéantir une bonne fois pour toutes. En conséquence, ils décidèrent de l'emprisonner dans une sphère d'isolement à l'intérieur même de la vaste salle circulaire où il s'était retranché au plus profond de sa grotte. Ils bloquèrent le couloir principal qui menait sur cette salle et sur tous les tunnels qui se trouvaient tout autour et se servirent du pouvoir de l'émeraude pour en sceller l'entrée. Ils firent ensuite s'écrouler une partie de la montagne sur elle-même, bloquant ainsi chaque accès et laissant l'endroit dans l'oubli.

Lorsqu'elle eut enfin la certitude que l'Ennemi n'était plus en état de nuire, l'Armée céleste se prépara pour le grand départ. Par prudence, avant de quitter ce monde, Michaël décida de laisser temporairement sur place quelques-uns des guerriers parmi ses effectifs qui s'étaient le plus illustrés depuis le début des conflits. Ainsi, douze de ces plus vaillants esprits divins, doués de pouvoirs extraordinaires, furent sélectionnés. Leurs véritables noms nous sont inconnus. Par contre, selon les tribus humaines qu'ils fréquentèrent durant leur long règne, plusieurs patronymes leur furent attribués. Leurs actions devaient se limiter à guider et à protéger la race humaine, à demeurer vigilants et à être prêts à intervenir au moindre signe de manifestation des Forces du Mal.

C'est strictement en fonction du bien de l'humanité qu'il fut permis à ces gardiens du monde d'approcher les hommes pour les instruire de leurs connaissances. Jamais ils ne devaient agir afin d'en récolter une gloire personnelle en retour.

Ne pouvant emporter l'émeraude maléfique avec lui de peur que son pouvoir néfaste ne puisse affecter d'autres mondes comme celui-ci, Michaël la remit à celui qui fut désigné à la tête des Gardiens, un être puissant et rempli de sagesse. Promesse lui fut demandée de la garder en sûreté, de la protéger des Forces ténébreuses et surtout, de ne jamais l'utiliser.

Suite au départ de l'Armée céleste, les douze choisirent de s'installer sur le pic de la plus haute montagne du monde et d'y ériger un somptueux palais. Du haut de cette forteresse inexpugnable, ils purent aisément contempler l'évolution du monde dans son ensemble. Des millénaires passèrent et de plus en plus de tribus humaines habitèrent les grands espaces verts maintenant peuplés d'animaux variés. Quand l'évolution des humains fut assez avancée, ils décidèrent que le moment était venu de se présenter à eux. Les premières tribus avec qui ils prirent contact furent ébahies et quelque peu apeurées tellement elles étaient impressionnées par la prestance et la puissance divines qui émanaient de ces étrangers. Cependant, les Gardiens les sécurisèrent par leurs propos bienveillants et très vite les hommes furent rassurés mais comprirent aussi qu'ils n'étaient pas tout à fait pareils à eux. Dès lors, ils les considérèrent comme des dieux et tel fut le nom par lequel on les désigna.

Au fil des siècles, les dieux permirent ainsi à plusieurs civilisations d'apprendre maintes choses comme l'agriculture, la navigation, les rudiments de la forge et les secrets de la métallurgie, de la chasse et de la pêche en mer. Mais tout cela n'était rien comparé à ce qu'ils auraient pu obtenir si les deux élus n'avaient pas échoué dans leurs épreuves. Les dieux aidèrent les hommes pendant trois cent mille années. Hélas, vint une époque où l'harmonie entre les deux races se trouva menacée.

Hélas, Sathanaël, malgré son humiliante défaite, conserva un souffle de vie. Sa ruse n'ayant aucune limite, lors de sa capture, il avait feint un affaiblissement de ses forces et avait ainsi réussi à berner les Archanges qui déployèrent moins de puissance qu'il en aurait fallu pour l'empêcher de nuire à tout jamais. Son esprit mauvais, d'une force incommensurable, dégagea une telle haine que très vite, une légère crevasse apparut sur la surface de la sphère d'isolement qui le maintenait emprisonné. Grâce à cela, une infime partie de son énergie, sous la forme d'une brume verdâtre, réussit à traverser la sphère, à se faufiler sous l'immense porte close bloquant l'accès à la sortie, et à se diriger jusqu'à l'extérieur de la caverne grâce à une série d'interstices dans le roc.

Souillant toutes choses de sa malice, cette énergie n'était pourtant qu'un faible pourcentage de la force de Sathanaël et après un certain temps, elle se devait de revenir vers son point de départ pour se réénergiser. Fier de sa performance et écoutant la prudence, le Maître des Ténèbres nimba les environs de brouillard et élabora son plan d'évasion dans l'anonymat le plus complet.

Les émanations maléfiques provenant de la caverne maudite, maintenant oubliée des hommes et ignorée des dieux, étaient à l'œuvre. Plusieurs des individus des deux races qui s'en approchèrent innocemment d'un peu trop près furent corrompus à jamais. Ceux qui parmi la race divine eurent cette mauvaise idée, malgré l'interdit qui frappait cette région, changèrent de comportement et ramenèrent avec eux discorde et calomnies au sein même du palais des dieux.

Peu à peu, ils devinrent imbus d'eux-mêmes et regardèrent l'humanité du haut de leur orgueil maintenant démesuré. Ayant perdu toute empathie face à leur condition de mortels, ils en vinrent même à les considérer comme des créatures insignifiantes et se détournèrent de plus en plus de leurs obligations envers eux. Usant de leurs pouvoirs et de leur ascendance sur les hommes, ils les exploitèrent honteusement. Ils firent périr des milliers d'individus en les forçant à construire en leur honneur des temples extravagants afin qu'ils puissent les adorer encore davantage. Ils accumulèrent de nombreuses richesses, satisfaisant ainsi leur vanité toujours plus grande. Finalement, ils se mirent en rivalité entre eux et des rixes sanglantes survinrent. En conséquence, ils laissèrent les Forces du Mal agir sans intervenir, ce qui eut pour effet de menacer de nouveau l'existence du monde.

Les sept Barons du Chaos en profitèrent pour sortir de leur cachette respective et opposèrent une résistance ouverte à la domination des dieux. Œuvrant aux quatre coins du globe, ils semèrent guerres et désolations et finirent par s'établir chacun sur un territoire choisi et forcèrent à la servitude les peuplades qui les habitaient.

Seul le chef des dieux, qui lui avait gardé intacte sa sagesse, se douta que ces nouveaux troubles annonçaient le réveil de Sathanaël. Il doubla donc la garde qui protégeait le joyau et envoya ses espions faire enquête vers la caverne maudite. Toutefois, ces derniers ne revinrent jamais. Devant ce danger imminent, il convoqua ses pairs à un grand conseil et lorsqu'ils furent réunis et mis au courant des faits, tous réalisèrent combien la menace était grande. Dans leur grande lâcheté, certains optèrent pour renforcer les défenses de leur forteresse et d'y demeurer bien en sûreté jusqu'à ce qu'ils soient relevés de leur charge. Ce combat était celui des hommes et non le leur. La moitié de l'assemblée se rangea derrière cette plaidoirie convaincante, car même s'ils étaient immortels, épargnés de la vieillesse et de la maladie, les dieux pouvaient périr au combat.

Cependant, l'autre moitié de l'assemblée avait une opinion totalement opposée. Ils plaidèrent que les humains n'étaient pas de taille à faire face seuls à une si grande menace et qu'ils se devaient de les aider d'une façon ou d'une autre. Le chef des dieux se leva de son siège et prit la parole :

— Notre Père à tous entrera dans une terrible colère si ses créatures préférées se font anéantir sans que nous levions le petit doigt pour les aider !

À ces mots, tous prirent peur. Après maintes discussions orageuses, ils finirent par s'entendre et trouvèrent une solution afin d'aider les hommes sans qu'eux-mêmes y risquent leur peau. Ils commirent alors l'acte le plus répréhensible aux yeux du Grand Architecte de l'Univers. Une règle qu'ils savaient pourtant proscrite depuis toujours : ils s'accouplèrent aux femelles humaines dans l'intention qu'elles engendrent des enfants issus des deux races. Des demi-dieux ayant génétiquement une partie de leurs pouvoirs. Ainsi, ces descendants de grandes vertus seraient en mesure d'affronter les périls à leur place. Les plus belles femmes furent choisies et l'acte fut accompli. De nombreux écrits témoignent des hauts faits accomplis par ces êtres d'exception que l'on nomma les « Héros ».

Effectivement, comme les dieux l'avaient prévu, ils repoussèrent efficacement l'attaque des sept Barons du Chaos et de leurs armées respectives sans jamais toutefois parvenir à les anéantir. Constatant la puissance de ces demi-dieux, ces Démons supérieurs se retirèrent derechef dans l'ombre et élaborèrent de nouvelles stratégies. La Terre vécut ainsi de paix et de bonheur durant de nombreux autres millénaires.

Il s'avéra cependant que la condition mortelle des Héros prédominait sur l'autre. Comme les humains, et malgré leurs immenses talents, ils étaient destinés au trépas bien qu'ils vécurent pour la plupart beaucoup plus longtemps que le commun des mortels. Certains, par l'accomplissement de hauts faits d'armes, accédèrent même à la condition divine et rejoignirent les dieux dans leur forteresse.

Peu importait ces succès relatifs dus aux Héros aux yeux du Grand Architecte de l'Univers. Il était le seul autorisé à s'accoupler avec d'autres entités. Il fut si en colère contre les dieux lorsqu'il apprit ce qu'ils avaient fait sans son autorisation, qu'il se présenta à eux. Immensément déçu de leurs comportements égocentriques, il les chassa de la Terre. Craignant son terrible courroux, ces derniers obéirent sans tarder, laissant derrière eux un héritage fabuleux. Hélas, avec le temps, ce savoir s'estompa et l'évolution de l'homme stagna. Ne pouvant laisser ce monde à la dérive, le Grand Architecte de l'Univers décida de se révéler sous de multiples déguisements aux hommes, parmi les plus sages et les plus évolués de leurs peuples respectifs et d'en faire ses porte-parole, ses « prophètes ». Ces individus enseigneraient au reste de l'humanité ses recommandations et ses lois afin de tenter de les sauver de l'abîme. Quelques-uns de ces sages parmi les sages accomplirent de grands exploits au cours de leur existence et purent ainsi guider de nombreux individus vers le droit chemin, comme celui nommé David et roi de son peuple en Israël, à qui l'émeraude maudite fut remise lors du départ des dieux. À la mort de ce dernier, Salomon, son fils issu de sa liaison avec Bethsabée et que l'on disait doué d'une sagesse encore plus grande que son paternel, hérita de l'objet maudit. Voici ce qu'il rapporte au sujet de cette émeraude :

« Bien que sachant qu'en aucun cas je ne devais exposer l'émeraude maudite de peur qu'un des sept Barons du Chaos ne s'en empare à son avantage ou que l'un des disciples secrets de l'Ennemi l'utilise afin de tenter de le libérer, je fus pourtant obligé de m'en servir le jour où l'une de ces effroyables créatures que sont les Titans vint menacer mon royaume.

Effectivement, dans les premières années de mon règne, l'un des paysans arriva au temple en sueur, m'annoncer qu'un monstre d'une taille impressionnante ravageait ses champs et écrasait mes sujets sur son passage. En toute hâte, je réunis mes guerriers et ordonnai la chasse. Nous trouvâmes le spécimen. Sa fureur était telle que toutes nos tentatives pour l'exterminer furent un échec et c'est alors que je pris la décision de me servir de l'objet maudit car je connaissais ses propriétés. Ainsi, je pus contrôler son esprit et réussis à le précipiter du haut d'une falaise.

Toutefois, lorsque je me servis du joyau, je constatai à ma grande surprise que je pouvais dans le même temps, contrôler la volonté de certains des hommes présents à ce moment. Bien sûr, étant souverain de mon peuple, je suis respecté de tous mes sujets et n'importe lequel d'entre eux s'empresserait d'exécuter mes moindres volontés. Mais là, c'était différent. Lorsque je tenais le joyau dans le creux de ma main, peu importait ce que je disais ou faisais, tous, hormis ceux qui présentaient une forte personnalité, étaient en accord avec mes idées. Même les plus saugrenues que je soumettais pour valider mon hypothèse. Lorsque je remettais l'émeraude dans l'une des poches de mon manteau royal, tout redevenait normal après un certain temps.

Je réalisai alors que cet objet maléfique était encore plus dangereux que les sages ne l'avaient cru. En plus de contrôler les bêtes immondes dépourvues de cervelle qu'étaient les Titans, il pouvait aussi manipuler l'esprit des humains ayant une personnalité effacée. Je le cachai donc dans un endroit connu de moi seul et je me promis de ne plus jamais l'utiliser. Son pouvoir était bien trop grand et je ne voulais pas me rendre responsable des conséquences désastreuses que cela pouvait causer si ma découverte venait à se savoir par les Forces ténébreuses... »

Ainsi, un nombre incalculable de prophètes foulent la Terre dans l'espoir de réveiller les consciences. Mais les Forces obscures s'avèrent tenaces et de plus en plus d'humains sombrent dans l'anarchie, la débauche et le meurtre. Malgré toutes les restrictions et les conseils promulgués par le Grand Architecte de l'Univers, que ses hérauts s'évertuent à enseigner aux humains, ceux-ci s'avèrent faibles et faciles à corrompre. Le Mal, toujours plus beau, toujours plus accessible mais combien dévastateur pour leurs âmes fragiles, les attire comme la charogne attire la hyène.

Sathanaël, constatant tous les tourments que l'humanité subissait, ricanait du fond de sa caverne. Car, par un procédé inconnu, toutes ces âmes en perdition, lors de la mort de leur enveloppe corporelle, étaient désormais capturées par lui lors de leur ascension vers d'autres destinées prévues par notre Père à tous. Emprisonnées dans ces ténèbres, elles subissent de terribles châtiments jusqu'à ce qu'elles l'adorent comme leur dieu et grossissent du même coup ses armées de démons en attendant la grande bataille finale.

Toutefois, selon les Saintes Écritures, le Grand Architecte de l'Univers aurait décidé, comme ultime recours afin de sauver ce monde, de préparer la venue de son propre Fils en y mettant ses plus grands espoirs.

Extrait du Livre noir de Salomon *rédigé en 950 avant J-C.*
par l'un des scribes (anonyme) au service du grand roi d'Israël.

CHAPITRE I

LES PHÉNICIENS

Mer du Nord. An 338 avant J-C.

— Mon capitaine, ils gagnent sur nous !

Ce n'était pas tant l'avertissement pourtant désastreux que l'intonation de la voix du second maître qui fit dresser les poils de la nuque d'Akbar, capitaine de l'Astarté, grand navire de commerce phénicien perdu dans la mer du Nord depuis deux jours. L'Astarté, qui avait été nommé ainsi en hommage à l'une des divinités phéniciennes, et son équipage, avaient été engagés pour une mission des plus importantes par Philippe II, roi de la Macédoine, qui espérait vaincre la menace perse. À cette époque, la Phénicie était passablement divisée. Depuis déjà plusieurs années, la Perse pouvait compter sur le soutien de la moitié des villes de Phénicie qui rêvaient de faire partie intégrante de son royaume.

Cependant, l'autre moitié, dont faisaient partie Akbar et ses hommes, était plutôt composée de fervents partisans de Philippe le Grec, qui leur promettait, advenant sa victoire, de redonner l'indépendance complète à la Phénicie. Hélas, le navire avait essuyé une tempête alors qu'il effectuait le voyage entre son comptoir de l'île de Malte et l'île Britannia, sa destination. Il avait franchi les colonnes d'Hercule sans problèmes et se dirigeait à bonne allure vers la grande île quand subitement une tempête l'avait frappé de plein fouet.

Lorsque les éléments se furent enfin calmés, le vaisseau s'était retrouvé dans cette situation précaire, à des miles de leur destination, là où des navires rapides comme le vent et chargés de pirates sanguinaires sillonnaient les eaux.

— À combien de distance sont-ils, d'après toi ? demanda Akbar à son second maître.

— À moins de trois lieues, mon capitaine !

— Nom d'un chien ! Ils se rapprochent de plus en plus.

Akbar, nerveux, se retourna vers ses officiers de pont :

— Doublez la cadence et faites claquer le fouet ! ordonna-t-il, en sueur. Allons, souquez mes gaillards, il ne faut surtout pas qu'ils nous rattrapent !

Il rejoignit Hanno, son second maître, à la poupe et les deux hommes observèrent la voile du vaisseau dans leur sillon qui les pourchassait depuis l'aube.

— De quel clan sont-ils, d'après toi ? demanda Akbar à Hanno.

— À cette distance, c'est difficile à dire. De toute façon, tous les clans de Germanie sont constitués de barbares féroces ne vivant pratiquement que du pillage et de la piraterie.

Le navire germain gagnait toujours du terrain. Le capitaine, follement anxieux, confia à Hanno :

— Bientôt, il fera nuit. Peut-être aurons-nous une chance de les semer.

— C'est à souhaiter ! dit l'autre qui ne semblait pas trop compter là-dessus.

Soudain, un cri de l'homme de vigie niché au haut du mât central du voilier les fit sursauter.

— Brouillard à l'horizon !

Akbar et Hanno se précipitèrent vers l'avant du bateau. Droit devant eux, à un demi-mile tout au plus, un large rideau d'une brume grisâtre et opaque semblait les attendre.

— Ah non ! Pas ça en plus ! s'exclama le capitaine au bord de la crise de panique.

Face à eux se trouvait la terreur de tous les navigateurs. Dans une nappe de brume aussi dense, on n'y voyait pas le bout de son nez, alors, s'y aventurer s'avérait extrêmement imprudent. N'importe quoi pouvait surgir devant l'embarcation sans que personne l'ait prévu et risquait de la faire couler.

Cependant, Akbar, dans sa crainte des Barbares et croyant à sa bonne étoile, voyait là une bonne occasion de semer enfin ces maudits pirates. Déjà que leur mission était passablement compromise, il n'était absolument pas question qu'ils mettent la main sur sa précieuse cargaison. Il donna l'ordre au barreur de garder le cap et fit ralentir de moitié la vitesse du navire. Hanno le regarda avec étonnement :

— Mais, mon capitaine, nous ne sommes pas très loin des côtes ! Si jamais nous nous en approchons trop par mégarde, nous pourrions rencontrer des récifs !

Les hommes d'équipage ainsi que les esclaves venant de Numidie, liés aux longues rames du navire, se retournèrent tous en leur direction, la peur dans les yeux. Akbar agrippa son second maître par le col :

— Tais-toi donc, idiot ! Tu fais peur aux hommes. As-tu une autre solution à proposer afin de semer nos poursuivants ?

— Non... je n'en ai pas ! Mais si nous nous échouons contre l'une de ces roches traîtresses, je ne donne pas cher de notre peau. Les requins abondent dans ces eaux froides. Dirigeons-nous plutôt plus au large !

— Et tomber sous les coups de hache de ces sauvages sans foi ni loi ? Mieux vaut tenter notre chance contre ce brouillard en espérant qu'ils n'oseront pas nous suivre là-dedans. Et n'oublie pas que nous sommes censés être les meilleurs marins du monde.

Hanno n'osait plus se prononcer. Il pensait qu'effectivement les Germains n'étaient pas assez fous pour tenter pareille aventure, contrairement à son capitaine. Akbar s'adressa à tout l'équipage :

— Je vous le demande à tous : que devons-nous faire ?

À l'unanimité, ils optèrent pour le mur de brume. Akbar, satisfait, toisa Hanno et alla se planter vers l'avant du navire et observa ce dernier entrer tout doucement vers le voile opaque. Seuls le son des vagues qui clapotaient sur les flancs du navire et le bruit des rames qui tranchaient l'eau salée brisaient ce silence oppressant. Chacun des hommes d'équipage était transi de peur et priait son dieu qu'il puisse en ressortir vivant. Mais le pire de tout était l'attente.

— Bon sang! Voilà bien vingt minutes que nous pataugeons dans cette purée de pois et il fera bientôt nuit noire! Quand donc en sortirons-nous? s'impatienta Philosir, l'un des contremaîtres à bout de nerfs.

Soudain, Akbar vit que le brouillard qui les environnait se dissipait un peu par endroits, ce qui permit à l'homme de vigie de distinguer enfin quelque chose.

— Terre, terre! cria-t-il à pleins poumons.

Le capitaine affolé lui dit en retour:

— Ne hurle pas si fort, tu vas nous faire repérer. Où ça, la terre, triple idiot? Je n'aperçois rien devant!

— À tribord, mon capitaine, nous sommes presque dessus! Nous nous sommes beaucoup trop rapprochés des côtes!

À ce moment, l'Astarté sortit complètement de la brume. Akbar et son équipage virent une masse sombre sur leur droite, à quelques centaines de pieds seulement de leur position.

— Nom d'un... Stoppez tout! Faites descendre la grand-voile! Vite, sinon nous allons nous éch...

Mais le capitaine n'eut pas le temps de terminer sa phrase; un gros boum se fit entendre et le navire phénicien trembla et arrêta net sa course. Hanno se précipita vers la poupe rejoindre le capitaine et l'aida à se relever. Ensuite il se pencha par-dessus la rambarde et examina les dégâts. Dès qu'il se releva, Akbar s'informa:

— Et puis, quelle est la cause de ceci?

— Comme je le craignais, nous avons heurté un récif. Heureusement, à première vue, je ne décèle aucun dommage. Par contre, le navire semble s'être immobilisé, pris entre deux de ces rochers. Il nous faudra quelques hommes pour essayer de le remettre à flot.

Akbar analysa la situation. Une chose était sûre: ils devaient faire vite. Le capitaine s'enquit de la situation à la vigie:

— Eh là-haut! dit-il à l'homme qui se nommait Kanmi. Avant de descendre de ton perchoir, dis-moi si tu peux apercevoir nos poursuivants.

Kanmi scruta l'horizon mais en vain. Plus au large, le brouillard s'épaississait de nouveau et voilait tout ce qui se trouvait au-delà de deux cents pieds de la côte. Il en fit part à son capitaine et descendit du mât rejoindre le reste de l'équipage. Akbar, après avoir bien analysé la situation, s'adressa maintenant aux rameurs :

— Écoutez-moi bien, messieurs. Je vais maintenant vous rendre votre liberté. Mais avant de tenter de vous en prendre à nous, je vous demanderais de bien réfléchir. Nous avons besoin de nous entraider dans cette sombre histoire. Alors, je vous demanderais de bien vouloir collaborer afin de nous sortir de ce pétrin. On est d'accord ? Je veux votre parole qu'aucunes représailles ne seront faites sur aucun de nous et en échange vous conserverez votre liberté. Si nous parvenons à nous en sortir vivants, bien sûr.

Hanno et les trois autres contremaîtres toisaient leur capitaine. Ils se demandaient si Akbar était bien conscient de l'énorme risque qu'il prenait là. Une mutinerie serait la goutte qui ferait déborder le vase. La vingtaine de Numides se regardèrent les uns après les autres jusqu'à ce que l'un d'eux, du nom de Arhuba et qui semblait le plus vieux du groupe, prenne la parole :

— C'est bon, tu peux compter sur nous.

Le capitaine fit signe à ses officiers de pont d'ôter les chaînes qui entravaient les poignets irrités de ces pauvres hommes et de faire mettre la barque à l'eau. Le jour fit place à une nuit parsemée d'étoiles quand six d'entre eux montèrent dans la petite embarcation et, à l'aide de deux des longues rames appartenant au vaisseau, tentèrent de le déloger de cette fâcheuse position. Ces hommes, noirs comme la suie, étaient fortement musclés à force de souffrir ainsi de leur labeur quotidien et, quelques minutes plus tard, le navire fut libéré.

Toutefois et contrairement à ce qu'avait pensé Hanno au départ, des dégâts mineurs avaient endommagé la coque. Par chance, tout l'équipement nécessaire pour sa réfection se trouvait à bord de l'Astarté. Akbar constatant cela, calcula que ces réparations prendraient au moins deux bonnes heures. Assez de temps pour permettre aux pirates, s'ils les avaient suivis comme il l'appréhendait, de les trouver et de les saborder. Il s'approcha d'Hanno et lui confia ses inquiétudes :

— Nous ne pouvons prendre le risque de garder notre cargaison avec nous avec ces barbares dans les parages.

— Alors, vous pensez vraiment qu'ils nous auraient suivis là-dedans ? dit le second maître en désignant l'épais rideau de brume.

— Peut-être. Ou bien, en contournant plus au large, ils nous attendent à la sortie. Je suis convaincu que ces sauvages ont reconnu nos couleurs et sachant qu'ils avaient affaire aux plus prolifiques commerçants de cette époque, ils ne sont pas près de lâcher le morceau simplement à cause d'un brouillard. Non, je pense qu'ils rôdent toujours au loin, à notre recherche et qu'ils attendent juste un signe de notre part pour nous tomber dessus.

— Que faire alors ?

— Il faut tout transporter sur cette presqu'île. Trouvons un lieu sûr et cachons-y les coffres. Ensuite, nous essayerons de nous enfuir d'ici en espérant que les pirates ne nous voient pas et nous filerons droit vers le couchant afin de gagner notre comptoir de commerce en Ibérie. Plus tard, après que nous ayons relevé notre position sur ces étoiles qu'aucun nuage ne voile pour le moment, nous reviendrons les chercher. Mais cette fois, nous ne serons pas seuls ; une flotte macédoine, que Philippe II ne manquera pas de nous fournir lorsqu'il apprendra ce qui s'est passé, nous escortera.

Hanno, le seul homme dont Akbar avait mis dans le secret concernant ce qui se trouvait dans sa cabine, à l'abri des regards, acquiesça et lui demanda en retour :

— Comment procéder ?

— C'est simple. Pour débuter, tu feras le premier voyage accompagné de trois de ces gaillards noirs équipés de pics et de pelles et de deux des dix coffres bardés de fer. Dès que tu débarqueras sur la plage, tu nous renverras la barque conduite cette fois par l'un des Numides.

— Pourquoi pas par moi ?

— Il ne faut en aucun cas laisser ces esclaves seuls avec la cargaison. Aurais-tu oublié ce que nous transportons ? Si jamais l'un d'eux en découvre la teneur, tu pourras lui dire adieu.

— C'est fort probable et ce ne sont pas nos épées qui pourront les arrêter. Qu'est-ce qui vous dit qu'ils ne me tueront pas dès que j'aurai mis le pied sur la grève ?

— Certains de leurs copains resteront à bord comme otages.

— Dans ce cas, ça pourrait peut-être marcher.

— Tu commences à comprendre. Dès le voyage suivant, je t'enverrai Danel, pour que tu ne te sentes pas trop seul avec trois autres

Numides et le plus de coffres possible. Pendant que tu attendras sur la grève qu'ils viennent te rejoindre, surveille les coffres et envoie tes hommes en quête d'un abri sûr. Tu as bien saisi ?

— Parfaitement. Je ne suis pas stupide, tout de même !

— Très bien alors. Moi, je demeurerai sur le navire avec le reste de l'équipage afin de surveiller les travaux. Dès que tu auras trouvé la cachette, nous transférerons le reste de la cargaison. Pars vite maintenant. Le temps nous est compté.

— O.K. capitaine.

Comme prévu, Hanno se rendit sur la grève, déchargea le premier transfert et renvoya la barque vers l'Astarté. Chacun équipé d'une torche, les trois esclaves partirent à la recherche de l'abri souhaité. Les Numides semblaient fortement apeurés par l'endroit. Venant des confins des forêts tropicales, ils étaient plus sensibles et à l'affût de leur environnement immédiat. Et ils étaient surtout hautement superstitieux. Néanmoins, ils filèrent. L'un d'eux remarqua un petit sentier qui menait visiblement au pied d'un mont rocheux qui dominait la scène par sa présence oppressante. Lorsque la frêle embarcation revint tranquillement vers lui avec Danel à son bord, trois autres coffres de taille moyenne et un second trio d'esclaves, les autres Noirs partis en éclaireurs revinrent par le sentier sur la droite.

— Nous pensons que nous avons trouvé une bonne cachette, monsieur Hanno ! dit l'un d'eux.

— Et qu'est-ce que c'est ?

— Une grotte assez vaste pour contenir trois navires, monsieur.

— Où se trouve-t-elle ?

— Dès qu'on arrive au bout de ce petit chemin, nous atteignons une plaine herbeuse. Plus loin, il y a une forêt dans laquelle aucun de nous n'a voulu pénétrer. Des animaux féroces l'habitent et y règnent en maîtres. Cependant, sur la droite, au pied de cet amas rocheux, l'un de mes frères a aperçu la caverne dont je vous ai parlé.

— Très bien alors. Prenez les coffres et montez-les là-haut.

Les Numides obtempérèrent au moment même où Danel accostait sur la grève. Sitôt débarqué, il s'enquit auprès de Hanno :

— Alors, vas-tu me dire, toi, ce qu'il y a de si précieux dans ces maudits coffres qui nous causent tant d'ennuis ? Akbar refuse de me le dire ainsi qu'aux autres hommes d'équipage.

— Si je te le dis, vas-tu tenir ta langue ?

— Mais... bien sûr, voyons ! Pour qui me prends-tu ?

Hanno ne tint pas compte de cette réplique et ordonna aux derniers esclaves débarqués d'imiter leurs compagnons d'infortune et d'amener les trois autres coffres au sommet du sentier.

— De là, vous trouverez la caverne. Nous vous suivrons et dès que j'aurai visualisé moi-même l'emplacement, je renverrai la barque chercher le reste du lot.

Hanno laissa les Noirs prendre un peu d'avance et il en profita pour mettre Danel au parfum :

— Écoute bien car plus jamais toi et moi ne reparlerons de ceci. Ces coffres contiennent une fortune destinée aux rois celtes qui règnent en Britannia. Pour s'assurer la victoire contre les armées perses, Philippe II espère par ce présent pouvoir compter sur leurs armées constituées de féroces guerriers, à ce qu'on dit. Voilà l'importance de ce trésor. Si le souverain macédonien ne peut conclure cet accord, sa défaite sera presque inévitable.

— Mais tu n'en es pas sûr ?

— Non. Il possède de nombreuses autres ressources pour espérer s'en sortir victorieux mais avec cet accord, il en serait certain.

Danel regarda attentivement Hanno. Celui-ci lui rendit son regard et avec ce simple geste, la complicité fit son œuvre et les deux hommes se comprirent mutuellement.

— Quand comptes-tu venir les récupérer mon ami ? demanda Danel l'œil sournois.

— Avant Akbar en tout cas. Et j'aurai besoin d'un peu d'aide. C'est pour cette raison que je t'ai confié ce secret. Alors, ça t'intéresse ?

— Quel fou refuserait une telle offre ?

— Bon. Donnons-nous l'accolade afin de sceller notre pacte, proposa Hanno au contremaître.

Les deux hommes s'étreignirent et grimpèrent ensuite le sentier à leur tour. Danel, que l'excitation avait gagné, demanda à son compagnon :

— Toi-même, as-tu vu ce qu'ils contiennent ?

— Oui. Alors que j'entrais dans sa cabine sans me faire annoncer, j'ai surpris Akbar les deux mains dans l'un d'eux. Par la suite, il n'eut d'autre choix que de tout me raconter.

— Et alors ? Dans quoi pataugeait-il ?

— Tout ce que deux hommes comme toi et moi n'oseraient jamais espérer. Avec ça, nous pourrions posséder notre propre royaume.

Sur cette vision des plus encourageantes, les deux larrons accélérèrent le pas et aboutirent à leur tour sur la plaine. L'endroit était tout à fait lugubre et angoissant. L'un des Numides vint rapidement à leur rencontre :

— Venez, c'est par-là.

Hanno et Danel le suivirent et découvrirent à leur tour l'ouverture dans le roc. Les six esclaves avaient transporté les cinq coffres à l'intérieur de la caverne et les avaient déposés sur le sol vers le centre de la vaste salle. La lueur de leurs torches illuminait la caverne pour la première fois depuis des milliers d'années. Elle était de forme sphérique et effectivement, assez spacieuse. Cependant, une drôle d'odeur parfumait les lieux. Danel fit remarquer à son complice :

— Tu as vu tous ces gribouillis sur les murs ?

— En effet, c'est très étrange. Qui a bien pu réaliser cela ?

— À mon avis, ceux qui se sont amusés à décorer les parois de cette grotte humide ont disparu depuis longtemps. Touche par toi-même.

Hanno s'avança et passa les doigts sur la surface rugueuse de la pierre. Il sentit qu'une épaisse couche de sédiments transparents la couvrait totalement. Signe que bien des siècles s'étaient écoulés depuis leur réalisation. Hanno conclut :

— Je pense que cet endroit convient parfaitement à nos besoins. Commencez à creuser un trou assez large pour contenir une dizaine de ces coffres. Pendant que Danel supervisera l'opération, moi, je vais demander que l'on nous envoie le reste du tr... de la cargaison.

Sur ce, il fit demi-tour et s'apprêtait à franchir le seuil de l'entrée de la caverne quand un sourd grondement provenant du fond de la grotte se fit entendre. À ce son inquiétant, Hanno revint sur ses pas. Les Numides étaient bouche bée, la mâchoire inférieure pendante. Danel tout autant. Aucun des témoins sur place n'avait jamais entendu un grognement aussi sourd. Quelle que soit la bête qui l'avait émis, celle-ci ne devait rien avoir de rassurant.

— Passe-moi ta torche ! dit Hanno à l'un des esclaves.

Il s'avança dans l'ombre de quelques pas et entrevit au fond de la salle, une masse encore plus opaque que les ténèbres environnantes. Soudain, une respiration rauque dans le noir, tout près du groupe, résonna sur les parois de la caverne. Les Numides se mirent à trembler de plus belle et Hanno recula.

— Qu'est-ce que c'est... ? osa l'un d'eux.

— Chut ! Je l'ignore mais je pense que ça repose pour l'instant, leur susurra Hanno.

— Qu'est-ce qu'on fait alors ? chuchota son compère.

— Sortons vite les coffres de cet endroit malsain, mais en silence surtout. Ce n'est peut-être pas l'endroit le plus approprié finalement.

— Je suis bien d'accord. Jamais nous n'aurions dû y mettre les pieds.

Le second maître ordonna aux esclaves qu'ils ramènent leur fardeau sur la grève le plus discrètement possible. Malheureusement, alors qu'ils se préparaient à partir, l'un des Noirs, dont l'inquiétude avait rendu les mains moites, échappa le coffre qu'il transportait et celui-ci alla fracasser le pied de son voisin de gauche. Un cri de douleur s'ensuivit et dès que le Noir, victime de cette maladresse, s'aperçut de son impair, ses yeux devinrent exorbités. Avec un trémolo dans la voix, il murmura :

— Aurais-je réveillé l'hôte des lieux ?

Malgré sa douleur évidente, l'homme se releva prestement et tenta de rejoindre la sortie. Du fond de la salle, rien ne semblait avoir changé. La « Chose » semblait toujours assoupie. Pour l'instant du moins.

Dans sa chute, le coffre s'était éventré et avait répandu une partie de son contenu et dévoilé à tous ce qu'il recelait. Malgré l'urgence de la situation, les autres Numides lancèrent un regard ébloui vers toutes ces richesses répandues au sol et se jetèrent dessus. Danel, sans écouter les conseils d'Hanno lui disant de ne pas s'attarder, les imita et tenta d'en ramasser le plus possible afin de s'en remplir les poches. Joyaux de toutes les couleurs assortis de pièces d'or jonchaient le sol par centaines.

— Vite, Danel, lui répéta son complice. Ne restons pas là !

Cependant, son avertissement arriva trop tard. La créature tapie dans l'ombre se réveilla complètement. Dès qu'elle sentit leur présence, elle se mit sur ses pattes et rugit de nouveau, mais cette fois, son cri fit presque trembler les murs de pierre. Même dans l'ombre, les huit hommes effrayés purent discerner combien elle était imposante.

— Fuyons ! cria maintenant Hanno aux autres.

Cette fois, tous écoutèrent son conseil. Ils laissèrent tomber leur fardeau et le suivirent vers la sortie. Mais la bête était rapide malgré sa taille démesurée. Elle rattrapa deux Numides retardataires et les massacra en un rien de temps. Les autres réussirent à gagner la sortie et se précipitèrent à la suite de Hanno. Cependant, en une fraction de seconde, l'animal géant fut sur leurs pas et agrippa de ses longues griffes les derniers de la suite.

Alors qu'ils atteignaient presque le sentier, ils n'étaient plus que quatre encore en vie. Hanno, Danel qui transportait l'un des coffres dans ses bras et deux des Numides. Dans leur fuite éperdue, Hanno cria à son ami :

— Laisse donc ce coffre ! Tu vois bien qu'il te ralentit !

— Jamais ! Nous y sommes presque... Aide-moi donc plutôt !

Hanno, à contrecœur, agrippa l'une des ganses qui se trouvaient sur chacun des côtés du coffre et aida son complice. Soudain, l'esclave qui se trouvait à la queue du quatuor poussa un hurlement à fendre l'âme. Sachant très bien ce qui venait de se produire, l'autre esclave, qui pleurait maintenant à chaudes larmes, et les deux officiers de pont, ne se retournèrent même pas pour regarder la scène d'horreur qui se déroulait derrière eux et accélérèrent le pas de plus belle.

— Miséricorde ! Cette « Chose » nous poursuit jusqu'à l'extérieur ! dit Hanno à son complice.

Ce dernier n'eut pas le temps de répondre ; la redoutable créature avait rejoint le dernier Noir survivant et l'avait projeté avec une force inouïe dans le dos de Danel. Dans une collision spectaculaire, les deux hommes se brisèrent l'un sur l'autre et moururent dans la seconde. La main gauche du contremaître, celle qui tenait la ganse du coffre, fut sectionnée net. Dans le même temps, Hanno perdit prise sur le coffre qui vola dans les airs durant un court instant avant de venir s'éventrer au sol. Lui-même fut renversé sur l'herbe, effectua quelques roulades qui lui permirent d'échapper au cauchemar qui était à ses trousses, et chuta dans le vide. Croyant tomber du haut de la falaise, il fut surpris de constater qu'il avait atteint le sommet du sentier qui menait jusqu'à la berge. Ne souffrant d'aucune blessure majeure, il se releva vivement et courut jusqu'à la barque. Venant de derrière lui, des rugissements à faire glacer le sang dans les veines emplissaient toute la presqu'île. Des huit hommes descendus sur cette plage, lui seul en revenait vivant.

Croyant enfin avoir semé la bête terrifiante qu'il n'avait jamais pu identifier clairement, Hanno rejoignit la barque, prit les avirons et se hâta de regagner l'Astarté. L'adrénaline, causée par la peur sans doute, lui donna la force nécessaire pour s'y rendre en un rien de temps. Il agrippa l'échelle de corde et y monta à toute allure, manquant par deux fois de tomber à l'eau. Il mit la main sur la rambarde et, d'un élan, sauta sur le pont.

— Capitaine, il vient de se produire une catast... Avant qu'il n'ait pu fournir d'explications, un bruit visqueux parvint à ses oreilles.

— *Schtouc* !

La lame émoussée tenue par l'un des Numides restés sur le navire venait de lui traverser la gorge de bord en bord. La douleur suivit et il s'affaissa sur le plancher. Avant de sombrer dans le néant, Hanno vit que les autres hommes d'équipage avaient tous été assassinés par les esclaves et gisaient maintenant dans une mare de sang. Akbar, lui, était toujours vivant mais son visage était blême de terreur. Il tenait fermement la barre, menacé d'une épée tenue par Arhuba. La pointe entre les omoplates, le capitaine amorçait un demi-tour complet et prenait la direction ouest. Visiblement, les Numides avaient profité du moment pour se rendre maîtres du bateau et, se moquant de la présence du vaisseau pirate, ordonnaient maintenant à Akbar qu'il les ramène dans leur patrie. La dernière chose qu'Hanno vit avant de rejoindre ses ancêtres, fut le reste de ces mutins noirs sortir de la cabine du capitaine, transportant dans leur bras couleur d'ébène, les cinq coffres restants.

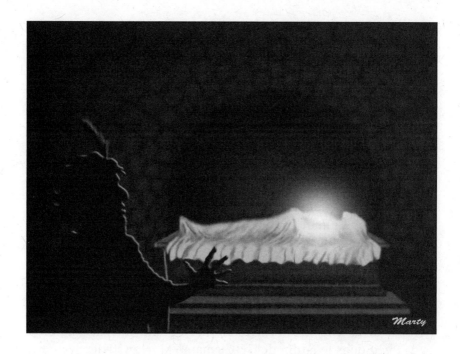

CHAPITRE II

L'INCIDENT AU CAVEAU

Jérusalem. An 30 après J-C.

Fidèle à son habitude, le procurateur de la Judée, représentant de Rome, le plus grand empire du monde, se lavait les mains dans un superbe bol en bronze lorsqu'un vieillard tout trempé, courbé sur son bâton et escorté d'un garde du palais, se présenta devant lui. Dehors, les éléments s'étaient déchaînés subitement. Depuis quelques minutes déjà, des pluies diluviennes faisaient rage et un vent violent soufflait du septentrion.

— Pilate, dit le vieillard, pardonne mon impudence de te déranger ainsi, mais j'ai une requête à t'adresser. Accorde-moi la permission de disposer du corps de celui que l'on appelait « Yeshua le Nazaréen » que tu as fait crucifier sur le mont du Calvaire cet après-midi. Et je souh...

— Comment! Il est déjà mort? dit Pilate qui maintenant debout plongeait les yeux vers celui qui venait d'interrompre sa toilette.

— Pas encore, mais selon ce qu'on m'a dit, cela ne saurait tarder.

Reconnaissant l'un des plus prolifiques négociants du royaume, il jeta sa serviette à l'esclave le plus près, se rassit sur son fauteuil d'ivoire et dit:

— Joseph d'Arimathie, je te connais et j'ai toujours eu une grande estime pour toi et ta famille. Mais j'ai eu une dure journée et je suis fatigué. Alors, dis-moi donc pourquoi je priverais mes soldats et le peuple de se réjouir de ce spectacle. Après tout, ce sont eux qui l'ont voulu ainsi. Moi, j'ai voulu le libérer mais ces chiens du Sanhédrin qui ont monté le peuple contre lui, lui ont préféré ce rapace de zélote nommé Barrabas lors de la libération annuelle d'un prisonnier à la fête de votre Pâque. Et puis, vieil homme, n'es-tu pas toi-même membre de cet ordre religieux qui l'a traîné devant moi pour que je l'exécute?

— Permets-moi de te préciser humblement, procurateur, que j'étais hors de la ville quand l'arrestation, en pleine nuit de surcroît, a eu lieu dans le jardin de Gethsémané. Mon ami Nicodème m'a fait prévenir et quand je suis arrivé, le procès avait déjà eu lieu. Seule la moitié de l'assemblée des sages était réunie. Tout ça n'est pas bien légal selon notre loi. De plus, les dés étaient pipés d'avance, alors... Néanmoins, jamais je n'aurais approuvé une telle décision.

Joseph avait bien essayé de convaincre les membres de son ordre de l'innocence de Yeshua et de la véracité de ses dires. Mais ceux-ci, influencés par le Grand Prêtre Caïphe, avaient fait la sourde oreille.

— Veux-tu dire par là que tu ne partages pas l'avis de tes coreligionnaires à son sujet? À les entendre, on aurait dit qu'il s'agissait du plus grand criminel que la Terre n'ait jamais porté. Qu'est-il donc pour toi?

— J'ai une dette envers cet homme, il m'a fait redécouvrir mon Dieu. Cet homme était la bonté et la sagesse incarnées. Il a complètement et à jamais changé ma vie. Il a déjà dit: «Celui qui croit en moi, jamais ne mourra et il me verra assis à la droite de mon Père dans le royaume céleste.» Et moi, je crois en lui, à ce qu'il représente et à son message d'amour.

— Tout ça pour finir cloué sur une croix, ironisa Pilate. Quoi qu'il en soit, j'envie ta foi, nos dieux à nous me semblent parfois bien puérils.

Mais ses paroles trahissaient son trouble face à cet homme mort, crucifié sur son ordre. Il s'en voulait terriblement d'avoir prononcé cette condamnation. Au début, ça lui était égal, mais suite aux supplications de sa femme et en raison d'autres choses aussi qu'il ne pouvait définir, il se sentait pris de remords.

— C'est exact, ô procurateur, dit Joseph. Mais le temps presse. Donne-moi l'autorisation d'enlever le corps avant que le jour s'achève et qu'il nous soit impossible de disposer de lui, puisque, comme tu le sais sûrement déjà, la loi nous l'interdit pendant le sabbat.

Pilate se souvenait effectivement de cette loi et aussi du massacre perpétré à Jérusalem, il y avait quelques années lors d'une révolte des Juifs sous le règne d'Archelaus ancien ethnarque de la Samarie et de la Judée nommé par Rome. Tout au long du saint jour, la ville avait retenti des souffrances infligées au peuple. Les cadavres jonchaient ici et là à travers les rues imprégnées du sang de ses habitants. Il avait fallu attendre deux jours pour pouvoir les ensevelir. Durant des semaines, des odeurs pestilentielles avaient envahi la ville.

— Très bien, dit Pilate. Tu auras ta procuration dûment marquée du sceau impérial et moi je pourrai enfin aller me reposer. J'ai la tête qui tourne.

Il regarda Joseph dans les yeux et ajouta :

— Je sais que tu es un homme de bien, marchand, seulement, fais en sorte de ne pas faire de vagues et assure-toi qu'il soit bel et bien enfermé dans le caveau en question. Les membres de ton ordre appréhendent des émeutes de la part des coquins qui le suivaient partout.

— N'aie crainte, procurateur, le caveau qui devait être le mien sera le sien. Il est creusé à même le roc près de l'entrée ouest de la ville. Sa porte est obstruée par une lourde pierre que six hommes peinent à bouger.

— Très bien alors, prends.

Pilate lui tendit un pli qu'il venait de prendre des mains de son aide de camp. Il ajouta :

— Cependant, tu devras le décrocher toi-même. Aucun de mes hommes ne voudra t'aider et je n'ai pas l'intention d'en donner l'ordre non plus.

Du geste de la main, il le congédia. Satisfait, Joseph s'inclina et s'en retourna.

— Un instant !

Soudain pris d'un sentiment curieux, le procurateur alla à sa rencontre.

— Tu sais, vieil homme, j'aurais vraiment préféré que le peuple choisisse ton Yeshua. Mais il a opté pour ce zélote assoiffé de sang. Ce criminel est une menace réelle pour l'Empire. On le soupçonne même de la disparition d'une résidente romaine appartenant à une famille illustre en visite ici à Jérusalem. Tandis que ce prophète, eh bien, je pense qu'il était seulement une menace pour l'autorité du Sanhédrin.

— Tu es très perspicace, procurateur. Ne t'afflige pas trop, sans t'offenser, je pense que tu n'es qu'un pion dans toute cette histoire.

Joseph se gardait bien de répondre qu'encore vivant, Yeshua aurait probablement menacé le pouvoir de Rome également. Lui-même ignorait l'influence future de cet homme d'exception.

— Au revoir, Joseph d'Arimathie.

Sur ce, Pilate lui tourna le dos et fila vers ses appartements, le crâne prêt à craquer.

Le riche marchand sortit de l'édifice et constata que l'orage avait redoublé d'ardeur. Il trouva du regard les deux compagnons qui l'avaient suivi dans sa tâche. Apollonios, un Grec à son service, et Nicodème, son vieil ami et membre, tout comme lui, du Sanhédrin, attendaient sous une toiture à proximité de l'entrée du palais. Rapidement, il les rejoignit et tous trois se dirigèrent vers la charrette qui leur servait de véhicule. Aussitôt qu'ils y furent installés, le serviteur grec dirigea la mule vers le lieu du supplice. Pourtant habitués de voir les victimes souffrir de la crucifixion depuis la venue des Romains en Judée, les trois hommes furent saisis de stupeur devant le lugubre spectacle qui s'offrait à eux lorsqu'ils gravirent la colline. La scène qui les attendait était saisissante. Trois grandes croix de bois étaient érigées sur un monticule rocheux, et sur chacune d'elle était cloué un homme. En arrière-plan, le ciel était menaçant. Les badauds qui avaient assisté à l'exécution affirmèrent que la venue subite de l'orage coïncidait avec la mort du prophète qui venait tout juste de se produire. Dès que cela survint, les membres du Sanhédrin,

Caïphe en tête, s'étaient empressés de rentrer se mettre à l'abri au Grand Temple.

— Vite, dit Joseph. Rapprochons-nous et décrochons-le avant que la foudre ne nous anéantisse. Yeshua avait été crucifié sur la croix du centre. Les deux autres croix étaient occupées par des crapules jugées pour meurtre. Son corps était couvert de plaies ouvertes. Au-dessus de sa tête, ceinte d'une couronne d'épines de rosier, se trouvait un petit écriteau déposé là par les Romains, et sur lequel était écrit : « Celui-ci est le roi des Juifs. » Son corps pendait lamentablement, retenu seulement grâce aux membres cloués aux extrémités de l'objet de supplice. Une énorme blessure apparaissait à l'emplacement du cœur. Subitement, il sembla à Joseph y apercevoir une légère luminosité venant de l'intérieur mais celle-ci s'estompa aussitôt et il se demanda s'il n'avait pas rêvé l'espace d'un moment. En pleurs, saisi par la peine de voir son Seigneur ainsi, il mit un genou à terre et se recueillit pendant un instant.

Alertés de ce qui se tramait par l'un de leurs espions, les membres du Sanhédrin désignèrent un serviteur pour demander audience d'extrême urgence auprès de Pilate afin de l'avertir d'un grave danger. Selon leurs lois, les membres de cette secte religieuse ne pouvaient pénétrer dans un lieu impie. Joseph, auparavant, jugeant cet interdit idiot, n'en avait pas fait de cas. Après en avoir reçu l'autorisation, l'émissaire se présenta devant l'homme le plus puissant du pays. Antipas, le fils de Hérode le Grand, était bien le tétrarque de toute la Galilée mais tout comme son père, il avait été nommé par Rome et relevait de l'autorité de l'Empire.

— Salut à toi, grand Pilate, dit l'émissaire en se courbant jusqu'à ce que son nez touche presque le sol.

— Qu'est-ce qu'il y a encore ? cracha Pilate. Cette maudite journée ne finira-t-elle jamais ? Parle vite, chien, et dis-toi bien que c'est bien parce que ma femme a insisté pour que je te reçoive car elle, contrairement à moi, estime ou devrais-je dire maintenant « estimait » votre ordre. Alors relève-toi et dis-moi rapidement ce qui t'amène.

L'homme, tout tremblant, se releva et débita rapidement :

— Seigneur, je viens comme tu le sais, de la part de mes maîtres, t'avertir qu'un grave complot est en train de se tramer. Nous avons eu vent que les hommes qui se disent ses disciples ont l'intention de voler le corps du Nazaréen en vue d'en faire une créature mythologique.

Voyant l'impatience du procurateur monter en flèche, il poursuivit :

— Nous nous souvenons que cet imposteur a déjà dit : « Trois jours après ma mort, je ressusciterai. » Le Sanhédrin te demande humblement de donner l'ordre à quelques-uns de tes légionnaires de veiller ce caveau, que ce traître d'Arimathie a bien voulu céder, pendant ces trois jours afin d'empêcher ses disciples de perpétrer leur forfait et de démontrer ainsi au peuple qu'il est vraiment revenu à la vie. Cette imposture serait la pire de toutes.

— Tes employeurs possèdent leur propre garde il me semble ? Pourquoi ne s'en chargent-ils pas eux-mêmes ?

— C'est impossible. Beaucoup au sein même du Sanhédrin ont été séduits par les propos de ce faux prophète. Une traîtrise de la part de notre garde n'est pas à écarter. De plus, si ce sont des gens neutres qui s'en occupent, comme vous les Romains qui n'entendez rien à notre religion, le peuple ainsi que mon ordre auront plus confiance.

Pilate, après maints jurons, finit par consentir.

— Très bien, très bien, j'enverrai immédiatement une décurie surveiller le tombeau. Es-tu satisfait ? Puis-je retourner dans mes appartements maintenant ?

— Je vous remercie, Seigneur, au nom de mon ordre, mais... ils m'ont demandé aussi si je pouvais accompagner tes légionnaires. Le puis-je ? risqua l'émissaire.

— Douterais-tu de ma parole, minable ? Serait-ce pour t'assurer de leur présence au sépulcre ?

— Non, non, aucunement, procurateur. Cependant, j'ai une seconde requête à vous soumettre. Caïphe, le Grand Prêtre du Sanhédrin, voudrait que vous fassiez enlever l'écriteau disant que cet imposteur est le roi des Juifs.

— Ce que j'ai écrit restera écrit et en place, m'entends-tu ?

L'homme pencha la tête en signe de soumission.

— Alors fiche le camp d'ici avant que je te cloue à une croix à côté des autres.

L'émissaire prit ses jambes à son cou et sortit prestement du palais. Pilate, furieux et exténué, se rassit et s'adressant à son aide de camp, lui demanda :

— Au fait, pourquoi m'ont-ils envoyé ce cafard au lieu de venir eux-mêmes plaider leur cause?

— Leur religion le leur interdit, répondit l'autre.

— Mais Joseph est venu, lui! Enfin...

Pilate regarda intensément son bol de bronze, plongea les mains dedans et ordonna à un esclave de lui verser de l'eau.

— Cette populace fanatique va finir par me rendre complètement fou, conclut-il.

Quelques instants plus tard, il chargea le préfet Abénader, chargé de la sécurité de la ville, d'envoyer la patrouille surveiller le sépulcre. Ensuite, il ferma ses livres, monta à l'étage et gagna sa chambre rejoindre sa tendre épouse sans se douter que, plus tard cette nuit-là, ses rêves seraient constitués de cauchemars effrayants.

Nombre de gens en pleurs étaient amassés au pied de la croix centrale. Parmi eux, Joseph reconnut Jean, l'un des disciples de Yeshua. Il soutenait la mère du supplicié qui pleurait abondamment et poussait des cris de souffrance à fendre l'âme. Autour d'eux se tenaient Marie de Magdala et une seconde femme que Joseph ne reconnut pas. À part Jean, aucun autre disciple n'était en vue. Ils étaient probablement terrés dans un coin, craignant des représailles. Un peu à l'écart et malgré l'orage violent, quelques-uns des plus fidèles partisans du prophète demeurèrent sur place. Le groupe de Romains qui avait reçu l'ordre de l'exécution se trouvait sur la gauche. Certains s'amusaient à jouer aux dés ce qui sembla à Joseph être la tunique que portait Yeshua. L'un d'eux s'approcha lorsque Apollonios plaqua l'échelle qu'ils avaient apportée contre la croix du centre.

— Eh toi là-bas! hurla-t-il. Qui t'a permis?

— Paix, Romain, intervint Joseph. Nous avons une permission officielle du procurateur de Rome lui-même, de disposer du corps de ce pauvre homme. Jette un coup d'œil là-dessus!

En entendant ceci, Abénader s'interposa.

— Que se passe-t-il ici?

Le préfet arracha l'ordre que le marchand lui tendait, le parcourut rapidement et maugréa:

— Très bien alors. Amenez-le promptement.

Se retournant vers les éplorés au pied de la croix, il ajouta:

— Vous autres, dégagez un peu la place !

Sans trop de résultats, il reprit sa position. La pluie continuait à tomber dru et le ciel était toujours couvert. Le vent tourbillonnait autour d'eux et décoiffa Joseph de sa capuche. Devant l'ampleur de l'orage, les soldats quittèrent finalement les lieux, tout comme le reste des badauds. Seuls les plus fervents admirateurs demeurèrent sur place, bravant les intempéries.

— Dépêche-toi, cria Joseph à Apollonios qui s'affairait à ôter les clous fichés dans les pieds joints du mort pour ensuite s'attaquer à ceux fichés dans ses poignets.

Entre-temps, Joseph et Nicodème tentèrent de convaincre ceux qui restaient de partir avant que la foudre ne les terrasse.

— Tout est fini maintenant, rentrez chez vous en paix. Nous prendrons bien soin de sa dépouille dorénavant, leur dit Joseph.

C'était peine perdue. Ils voulaient rester auprès de lui le plus longtemps possible. Soudain, le sol trembla sous eux et dans un fracas, le roc sur lequel étaient plantées les trois croix se fendit en deux. Une énorme crevasse apparue, ce qui les fit presque tous tomber dans le vide. Cela mit en fuite les plus téméraires.

Joseph cria à son serviteur de se dépêcher et lorsqu'il eut retiré le dernier clou et que Yeshua tomba dans les bras de sa mère éplorée, un éclair vint frapper de plein fouet la croix abandonnée. Sitôt, elle s'embrasa d'un coup et une épaisse fumée noire s'éleva vers les cieux. Les retardataires s'écartèrent et regardèrent le spectacle, ébahis. Il semblait que le bois de la croix était inaltérable. Malgré les énormes flammes qui le léchaient, il ne semblait pas brûler. D'autres éclairs vinrent bientôt les sortir de leur torpeur. Pareille à des javelots lancés par le dieu païen germanique Thor, la foudre frappait sans discernement et créa des incendies en plusieurs endroits dans la ville. Joseph songea :

— Apparemment, Yahvé n'est pas trop content du sort infligé à son Fils par les humains.

L'hystérie était complète dans la ville. L'approche de ce qui leur semblait être la fin du monde était devenue insupportable pour les habitants. Ils courraient comme des poules sans tête sans savoir que le mieux était de bouger le moins possible et de se mettre à l'abri au-delà des maisons en flammes. À cause du vent puissant, qui fit

s'envoler les étals des marchands en l'air, les incendies se propagèrent rapidement. Certains d'entre eux, pris de panique, vociféraient
des inepties voulant que les morts aient quitté leurs tombes et se
promenaient maintenant parmi les vivants. Tous avaient maintenant
fui, sauf la mère de Yeshua, les deux autres femmes et l'apôtre vers
qui Joseph se dirigea.

— Jean, je t'en prie, il nous faut l'emmener à présent. Il se fait déjà
tard.

Le disciple, avec douceur, convainquit la mère du défunt de
desserrer son étreinte. Joseph lui expliqua ce qu'il en était et elle
consentit non sans douleur à le laisser partir.

— Et où donc l'amenez-vous comme ça? s'interposa Marie la
Magdaléenne.

— Notre bon ami Joseph a bien voulu lui céder son caveau personnel. Mais le temps n'est pas à la discussion, mon enfant.
Pressons-nous avant que le ciel ne nous tombe sur la tête,
intervint Nicodème.

Ainsi, ils l'enveloppèrent sommairement dans le suaire que Joseph
avait acheté avant sa visite à Pilate et l'embarquèrent sur la charrette,
prêts à l'amener au caveau. La tempête se déchaînait toujours et il
fallait crier pour se faire entendre. Quand ils furent sur le point de
partir, la Magdaléenne insista de nouveau:

— Dis-moi où se trouve ton sépulcre, Joseph.

— J'ai promis à Pilate de n'en dire mot à personne. Désolé, femme.

— Mais comment veux-tu que mon amie, dont je me porte garante,
et moi-même puissions lui administrer les derniers préparatifs à
son embaumement après le sabbat? Il faut qu'on t'accompagne,
Joseph. Il le faut, je t'en prie! Pour l'amour de Yeshua, laisse-nous
venir avec toi!

Dans la tourmente, sachant qu'aucune menace n'émanait des
deux femmes, il se laissa convaincre:

— Très bien alors, montez dans la charrette.

Malgré la pluie et le vent violent, Joseph se retourna une dernière
fois et regarda la scène tragique. À la merci du vent, les deux larrons
à qui l'on avait fracassé les genoux pour accélérer leur mort se
ballotaient de tous côtés sur leur croix respective.

— Pourquoi Yeshua n'a-t-il pas subi le même sort? se questionna
le vieux marchand.

La croix centrale brûlait toujours sans pour autant se consumer. Soudain, avec retentissement, elle tomba par-devant. Il semblait qu'elle était faite de marbre tellement le choc fut lourd. Intrigués du phénomène, ils quittèrent toutefois l'endroit et Joseph se promit de venir la récupérer dès que possible. À la sortie de la première courbe, ils aperçurent un homme en retrait dans l'ombre du toit d'une petite maisonnette. À première vue, d'après son armure, l'inconnu semblait être un officier romain. Curieusement, il semblait terrorisé. Il se tenait à genoux et se frappait la tête à l'aide de ses poings en gémissant. Intrigué, Joseph cria à ses compagnons :

— Partez de l'avant, je vous rejoindrai dans une minute.

— Bien mon ami, mais fais vite. La nuit est proche et nul ne sait jusqu'à quand cet orage durera. Nous t'attendrons à l'entrée du caveau ! réussit à articuler Nicodème, qui connaissait bien la nature généreuse de son ami de toujours.

Poussé par le vent, Joseph peinait à garder son équilibre. Néanmoins, il parvint jusqu'au Romain pris de folie et se pencha à sa hauteur. L'homme lui faisait dos et Joseph remarqua que son armure était couverte de sang malgré les fortes pluies qui auraient dû la nettoyer. Lorsqu'il sentit sa présence, l'officier hurla sans se retourner :

— Partez d'ici, démons ! Laissez-moi tranquille !

Quelque peu surpris de cette réplique, le vieil homme lui dit tout de même :

— Mais je ne veux que t'aider, tu ne peux rester ici à subir l'assaut des intempéries ! Arrête de te frapper comme ça et accompagne-moi en lieu sûr. Tu me raconteras ce qui te bouleverse autant et je verrai si je peux t'aider.

Ressentant la bonté émaner de ces paroles apaisantes, le soldat se retourna. Voyant le sourire bienveillant que Joseph lui adressait, il se calma, se leva et le suivit. L'inconnu semblait avoir subi un choc nerveux. Il avait peine à se tenir sur ses deux jambes et marmonnait des inepties incompréhensibles. Soutenant l'homme, il finit par rejoindre le groupe. Malgré son âge avancé, Joseph était resté vigoureux et robuste. Jusqu'à maintenant, la maladie l'avait épargné et il remercia le Très-Haut pour cela. L'air marin respiré pendant ses longs voyages en mer, lorsqu'il transigeait ses précieux métaux qui firent sa fortune, devait sûrement aider. Mais depuis sa rencontre avec Yeshua, il lui semblait avoir retrouvé un peu de sa jeunesse d'antan.

Lorsqu'ils passèrent devant le Grand Temple, ils remarquèrent que l'immense toile qui ornait sa devanture avait été déchirée en deux par les rafales. Partout les étals des marchands gisaient dans un vrai fouillis. La procession parvint enfin à l'entrée du caveau et y fut accueillie par la patrouille romaine envoyée par Pilate. En apercevant les légionnaires, l'homme appuyé sur Joseph se voila de nouveau les yeux en gémissant.

— Salut à toi, vieil homme. Nous avons ordre du procurateur de surveiller l'endroit dès que tu y auras déposé cet homme mort, dit le décurion, une brute nommée Pétronius. Et fais vite. Si tu penses que mes hommes et moi allons rester sous ce déluge encore longtemps! Dès que la pierre sera roulée de nouveau devant l'entrée, nous irons nous mettre à l'abri un peu plus loin.

Soudain, malgré la main que l'officier tenait devant son visage, le décurion le reconnut. Au garde-à-vous, il dit:

— Centurion Longinus? Mais... que faites-vous ici?

— Cet homme est mon associé dorénavant, dit Joseph en clignant de l'œil à l'adresse du dénommé Longinus. Il a quitté l'armée romaine pour se mettre à mon service, mentit Joseph. J'ai conclu l'accord avec le procurateur cet après-midi même. Si tu ne me crois pas, tu peux toujours aller t'informer auprès de lui. Mais à ce que j'ai compris, lorsque je l'ai laissé, il s'apprêtait à monter se reposer dans sa chambre...

Éberlué et confus par la situation, le décurion reprit:

— Très bien, très bien, je m'informerai de tout cela en temps et lieu. Maintenant, procédez et dépêchez-vous!

Ils prirent le corps allongé dans la charrette et le rentrèrent à l'intérieur du caveau. Longinus, encore ébranlé et toujours soutenu par Joseph, les suivit à l'intérieur du caveau. Aussitôt entré, il alla s'asseoir contre le mur de droite. Les trois hommes placèrent la dépouille sur le lit de pierre au centre du caveau. Ensuite, ils ôtèrent momentanément le suaire dans lequel ils l'avaient enveloppé précédemment afin d'enduire le corps d'un mélange fait de myrrhe et d'aloès que Nicodème avait apporté avec lui. Cette onction avait pour but de préserver le corps du défunt jusqu'à l'embaumement final. Lorsqu'ils eurent terminé leur tâche, ils le recouvrirent de nouveau.

Ils se permirent un court moment de recueillement et Joseph pensa tout haut:

— J'ai bien essayé de le persuader de quitter Jérusalem mais il n'a rien voulu entendre. Il m'a confié qu'il devait rester même au péril de sa vie. Que c'était la volonté de son Père. Ah! Quelle calamité que tout cela!

— Hélas, il en est ainsi! renchérit Nicodème.

Les deux femmes en pleurs avaient assisté à toute la scène depuis l'entrée du caveau. Joseph sortit, alla jusqu'à la charrette pour y prendre un sac de toile de jute et s'en retourna au caveau. Ensuite, en souvenir de lui, il rassembla les objets ayant appartenu au supplicié. Couronne d'épines, clous ayant servi à la crucifixion et même son pagne trouvèrent refuge au fond du sac. Dès qu'il le pourrait, il retournerait sur le Golgotha afin d'y quérir la croix et peut-être, avec de la chance, parviendrait-il à racheter la tunique que les gardes s'étaient disputée. Pour l'instant, il ne restait plus qu'à attendre le premier jour de la semaine afin que les femmes reviennent compléter le rituel.

— Eh! Dépêchez-vous là-dedans! On n'est pas là pour servir de cibles à Jupiter! s'écria le décurion à l'extérieur.

Au moment de sortir, ils entendirent un léger crépitement derrière eux. Ils se retournèrent et virent le phénomène que Joseph avait entraperçu un peu plus tôt provenant de la blessure sur le flanc gauche du prophète, comme un feu intérieur, mais d'une blancheur éblouissante et merveilleuse. Tous restèrent figés par ce spectacle.

— Qu'est-ce que c'est? finit par articuler Marie de Magdala maintenant agenouillée.

Joseph, malgré son étonnement, s'avança vers le défunt. Délicatement, il ouvrit de nouveau le suaire. Maintenant libérée de la fine étoffe, la lumière était d'autant plus vive. Elle provenait bien de là où il y avait cette plaie béante, au niveau du cœur. Ils avaient bien vu la blessure lorsqu'ils l'avaient ointe, Nicodème et lui auparavant, mais aucune lueur n'était visible à ce moment-là. Joseph écarta l'orifice de ses doigts et aperçut un petit morceau d'un corps étranger à l'intérieur de la blessure. Cherchant à le retirer, il sursauta, quand soudain, l'objet solide émergea de lui-même et tomba par terre. C'est dans cet objet que la lumière prenait sa source. Interloqué, le vieux marchand se pencha, ramassa l'objet luminescent et le leva bien haut. Tout le caveau fut éclairé par cette étrangeté.

— Mais, quel est ce prodige ? demanda à son tour Nicodème. Quelle est cette matière ?

— Je l'ignore mais ça semble être fait de métal. Je dirais que c'est du fer mais avec cette lumière qui s'en dégage, je n'en suis pas sûr, répondit Joseph.

— Mais d'où peut-il bien provenir ? Et par quel miracle cette lueur bizarre émane-t-elle de lui ?

— Ça, je l'ignore autant que vous, mes amis.

— Demande à ce centurion. J'ai cru le reconnaître tout à l'heure, mais maintenant, je suis certaine que c'est lui ! dit la Magdaléenne en pointant du doigt le soldat prostré à leur droite.

— C'est vrai ! renchérit l'autre femme. Il l'a transpercé de son pilum qui s'est brisé au même moment et ensuite...

La femme s'effondra en larmes et ne put poursuivre.

— Ce bout de métal que tu tiens est sûrement un éclat de sa lance restée fichée à l'intérieur du corps de Yeshua.

— Cela expliquerait la blessure en effet, pensa Joseph. Ce fragment serait donc un morceau du fer de lance de ce soldat romain, misérable à présent. Se pourrait-il qu'à la suite de son geste à l'endroit du Fils du Très-Haut, il fut maudit par lui et pris de folie ?

Inquiet, Apollonios demanda :

— Maître, êtes-vous blessé ? Votre doigt saigne !

Effectivement, Joseph, qui était perdu dans ses réflexions, n'avait pas vu que de sa main qui tenait l'objet métallique, du sang s'écoulait par terre. Par réflexe, il mit son doigt dans sa bouche pour s'apercevoir qu'il n'en était rien.

— Ce n'est pas moi qui suis blessé. Cela provient du fragment, dit-il.

Nicodème se souvint de la coupe que lui avait offerte Yeshua le jour même de son arrestation. Nichée dans l'une des poches de son long manteau, il la sortit et la donna à Joseph.

— Tiens, dit-il. Mets ça dedans avant que ce liquide ne se répande partout !

Joseph prit la coupe et y plaça l'objet à l'intérieur. Au début, ils pensèrent que le sang provenait du corps du supplicié, mais à l'évidence, ce n'était pas le cas. Par un phénomène divin, de petites gouttes sanguines s'écoulaient de l'objet à une vitesse modérée. L'expérience ne dura que quelques secondes, assez pour remplir le fond de la coupe d'un liquide rouge luminescent et disparaître aussi vite, comme imbibé par la coupe elle-même. Quand il vit que plus rien ne se passait, Joseph prit le fragment et le fourra dans l'une de ses poches. La lumière s'estompa complètement. Le calice alla rejoindre les autres artéfacts au fond du sac. Il fallait maintenant quitter les lieux car Pétronius s'impatienta de nouveau :

— Sortez immédiatement sinon nous roulons la pierre en vous laissant à l'intérieur ! leur cria-t-il.

— D'accord, d'accord, nous arrivons à l'instant, répondit Joseph.

Sur le seuil, Nicodème ne cacha pas sa curiosité face à ce phénomène et il en fit part à Joseph.

— Allons chez toi mon ami, nous y serons plus tranquilles pour éclaircir ce mystère.

— Bien. Je vous y invite, vous aussi les femmes. Venez ! conclut-il.

Joseph releva le soldat romain au passage et tous ensemble, ils quittèrent le caveau funèbre. Il était temps car les légionnaires avaient commencé à rouler la pierre. L'orage n'avait pas diminué d'intensité d'un iota. Soupçonneux, le décurion intercepta Joseph et lui demanda :

— Si je peux me permettre une question avant d'aller me mettre à l'abri, en quoi un gars comme le centurion Longinus peut bien t'être utile ?

— Cela me regarde. Maintenant laisse-moi partir.

Sur ce, après que les femmes eurent pris place dans la charrette, ils quittèrent les lieux. À travers les rafales, Joseph entendit le décurion s'écrier :

— Mais il y voit aussi bien qu'une taupe !

Bientôt, ils furent tous à l'abri à l'intérieur de la somptueuse villa de Joseph, l'un des plus riches marchands du royaume. La maison était décorée avec goût et raffinement. Il avait fait sa fortune en transigeant des marchandises d'outre-mer venant d'un peu partout à travers les pays entourant la Méditerranée, et même au-delà. Ses voyages, pour aller quérir les denrées les plus prisées de l'époque, l'avaient amené à traverser les colonnes d'Hercule, passe étroite entre les continents d'Europe et d'Afrique pour gagner le grand océan et se rendre jusque dans les royaumes ibériques, au nord de la Gaule et même jusqu'en Britannia où il possédait et exploitait depuis maintenant quelques années, une mine de cuivre. Devenu membre éminent du Sanhédrin par la suite, il avait passé les pouvoirs à son fils aîné, Josepha. Depuis plusieurs lunes déjà, son fils avait quitté Jérusalem pour l'île Britannia afin de superviser des travaux à la mine. Il n'avait plus donné de nouvelles depuis. Pour l'instant, des préoccupations plus urgentes accaparaient Joseph.

Ils prirent place autour d'un énorme foyer situé au centre d'une vaste pièce au rez-de-chaussée qui servait de salon. Entre-temps, des domestiques leur avaient apporté des serviettes et des vêtements secs, confectionnés d'une riche étoffe provenant d'Égypte. Le soldat romain avait refusé toutes ces attentions et s'était encore retiré dans un coin. Joseph, encore incertain des paroles prononcées par le décurion à la sortie du caveau, s'approcha de l'homme et lui tendit une coupe de vin chaud. Du revers de la main, sans même se retourner, le Romain renversa la coupe et éclaboussa Joseph de son contenu. Celui-ci, quelque peu irrité, dit à l'inconnu :
— Allons soldat, ressaisis-toi un peu. Quelle que soit ta peur, tu es en sécurité ici maintenant. Mais si tu ne veux pas te calmer, dans ton intérêt, mes hommes de main seront obligés de te mettre aux fers.
— Cessez donc de vous apitoyer sur son sort, cracha la Magdaléenne. N'avez-vous pas entendu ce que je vous ai dit tout à l'heure ? Cet homme mériterait la mort pour avoir profané le corps de Yeshua, notre Seigneur.
Nicodème se leva et alla vers elle. Joseph et lui la connaissaient bien, cette femme. Ancienne prostituée, elle s'était repentie en écoutant l'un des discours du prophète et depuis, l'avait suivi dans ses déplacements à travers toute la Judée. Il mit la main sur sa frêle épaule et lui dit :
— Voyons Marie, paix dans ton cœur, ma fille. Rappelle-toi les paroles du Maître. Ce pauvre homme a subi un traumatisme et il est de notre devoir de lui venir en aide, même si c'est un Romain. Un ennemi du peuple d'Israël.
— Mais il l'a transpercé de sa lance alors qu'il venait de rendre son dernier souffle. Ces envahisseurs sont tous assoiffés de sang, ce Romain mériterait qu'on le...
— Suffit ! trancha Joseph. Tu es bien prompte à condamner ! Je pense que les événements de la journée t'ont épuisée. La notion

de pardon, enseignée par Yeshua, devrait être plus présente chez toi que chez quiconque ici présent. Ne crois-tu pas ?

Cela lui cloua le bec. Marie de Magdala, repentante, baissa la tête et se rassit sur le grand divan coussiné.

— Maintenant, faisons silence et calmons-nous un peu. S'il le désire, écoutons ce que cet homme pourrait nous apprendre à propos de ce qui lui est arrivé. Par le fait même, peut-être pourra-t-il nous éclairer sur le phénomène dont nous avons tous été témoins au caveau.

Dehors, la tempête avait pris fin et une nuit sans lune régnait maintenant sur les ténèbres. Aucun habitant, hormis les pauvres hères et les coupe-gorges, ne se trouvait à l'extérieur. Joseph se pencha de nouveau vers le Romain.

— Allons, n'aie pas peur mon ami, regarde-moi.

Le soldat, apaisé par le ton bienveillant de son hôte, se retourna tranquillement pour faire face au groupe. Craintif, il tint les yeux encore fermés un moment avant de les entrouvrir. Ce qu'il discerna sembla le rassurer car il prit la coupe de vin que le vieux marchand lui tendait de nouveau. L'homme semblait bien voir.

— Pourquoi donc le décurion m'a-t-il affirmé qu'il était presque aveugle ? se questionna Joseph mentalement.

Il demanda au centurion :

— Écoute, il y a une chose que j'aimerais savoir. Selon les propos du garde chargé du sépulcre, il semblerait que tu ne voie pas plus loin que le bout de ton nez ! De toute évidence, il m'a menti. Tu sembles très bien distinguer ce qui t'entoure.

L'homme se releva de toute sa stature et Marie de Magdala ne put s'empêcher d'admirer ce soldat au port altier, doté d'un physique puissant tout en nerfs, svelte et d'une grandeur peu commune pour un Romain. Il avait un visage agréable à regarder malgré les nombreuses cicatrices qui lui couvraient le corps. Mais ce qui frappait le plus chez lui était son regard pénétrant au reflet bleu acier. Cela lui donnait un charme auquel la Magdaléenne, malgré sa rancune de tout à l'heure, aurait bien succombé dans son ancienne vie. Mais désormais, elle était complètement vouée à son Seigneur et depuis sa rencontre avec Yeshua, le désir charnel l'avait abandonné. Enfin, elle s'efforçait de s'en convaincre du mieux qu'elle le pouvait.

Le centurion, sur ses gardes, regarda avec appréhension tout autour de lui, comme s'il découvrait le monde pour la première fois. Il arrêta son regard pénétrant sur chacun. Au bout d'un moment, il chancela légèrement et Joseph se précipita pour l'empêcher de tomber car il semblait faible et épuisé. Mais le malaise s'estompa et le soldat, d'un geste de la main, le tint à distance.

— Allons Romain, je ne veux que ton bien. Rassieds-toi et explique-nous pourquoi le chef de patrouille m'a affirmé cette calomnie. Qu'est-ce qu'il a bien voulu dire par là ?

Le centurion regarda Joseph droit dans les yeux et réussit à marmonner :

— La vérité, tout simplement.

Ensuite, sous le regard ahuri des convives, il s'écroula au sol, inconscient.

CHAPITRE III

La « Chose » dans la grotte

Nord de la Germanie. An 8 après J-C.

Dix ans après son arrivée au village frison, Malaric découvrit la caverne maudite. Durant cette décennie, il s'était bien intégré au clan ainsi que sa jeune fille de quatre ans, une jolie blonde nommée Luna. Tous les deux y avaient été accueillis avec générosité par les dix mille âmes que formait le clan. Son épouse était décédée et depuis, le père vouait une affection sans bornes à la petite. Malaric raconta qu'ils venaient d'un petit village anonyme plus à l'ouest qui avait été détruit par la foudre. Seuls sa fille et lui avaient survécu à la tragédie. Toutefois, il se montrait mystérieux concernant toute cette histoire et n'en parlait jamais. Les habitants, dans l'ensemble, respectaient son mutisme à ce sujet, mais les mauvaises langues, comme de coutume, étaient à l'œuvre. Une cabane abandonnée lui fut cédée. Sitôt installé, il transforma le vieil enclos qui jouxtait la demeure en un atelier équipé d'une puissante forge.

En fait, ce qu'on désignait du nom de village était plutôt une concentration de quelques cabanes de rondins tout près des quais, comme celle de Malaric. La plupart des autres membres du clan pouvaient demeurer à des miles de distance les uns les autres.

Étant charpentier et forgeron de métier, il fut très vite apprécié de ses congénères. Il s'avérait très instruit pour un homme de son époque. Dans sa jeunesse, il avait bénéficié des enseignements d'un druide venant de Britannia, de passage à son village natal. Apprenant à lire et compter, il fut aussi initié à l'astronomie, à la botanique, au grec et au latin. Malaric fut donc plus que le bienvenu car le clan ne possédait pas dans sa communauté un homme ayant ses nombreux talents. Son utilité au village devint rapidement essentielle.

Le Jarl Dvorak, le chef des Frisons, avait souvent recours à ses services. C'était un homme doté d'une force tranquille, ne cherchant pas la bagarre inutilement. Un simple regard de ses yeux perçants surmontés de sourcils broussailleux imposait le respect, et tous ses sujets le respectaient grandement. Avec le temps, une amitié solide lia les deux hommes.

Situé dans une plaine fertile et entouré d'une vaste forêt remplie de gibier, le village avait été construit des années auparavant à quelques pieds de distance de la mer. La flotte de navires que possédait le clan comprenait une dizaine d'embarcations qui avaient fréquemment besoin de réparations en raison des avaries qu'elles subissaient suite aux querelles incessantes avec les Romains et les autres tribus germaines rivales. Résultats de chicanes coutumières au sujet des territoires de pêche et de chasse constamment contestés par toutes les tribus barbares, partout en Germanie. Conséquences aussi des actes de piraterie auxquels tous les clans germains se livraient sur les navires marchands qui osaient s'aventurer dans la mer du Nord et auprès desquels ils s'appropriaient en or, en esclaves et en denrées de toutes sortes. La survie des membres du clan frison passait essentiellement par ces activités. Bref, dix années passèrent sans trop de soucis pour Malaric le charpentier et son adorable fillette au sein de la communauté frisonne. Cependant, ce bonheur n'allait pas durer.

Un jour, Malaric prit conscience que plus sa fille grandissait, plus elle semblait mélancolique et perdue dans ses pensées. Lorsqu'il voulait aborder le sujet avec elle, pour toute réponse, Luna lui souriait et lui certifiait que tout allait bien. Néanmoins, elle passait des heures face à la mer à admirer les reflets de l'astre solaire sur les vagues qui venaient se briser contre le rocher sur lequel elle s'assoyait toujours dans ces moments-là. Elle ne voulait pas trop inquiéter son père en lui livrant le fond de sa pensée. Malgré cela, il était perplexe. Il désirait tellement le bonheur de sa chère fille mais celle-ci semblait si triste. C'est dans ces moments-là que l'absence de son épouse se faisait vraiment sentir. Il aurait tellement souhaité que Luna puisse bénéficier de la tendresse et de l'amour de cette merveilleuse femme qu'était sa mère. Malgré toute son instruction, il n'y connaissait rien dans les affaires de femmes.

Pour tenter de chasser la mélancolie de sa fille, il eut l'idée de lui fabriquer une petite barque. Une légère embarcation sur laquelle on pouvait fixer une voile et qui servait généralement pour la pêche. Grâce à cela, Luna pourrait découvrir la joie de flotter sur les eaux qu'elle aimait tant admirer et ainsi chasser quelque peu sa morosité. Il se mit donc à l'ouvrage avec entrain en espérant que ce présent lui fera plaisir. Âgée maintenant de quatorze ans et aussi radieuse qu'une nuit étoilée, Luna, quand elle n'était pas occupée à contempler la mer, se montrait toujours curieuse d'apprendre et de comprendre tout ce que son père fabriquait. Celui-ci, avec beaucoup d'amour et de patience, lui enseignait son art du mieux qu'il le pouvait et, avec les années, la fillette se montra très douée.

Durant tout le temps que dura la construction de la barque, Luna, qui ignorait que l'embarcation lui était destinée, aida son père de son mieux et il en fut ravi car il ne possédait plus sa vigueur d'autrefois. Dans la mi-quarantaine, Malaric était déjà considéré par beaucoup comme un vieillard. Principalement les jeunes garçons remplis de sève qui tournaient constamment autour de sa fille. Ces jeunes hommes étaient tous de futurs guerriers très prometteurs et grandement utiles à la communauté. Bizarrement, ils perdaient toute contenance lorsque Luna levait les yeux vers l'un d'eux. Tous sans exception cessaient toutes activités et tombaient en pâmoison devant ses yeux couleur de l'océan dans lesquels étaient réunies toutes les merveilles du monde, sa longue tignasse blonde qui lui descendait jusqu'au bas du dos et son physique gracieux. En contrepartie, toute cette attention rendait la jeune fille extrêmement mal à l'aise, et son père dans une colère sourde. Elle aurait bien aimé être un peu moins attrayante de temps à autre. Elle trouvait cela très triste de ne pouvoir participer à toutes les activités auxquelles les jeunes garçons se livraient sans que ceux-ci lui affirment constamment leur amour. Elle aurait préféré qu'ils la considèrent comme l'un d'entre eux afin qu'elle puisse se joindre à leurs jeux. Pour ce qui était des autres filles du village, elle ne partageait pas leurs goûts en matière de loisirs et de sujets de conversation. Ainsi, elle passait de grandes heures sur la grève à admirer, seule, la beauté de l'océan.

Un matin, alors qu'une fine pluie tombait sur la tête des villageois, les jeunes guerriers, dont Fridric, le fils aîné du Jarl, s'étaient présentés devant Malaric pour demander la main de sa fille. Prétextant sa trop grande jeunesse, le père avait rejeté toutes les offres.

— Peut-être l'an prochain, lorsqu'elle sera plus âgée. Revenez alors, je vous promets d'étudier vos demandes, leur dit-il.

Les prétendants affirmèrent qu'elle était bien assez vieille pour s'unir à l'un d'eux. Néanmoins, devant l'entêtement de Malaric, ils jurèrent qu'ils étaient prêts à attendre jusque-là et s'en retournèrent débités. Fridric en fut le plus affecté. Au fond de son cœur meurtri, il en voulut à cet homme qui l'empêchait de prendre pour épouse la femme qu'il désirait secrètement depuis des années. En réalité, Malaric ne pouvait se faire à l'idée de voir sa fille le quitter. Depuis la mort de son épouse, elle était sa seule raison de vivre et il désirait la garder auprès de lui le plus longtemps possible.

La saison hivernale arrivait à grands pas et la construction de la barque touchait à son terme. Cela donna l'occasion à Malaric d'élaborer un stratagème pour soustraire sa fille aux regards des prétendants. Pour ce faire, il lui demanda de s'occuper seule de la finition de la barque. Dans cet atelier spécialement conçu pour ce travail, elle aurait tout le loisir d'expérimenter ce qu'elle avait déjà appris de lui.

— Elle est à toi maintenant. Montre-moi ce que tu sais faire. Je ne viendrai pas t'ennuyer tant que tu ne l'auras pas terminée. Je tiens à la surprise et je ne t'aiderai en rien ! Toutefois, afin que tu ne te sentes pas trop seule, j'ai demandé à la femme de Sven, l'un des débiteurs de viandes du clan, si elle pouvait te tenir compagnie le temps que ton travail durera. Par chance, elle a accepté. Demain à la première heure, elle sera là.

Luna, sous le choc de la surprise, restait figée.

— Eh bien, es-tu contente ? N'ai-je pas droit à un petit baiser de reconnaissance ?

Elle ne pouvait espérer mieux. Depuis toujours, elle désirait prouver ce dont elle était capable. Hélas, dans ce monde sauvage dominé par les hommes, il lui était impossible d'exercer cette profession qu'elle affectionnait. Cette offre de son paternel était un cadeau tombé du ciel. Elle s'empressa donc de l'embrasser tendrement et de le remercier de la confiance qu'il lui témoignait.

— N'oublie pas de bien t'assurer de son étanchéité ! C'est le plus important. Sers-toi de toutes les leçons que je t'ai déjà enseignées et tout devrait bien se dérouler. Quand tu auras terminé, je t'apprendrai les rudiments de la navigation et ainsi, tu pourras la diriger toi-même sur les flots.

Le lendemain à la première heure, elle prit son repas en vitesse et se hâta de rejoindre l'enclos. Là, elle s'absorba complètement dans sa tâche, s'efforçant d'accomplir son travail avec minutie et efficacité. La femme de Sven, comme convenu, arriva peu après le chant du coq. Cette dame, une grosse femme nommée Ida, se montrait très agréable et enjouée. Au début, Luna appréhendait sa présence car elle craignait que son bavardage incessant ne la dérange dans sa concentration. Il s'avéra qu'il n'en était rien et bientôt elles devinrent de grandes amies.

Deux semaines venaient de passer quand Luna apprit les motivations premières de son père. Comme à son habitude, tandis qu'Ida filait la laine fraîchement tondue, elle lui apprit que les jeunes prétendants se querellaient souvent entre eux à son sujet et qu'ils juraient de tuer son père si celui-ci ne respectait pas sa parole de l'unir à l'un d'eux dès l'an prochain. Ils étaient surtout frustrés que Malaric les empêche d'admirer sa beauté, enfermée comme elle était dans cet atelier poussiéreux et sombre. Bien que déçue de la situation, Luna ne s'en faisait pas trop avec tout ça, absorbée comme elle était dans son ouvrage. Le travail dura tout l'hiver et progressait de façon adéquate. Ida ne manquait jamais de féliciter sa jeune amie du talent exceptionnel qu'elle possédait.

Parfois, leur intimité était brisée par la visite soudaine des deux fils d'Ida, Khorr et Karan, des jumeaux identiques âgés d'une douzaine d'années, qui venaient voir leur mère. Étant plus jeunes que Luna de deux années, les jumeaux la respectaient bien et ne cherchaient pas à lui ravir son cœur. Une belle amitié se développa entre les garçons et l'adolescente. Mais Malaric n'aimait pas trop qu'ils rôdent près de l'enclos et, les prenant à son service à la forge, s'arrangea pour les occuper le plus possible.

Après des mois d'un dur labeur, travaillant de l'aube au crépuscule, le petit voilier fut enfin prêt. Luna qui avait œuvré avec passion et amour sur l'embarcation, s'était prise d'affection pour elle. Cette jolie barque peinte aux couleurs vives qu'elle affectionnait tout particulièrement représentait la liberté des grands espaces tant recherchée. Elle anticipait déjà la joie d'apprécier de nouveau la lumière du soleil sur son visage tout en voguant sur les ondes de la mer du Nord. Elle demanda à Ida de faire venir l'un de ses fils afin qu'il aille quérir son père. Voyant le résultat final, Malaric fut très impressionné du travail accompli par sa fille. Pour l'en remercier, il la gratifia d'un sourire fier et lui offrit la barque. Sa joie fut si grande que sitôt, elle demanda à son père de la mettre à l'eau. Malaric, aidé des jumeaux et de quelques prétendants heureux de revoir Luna et empressés de lui plaire, prirent l'embarcation sur leurs épaules et la menèrent dans la petite baie qui débouchait sur la mer. Dès que la barque fut amarrée au quai, Luna pria son père de l'accompagner en mer tel que promis.

— Un instant, ma fille. Laisse-moi souffler un peu. Allons plutôt nous restaurer et ensuite, après le repas, si le soleil n'est pas trop bas à ce moment-là, nous irons. D'accord ?

— Très bien, Père, mais promettez-moi de respecter votre parole.

— C'est bon ! Je promets. Tu ne lâches pas le morceau facilement, toi, n'est-ce pas ? Au fait, quel nom vas-tu lui donner ? Car même un petit voilier comme celui-ci doit porter un nom sinon cela pourrait offenser les dieux qui habitent les océans !

— Il se nommera... « Le *Goéland* ». J'ai toujours aimé regarder le vol de ces oiseaux de mer. Parfois ils plongent de tellement haut pour saisir leur proie, qu'on se demande s'ils ne sont pas fous ou suicidaires. Oh ! Père, si vous saviez ! J'ai tellement hâte de parcourir les mers comme l'ont fait naguère les plus grands conquérants tels que Jules César ou bien Alexandre le Grand, dont vous m'avez vanté les exploits lorsque j'étais plus jeune.

— Oh ! Un instant, ma fille ! N'oublie pas que ce type de barque ne peut aller au large sans danger. Tu devras rester près des côtes.

— Ne vous inquiétez pas, Père. Je m'en souviendrai et m'en contenterai aisément. Je rêvais tout haut, c'est tout.

— Eh bien, cesse tes rêveries et va vite nous préparer un bon repas. Plus vite nous mangerons, plus vite nous irons en mer !, lui dit son père avec hilarité.

Luna était si enthousiaste qu'elle prépara le mets préféré de son père, une cuisse de porc bouillie dans de la cervoise blonde, offerte par Dvorak et prélevée sur la cargaison d'un navire venant de Lutèce, intercepté par la flotte frisonne il y avait plusieurs mois déjà.

Malaric en fut fort heureux. Pendant que le repas mijotait, il lui annonça que, durant tout le temps qu'elle avait travaillé sur la finition du *Goéland*, lui de son côté, avait confectionné une superbe voilure pour sa barque durant ses temps libres. Leur repas terminé, ils s'empressèrent aussitôt de l'installer. Le soleil était presque à son déclin en ce jour de début de printemps lorsqu'ils terminèrent de l'enchâsser au mât unique fixé dans la coque de la barque. Le père conseilla à sa fille qu'il serait beaucoup plus prudent d'attendre au jour suivant avant de s'aventurer en mer. Bien que déçue, elle accepta le conseil sans rechigner. Le lendemain, la jeune fille se leva très tôt et courut réveiller son père. Mais celui-ci n'était plus dans sa couche. Elle avait espéré s'être éveillée avant lui car Malaric se levait toujours au chant du coq et la bête n'avait pas encore fait retentir son agaçant cri quotidien. Elle sortit de la cabane qui leur servait de demeure et alla aussitôt vers les quais qui se trouvaient à une demi-lieue de là. Elle repéra son père et se pressa d'aller le rejoindre.

La veille, trois bateaux de la flotte avaient été attaqués par le clan des Jutes. Tribu dont le village est situé à l'extrême nord-est. Les dommages étaient grands et Malaric, accompagné du Jarl et de son fils Fridric, tentait d'en évaluer la teneur quand Luna se présenta. Constatant sa présence, son père sembla surpris de la voir debout de sitôt.

— Que fais-tu là ? lui demanda-t-il sans préambule.

— Père, vous étiez supposé m'apprendre comment naviguer ce matin !
Comme vous étiez absent du logis lors de mon réveil, je suis venue
ici dans l'espoir de vous trouver. Qu'est-ce qui se passe ? Qu'est-il
arrivé à ces navires ?

Malaric, s'apercevant du regard ahuri du fils du Jarl, ordonna à sa
fille de retourner à la maison.

Plus tard je t'expliquerai. Mais pour aujourd'hui, il est évident
que je ne pourrai exaucer ton vœu. Demain peut-être...

Dépitée et en colère, Luna fit demi-tour :

— Demain ! Encore demain !

Elle n'en pouvait plus d'attendre de prendre la mer. L'appel de
la liberté était si fort que, contrairement à ses habitudes, elle désobéit
à son père et au lieu de retourner chez elle, bifurqua plutôt vers la
cabane d'Ida, son amie, afin de pouvoir se consoler sur son épaule.

En chemin, elle croisa les jumeaux qui sortaient justement de leur
modeste logis. Ayant foi en leur amitié, elle se confia plutôt à eux.

— Mais nous savons naviguer, nous. Notre père nous l'a appris lorsque
nous étions très jeunes, dit Karan, le plus intrépide des deux.

— Et nous pourrions te l'apprendre sans problème, ajouta Khorr.
C'est très facile, tu verras.

— Je ne sais pas si mon père le permettra mais j'en ai très envie.
Comment faire ?

— Après ce qui vient de se passer avec les navires du clan, ton
père sera sûrement obligé d'aller en forêt pour quérir le bois et
la gomme de sapin fraîche dont il aura besoin pour les rafis-
toler. Peut-être qu'à ce moment-là nous pourrions nous faufiler
aux quais et prendre la mer à bord de ta barque sans qu'il n'en
sache rien ?

— Mais s'il s'en aperçoit, il sera furieux et il vous en tiendra
responsables.

— Il ne s'en rendra pas compte, nous ne voguerons pas très loin de
toute façon et seulement une petite heure si tu préfères. Nous
serons de retour bien avant qu'il revienne de la forêt. Qu'en
penses-tu ? insista Karan que la perspective de vivre une aventure
excitait de plus en plus.

Après une courte réflexion, l'envie s'avéra plus forte que la raison.
Luna acquiesça et, ensemble, ils élaborèrent leur plan. L'après-midi
débutait et Malaric venait de terminer le dîner que Luna lui avait

apprêté. De nouveau, il lui confia qu'il était désolé de ne pouvoir lui apprendre tout de suite les rudiments de la navigation. Le Jarl avait grandement besoin de ses services. Les embarcations de la flotte avaient été sérieusement endommagées et il en avait probablement pour des semaines à les réparer.

— Ce n'est rien, Père. Je comprends.

Ce mensonge lui coûtait mais le désir de voguer était sans appel. Comme prévu par les jumeaux, Malaric, accompagné de plusieurs hommes de la tribu, quitta sa demeure pour aller chercher en forêt les matériaux dont il avait besoin. Luna, de son côté, s'empressa d'aller rejoindre les deux jeunes garçons qui l'attendaient auprès de sa barque. Lorsqu'elle arriva à leur hauteur, ils grimpèrent tous à bord. Comme les villageois vaquaient chacun à leurs occupations coutumières, personne ne remarqua leur départ.

Au bout de cinq longues heures, les hommes revinrent de la forêt. Lorsqu'ils eurent terminé de décharger leur fardeau, chacun s'empressa de rentrer chez lui, exténué. Soudain, Malaric s'aperçut que la barque de sa fille avait disparu. Il courut aussitôt à sa cabane. Ses pires appréhensions furent confirmées lorsqu'il chercha Luna en vain. Il retourna sur les quais dans l'espoir que quelqu'un aurait peut-être vu quelque chose. Sur place, il rencontra Ida qui l'apostropha :

— Forgeron, aurais-tu vu mes garçons par hasard ? Je croyais qu'ils t'avaient accompagné en forêt ?

— Que dis-tu, femme ?

— Aurais-tu vu mes...

Mais Malaric était déjà parti. Il venait de comprendre le fin mot de l'histoire. À bout de souffle, il se présenta devant le Jarl et tout de go, lui dit :

— J'aurais besoin de t'emprunter une embarcation, Dvorak, mon ami ! Ma fille, dans sa folie, a pris la mer en compagnie des fils de Sven. J'ai peur qu'il ne leur arrive malheur. Luna n'a jamais navigué ni même embarqué sur une quelconque embarcation ! Quant aux garçons, je l'ignore, mais j'aimerais aller à leur recherche avant que le crépuscule ne survienne. L'eau est très froide à ce temps-ci de l'année. S'il fallait qu'elle tombe !

— Aucun problème, dit Dvorak. Prends la barque que tu veux. Mais je crois savoir que les jumeaux sont de bons marins. Ne t'inquiète pas trop, mon ami. Tu vas la retrouver. Ils ne sont sûrement pas allés bien loin. Veux-tu que je te fasse accompagner par quelques hommes?

— Non. Je te remercie grandement mais je pense pouvoir me débrouiller seul.

L'après-midi était déjà bien entamé lorsque Malaric, follement inquiet, prit la mer à bord d'un autre voilier aux dimensions semblables à celui de sa fille. Il devina qu'ils avaient probablement suivi la côte en direction nord-est, là où il y avait souvent des bancs de harengs qui traînaient dans le coin. Le vent s'était levé et Malaric monta la voilure de son embarcation et longea la côte dans cette direction à vive allure en priant les dieux qu'il ne se trompait pas de direction. Au bout d'environ deux heures, ses espoirs furent enfin récompensés. Passé la rivière Wesser, il y avait une petite crique isolée débouchant sur une plage modeste donnant sur une presqu'île. L'endroit était partiellement voilé d'un épais brouillard et Malaric serait passé à côté sans mal s'il n'avait entendu les voix des trois jeunes téméraires. Profitant d'une ouverture dans le brouillard épais, il les avait finalement aperçus. Voulant probablement s'y rendre pour apprécier les charmes de l'endroit, les trois adolescents s'étaient échoués sur l'un des nombreux récifs qui en obstruaient l'accès. Malaric, soulagé de constater que Luna était saine et sauve, vogua vers eux le cœur soulagé. Le voyant arriver à leur hauteur, ils furent pris d'épouvante. Bien que reconnaissants de l'aide apportée, ils craignaient toutefois son courroux.

— Eh bien, mes jeunes gaillards. C'est ainsi que vous apprenez à naviguer à ma fille?

— Tout est de ma faute, Père. Ne les grondez pas, ils n'y sont pour rien. C'est moi qui ai insisté auprès d'eux pour qu'ils me l'apprennent. Mais le fort vent nous a poussés jusqu'ici et nous avons percuté cette roche qui sort à peine de l'eau. Et voilà le résultat, plaida Luna.

— C'est bon. L'important c'est que rien ne te soit arrivé. Quant à vous mes garçons, je parlerai de votre insouciance à votre père. Pour le moment, faisons vite avant que le jour ne s'achève. Luna, prends cette corde et attache-la à la poupe. Je vais tenter de vous tirer vers moi. Vous, les jumeaux, prenez les avirons et préparez-vous à vous dégager de ce rocher à mon signal.

Malaric lia l'autre extrémité de la corde autour du mât de sa propre embarcation et s'éloigna. Lorsqu'il fut à bonne distance, il tourna la voile en direction contraire.

— Maintenant! cria-t-il aux garçons.

La bourrasque qu'il attendait arriva et sous l'effet du coup, Le *Goéland* se dégagea de ses entraves.

— Dirigez-vous vers la grève et prenez garde aux récifs, cette fois. J'aimerais vérifier si la coque n'a pas été endommagée avant de nous en retourner au clan, leur cria Malaric.

Khorr et Karan s'empressèrent d'obéir. Ils espéraient tous les deux que rien de grave n'était arrivé par leur faute au petit bateau de leur amie. Malaric les rejoignit et à eux trois, tournèrent l'embarcation sur le côté pour une inspection sommaire. Heureusement, aucun bris sérieux sauf une légère fissure dans le plancher sous la proue. À l'endroit où l'embarcation avait frappé le récif, une planche s'était déplacée mais, heureusement, ne s'était pas fracassée. Malaric la remit en place et ensuite, afin de boucher le tout, demanda aux jumeaux d'aller chercher de la résine de sapin dans la forêt qui surplombait la crique. Dès qu'ils furent partis, le père invectiva sa fille :

— Mais qu'est-ce qu'il t'a pris de faire cette folie? La mer est traîtresse, elle aurait pu t'engouffrer comme une brindille et jamais je ne m'en serais remis. J'étais fou d'inquiétude! Pourquoi ne m'as-tu pas attendu? Je t'avais pourtant dit que je t'apprendrais comment manœuvrer ton bateau! Au lieu de ça, voilà qu'il subit déjà des avaries. Tu ne crois pas que j'avais bien assez de travail sur les bras avec la flotte de Dvorak?

— Oui, Père, vous avez raison, mais justement, vous êtes toujours tellement occupé à vos besognes...

— Ce n'est pas une raison! Tu as été très imprudente. Cela fait seulement deux jours que je t'ai offert cette barque! Ce n'est pas la patience qui t'étouffe! Ne recommence plus jamais!

— C'est d'accord, Père, je suis désolée.

— N'en parlons plus. Mais qu'est-ce qu'ils fichent, ces deux-là?

Les jumeaux furent de retour peu de temps après avec ce que Malaric leur avait demandé avec en plus, un objet insolite.

— Regardez ce que nous avons trouvé en chemin près de l'entrée d'une grotte à l'orée de la forêt, dit Karan en montrant au reste du groupe ce qu'il tenait à la main.

L'objet brillait à la lueur du soleil couchant. Malaric, intrigué, s'approcha du jeune garçon.

— Donne-moi cela, chenapan.

Il prit vivement l'objet que lui tendait pourtant Karan de façon volontaire et constata aussitôt que c'était une piécette d'or gravée à l'effigie de celui qu'il crût reconnaître comme étant un ancien roi de la Macédoine. Le père d'Alexandre le Grand, Philippe II, décédé il y avait plus de trois cents ans. Encore une fois, les enseignements du vieux druide de son village s'avéraient précieux.

— Où as-tu trouvé ceci, mon garçon ? demanda-t-il à Karan.

— Là-haut, comme je vous l'ai dit. En voulant gagner les bois, mon frère et moi l'avons trouvé au sol. L'objet brillait parmi les hautes herbes. De plus, ce n'est pas le seul. Il y en a plein d'autres mais vous nous aviez exhortés de revenir au plus vite, alors... Nous avons préféré vous en avertir, monsieur.

— Montrez-moi l'endroit. Toi, Luna, tu restes ici. Prends la résine et répare ton embarcation durant ce temps.

Le charpentier suivit les deux jeunes hommes. Partant de la crique, ils devaient grimper durant un petit moment un petit sentier qui débouchait ensuite sur un vaste terrain herbeux rempli de ronces et d'arbres rabougris et tortueux. Plus loin, ils entrevoyaient le début d'une vaste forêt dans laquelle les jeunes avaient ramassé la résine. Une légère brume baignait les environs et donnait un aspect spectral à la scène. Au pied d'un monticule rocheux, sorte d'amoncellement de pierres écroulées, Malaric distinguait à travers les filets de brume qui se montraient moins opaques par endroits, un interstice ; porte béante menant vers les profondeurs terrestres.

— Probablement l'entrée de la grotte dont parlent les jumeaux, estima Malaric.

Deux ou trois corbeaux survolaient le site mais aucun autre volatile n'était visible dans le ciel.

— Il faut aller dans cette direction ! C'est de ce côté que nous avons trouvé la pièce, affirma Karan.

— Regardez, monsieur, en voilà une autre.

Khorr lui désigna une autre pièce d'or dissimulée dans les hautes herbes. Malaric se pencha et s'en empara aussitôt.

— Et une autre, là !

Tout le long du chemin menant vers l'amas rocheux, ils trouvèrent les restes éparpillés d'un trésor inestimable. Pierres précieuses telles que saphirs et diamants de différentes grosseurs. Des améthystes, des opales et de grosses perles gisaient pêle-mêle au sol. Sans compter les nombreuses piécettes d'or, pareilles à celles qu'ils avaient trouvées au préalable. Les restes d'un coffre éventré leur expliquèrent, en partie, la présence de toutes ces merveilles. Malaric estima que ce trésor, répandu comme si une terrible tornade s'était abattue sur son propriétaire, reposait à cet endroit depuis fort longtemps sans que personne ne soupçonne son existence. Selon les indices qu'il découvrit, les armes abandonnées sur place ainsi que des morceaux de tunique accrochés à des restes humains, il conclut que cette fortune devait avoir fait partie de la cargaison d'un navire marchand. D'après l'accoutrement de l'une des victimes et les colliers de phalanges qu'il trouva sur place, il soupçonna que ce devait être des Phéniciens accompagnés d'un groupe d'esclaves probablement venus d'Afrique, poursuivis sans doute par des pirates venant du nord. Ils auraient découvert cette crique par hasard, probablement à cause du brouillard, et s'y seraient cachés. Alors que le vaisseau pirate devait sillonner les eaux devant eux à leur recherche, ils prirent sûrement peur et profitèrent de la caverne qu'ils avaient découverte, afin d'y cacher leur précieuse cargaison. Mais leur tâche fut interrompue.

— Par quoi et comment ? se demanda Malaric qui ne pouvait le deviner. On aurait dit qu'en plein milieu de leur labeur, les victimes ont fui la grotte en toute vitesse, répandant ainsi une partie de leur fardeau dans leur panique. Quelques survivants ont sans doute pu regagner le navire et quitter les lieux en vitesse... Cela expliquerait l'absence d'épave dans la crique.

Malaric constata qu'il n'y avait que les restes d'un coffre à l'extérieur.

— Si ma théorie se révèle exacte, possiblement que le gros du trésor se trouve encore à l'intérieur de la grotte, pensa-t-il. Khorr, dit-il. Prends ce que tu peux et amène le tout sur mon embarcation. Ensuite, aide ma fille à finir de réparer sa barque. Nous partirons dans quelques minutes.

— Et vous... vous ne venez pas ? interrogea le jeune homme.

— Allez, file, je veux voir l'intérieur de cette caverne avant qu'il y fasse trop sombre. Ton frère m'accompagnera.

Khorr s'exécuta. Malaric et Karan s'approchèrent de l'entrée. Il semblait que le temps avait façonné dans la pierre une série de marches menant à la sombre ouverture. Plus ils avançaient, plus la brume semblait se dissiper. Cela leur permettait de distinguer un peu plus les détails de leur environnement. De nombreux ossements humains tapissaient le sol. Malaric et le jeune homme atteignirent enfin le seuil. Aucun des deux n'avait apporté avec lui les «pierres-qui-font-jaillir-le-feu» mais de l'entrée, ils pouvaient apercevoir deux autres coffres fracassés gisant un peu plus loin sur le sol de la grotte. Malgré le soleil déclinant, ils distinguèrent dans la pénombre de nombreux autres joyaux et pièces d'or éparpillés.

— Alors, mon garçon! Il est temps de prouver ta bravoure. Enfonce-toi là-dedans et rapporte-nous le plus de richesses possible!

— Mais, on n'y voit rien! Tout est noirceur, riposta le jeune garçon.

— Tu les vois luire au loin tout comme moi! Alors? De quoi as-tu peur? Tu n'as qu'à te guider sur leur luminosité.

— Je n'ai... je n'ai pas peur! Peut-être que la «Chose» responsable du massacre de ces hommes s'y blottit toujours?

— Ces hommes sont décédés depuis fort longtemps. La créature qui les a massacrés ainsi doit l'être tout autant depuis.

— Mais...

— Tu n'as pas craint d'affronter la mer avec ma fille pourtant! Allez, un peu de courage, voyons! Vas-y et tu auras mon pardon. Seulement quelques joyaux de plus et nous quitterons cet endroit. Je te le promets.

À contrecœur, le jeune homme avança prudemment. Il aurait voulu protester que si Malaric tenait tant à ces objets, il n'avait qu'à y aller lui-même. Mais jamais il n'aurait osé provoquer la colère de celui-ci. Cependant, un terrible pressentiment lui tenaillait les tripes. Doucement, s'assurant de l'endroit où il mettait les pieds de peur de trébucher dans cet endroit sordide, il marcha droit en direction des pierres précieuses. La lumière qu'elles dégageaient lui permit de distinguer plus clairement les détails de la caverne. Après avoir traversé un court couloir, il déboucha dans une sorte de salle circulaire remplie de stalagmites et de stalactites aux couleurs incroyables. Au fond de cette salle, le plus loin que sa vision pouvait le lui permettre, il distingua une autre entrée donnant sur des ténèbres encore plus opaques. D'autres ossements humains entouraient les restes de quatre autres coffres débordants eux aussi de richesses inestimables.

Sur les murs, peints d'une teinte brunâtre, étaient griffonnés de nombreux signes et dessins d'animaux fantastiques que Karan ne sut reconnaître. Il arriva près de l'un des coffres fracassés et se pencha pour en prendre une bonne poignée de son contenu répandu. Malaric, de l'entrée, y alla de ses encouragements :

— C'est bien mon gars, encore un peu plus !

Pendant qu'il disait ces mots, il prit conscience qu'une étrange brume verdâtre flottait tout autour de lui. Toutefois, son attention fut vite ramenée vers le jeune Karan. Un terrible grondement sourd se fit entendre en provenance des profondeurs de la salle circulaire aux grandes dimensions. Malaric sursauta tout comme le jeune homme qui se releva prestement. Là où il avait aperçu l'autre entrée au fond de la salle, il vit, impuissant, foncer vers lui à vive allure une masse sombre et énorme. Il poussa un bref hurlement à fendre l'âme et du sang frais vint asperger de nouveau les parois de la caverne. Un coup de griffes de la « Chose » et tout fut terminé. Malaric avait tout vu de la scène atroce. Ne pouvant distinguer clairement ce qui venait de mettre fin à la courte vie du jeune Karan, il fut pris d'épouvante et s'empressa de quitter les lieux sans demander son reste. Dans sa panique, il déboula la pente menant à la crique, non sans toutefois avoir su garder en sa possession les joyaux qu'il avait recueillis en chemin. Heureusement, la « Chose » ne semblait pas le poursuivre jusqu'à l'extérieur. De retour à la grève, tout en sueurs, il aida Khorr et sa fille à remettre la barque à l'endroit et les exhorta de se hâter de quitter les lieux.

— Mais où est mon frère ? interrogea Khorr.

— Il est mort, répondit Malaric sans ambages. Et si nous ne voulons pas subir le même sort, nous devons partir sans tarder. Je sais que c'est une triste nouvelle mais l'heure n'est pas au chagrin. Grimpe vite à bord de la barque de ma fille et suis-moi. Rendus au village, nous irons voir ton père et je lui expliquerai ce qui s'est passé. Toi, Luna, tu viens avec moi !

La folie venait de s'emparer de Malaric.

Khorr essuya ses yeux et monta la voilure du *Goéland*. Luna, de son côté, ne se priva pas pour éclater en sanglots à la suite de l'annonce de cette effroyable nouvelle.

— Comment sa mère va-t-elle réagir face à une si douloureuse épreuve ? se demanda-t-elle.

De retour parmi le clan, le groupe se rendit directement chez Sven. Lorsqu'ils furent tous bien assis autour de la grande table à manger, Malaric apprit la triste nouvelle aux parents ; comme prévu par Luna, la nouvelle eut l'effet d'un coup de poing au sein du couple. Malaric poursuivit :
— Je lui avais bien dit de ne pas s'aventurer à l'intérieur de la grotte. Mais il n'a voulu qu'en faire à sa tête, mentit-il.

La mère éplorée courut en larmes se réfugier dans sa chambre. Luna, qui se sentait responsable de la mort du jeune garçon, suivit son amie afin de tenter de la consoler du mieux qu'elle le pouvait. Le père, une pièce d'homme, semblait lui aussi fortement ébranlé de la nouvelle. Il questionna :
— Pourquoi au juste mon fils a-t-il pénétré dans cet endroit ?

Malaric profita du fait que les femmes étaient absentes pour lui raconter leur fabuleuse découverte et la raison pour laquelle Karan s'était aventuré dans l'ombre. Tout le village connaissait sa témérité et Sven n'en fut pas surpris outre mesure.
— Si tu veux venger la mort de ton fils et partager avec moi les richesses qui se trouvent dans cette grotte, j'ai un plan pour contrer cette « Chose ».
— Qu'est-ce que c'était au juste, cette « Chose » ? voulut savoir Khorr. Avez-vous eu le temps de la voir avant de déguerpir comme un lapin ?

Malaric, n'appréciant pas l'allusion, jeta un regard noir vers le jeune garçon.
— Comme je vous l'ai déjà expliqué, non, pas vraiment. Mais je pense en avoir une petite idée. Si nous partons demain à la première heure afin de nous en débarrasser, nous le saurons alors.
— Bonne idée, intervint Sven. Amenons avec nous une dizaine de chasseurs et je tiendrai ma vengeance.
— Non, surtout pas ! s'écria soudain Malaric. Gardons ce secret pour nous. Réfléchis un peu ; tu imagines sans peine tout l'émoi que cela causerait au sein du clan ? L'envie que cette trouvaille susciterait amènerait le vol et le meurtre ! Ce serait l'anarchie en peu de temps et tous s'entretueraient pour la moindre pièce d'or et

adieu la belle fraternité qui nous unit. Tu le sais tout autant que moi. Non ! Il faut garder le secret, réitéra-t-il. À nous trois, bien armés, nous en viendrons bien à bout. De plus, je te l'ai dit, j'ai un plan.

Sven répondit qu'il ne savait pas trop s'il en était capable. Autrefois, alors qu'il était bien jeune, un sanglier l'avait chargé et depuis, sa jambe gauche ne répondait plus aussi bien. Pour cette raison, il ne pouvait plus se joindre aux chasseurs du clan et il fut mandaté comme débiteur de viande. Néanmoins, n'écoutant que sa colère, il consentit à l'offre de Malaric et ils se donnèrent rendez-vous dès l'aube pour le départ.

— Surtout, pas un mot de ceci à quiconque. Même pas à ton épouse. Tu lui diras que nous allons rechercher la dépouille de ton fils, rien de plus. Sa tristesse sera amoindrie lorsque tu reviendras les bras chargés de richesses. Garde-lui la surprise. Toi aussi Khorr. Tiens ta langue, lui rappela Malaric.

Son stratagème se déroulait à merveille et le soir, lorsqu'il finit enfin par s'endormir, il rêva qu'il baignait dans une mer de joyaux étincelants. Le lendemain, comme convenu, les deux hommes et le jeune garçon montèrent à bord de l'une des embarcations que possédait Sven, une vieille barque toute rafistolée mais encore très utile, et voguèrent vers le lieu du crime. Malaric avait apporté avec lui des filets de pêche et il demanda à ses compagnons de naviguer jusqu'à l'endroit où se trouvaient les bancs de harengs, un peu en aval de leur destination. Lorsqu'ils atteignirent le site de pêche et capturèrent plus d'une dizaine de gros poissons, ils filèrent vers la crique.

Après avoir prudemment contourné les dangereux récifs, ils débarquèrent enfin sur le sable frais de la modeste plage. Le soleil n'était pas encore tout à fait levé et le site baignait dans une brume opaque.

— Mais qu'est-ce que c'est que cet endroit ? J'ignorais son existence ! questionna Sven. Quoique je me rappelle, alors que j'étais très jeune, que mon père de son vivant me racontait une légende concernant un lieu maudit par les dieux et environné de brouillard semblable à celui-ci, non loin de notre village. Mais personne ne l'avait encore jamais découvert.

Pour toute réponse, Malaric lui dit :

— Tiens, prends ces lances, et toi, Khorr, amène les harengs avec le filet dans lequel ils se trouvent. J'ai amené deux longues cordes solides. Je vous expliquerai leur utilité sur place. Venez, pressons!

Ils gravirent la colline menant vers la vallée herbeuse. Sven voyait maintenant sur sa droite la masse rocheuse, informe, se découper derrière le voile brumeux.

— Qu'est-ce qu'il y a là-bas? demanda-t-il.

— C'est l'entrée de la caverne dont je t'ai parlé, répondit Malaric. Autrefois je crois, s'y trouvait une majestueuse montagne qui se serait écroulée sur elle-même. Avec les siècles, une ouverture semble s'être formée et c'est à l'intérieur de celle-ci que se trouve notre fortune.

— Et les restes de mon fils Karan surtout!

— Mais oui, bien sûr. Trouvons-le vite et donnons-lui une sépulture appropriée, le rassura Malaric.

— Venez, Père, je vais vous guider, proposa Khorr. Le sol est particulièrement accidenté par ici.

À quelques pieds de l'entrée de la grotte, Malaric invita le jeune garçon à déposer sa charge. Autour des nombreux poissons qu'ils avaient pêchés plus tôt, il étendit les deux cordes de façon circulaire autour des harengs. Sur chacune des cordes, il forma un nœud coulant assez large pour couvrir une grande superficie. Il dit ensuite au jeune Khorr d'enrouler l'autre extrémité d'une des deux cordes autour d'un gros arbre non loin de lui et, avec l'autre corde, Sven fit de même autour d'un gros rocher qui saillait du sol, dans la direction opposée à celle de son fils. Malaric leur expliqua ensuite en chuchotant:

— Dès que la « Chose » sortira de sa tanière, attirée par les relents que dégagent les poissons frais et qu'elle mettra les pattes à l'intérieur des cercles formés par les cordes, tirez très fort chacun de votre côté. Moi, à l'aide de ma longue épée, je le pourfendrai. Ensuite, vous l'achèverez à l'aide des lances que nous avons amenées avec nous. En attendant, cachons-nous dans ces buissons et ouvrons l'œil.

Malaric, qui n'était pas vraiment un chasseur, ignorait d'où lui était venue l'idée de ce guet-apens. Néanmoins, il espérait de tout son cœur qu'il fonctionne. Par chance, le vent matinal poussait l'odeur dégagée par les harengs vers la sombre ouverture.

Une bonne demi-heure s'écoula sans que la « Chose » se manifeste quand soudain, alors que leur vigilance s'était relâchée quelque peu, ils entendirent un craquement venant de derrière eux, comme si l'on écrasait d'un énorme poids l'un des crânes qui tapissaient le sol de la plaine. Les trois chasseurs improvisés sursautèrent, se retournèrent expressément et virent la « Chose » se diriger droit sur eux. Contrairement à ce qu'ils croyaient, elle ne se trouvait pas dans la grotte mais revenait plutôt tranquillement vers celle-ci. Le jeune Khorr fut pris de panique et se mit à trembler de tous ses membres.

— Ne bouge surtout pas. Garde ta position, lui chuchota Malaric dont la cachette se trouvait tout près de lui.

La « Chose » avançait toujours dans leur direction mais comme Malaric l'avait prédit, l'odeur des poissons l'attirait et elle ne semblait pas se préoccuper de leur présence. Soudain, elle s'arrêta à leur hauteur et ils purent discerner dans les moindres détails une formidable bête. C'était un énorme ours des cavernes. Semblable aux grizzlis communs qui fourmillaient dans les forêts de Germanie, mais deux fois plus énormes. Les trois spectateurs ébahis l'ignoraient, mais cette espèce de plantigrade était supposément disparue depuis des milliers d'années. Jamais Sven et Malaric n'avaient pu voir animal si imposant de leur vie. Lorsqu'il se retourna vers Khorr en humant l'air de son long museau, Sven craignit le pire pour le fils qui lui restait. Tenant toujours fermement l'extrémité de sa corde, il se pencha et ramassa une grosse pierre qu'il lança de toutes ses forces sur le tas de poissons. Le bruit attira l'attention de l'animal qui se précipita sur le leurre. Les vêtements de Khorr, imprégnés de l'odeur des harengs avaient probablement chatouillé le flair de l'animal. Le jeune homme eut la peur de sa vie. La bête était maintenant en position et se régalait gloutonnement.

— Tirez ! cria Malaric aux deux autres.

Les cordes se tendirent presque simultanément et emprisonnèrent deux des pattes de l'animal. Il poussa un terrible rugissement et se débattit, fou de rage. Malaric, durant le temps que Sven et son fils s'occupaient à faire quelques tours de cordes autour de leur prise respective, s'avança vers le monstre en furie. Lorsqu'elle l'aperçut, la bête se retourna vers lui et le défia en lui présentant ses crocs longs comme des poignards. D'une de ses pattes avant valides, elle fouetta l'air devant elle. Face à une telle fureur, Malaric, apeuré, recula d'un pas. Il connaissait les dégâts que cette créature pouvait infliger. Voyant qu'elle réussissait à l'éloigner, celle-ci redoubla d'efforts afin de se libérer. Dans un bruit sec, semblable à celui d'un fouet, l'une des cordes céda. Sven, sentant le danger, quitta sa position et prenant quelques lances avec lui, s'avança jusqu'à l'énorme ours. D'un élan, il lança l'un des projectiles sur l'animal. Malgré l'épaisse fourrure qui le couvrait, l'arme pénétra dans sa chair et resta fichée dans son épaule gauche. L'ours poussa un second cri assourdissant qui fit reculer les deux hommes de nouveau. La blessure ne semblait pas l'affecter gravement. Sven lança de nouveau une autre lance qui atteignit cette fois la bête à la cuisse droite. Malaric profita de cet instant pour s'élancer vers elle. Cette fois, l'animal fut pris d'une rage démentielle. Regroupant toutes ses forces, d'un geste brusque et totalement sauvage, l'ours réussit à rompre l'autre lien au moment même où Malaric se préparait à lui enfoncer son arme dans le cœur. Pour tout résultat, il reçut un retentissant revers de la patte dégagée de son entrave et alla choir quelques pas plus loin, étourdi.

Cependant, la bête ne put éviter l'arme de Sven qui profita de cette diversion pour lui asséner un troisième coup, mortel celui-là. La lance, enfoncée directement dans son cœur gras, vint finalement mettre un terme à sa vie. Mais l'animal, dans son agonie, tenta en dernier recours de mordre son assassin. N'eut été du jeune Khorr qui intervint juste à temps en lui plantant son petit poignard dans la gueule, Sven aurait subi une grave blessure. Après plusieurs soubresauts, elle s'écroula finalement dans une mare de sang. Malaric, de nouveau sur pied, rejoignit les deux autres.

— Merveilleux. Tout simplement merveilleux. Beau travail, mes amis. Maintenant, allumons les torches et pénétrons dans cette curieuse grotte.

— Un instant, veux-tu? répondit Sven qui reprenait son souffle. Khorr, tu vas bien, mon garçon?

— Ça va, Père.

— Et toi, forgeron?

— De simples blessures superficielles et un peu étourdi encore mais... il faut y aller!

Malaric n'en pouvait plus d'attendre. Il insista:

— Et s'il y en avait d'autres comme celle-là ? Il vaudrait mieux se dépêcher de récupérer le trés... le corps de ton fils et le trésor si nous le pouvons ensuite, pendant que nous en avons la chance et de filer d'ici au plus vite.

— Je crois savoir que les ours vivent en solitaire habituellement. Mais peu importe. Tu as raison, allons chercher mon enfant.

Cette fois-ci, Malaric avait apporté ses pierres de silex avec lui et lorsqu'ils les frappèrent l'une contre l'autre et que les petites étincelles jaillirent et enflammèrent les broussailles qu'ils avaient préparées auparavant, il sortit d'un sac qu'il avait sur lui trois petites torches dont il alluma les embouts. Il les partagea avec ses deux compagnons et ensemble, ils pénétrèrent dans les ténèbres de la caverne maudite. Toutefois, sans qu'ils s'en aperçoivent, ils étaient suivis par l'étrange brume verte que Malaric avait remarquée la veille.

CHAPITRE IV

LE RÉCIT DE LONGINUS

Jérusalem. An 30 après J-C.

Le centurion romain dormit tout le long du sabbat. Après s'être assuré qu'il s'était simplement évanoui suite à une montée de fièvre, Joseph, aidé de ses amis, l'avait transporté jusqu'à la chambre d'invités au deuxième palier et installé dans un lit. Ils avaient peiné en lui enlevant sa cuirasse et ses sandales mais quand ce fut fait, Joseph appela deux serviteurs. La moitié du personnel de sa maisonnée était composée d'esclaves. Mais depuis sa rencontre avec Yeshua, il les avait tous affranchis. Les nouveaux hommes libres eurent le choix de partir ou de rester à son service en échange d'un gîte et à manger. Beaucoup choisirent cette dernière option, reconnaissant en Joseph un très bon maître.

Il demanda donc aux deux serviteurs de nettoyer le sang séché qui recouvrait le soldat et son armure. Téréza, une vieille femme à son service depuis fort longtemps, fut désignée pour le veiller et s'assurer qu'il reprenne conscience au plus tôt. Ensuite, ils sortirent de la pièce et le laissèrent dormir.

Durant son coma, le centurion parlait dans son délire. Il semblait bouleversé dans son sommeil par des rêves étranges. Cependant, la fièvre finit par tomber et au matin du premier jour de la semaine, il s'éveilla enfin. Sur le moment, il crut que toute cette histoire n'était qu'un terrible cauchemar. Il sut bientôt que ce n'était pas le cas car, contrairement à ce qu'il connaissait depuis maintenant plus d'une douzaine d'années, sa vision était de nouveau redevenue parfaitement claire. La lumière du soleil matinal l'éblouit sur le moment, mais il s'accoutuma après un bref instant et il put apprécier dans toute leur splendeur les détails de la pièce dans laquelle il se trouvait. Assurément, c'était une riche demeure. Désorienté au début, il sentit soudain une présence dans le coin droit de la chambre, là où se trouvait une grande armoire en bois d'ébène.

— Enfin! Vous vous réveillez, il était temps! Je commençais à en avoir marre de m'occuper de vous comme d'un nouveau-né! dit une voix rocailleuse de vieille femme dans un latin des plus précaires.

Intrigué, le soldat, toujours allongé, se releva sur un coude. La voix désagréable venait de derrière la porte de l'armoire ouverte. Il ne pouvait donc voir de qui il s'agissait. La vieille femme, car tout semblait l'indiquer, rangeait des couvertures sur l'une des tablettes.

— Où suis-je? Qui êtes-vous et que faites-vous dans cette chambre? interrogea-t-il sur ses gardes.

Toujours à sa besogne, la femme âgée lui répondit:

— Holà! Ne prenez pas le mors aux dents! Cela fait beaucoup de questions dans une seule phrase. Vous ne trouvez pas? Je me nomme Téréza. Depuis des années, je suis au service de Maître Joseph d'Arimathie, votre hôte depuis votre accident il y a deux jours de cela. Tout ce temps, je vous ai veillé et ai fait votre toilette. Vous sembliez à deux doigts de la mort la première nuit, mais grâce à mes bons soins, vous voilà mieux maintenant. Je vais enfin pouvoir vaquer à mes besognes coutumières et cesser de vous torcher!

— Jo... Joseph? Ah oui! Je me souviens maintenant. Ainsi, je repose depuis tout ce temps? Oh non, quel malheur! L'homme que je devais rattraper doit être loin maintenant.

— J'ignore de qui vous voulez parler mais quoi qu'il en soit, ce ne sont pas les premières sornettes que j'entends sortir de votre bouche. Durant votre inconscience, vous n'avez cessé de délirer!

— Décidément, cette personne se montrait vraiment désagréable, songea le centurion.

La vieille continua :

— Bon. Maintenant que j'ai terminé, voyons voir comment est votre mine ce matin!

Elle referma la porte de l'armoire et se retourna. Ce que le centurion vit devant lui au pied de son lit n'avait rien d'une vieille femme innocente. En deux temps trois mouvements, il sortit de sa couchette, entièrement nu, et agrippa la domestique par la gorge.

— Que me veux-tu, créature des enfers?

La servante, les yeux exorbités, réussit à pousser un hurlement de mort qui attira aussitôt Joseph, qui justement, montait voir son malade.

— Lâche-la immédiatement, Romain! s'écria-t-il abasourdi de voir cette scène lorsqu'il franchit le seuil de la chambre d'invités.

— Pourquoi donc? Je veux enfin savoir pour quelle raison ces démons me traquent ainsi! cria-t-il enragé.

— Mais enfin, regarde-la, ce n'est qu'une pauvre vieille femme! Elle s'occupe de l'entretien de cette villa depuis des lunes. Laisse-la avant qu'elle étouffe, voyons!

Le Romain tourna la tête vers Joseph et il vit la sincérité dans ses yeux. Le temps s'arrêta et il se demanda s'il n'était pas victime d'hallucinations. Dans son doute, il relâcha sa victime. Joseph se précipita à son aide et la releva. La vieille femme avait eu la peur de sa vie et avait souillé sa robe. Elle quitta prestement la pièce en hurlant comme une folle. Joseph, avec colère, apostropha le centurion :

— Mais qu'est-ce qui t'arrive? Pourquoi t'en prendre à elle?

— Cette femme, comme tu dis, est un monstre. Ne l'as-tu point vu tout comme moi? Son visage ressemble à un groin de sanglier, ses yeux n'ont plus de pupilles et sa bouche est...

— Mais qu'est-ce que tu racontes, voyons? Tu es devenu fou ou quoi?

— Non, non, je ne le suis pas. Je refuse de croire en cela! D'ailleurs, ce n'est pas la seule. J'en ai vu des plus hideux qu'elle encore auparavant. Depuis l'incident sur le Golgotha, une meute de ces créatures d'enfer ne cesse de m'entourer. Et je crois me souvenir qu'ils peuplèrent mes rêves durant mon inconscience. Je ne sais pas ce qu'ils me veulent mais ils sont si hideux, dissimulés dans des vêtements humains. Ils me répugnent et... j'ai honte de l'avouer mais... j'ai une peur bleue ! Heureusement, quelques individus autour de moi depuis mon incident ne présentent aucune métamorphose. J'ai vu deux de mes camarades d'armes, transformés en ces... abominations, se battre pour la tunique de ton prophète. Et trois autres ensuite à l'entrée du caveau.

Le soldat prit une pause et balbutia :

— Pourquoi moi ? Qu'ai-je donc fait pour mériter ainsi la colère des dieux !

Joseph s'approcha. Après lui avoir conseillé de cacher son indécence avec les habits qu'il lui offrait, il désigna un siège et le pria de s'y asseoir. Il commanda ensuite un copieux déjeuner afin qu'ils se restaurent un peu tous les deux. Ainsi, après avoir enfilé les vêtements bizarres de son hôte, le soldat commença à dévorer l'assiette que les serviteurs venaient d'apporter. Entre deux bouchées, il demanda :

— Pourquoi ces habits idiots ? Où est mon armure ?

— J'ai appris que les Romains recherchent un déserteur depuis deux jours. Un certain centurion, à ce que j'ai compris.

— Comment ! Mais je ne suis pas un déserteur. J'ai simplement eu une mésaventure et je...

— J'ai appris hier soir que ta tête est déjà mise à prix, coupa Joseph. Ils ne sont pas encore venus ici et je ne pense pas qu'ils viendront non plus. Rome a toujours protégé ma famille à cause du cuivre que je lui fournis. Quoi qu'il en soit, par prudence, tu passerais plus discrètement avec ces habits idiots, comme tu dis, n'est-ce pas ? Pour ce qui est de ton armure, mes hommes ont bien essayé de faire disparaître les taches de sang qu'il y avait dessus, mais sans succès. Tu aurais l'air assez louche de te promener avec. Je l'ai cachée dans ma chambre avec le reste de ton équipement militaire. Seul le sang que tu avais sur le corps a pu être nettoyé. Un autre prodige sans doute.

— J'avais aussi une bourse remplie de sesterces, ne l'aurais-tu point vue ?

— Non, aucunement !

— Quel malheur ! J'ai dû la perdre l'autre nuit sans m'en apercevoir. Peu importe, je vais aller retrouver le procurateur et m'expliquer devant lui avant de quitter ce pays. Il me connaît bien et me croira assurément. Je ne peux rester ici, il faut que je retrouve un homme avant qu'il ne commette l'irréparable.

— On dit que Pilate ne sort plus de ses appartements depuis le jour de l'exécution. Un dénommé Abénader, le préfet, le remplace par intérim.

— Ah non... Tout est perdu maintenant. Il est trop tard.

— Trop tard ? Pourquoi ?

— Je devais absolument rattraper un brigand avant qu'il puisse s'embarquer sur un navire en direction de Rome. Il en va de la survie de quelqu'un qui m'est cher. Maintenant, à l'heure qu'il est, l'homme doit déjà être sur place.

— Si j'étais toi, je ne m'en ferais pas trop avec ça. Durant la Pâque, nulle embarcation n'a quitté les ports d'aucune ville côtière des environs. Sois-en assuré.

— Et quand finit-elle, ta Pâque ?

— Ce matin...

Réalisant l'urgence de la situation, il se leva et dit à Joseph :

— Merci pour tes soins, vieillard. Je tâcherai de rembourser ma dette un de ces jours. Pour l'instant, je dois déguerpir.

— Où comptes-tu aller ?

— Je dois me rendre à Césarée intercepter mon homme.

— Chacune des douze portes de la ville est étroitement surveillée. Tu n'as aucune chance de t'y faufiler en plein jour sans te faire remarquer.

Accablé et découragé, l'officier s'affaissa sur le siège en se prenant la tête entre les mains :

— Qu'est-ce que je vais devenir sans l'armée ? Je crois bien que je perds véritablement la raison.

— Allons, allons, courage ! J'ai peut-être une solution. Ceux de mes hommes qui sont athées et qui n'ont pas à respecter les fêtes juives sont occupés depuis hier à remplir la cale de l'un de mes navires marchands, une embarcation des plus rapides amarrée au port de Jaffa, une ville côtière un peu plus au nord-ouest. Le départ est prévu pour demain à l'aurore, à destination de Londinium en Britannia. Tu pourrais t'y embarquer et fuir ainsi le pays afin de gagner Rome. Le capitaine du navire se fera un plaisir de faire ce petit détour si je lui en donne l'ordre.

— Très bien alors. Je vais tenter d'aller franchir l'une des portes et de m'y rendre. Mais si j'y parviens, cela ne fera que confirmer que je suis réellement un déserteur. Il faut auparavant que je me rende au palais afin de m'expliquer !

— Tu sais comme moi que les tiens tuent d'abord et posent des questions ensuite dans ce genre de situation. Je pense qu'il est trop tard pour te justifier, mon ami. Tu n'as pas vraiment le choix. Si tu veux franchir l'une de ces portes, attends à la faveur de la nuit et conserve ces vêtements. Si tu suis ce plan, tout devrait bien aller.

— Tu es un homme très optimiste, vieillard, mais là, je pense bien que mon heure est venue. C'est pour ça que ces démons me pourchassent. C'est pour me conduire dans l'antre de Pluton et y agoniser durant l'éternité. De toute façon, les êtres auxquels je tenais sont morts désormais ou le seront dans peu de temps...

— Mais qu'est-ce que tu racontes là, mon ami ? Qui est ce Pluton ? Allez ! Prends encore un peu de mon vin et profite de la journée pour me raconter ce qui t'est arrivé. J'avoue que l'autre nuit, tu nous as laissés sur notre appétit, mes invités et moi.

Le soldat termina son repas, but goulûment une rasade de vin et regarda fixement Joseph, l'air perplexe :

— Mais pourquoi te préoccupes-tu de moi ainsi ? Je suis un Romain, donc ton ennemi. Tu devrais me livrer aux autorités et t'éviter ainsi un tas d'ennuis. Je te remercie encore une fois pour ton hospitalité mais il vaudrait mieux que je parte.

Sur ce, le centurion déposa sa coupe et se leva de son siège. Joseph tenta de le retenir :

— Non, attends. Rien ne presse voyons ! N'as-tu pas compris qu'en plein jour comme ça, les gardes risquent de te reconnaître malgré tes déguisements ? J'ignore pourquoi, mais une force invisible me pousse à t'aider. Je t'en prie, rassieds-toi et raconte-moi tout. Je t'assure que tu ne risques rien ici. J'ai demandé à mes hommes de surveiller attentivement la villa. Ils viendront m'avertir si des visiteurs indésirables se présentent à mon porche.

Le marchand se montra si convaincant que le centurion décida de lui faire confiance et d'agréer à sa demande. Joseph, encouragé, poursuivit :

— Maintenant, j'aimerais entendre ton histoire. Mais d'abord, je vais ordonner que l'on ne nous dérange pas pour des peccadilles. Et du même coup, je vais m'assurer aussi que ma vieille servante s'est remise un peu de ses émotions.

Au bout d'un bref instant, il revint et referma la porte. Il se dirigea vers la fenêtre et ouvrit les larges rideaux afin de faire pénétrer la lumière matinale du soleil. Le coq venait de chanter et la journée s'avérait des plus prometteuses. Joseph avait rapporté au passage une seconde cruche de vin au miel. Il prit un banc et s'assit en face de son invité. Sans un mot, il remplit la coupe de celui-ci à ras bord et attendit patiemment que le centurion débute son récit. Celui-ci sembla hésiter. Il regarda son hôte dans les yeux et demanda :

— Tu me jures de ne pas me prendre pour un fou si je te raconte tout ?

— Sois-en assuré mon ami. Aie confiance en moi, dit Joseph qui le regardait chaleureusement.

— Eh bien soit ! Par quoi veux-tu que je commence ?

— Mais par le début ! D'abord, une question me chicote depuis notre dernier entretien. Tu m'as affirmé que le décurion, croisé l'autre nuit au caveau, disait la vérité quand il mentionnait que tu étais presque aveugle. Est-ce vrai ?

— Apparemment, Pétronus connaissait mon secret. Voir bien, je ne saurais le dire, vieillard. Mais effectivement, j'étais presque aveugle avant l'incident.

— Mais de quel incident veux-tu parler ? Serait-ce quand tu as percé le flanc de mon Seigneur comme la Magdaléenne l'affirme ?

— J'ignore si cela peut avoir un rapport mais c'est bien moi qui lui ai infligé cette blessure. Je pense cependant qu'il avait déjà trépassé lorsque j'accomplis mon geste. En revanche, ce dont je suis certain, c'est qu'il s'est passé quelque chose d'incroyable par la suite. Ceci, je peux te le confirmer.

— Au fait, pourquoi lui as-tu fait ça ?

— Par pure vengeance !

— Comment ? Mais pourquoi donc... que s'est-il passé ? Qu'est-ce que cet homme, le Fils du Très-Haut et qui était si bon, a bien pu te faire pour que tu lui infliges cette horrible blessure ? J'aimerais comprendre et t'aider dans la mesure du possible. Comprendre aussi par quel prodige tu as retrouvé la vue, même si ce que tu sembles voir n'a pas l'air trop agréable.

Le Romain cala une autre gorgée, s'essuya la bouche sur l'une des longues manches de sa tunique et prit une profonde inspiration :

— J'ignore pourquoi tout cela m'arrive mais j'ai confiance en toi, marchand, alors je te dirai tout. Étant donné que tu sembles connaître ce crucifié, tu pourrais peut-être m'expliquer ce qui m'arrive, bon sang !

— Je veux bien essayer, mais tu ne dois omettre aucun détail. Bien, dit Joseph. Premièrement, le décurion qui surveillait le caveau l'autre soir t'a nommé Longinus. Est-ce bien ton nom ?

— C'est exact. Mon nom est Caius Cassius Longinus. Je suis né il y a près de trente-six ans... enfin, c'est ce qu'on m'a toujours dit, dans un petit village nommé Arezzo, en Toscane. Enfant unique, mon père, Caius Philippus Longinus était lui-même soldat dans l'armée romaine. Il était décurion dans la XIXe légion cantonnée près des rives du Rhin en bordure de la frontière est de l'Empire. Sa légion, ainsi que d'autres, devait défendre la région contre les Barbares germains car des insurrections et des soulèvements se produisaient de plus en plus souvent à l'intérieur même des territoires conquis en Germanie. Publius Quinctilius Varus, le gouverneur de la région à l'époque, avait commis l'erreur de disperser ses forces en plusieurs endroits dans un pays tout près de l'insurrection et, lorsqu'une révolte éclata au nord, il décida de rassembler trois légions : la XVIIe, la XVIIIe et la XIXe, dont faisait partie mon père, et de s'y rendre en force.

Varus, lorsque ses légions furent réunies, s'aventura en direction nord à l'intérieur même de la forêt accidentée de Teutobourg. Rapidement, les troupes romaines y furent massacrées lorsque les Barbares leur tombèrent dessus. Les trois légions s'étaient laissé attirer dans un guet-apens. On m'a dit qu'un traître nommé Hermann, en qui le gouverneur Varus avait donné sa confiance, les y avait menées directement. L'année précédente, ce traître, chef de la tribu des Chérusques, s'était rendu à Rome et s'était offert comme otage en signe de loyauté envers Rome pour protéger les siens contre toutes attaques. Durant sa captivité, il reçut un entraînement militaire et devint officier. Environ un an plus tard, sur ordre de l'Empereur lui-même, il commanda un détachement d'auxiliaires formé de ses propres compatriotes afin de rejoindre Varus aux abords du Rhin. Hermann lui servit de guide lors d'incursions à l'intérieur du pays, jusqu'à ce qu'il exécute son horrible forfait. En secret, il avait formé une coalition de plusieurs tribus germaines récalcitrantes et avait fomenté le projet de bouter hors du pays tous les Romains qui s'y trouvaient.

Les nôtres avaient subi de lourdes pertes mais quelques-uns avaient réussi à retraiter en direction sud-ouest vers la frontière. D'autres, le lendemain du massacre, avaient suivi le général Varus qui fuyait l'ennemi en direction nord-est. Bientôt, ils s'embourbèrent dans une autre forêt dense. Sitôt engagés, ils s'égarèrent de nouveau et furent rejoints sans mal.

Au soir, les quelques survivants purent édifier un camp fortifié. Ce n'était que repousser l'inévitable. Au lendemain, une nouvelle attaque survint. Les Germains fondirent sur eux comme des loups affamés. Varus et ses plus fidèles officiers, voyant qu'il n'y avait plus aucune issue, se suicidèrent. D'autres se rendirent aux Germains, mais sur l'ordre de leur chef, ils furent presque tous exécutés. Seuls ceux qui appartenaient à de riches familles furent ultérieurement relâchés contre rançon.

Ces informations nous proviennent donc de ces soldats survivants. Mon père, étant de famille modeste, n'eut pas cette chance. Mais j'ai su qu'avant de mourir, il avait pris soin d'enterrer l'aigle de sa XIXe légion, son étendard, afin que les Germains ne puissent s'en emparer et ainsi augmenter leur confiance.

Des années auparavant, Rome, menée par Drusus, avait conquis plusieurs territoires à l'intérieur de la Germanie et y avait fait construire nombre de forteresses pour les défendre. Maintenant, grâce à cette dernière victoire remportée par les Barbares, toutes ces terres se trouvant entre le Rhin et le Wesser redevinrent libres. L'empereur Auguste fut anéanti par la nouvelle. Sans tarder, il ordonna à ses généraux d'envoyer deux légions protéger les frontières gauloises d'une probable invasion germaine. Ensuite, il sombra dans une profonde dépression. Il se retira dans ses appartements privés durant plusieurs jours, refusant de manger et de dormir tout en ne cessant de crier : « Varus, redonne-moi mes légions. » Les noms des trois légions massacrées ne furent plus jamais donnés à aucune autre légion nouvellement formée. Depuis ce jour, la frontière délimitée par le Rhin est toujours menacée des incursions germaines.

J'avais quinze ans à l'époque. Ma mère, une femme bonne, attentionnée et remplie d'affection pour mon père et moi, son fils unique, ne se remit jamais tout à fait de son chagrin et finit par en mourir quelques années plus tard. Au décès de mon père, c'est son frère Gnaus qui prit soin de nous. Cet oncle vivait sur une terre située au nord de mon village. Elle lui avait été octroyée après avoir servi vingt ans dans l'armée. Soldat et marin accompli, il s'était enrichi sous les ordres de l'empereur Auguste, grâce à des campagnes victorieuses en tant que capitaine d'un vaisseau de guerre, contre les pirates qui sévissaient alors en Méditerranée. Il nous offrit donc aide et protection et spécialement pour moi son seul neveu, il engagea les services d'un précepteur qui m'apprit, entre autres, à lire et à compter. Quoi qu'il en soit, tout cela m'intéressait peu car dès mon plus jeune âge, j'étais attiré par la vie militaire malgré la mort de mon père au combat. Aux moindres défilés de soldats qui traversaient nos champs, je courais pour y assister. Grand guerrier lui-même et presque toujours aussi vigoureux que du temps de sa jeunesse, oncle Gnaus, dans mes temps libres entre deux leçons de philosophie, m'apprit les arts militaires. Au bout de quelques années, mon corps se muscla autant que ma tête se remplissait de connaissances. Ainsi, au jour de ma maturité, je quittai la ferme de mon oncle et décidai d'aller à Rome m'enrôler dans l'armée comme j'en avais toujours rêvé. Ma mère étant décédée, plus rien ne me retenait malgré l'affection que j'éprouvais pour mon oncle. Jamais je n'oublierai ce qu'il a fait pour ma pauvre mère et moi.

Parvenu enfin à Rome, la plus grande cité du monde, j'allai sitôt m'enrôler dans la première caserne que je croisai. Grâce à mon physique athlétique, à mon talent équestre et à ma dextérité dans le maniement du *gladius* et au *pilum*, j'y fus admis sans aucun problème. À l'école d'entraînement militaire, je rencontrai un dénommé Lucius Julius de la très estimée famille des Julii. C'était un parent éloigné de l'Empereur et un descendant direct du grand Jules César. Cependant, malgré son statut, car il aurait pu se faire nommer directement à un poste de commandement, il désirait tout comme moi vivre la vie d'un légionnaire et gravir les échelons hiérarchiques comme le plus simple des hommes. Sa vigueur, son tempérament rieur et sa joie de vivre en faisaient un agréable compagnon. Je me liai aussitôt d'amitié avec lui.

Durant ces années, nous ne nous sommes pas quittés. Il m'accompagnait partout où j'étais appelé à défendre les intérêts de l'Empire.

J'avais appris à monter à cheval sur la ferme de mon oncle, et mon ami de même sur ses propres terres. Nos talents furent vite remarqués et très tôt, on nous affecta à la garde prétorienne chargée de faire respecter l'ordre dans la capitale même de l'Empire.

Au cours d'un congé, Lucius me présenta sa famille. Son père Crassus, âgé d'une cinquantaine d'années, était l'un des membres les plus influents du sénat. Sa mère Cécilia, qui avait conservé une grande beauté malgré son âge, se montrait très courtoise et attentionnée à mon égard. Lucius n'avait qu'une sœur, plus jeune que lui de quelques années Elle se nommait Livia et elle était magnifique. Vénus elle-même ne pouvait être plus belle. Autant son frère était d'un blond rappelant la couleur de la paille, autant elle possédait une merveilleuse chevelure brune et soyeuse comme un riche tissu. Quand elle souriait, de petites fossettes apparaissaient sur ses joues, lui donnant un petit air espiègle, exactement comme son frère Lucius. Toute menue et douée d'une grâce sans pareille avec des yeux couleur noisette, j'en tombai aussitôt amoureux. Comme si Cupidon lui-même m'avait tiré l'une de ses flèches magiques. De plus, hautement cultivée, Livia s'avérait très humble malgré son statut social, contrairement à nombre d'autres filles de bonne famille rencontrées auparavant qui se comportaient comme d'exécrables enfants gâtées. Les Julii, ou la gens Julia, appartiennent à une importante et prestigieuse famille centenaire qui a aidé à la construction de Rome et de son Empire. Ils ont comme ancêtre le Troyen Iule, rescapé du siège de Troy. Comme tout bon citoyen romain, je savais que le grand Jules César, assassiné bien avant ma naissance, était de cette famille.

Cependant, ma condition de simple légionnaire m'empêchait de courtiser la belle Livia ouvertement. Je me fis donc un devoir de gagner mes galons le plus vite possible. Quelques mois plus tard, devant ma fougue et mon entêtement, je fus promu au rang de centurion, responsable d'une centaine d'hommes. C'était encore mieux que mon père, qui lui, comme je l'ai mentionné tout à l'heure, avait été décurion. Je flottais littéralement. Suite à ma promotion, je nommai mon ami Lucius optione, c'est-à-dire mon adjoint, afin de m'assurer de sa présence en tout temps. Aucunement jaloux de ma promotion, il me servit avec beaucoup de zèle et d'enthousiasme. En plus d'être mon ami, c'était un féroce combattant et sa présence m'était devenue indispensable.

Notre centurie, qui comprenait une cavalerie de trente-cinq hommes d'armes dont moi-même à leur tête, était réputée pour être l'une des plus efficaces. La ville n'était pas trop menacée à cette époque et notre ardeur décourageait la plupart des criminels, alors nous coulions des jours tranquilles. J'adorais la franche camaraderie qui régnait au sein du groupe et bientôt je pris mon courage à deux mains et tentai d'entreprendre la mission la plus périlleuse de ma vie. Habituellement, les centurions n'étaient pas autorisés à se marier et devaient, comme les légionnaires, se consacrer uniquement à l'armée. Cependant, par le biais du père de Livia, le sénateur Crassus qui m'appréciait comme un deuxième fils, j'obtins une dispense du sénat. Un bon matin, alors bien décidé, j'allai faire ma demande en mariage à ma belle Livia, elle qui était plus douce que les pétales d'une rose.

Sur un champ de bataille, le courage ne m'a jamais manqué mais à ce moment-là, lorsque je la vis devant moi, mes jambes s'entre-choquèrent et je cherchai désespérément les mots à dire dans ces circonstances. Après quelques balbutiements, elle réussit enfin à saisir mes propos incohérents et consentit avec joie à s'unir à moi. Elle me sauta au cou, les larmes aux yeux. Elle m'avoua qu'en secret, elle rêvait depuis le premier jour de notre rencontre que je lui fasse cette demande. Nous nous unîmes donc deux semaines plus tard au temple d'Apollon avec la bénédiction de l'Empereur lui-même. La famille de ma jeune épouse étant très riche, ce fut une cérémonie grandiose. Dès lors, j'avais atteint le prestige moi aussi ; j'appartenais à cette famille glorieuse. Après la célébration, je profitai d'un congé de quelques jours en compagnie de ma jeune épouse. Ce furent les jours les plus heureux de ma vie. J'avais vingt-deux ans à ce moment-là. J'étais devenu l'un des plus jeunes centurions de l'armée à ne jamais avoir été nommés et mes hommes semblaient m'apprécier. De plus, étant marié à la plus belle femme de tout l'Empire, je faisais l'envie de tous. Ce qui n'était pas pour déplaire à ma fierté. Bref, tout allait bien si ce n'est que notre premier enfant, après plusieurs essais infructueux, se faisait toujours attendre. Cette année-là, hélas, tout s'écroula. Nous fûmes transférés, ma centurie et moi, en bordure du

Rhin, afin d'augmenter les effectifs déjà sur place, en vue d'une attaque définitive outre-Rhin contre les Barbares.

Depuis la mort de mon père, Rome, sous la gouverne de Tibère, alors général sous les ordres de l'empereur Auguste, avait lancé plusieurs expéditions sans succès en Germanie. Les légions romaines étaient habituées à se battre en terrains découverts et en formations serrées. Leurs tactiques s'avéraient infructueuses dans la densité de ces forêts. De plus, les Germains étaient excellents au corps à corps, se battant comme des enragés. Donc, les nôtres décidèrent de se cantonner dans les clairières qui s'étendent entre le Danube et le Rhin, et de ne pas porter les frontières au-delà de ces fleuves. Ils y construisirent de solides défenses sur près de cinq cents kilomètres. L'empereur Auguste, encore sous le choc sans doute d'avoir perdu trois légions en Germanie sept ans auparavant, décéda. Son neveu Tibère lui-même, de retour à Rome, fut nommé pour lui succéder. Deux ans plus tard, il ordonna qu'on en finisse une bonne fois pour toutes avec les Barbares germains. Pour ce faire, il ordonna au général Claudius Drusus Germanicus de s'en charger. Étant donné nos succès, l'Empereur décida de se passer de notre protection et de nous remplacer afin que nous rejoignions le général aux abords de la frontière germano-romaine. Il me remit lui-même un papier officiel, marqué du sceau impérial, attestant notre bravoure. Quelques jours plus tard, nous nous mettions en route.

Mes adieux à mon épouse furent pénibles. Je l'aimais tendrement et j'aurais voulu rester à ses côtés mais mes devoirs d'officier m'envoyaient dans une contrée sauvage, là où peut-être j'y laisserais ma vie. En cours de route, d'autres légions affublées de la même mission et venues de tous les pays conquis, vinrent se joindre à nous. Après des semaines de route, nous arrivâmes enfin en vue de la rive ouest du fleuve nommé le Rhin.

CHAPITRE V

LE LIVRE NOIR DE SALOMON

Germanie. An 8 après J-C.

Lorsqu'ils le virent arriver vers eux, affamé et exténué, les villageois s'empressèrent de le couvrir de fourrures sèches tout en s'enquérant de ce qui avait bien pu lui arriver. Tremblant de tous ses membres, Malaric leur raconta que la vieille embarcation de Sven n'avait pas résisté à l'expédition qu'ils avaient planifiée ce matin-là afin de ramener le corps de Karan.

À l'aube, nous avions quitté le quai depuis environ une heure lorsque je m'aperçus le premier que de l'eau s'infiltrait à l'intérieur de la vieille barque par une fissure dans la coque. Voyant cela, nous avons fait demi-tour. Nous étions encore loin du quai quand soudain le plancher céda et que l'embarcation sombra en quelques minutes. Grâce aux dieux, j'ai heureusement appris à nager dès mon plus jeune âge. Ce qui n'était assurément pas le cas pour Sven et son fils car ils coulèrent comme des pierres. Déployant un effort surhumain, je réussis de peine et de misère à regagner la rive à la nage.

— Tu as été grandement chanceux de t'en sortir. Peu d'hommes peuvent survivre à cette eau froide comme la mort à ce temps-ci de la saison ! dit le Jarl, étonné d'un tel témoignage.

— J'ai fourni tellement d'efforts pour atteindre le rivage que la température de mon corps n'a pas trop chuté, je pense.

Ida, qui se trouvait parmi le groupe de badauds, s'élança sur Malaric et lui griffa le visage.

— Vous êtes partis à l'aube et le soleil commence son déclin. Qu'as-tu fait tout ce temps ? C'est de ta faute ! Les trois hommes de ma vie sont maintenant morts à cause de toi, j'en suis certaine, cria-t-elle en pleurs.

Assurément, elle doutait de la véracité de ses dires. Deux villageois s'interposèrent et tentèrent de la maîtriser. Luna, qui à l'annonce du retour de son père était accourue sur les quais, fut attristée de voir le mauvais œil s'acharner ainsi sur son amie. La pauvre femme, en crise, finit par s'évanouir dans les bras des deux hommes. Étant donné sa corpulence, ils avaient peine à ne pas la laisser choir au sol. Finalement, ils réussirent à la ramener à son logis et à l'étendre sur sa couche aux bons soins de quelques femmes du clan.

— Eh bien ! mon ami, qu'as-tu à répondre aux accusations de cette femme ? demanda le Jarl à Malaric dès que la foule se fut dispersée.

— Mais... rien ! Je ne comprends pas pourquoi elle me soupçonne de quelque chose ! Je vous ai tout raconté.

— Comment expliques-tu alors tout ce temps écoulé ?

— J'ai rejoint la côte un peu plus à l'est et là, je me suis reposé pour reprendre des forces avant de poursuivre ma route à la marche jusqu'ici. Comme je te l'ai dit, l'eau froide avait engourdi mes membres et il m'a fallu un peu de temps pour y parvenir. Toute cette histoire n'est qu'un simple accident, désastreux j'en conviens, mais rien de plus, je te l'assure. Je te rappelle que c'était la barque de Sven, pas la mienne ! Comment pouvais-je prévoir qu'elle ne tiendrait pas le coup ? Et pour quelle raison les aurais-je tués ? Je n'avais aucun grief contre eux !

Devant ces arguments, Dvorak lui donna raison mais un doute subsista en lui.

Malaric rentra ensuite chez lui pour se réchauffer et changer de vêtements. Luna le suivit, lui alluma un bon feu dans l'âtre et lui prépara un bouillon chaud. Cependant, la jeune fille était songeuse. Elle avait remarqué un changement d'attitude chez son père depuis l'instant où Karan et Khorr lui avaient montré la pièce d'or. Pour sa part, elle ignorait tout du reste du trésor et ne pouvait soupçonner que son paternel était devenu un meurtrier. Lorsqu'il fut rassasié et complètement séché, Malaric ressentit soudain une grande fatigue. Il fila s'étendre sur sa couche et trouva le sommeil dans la minute. En rêve, il revit les derniers évènements :

« La peur les tenaillait tous les trois lorsqu'ils pénétrèrent dans la première salle et qu'ils découvrirent les signes et les fresques bizarres que Karan avait entraperçus avant de périr. Sven n'en prit pas compte et chercha désespérément le corps de son fils. Malaric, de son côté, bavait devant les innombrables richesses qui inondaient le centre de la grande salle de leur éclat. Il calcula en vitesse qu'il y avait au moins quatre autres de ces gros coffres remplis de richesses. Au travers des joyaux, il repéra un petit poignard d'ivoire dont le manche était incrusté de diamants. Discrètement, Malaric le passa dans sa ceinture. De son côté, le père désespéré criait le nom de son fils. Mais aucune réponse ne vint. Finalement, Khorr retrouva les restes de son jumeau près de l'autre entrée située au fond de la salle. Karan avait le visage sectionné en deux et avait été complètement éventré. Mais curieusement, sa chair n'avait été que partiellement dévorée par l'animal meurtrier.

— Malaric ! cria Sven. Laisse ces joyaux et aide-nous à transporter le corps en lambeaux de mon cher fils jusqu'à l'extérieur de ce lieu maudit ! Ensuite nous lui fabriquerons un bûcher funèbre.

Malaric consentit. Il aurait bien le temps plus tard d'apprécier toutes ces merveilles.

À l'extérieur de la grotte, à proximité d'un profond précipice donnant sur les récifs mortels de la crique, ils érigèrent un petit monticule constitué de grosses branches mortes qu'ils ramassèrent à l'orée de la forêt et ils y placèrent le corps défait du jeune homme.

— Donne-moi ce coutelas précieux ! ordonna Sven à Malaric.

— Pour... Pourquoi ? Que veux-tu en faire ? questionna-t-il, méfiant.

— Tu connais la coutume, voyons !

À contrecœur, il lui remit l'arme. Sven s'empressa aussitôt de la déposer sur le torse de son enfant. Ceci accompli, il tendit sa torche vers les billots qui avaient été aspergés de l'huile qu'ils avaient apportée du village, et rapidement les flammes se propagèrent. En peu de temps, le corps inerte se mit à grésiller et à dégager une odeur nauséabonde. Sven, anéanti, serra dans ses bras le fils qui lui restait. Ils se détournèrent de la scène pénible et fixèrent l'étendue de la mer, le cœur rempli de tristesse et les yeux embués de larmes. Saisissant sa chance, Malaric, d'un bon élan, les précipita tous les deux dans le vide. Le père et le fils allèrent se déchirer sur les rochers en contrebas sans comprendre ce qu'il venait de leur arriver.

Dans son élan, Malaric faillit tomber lui aussi, mais par chance, il avait pu s'accrocher à quelques racines tortueuses qui sortaient du sol et réussit de peine et de misère à remonter. Sitôt sur l'herbe fraîche, il s'empressa de prendre une branche afin de dégager le coutelas d'ivoire déposé sur la dépouille fumante.

— Pas question de gaspiller ce bel objet, pensa-t-il.

Des bouts de chair étaient restés collés au manche précieux mais il n'en avait cure ; l'arme n'avait subi que des dégâts superficiels. Lorsqu'elle fut suffisamment refroidie, il la remit dans son ceinturon de cuir et fit demi-tour. Il pénétra de nouveau dans la grotte et plongea les deux mains dans le premier coffre brisé qui se trouvait à ses pieds. Triomphant, il hurla sa bonne fortune, et son cri de joie alla se répercuter sur toutes les parois humides de la grotte.

Soudain, il prit de nouveau conscience de la présence de l'étrange brume verdâtre qui flottait autour de lui. La mystérieuse substance semblait le guider vers le fond de la salle. Intrigué, il déposa ses nouvelles richesses, reprit la torche qu'il avait déposée sur le sol et suivit la matière éthérée.

Au fond de cette première salle se présentait une autre ouverture ; tunnel sombre et humide donnant sur les profondeurs abyssales de la Terre. De petits lézards et autres créatures visqueuses y avaient élu domicile. Sur le moment, Malaric n'osa pas s'y aventurer. D'aussi loin que sa torche pouvait l'éclairer, il pouvait deviner un long couloir en pente descendante menant vers des ténèbres encore plus opaques.

— Quelles autres aberrations maudites pouvaient bien s'y cacher ? pensa-t-il alors.

La brume verte s'était dissipée et était disparue dans cette noirceur. Trouillard de nature, Malaric rassembla toutefois tout son courage et s'aventura dans le couloir sombre. Sa curiosité l'avait emporté. Tout comme dans la salle d'en haut, la lueur de sa torche lui dévoila que certaines parties des murs du couloir étaient remplies de griffonnages incompréhensibles. Une substance brunâtre, semblable à du sang séché, avait permis de les réaliser. Cependant, à son grand regret, il ne réussit pas à les déchiffrer. Ça ressemblait un peu à des runes anciennes : l'écriture que les druides d'Armorique et de Britannia utilisaient autrefois. Celle-ci était toutefois différente. Plusieurs dessins, exécutés avec beaucoup de violence dans les traits, côtoyaient des suites de mots complètement indéchiffrables. Il n'arrivait pas non plus à identifier les créatures représentées sur les fresques murales. Il continua sa descente, passant au travers d'innombrables toiles d'araignées et au bout de quelques minutes, arriva au fond du couloir sombre.

Il leva sa torche bien haut et là, fut estomaqué du spectacle qui s'offrait à ses yeux. Jamais il n'avait vu une si grande merveille. Une énorme porte circulaire aux dimensions vertigineuses et faite d'un métal massif qu'il n'arrivait pas à identifier était encastrée dans le roc et bloquait l'accès à une entrée interdite.

Soudain, son admiration pour cette œuvre exceptionnelle fut interrompue par un léger grognement derrière lui. La peur le prit derechef. Il se retourna en sueurs et scruta les ténèbres de sa torche.

— Qui est là ? cria-t-il paniqué.

Rien. Il ne voyait rien ! Pourtant, le bruit se fit entendre de nouveau. Il revint sur ses pas et remonta en se dirigeant prudemment vers l'origine du bruit. Les parois du couloir sombre n'étaient pas lisses et dans l'un des plus grands interstices, sortes de petites pièces adjacentes, il découvrit l'objet de sa crainte.

— Mais qu'est-ce que tu fais là, mon mignon ?

Un ourson d'à peine six mois le regardait de ses petits yeux effrayés. L'énorme bête qu'ils avaient abattue à l'extérieur devait être une femelle et ceci était sans aucun doute son rejeton. Cela expliqua le comportement agressif de la bête. Voulant protéger sa progéniture, elle avait attaqué Karan, qui, sans s'en douter une seconde, s'était peut-être approché un peu trop près du bébé qui déjà atteignait une hauteur exceptionnelle.

— Viens mon petit. Oncle Malaric va bien veiller sur toi. Il te nourrira et te protégera. Et dans quelques mois, tu lui feras un excellent gardien pour son trésor. Viens !

Il guida l'ourson vers la salle du haut et là, à l'aide des cordes épaisses dont il s'était servi pour capturer la mère, lia l'une de ses pattes arrière à l'une des longues stalagmites qui dépassaient du sol.

— Je t'appellerai « La Terreur » et tu seras mon fidèle compagnon.

Il alla chercher les harengs qui restaient et les lui ramena. L'ourson, qui avait sans doute très faim, se mit à les dévorer gloutonnement. Quand il eut terminé, il lécha les mains de son bienfaiteur en guise de remerciement. Malaric, satisfait, le laissa et quitta la grotte.

Il était environ deux heures après midi lorsqu'il finit de rassembler toutes les richesses éparpillées autour de la caverne et de les déposer ensuite dans la petite chambre où se trouvait préalablement l'ourson. Après s'être assuré qu'aucune autre pièce d'or ou joyau ne traînait plus dans la caverne, il prit les crânes des anciens propriétaires du trésor et les disposa devant l'entrée de façon à effrayer les plus curieux.

— Qu'est-ce qui avait bien pu causer leur mort ? se demanda-t-il. Ce ne pouvait être la femelle ourse. Ces Phéniciens avaient été massacrés des siècles plus tôt... comment la bête aurait-elle pu survivre tant d'années ? Non. Ce devait être autre chose. À moins qu'une force surnaturelle lui ait permis de vivre si longtemps ? Et cette drôle de brume qui ne cessait de voltiger autour de lui ? Avait-elle quelque chose à voir là-dedans ? se demandait-il.

Pour le moment, les réponses à ces questions devaient attendre. Cela lui coûtait d'abandonner ainsi ses richesses mais il devait retourner au village expliquer la disparition de Sven et de Khorr. De plus, il ne pouvait laisser Luna à la merci du premier venu. Il remonta donc dans la barque de Sven et quitta l'endroit, espérant que personne n'aurait l'idée d'y venir pendant la nuit. Étant donné que le trésor attendait là depuis fort longtemps déjà sans que personne ne le découvre avant lui, il y avait peu de chance que cela survienne. Rassuré, il s'en retourna. Lorsqu'il fut presqu'en vue du village, il se rapprocha le plus possible du rivage et là, coula la barque à l'aide de sa grande épée qu'il portait toujours à son côté et poursuivit son chemin à la marche. Il lui fut relativement facile d'inventer le récit qui expliquerait cette nouvelle tragédie. »

Le lendemain de son retour au village, dès son réveil, Malaric emprunta de nouveau la barque du Jarl, celle-là même qui avait été utilisée lors de la recherche de sa fille, et retourna en vitesse à la grotte. Sitôt débarqué, il se dirigea vers le couloir sombre et s'assura que son trésor y était toujours en sûreté. Il prit soin de La Terreur, qu'il détacha le temps qu'il était présent. La bête se promena librement dans la caverne, mais curieusement, elle n'osait pas en sortir. Malaric poursuivit ensuite sa descente jusque devant l'immense porte à l'extrémité du couloir sombre.

Il déposa au pied de cette dernière, les trois torches qu'il avait apportées et recula d'un pas. La porte ainsi éclairée, Malaric put enfin admirer dans toute sa splendeur ce travail façonné par les dieux. Il en était certain, aucun homme n'aurait pu construire ou même imaginer une œuvre aussi complexe. En bon forgeron, il admira non sans étonnement le travail de précision qui avait été effectué sur la devanture. De nombreuses saillies gravées dans le métal s'entrelaçaient et créaient ainsi une fresque des plus élaborées. Il remarqua que toutes ces nervures convergeaient vers le centre de l'immense porte. Il s'approcha de plus près, intrigué, et vit qu'en haut de ce centre se trouvait, parmi tous ces entrelacs de formes géométriques complexes, une étoile à cinq branches dont l'une des pointes pointait vers le sol. Au bout de celle-ci, il y avait un trou de la grosseur de son poing. Mais celui-ci se trouvait beaucoup trop haut pour que Malaric puisse effectuer une inspection détaillée.

— Plus tard, je reviendrai avec une échelle, décida-t-il.

En plein centre de la porte, il remarqua aussi un symbole uni dans les entrelacs. Une sorte de croix tordue, signe millénaire représentant toutes les horreurs de l'Univers. Ignorant ce que ce symbole signifiait, il fut toutefois saisi de crainte lorsqu'il posa les yeux dessus. Sa simple vue le fascina et le fit frissonner tout à la fois sans qu'il comprenne ce qui pouvait bien lui causer cet effet. Par contre, au plus profond de lui, son âme immortelle, elle, en connaissait la raison. Il revint à sa contemplation et de nombreuses questions surgirent dans son esprit :

— Pourquoi donc ce portail se trouvait-il à cet endroit ? Qu'y avait-il au-delà de cette cloison ? Était-ce une barrière pour empêcher quiconque d'y pénétrer ou bien... quiconque d'en sortir ?

Étant donné ses dimensions vertigineuses, Malaric n'osa même pas songer à cette dernière option.

— Qu'y avait-il donc autrefois à la place de ce trou ? Que contenait-il ? Serait-ce la clé permettant d'ouvrir la porte ? Si c'est le cas, où se trouve-t-elle maintenant ?

Toutes ces énigmes finirent par lui donner la migraine.

Subtilement, la brume verte revint vers lui :

— La solution doit se trouver parmi les inscriptions qu'il y a sur les murs ! dit-il tout haut, soudainement inspiré.

Il se mit donc à arpenter chaque parcelle des parois du couloir sombre ainsi que celles de la salle principale en haut, en quête d'un mot ou d'une syllabe qu'il pourrait déchiffrer. Ses recherches s'avérèrent infructueuses jusqu'à ce qu'il tombe sur un nom écrit en grec, langue qu'il maîtrisait aisément : Salomon !

Ce nom, contrairement aux autres graffitis, avait été écrit tout récemment. Le sang qui avait servi pour l'inscrire semblait encore frais. Pour s'en assurer, Malaric le toucha du bout du doigt.

— Deux jours, tout au plus, conclut-il en crachant au sol. Mais quel est donc ce nouveau mystère ?

Soudain, il en comprit le sens.

Pour une seconde fois alors que la brume verte se trouvait autour de lui, Malaric fut curieusement inspiré d'idées lumineuses qu'il n'aurait jamais pu concevoir auparavant.

Les écrits, hormis les plus anciens et les illustrations étranges, avaient été réalisés grâce au sang de l'équipage phénicien tué à l'intérieur de la caverne plusieurs siècles déjà. De quelle manière cela fonctionnait-il ? Il l'ignorait, mais ce sang frais devait sûrement appartenir à Karan et la force ou l'entité qui avait écrit « Salomon » s'en était servie pour récidiver. Dommage que Sven et Khorr soient morts à l'extérieur de la grotte. Cela lui aurait permis de vérifier si sa théorie se révélait exacte. Il lui faudrait donc de nouvelles victimes pour la valider.

Quoi qu'il en soit, pour l'instant, il devait trouver des informations concernant ce Salomon. Ce nom avait une résonance hébraïque et il pensa qu'il devait entreprendre ses recherches en commençant par sillonner le pays de la Palestine, patrie des Hébreux, en quête d'informations à son sujet. Lui-même ne pouvait se permettre un tel voyage. Il était hors de question qu'il abandonne la caverne aussi longtemps et... sa chère fille. Soudain, une évidence se présenta. Il irait quérir les services de mercenaires qu'il achèterait aisément. Aidé de sa fortune, il lui serait facile de recruter un équipage qui chercherait pour lui une trace de l'existence de ce Salomon.

— Et en même temps, je pourrais peut-être faire d'une pierre deux coups, se dit-il.

Avant de quitter les lieux, il prit, dans l'un des coffres, une bonne quantité d'or qu'il mit dans un sac de jute.

Deux jours s'étaient écoulés et Luna ignorait toujours où son père se rendait ainsi chaque jour. Ses absences duraient de plus en plus longtemps. Il partait très tôt le matin à bord d'une embarcation légère qu'il avait achetée au Jarl et quittait le village. Luna se souvint de l'avoir vu le jour d'avant, piger dans le bocal qu'il tenait sous sa paillasse, l'argent nécessaire à l'achat de l'embarcation. Elle lui avait rappelé que ces économies servaient pour affronter les temps durs, ce qui n'était pas le cas présentement. Les récoltes, les produits de la chasse et de la pêche ainsi que les attaques de navires marchands étrangers avaient été fructueux la saison dernière. Le clan ne souffrirait d'aucune famine. Son père lui avait répliqué que bientôt ils auraient tellement de richesses qu'ils ne sauraient plus quoi en faire. Par contre, il rentrait toujours avant la nuit. Mais la jeune fille commençait à se questionner sérieusement. Jamais auparavant il ne l'avait laissée ainsi seule si souvent.

— Qu'est-ce qu'il fabrique? se questionna-t-elle.

Sa curiosité grandissait. Elle aurait bien aimé pouvoir le suivre à bord de sa propre barque mais son père n'était jamais disponible pour lui apprendre à naviguer. Il ne respectait pas sa parole envers elle à ce sujet et cela la chagrinait beaucoup. Heureusement qu'avant de mourir, Karan lui avait enseigné quelques notions de base mais elle doutait que cela pourrait suffire à s'en sortir. En fille courageuse qu'elle était; femme germaine du clan très respecté des Frisons, elle décida cependant que, dès la prochaine escapade de son père, elle le suivrait quand même et découvrirait enfin la cause de son attitude mystérieuse.

Le lendemain, quatre jours après la découverte de la caverne, le manège de Malaric continua. Il marcha d'un pas rapide vers les quais, monta à bord de sa barque et fila ensuite droit vers l'est tout en suivant la côte. Cette fois, Luna était prête; elle attendit que son père se fût un peu éloigné et, à son tour, monta à bord du *Goéland* et prit la mer. Quelque chose lui disait qu'il se dirigeait vers la presqu'île qu'elle avait découverte par mégarde en compagnie des jumeaux lors de sa première escapade. Essayant d'appliquer au mieux les connaissances qu'elle avait acquises, elle vogua dans cette direction.

Au bout de deux heures, Malaric arriva près de l'endroit nimbé de brume mais au grand étonnement de Luna, il continua sa route plus à l'est en direction des territoires des Saxons et des Angles. Luna prit peur. Qu'est-ce que son père pouvait bien tramer avec ces hommes sanguinaires ? Par surcroît, ennemis de son peuple ! N'osant pas affronter ce danger, elle décida de faire demi-tour. S'il fallait qu'un des navires de ces sauvages la croise dans ces eaux, elle ne donnait pas cher de sa peau. À sa grande surprise, elle se débrouillait fort bien sur les flots. Mais déçue, elle se résigna à rentrer au village. Cependant, lorsqu'elle vira son embarcation, elle découvrit qu'une autre barque l'avait suivie. Sitôt que l'inconnu vit qu'elle avait effectué demi-tour, il en fit tout autant. Luna était à une trop grande distance pour distinguer parfaitement qui cela pouvait être. Elle en avait une petite idée et si celle-ci s'avérait exacte, les troubles ne faisaient que commencer...

Malaric accosta sur les rives du village du clan des Saxons. Sûr de lui, il mit pied à terre et laissa tomber l'énorme sac qu'il tenait sur son épaule gauche. Le bruit de la chute vint chatouiller les oreilles des habitants qui se tenaient là, étonnés de voir débarquer ainsi sur leur plage un ennemi. Lorsqu'ils virent que l'individu ne portait pas d'arme, sans abaisser leur garde, ils lui demandèrent :
— Qui es-tu étranger ? Que viens-tu faire sur nos côtes ?
— Mon nom importe peu. Je viens quérir les services du plus vaillant d'entre vous, guerriers de la Saxe. Que celui qui connaît le mieux les mers et qui n'a pas peur d'affronter les dangers qu'elle recèle, s'avance. J'ai une proposition à lui faire qu'il ne pourra pas refuser.
À ces paroles criées bien fortes pour que tous les entendent, la foule grossit et parmi elle se détacha un grand guerrier aux cheveux blonds, sales et broussailleux qui affichait de nombreuses cicatrices lui traversant le visage de bord en bord. Dans ses yeux, d'un gris profond semblable aux grands loups du Nord, se lisaient la détermination et l'arrogance. D'un pas sûr, il s'avança vers Malaric.

— Je me nomme Ragnard, capitaine du Valkyrie, et je suis le meilleur marin de ce hameau. Personne ici ne peut mettre mon courage ni ma force en doute. Parle, étranger ! Qu'as-tu à proposer ?

— Tu sembles être l'homme dont j'ai besoin, mon cher Ragnard. As-tu un équipage ?

— Bien sûr. Une quinzaine de bons pirates, prêts à tout pour moi. Mais mes services valent très chers, je doute que tu...

— Jette un œil là-dessus, l'interrompit Malaric.

Il ouvrit le sac et le contenu de celui-ci fit écarquiller les yeux du grand guerrier.

— Mais comment est-ce possible ? Où donc t'es-tu procuré toute cett...?

— Chut ! Tais-toi ! Si tu veux en avoir encore plus, invite-moi à bord de ton navire et je t'expliquerai en détail ce que j'attends de toi.

— Holà ! Dis-moi d'abord d'où tu viens.

— Pourquoi tiens-tu tant à le savoir ?

— Simple précaution. Alors ?

— J'appartiens à l'un des clans sur la côte, un peu plus à l'ouest : les Frisons.

À ce nom, Ragnard sursauta.

— Pourquoi un membre de ce clan ennemi viendrait-il louer mes services ?

— Mes raisons à ce sujet ne regardent que moi. Peut-être que finalement tu n'es pas l'homme de la situation. Tu sembles un peu trop curieux !

— Qu'est-ce qui m'empêche de te tuer et de prendre ce sac aisément ?

— C'est que tu pourrais en avoir plus, beaucoup plus. Je te l'ai dit... si tu réussis la mission que je vais te confier, bien sûr !

— Bien sûr ! Bon, très bien. J'ai grandement besoin de cet or alors je vais te suivre, Frison, mais gare à toi si jamais tu me joues des entourloupes !

— Cesse de gémir ainsi, Saxon. Bientôt tu seras l'homme le plus riche de ton clan, conclut Malaric.

Six semaines s'étaient écoulées depuis le départ de Ragnard. Durant ce temps, à chacune des visites de Malaric à la caverne, celui-ci avait l'impression qu'un savoir particulier lui était transmis progressivement. Il inspecta plus à fond tous les recoins de sa caverne dans l'espoir de trouver de nouveaux éléments lui permettant d'en savoir un peu plus au sujet de la porte close. L'étrange brume verdâtre rôdait régulièrement à ses côtés mais il ne s'en préoccupait plus outre mesure maintenant. La Terreur avait grossi de façon spectaculaire et Malaric entretenait la fureur et la force de la bête en la nourrissant exclusivement de viandes crues. Il lui avait fabriqué un enclos des plus solides à l'intérieur même de la salle où il l'avait trouvée et dans laquelle il avait regroupé toutes ses richesses.

Par une mer splendide, Ragnard effectua son retour. Il mouilla l'ancre du Valkyrie, son navire, à l'endroit préalablement indiqué par Malaric. Le voyage jusqu'à Jérusalem avait été assez pénible mais avait porté fruit. Sauf qu'au retour, il avait croisé une galère romaine et avait perdu quelques hommes dans l'échauffourée. Heureusement, il avait réussi à s'en sortir victorieux. Quel dommage cela aurait été qu'il se fasse prendre car, dans la ville même de Jérusalem, Ragnard avait pu obtenir un objet susceptible de plaire au Frison qui l'avait engagé. Suite aux consignes de celui-ci lors de leur entretien, il prit une barque légère et accosta seul sur la grève. Dès qu'il mit le pied à terre, il prit le cor qui pendait à un pieu enfoncé dans le sable et surmonté d'un crâne humain. Il souffla dans la corne et l'hôte des lieux vint presque aussitôt à sa rencontre. Telle une vieille fouine, Malaric descendit le sentier rocailleux menant jusqu'à la grève. Ragnard remarqua un changement chez lui. Il semblait que ses yeux luisaient d'une lueur plus malicieuse qu'avant. Sans autre préambule, Malaric lui demanda :

— Alors, as-tu trouvé quelque chose susceptible de m'intéresser ? demanda-t-il au pirate.

— Je pense bien ! Regarde un peu ceci !

Ragnard sortit de sous ses nombreuses couches de fourrures malodorantes une sorte de reliure.

— Qu'est-ce ceci ? demanda Malaric, intrigué.

— Regarde par toi-même ! L'homme à qui cela appartenait m'a dit que c'était un recueil de papyrus très ancien. Il m'a certifié juste avant de mourir qu'il s'agissait là d'un exemplaire unique d'un traité de démonologie rédigé par des scribes au service du roi Salomon, celui-là même sur qui tu m'avais demandé de me renseigner. L'homme m'a avoué que sa valeur était inestimable mais qu'il cherchait à s'en débarrasser...

Malaric ne l'écoutait plus. Dans ses mains se trouvait l'objet de tous ses espoirs. Le recueil semblait millénaire et était couvert de poussière crasse. La couverture d'un marron foncé presque noir qui lui servait de protection semblait constituée d'un cuir rugueux que Malaric au touché n'arriva pas à identifier. Il l'ouvrit délicatement. L'ouvrage contenait une centaine de feuilles de papyrus tombant en morceaux, brûlées sur les rebords et qui étaient reliées ensemble par des lanières du même cuir douteux. Certaines pages, surtout au centre, étaient déchirées et d'autres manquantes. D'une à l'autre, il s'aperçut que la calligraphie des textes variait. Cet ouvrage avait été rédigé en plusieurs dialectes mais tout ce charabia lui était indéchiffrable. Il tourna fébrilement les pages en cherchant un passage rédigé dans une langue qu'il connaissait. Au milieu du recueil se trouvait un texte complet, comprenant une dizaine de pages traitant d'un même sujet, rédigé par un scribe grec. Soudain, le nom béni lui apparut comme si une force inconnue le faisait ressortir en relief.

— Eh! dis donc, tu m'entends, Frison?

Malaric sursauta et revint à la réalité.

— Quoi? Qu'est-ce que tu disais?

— Alors, cela répond-il à tes besoins? Je l'espère car le voyage n'a pas été de tout repos et je pense que je mérite un petit bonus en plus de la somme que tu me dois déjà. Tu m'avais simplement demandé de récolter des renseignements sur ce roi mort depuis des lunes et voilà que je te rapporte cette chose étrange remplie d'informations qui te semblent précieuses!

— L'homme que tu as tué pour te procurer ceci, qui était-il? demanda Malaric en contournant la question.

— À ce qu'il m'a dit, c'était un officier romain. Riche collectionneur affecté à Jérusalem. Alors que nous nous apprêtions à rentrer bredouilles, mes hommes et moi l'avons intercepté à la sortie d'un lupanar dans lequel nous étions allés nous divertir. Il traînait seul la nuit dans une ruelle sordide et semblait fuir quelque chose. C'est une sacrée chance que nous soyons tombés sur cet individu. Il nous suppliait de lui épargner sa misérable vie mais mes hommes avaient envie de s'amuser un peu, alors... lorsqu'il s'écroula après avoir perdu quelques dents, je m'approchai de sa personne et lui fouillai les poches. Il n'avait en sa possession que quelques malheureux sesterces que je partageai avec mes gars mais par chance, je tombai sur ceci qu'il gardait caché dans sa toge. Je pensais qu'il avait trépassé, vidé de son sang, quand soudain il me prit le bras énergiquement et murmura :

— Le *Livre noir de Salomon* doit... doit être détruit !

À ce nom, je me penchai pour mieux saisir ses propos. Il poursuivit :

— Il aurait mieux valu qu'il reste en Égypte, là où je l'ai trouvé ! Jamais je n'aurais dû m'en servir ! Cet ouvrage démoniaque aurait dû brûler comme les autres ignominies de ce genre qui se trouvaient dans la Grande Bibliothèque d'Alexandrie lorsqu'elle fut presque entièrement incendiée il y a une cinquantaine d'années. Mais il ne le peut ! Le *Livre noir de Salomon* ne peut être détruit par les flammes ! Je m'apprêtais à le balancer au fond des mers avant que vous... Je vous en prie, dites-moi que vous le ferez ! Les secrets du grand roi doivent à jamais rester ignorés ! Il en va de la survie de l'humanité. Pitié Barbares, tuez-moi si vous le voulez, je le mérite bien de toute façon, mais jurez-moi de le détruire !

Sur ces mots, je sortis ma lame et j'exauçai son vœu. Il rendit l'âme et venait du même coup mettre fin à mes recherches. Je ne comprends toutefois pas pourquoi il tenait tant à le détruire, mais une chose est certaine : une frayeur extrême se lisait sur son visage.

— T'a-t-il dit de quelle façon lui-même se l'était procuré ?

— À part qu'il ait parlé de l'Égypte, non. Pourquoi ?

— Peu importe ! !

— De quelle manière tous ces gribouillis pourraient représenter un danger quelconque ?

Malaric avait écouté le récit de Ragnard avec beaucoup d'attention mais il ne prit pas la peine de répondre à cette autre question et le félicita en retour :

— Excellent, mon brave. Je suis très satisfait de ton travail. Tu mérites certainement un supplément. Fais venir ton équipage. Je pars devant préparer la somme que je te dois. Viens me rejoindre à l'intérieur de ma caverne quand tous tes hommes t'auront rejoint. Vous n'avez qu'à grimper ce sentier par où je suis descendu et vous y trouverez l'entrée au sommet. Mais je t'avertis : aucune arme ne doit en franchir le seuil ! Si jamais j'aperçois la moindre lame, notre entente sera résiliée ! Est-ce bien clair ? Vous les déposerez à l'entrée.

— C'est entendu.

Ragnard se dit en lui-même que ce vieil imbécile ne passerait pas la nuit de toute façon. Et il n'avait pas besoin d'arme pour accomplir son méfait. Ses mains suffiraient amplement à tordre le petit cou frêle de Malaric. La décision de se débarrasser de lui était prise depuis longtemps déjà et dès qu'il découvrirait où il cachait le reste de sa fortune...

— J'ai abattu un cerf ce matin et la viande tourne en ce moment même au-dessus des braises. Je vous invite tous à partager mon repas, proposa Malaric, avenant et tout sourire.

— Ça tombe bien, dit Ragnard. Nous mourrons de faim !

Malaric gravit la pente et pénétra dans la salle principale, fou de joie. Ce recueil allait enfin lui permettre d'en savoir plus sur ce Salomon. Sans compter qu'il allait bientôt avoir la possibilité de tester les fondements de sa théorie des inscriptions murales... À vrai dire, tout était parfait !

Ce soir-là, pour la première fois depuis six longues semaines, son père ne revint pas pour la nuit et Luna en fut fort inquiète. Depuis l'incident impliquant la disparition de Sven et de ses deux fils, les membres du clan regardaient Malaric d'une façon de plus en plus soupçonneuse et colportaient toutes sortes de calomnies à son sujet. Certains avancèrent même que ses nombreuses absences cachaient certainement quelque chose de malhonnête, tramant dans l'ombre de sombres projets dont lui seul en connaissait la teneur. Luna était très attristée par cette situation. Elle-même, désormais, était considérée avec mépris. Dans ces moments-là, elle aurait bien apprécié pouvoir compter sur l'amitié de Ida mais cette dernière n'était plus la même depuis les tristes évènements. Elle semblait avoir perdu toute envie de vivre, s'intéressant à rien et passant ses grandes journées seule dans le noir, enfermée dans sa cabane, sans parler à personne.

— Tout ça est de ma faute ! se dit la jeune fille. Si je ne m'étais pas montrée si impatiente, rien de tout cela ne serait arrivé.

Cette fois, lorsque son père daignerait regagner le logis, elle l'affronterait et saurait ce qu'il trame depuis tout ce temps. Par chance, les fréquentations douteuses de son père avec leurs ennemis n'avaient pas résulté en conséquences fâcheuses. Pour l'instant du moins ! La jeune fille gagna sa couche, un peu nerveuse du fait de passer la nuit seule dans la cabane pour la première fois. Elle finit toutefois par s'endormir au son des hurlements des loups peuplant la forêt avoisinante.

Le lendemain matin, Malaric, après une nuit blanche, entra dans la cabane, gagna sa chambre et glissa sous sa paillasse le *Livre noir de Salomon* et sans plus tarder, s'écroula sur sa couchette mort de fatigue et se retrouva aussitôt dans le pays des rêves. Luna, qui ne dormait que d'un œil lorsqu'il pénétra dans le logis, se réveilla tout à fait.

— Père? Est-ce vous?

Aucune réponse. Elle enfila un vêtement léger et sortit de sa chambre. Lorsqu'elle le vit profondément endormi, elle en fut fortement soulagée. Malgré ses ressentiments envers lui, c'était tout de même son paternel et elle avait espéré qu'aucun malheur ne lui soit arrivé. Toutefois, son attitude avait de quoi la laisser perplexe. Elle lui retira ses bottes pleines de boue et... d'autre chose de visqueux qu'elle ne put identifier. Elle le couvrit ensuite d'une chaude couverture et le laissa à sa quiétude. Plus tard, ils auraient une conversation; elle s'en assurerait, cette fois.

Le soleil était au midi lorsque Malaric se réveilla enfin. La première chose qu'il vit en ouvrant les yeux fut sa fille qui le fixait, assise sur un banc, attendant son éveil pour lui parler. Sans même lui souhaiter bonjour, Malaric prit les devants :

— Qu'est-ce que tu me veux? maugréa-t-il sur la défensive tout en se levant d'un trait.

— Bonjour, Père. J'aimerais que vous répondiez à mes questions, répondit Luna un peu surprise du ton qu'il avait employé envers elle.

— Très bien. Je t'écoute! Que veux-tu savoir? lui demanda-t-il irrité.

— Oh, Père! Cessez de vous jouer de moi ainsi! Vous connaissez très bien le sujet dont je veux m'entretenir avec vous.

— Mais... j'ignore de quoi tu parles! plaida Malaric feignant l'innocence.

— D'accord! Je vais vous le dire alors! Que manigancez-vous depuis six semaines? Vous n'êtes plus le même homme depuis ce fameux jour où je découvris cette presqu'île! Du père attentionné et aimant que vous étiez, vous êtes devenu distant et froid. Vous quittez le logis dès l'aube en me laissant seule avec toutes les corvées, et cela chaque jour de la semaine, pour vous rendre je ne sais où, et d'y revenir juste avant la nuit. Excepté hier soir, alors que vous n'avez même pas daigné regagner votre couche ! Je m'inquiète pour vous, Père. Pour nous, devrais-je dire. Les gens sont de plus en plus méfiants à notre égard. Allez-vous enfin me dire ce qui se passe ?

Malaric baissa les yeux et réfléchit à la question durant quelques secondes.

— Je... Je ne le peux, ma chère enfant. Sache que c'est pour ton bien que je fais tout ça. Fais-moi confiance et ne crains rien. Si tout se déroule comme je l'espère, dans peu de temps tu seras la plus heureuse des filles.

— Peut-être, mais pour l'instant, je suis certainement la plus malheureuse ! Mais où allez-vous ainsi tous les jours ? Dites-le-moi, enfin !

Soudain, Malaric s'empourpra et haussa le ton :

— Non. Je ne te le dirai pas ! Et ne me questionne plus jamais en ce qui concerne mes affaires ! Je suis ton père après tout et je n'ai aucun compte à te rendre !

Luna éclata en sanglots et sortit vivement de la cabane. Jamais son père ne lui avait parlé de la sorte. Qu'est-ce qu'il lui arrivait ? Pourquoi ce changement soudain dans sa personnalité ? Elle ne le reconnaissait plus ! Au même instant, le Jarl et son fils rendaient visite à Malaric. Luna, dans son empressement, ne les remarqua pas et elle aboutit dans les bras du jeune Fridric qui n'en demandait pas tant. Lorsqu'elle prit conscience de la situation embarrassante, elle se libéra brusquement.

— Ton père est-il à l'intérieur ? lui demanda Dvorak.

— Il l'est ! répondit-elle sèchement.

— Très bien. Fais-nous annoncer, jeune fille, ajouta le Jarl, décontenancé.

— Annoncez-vous vous-même !

Sur ce, elle déguerpit en direction des quais. Le Jarl fut surpris de sa réaction.

— Ouf ! Quel caractère ! dit-il à son fils.

— Je sais, Père. Mais n'importe quelle créature peut être domptée !

Le chef du clan ouvrit la porte d'entrée. Lorsqu'il vit Malaric assis sur sa paillasse, il le salua :

— Bonjour à toi, mon ami, dit-il lorsqu'ils furent à l'intérieur, son fils et lui.

Malaric, sur ses gardes, se leva et demanda :

— Que se passe-t-il encore ? Un homme n'a-t-il pas droit à un peu de calme lorsqu'il se réveille ? Que me voulez-vous ? s'exclama ce dernier, agacé.

— J'aimerais discuter avec toi si tu le permets. Ta mine est affreuse ! N'es-tu pas malade ?

— Pas un autre interrogatoire ? Es-tu venu jusqu'ici pour t'enquérir de ma santé, Dvorak ?

— Non.

— Eh bien ! parle vite. Je n'ai pas de temps pour le bavardage !

— Mon aîné Fridric, ici présent, prétend que tu fréquentes des gens douteux. Les Saxons pour être plus précis. Est-ce la vérité ?

— Avez-vous subi leur attaque dernièrement ?

Le Jarl, estomaqué par la question, balbutia :

— Nnnoon... Pas que je sache. Pourquoi ?

— Alors de quoi m'accuses-tu au juste ? De traîtrise ? J'ai tout de même le droit de côtoyer les gens qui me plaisent ?

— À en juger par les commentaires de tes plus proches voisins, depuis quelque temps, ton attitude est des plus étranges. Et tu sais très bien que ce clan est notre ennemi depuis toujours. Le fréquenter fera davantage parler les mauvaises langues.

— Mes occupations ne regardent personne ! tonna Malaric.

Fridric, qui n'avait pas encore ouvert la bouche, affirma, non sans causer une certaine surprise :

— Je vous ai vu la nuit dernière !

Malaric le fixa d'un regard appuyé :

— Quoi ? Qu'est-ce que tu as vu, jeune morveux ? De quel droit te permets-tu de m'espionner ?

— Malaric ! intervint le Jarl. Calme-toi ! Je te rappelle que tu t'adresses à mon héritier et de ce fait, à ton futur chef. Sois respectueux si tu tiens à la vie !

— Me menacerais-tu, Dvorak, mon ami ? Sortez de chez moi tout de suite !

— Non ! Je n'ai pas terminé, lui dit le Jarl d'un ton autoritaire. Nous allons tous les trois nous asseoir et discuter calmement.

Malaric, bougon, leur présenta des sièges. Il n'avait pas vraiment le choix. Le Jarl avait pouvoir de vie ou de mort sur chaque individu au sein du clan.

— Je suis tout ouïe mais fais vite ! J'ai à faire !

Dvorak fit signe à son fils de parler. Celui-ci, n'étant pas impressionné par tous les contes qui circulaient au sujet de Malaric, s'éclaircit la voix et débita ses accusations :

— En fait, c'est la deuxième fois que je vous suis. Il y a six semaines de cela, j'allai pêcher ce matin-là et je vous ai vu accoster sur les terres saxonnes !

Fridric ne voulait pas avouer qu'en fait, s'inquiétant pour la femme de son cœur, il avait suivi Luna ce matin-là. Il poursuivit :

— Constatant cette ignominie, j'ai fait demi-tour et j'en ai informé aussitôt mon père.

— Ce qu'il affirme est vrai ! intervint le Jarl. Étant donné l'amitié que je te porte, j'ai décidé de ne pas en tenir compte à ce moment-là. Mais là, il semble que la chose s'est reproduite et je ne peux le tolérer !

— Hier au matin, je vous ai suivi derechef, s'empressa d'ajouter Fridric, qui, depuis que Malaric lui avait refusé la main de sa fille, lui vouait une haine sans précédent.

— Et puis ?

— Pour commencer, croyant vous poursuivre jusqu'aux rives saxonnes, j'ai été surpris de constater que vous bifurquiez plutôt vers tribord. Je vous ai suivi et vous ai vu accoster sur une petite grève d'une presqu'île dissimulée derrière un épais rideau de brume. Jamais je n'aurais pu trouver l'endroit seul. Voyant cela, j'ai amarré ma barque plus en aval et je me suis dirigé vers votre caverne. N'osant pas y pénétrer, j'ai préféré attendre que vous en sortiez afin d'y entrer pendant votre absence. Midi sonna et j'ai vu un navire saxon « Le Valkyrie », se diriger droit sur les récifs. Mais assurément, quelqu'un les avait avertis du danger qu'ils pouvaient représenter. Le navire jeta l'ancre et une embarcation légère fut mise à l'eau. Un grand gaillard blond y monta et se rendit jusqu'à la rive. Ensuite, il a soufflé dans une sorte de cor de chasse et là, vous êtes allé le rejoindre au bas du sentier. Je vous ai vu parlementer avec ce sauvage, le capitaine à ce que j'ai compris, mais étant trop éloigné de la scène, je n'ai pu saisir les propos échangés. Après quelques instants, l'entretien prit fin et vous êtes retourné dans votre grotte jusqu'à ce que l'équipage au complet vous suive à l'intérieur et qu'il disparaisse de ma vue. J'ai grimpé à mon tour le sentier et là, tout près de l'entrée de la sombre crevasse, je me suis camouflé parmi les fourrés, désireux de connaître le fin mot de l'histoire. À l'intérieur, des torches avaient été allumées. De ma position, j'estimai qu'un festin s'y déroulait. Cris de joie et de victoire parvinrent jusqu'à moi. Je vis que les Saxons avaient tous déposé leurs armes à l'entrée de la grotte. Cela dura jusqu'à ce que le soleil laisse sa place à l'astre nocturne. Soudain, je vis la lueur des torches s'évanouir et plonger ainsi les pirates dans une noirceur totale. L'instant suivant, je vous ai vu sortir, seul, et incendier l'entrée, bloquant ainsi toutes issues et inondant du même coup la salle d'une dense fumée noire. Je présume qu'un accélérant avait dû y être déposé auparavant car les flammes prirent de l'ampleur très rapidement. Aussitôt, les cris de joie venant de l'intérieur de la grotte se transformèrent en hurlements de terreur. Rien qu'à les entendre, des frissons glacés me parcoururent l'échine. Je voulus quitter l'endroit sans plus attendre mais demeurai figé sur place, incapable de remuer le moindre muscle.

En fier guerrier et futur Jarl, jamais Fridric n'aurait avoué que la peur l'avait assailli comme jamais auparavant. Il continua son récit :

— J'ai pensé alors que ma fin ne faisait aucun doute si jamais j'étais découvert, jusqu'à ce que je vous vois prendre l'une des haches de combat appartenant à l'un de ces hommes et vous diriger par la suite vers la barque qui avait servi de navette du bateau jusqu'à la grève. Vous vous êtes rendu jusqu'au navire, avez réuni les objets d'une certaine valeur qui se trouvaient à son bord puis les avez fourrés dans un grand sac. Ensuite vous avez sabordé le navire. De retour sur la grève, vous avez fait subir le même sort à la barque afin qu'il ne reste plus aucune preuve de vos crimes. L'incendie s'étant éteint depuis, vous êtes retourné à l'intérieur de la caverne. Je sortis enfin de ma torpeur et quittai les lieux sans plus attendre. Dans la noirceur de la nuit, le retour fut périlleux mais j'y parvins tout de même. Il était hors de question que je passe la nuit dans cet endroit lugubre.

Un lourd silence suivit la déposition de Fridric. Malaric bouillait, ivre de colère. Toutefois, il réussit à se contenir et lui répliqua pour sa défense :

— As-tu des preuves de ce que tu avances ? Tu connais la loi. Pas de corps, pas de crime ! Et même si ton histoire désopilante était vraie, quelle peine cela peut-il bien vous occasionner que la perte de ces misérables ? Vous qui affirmez qu'ils sont nos ennemis !

— Habituellement, aucune ! répondit le Jarl. Comme tu dis, tes affaires te regardent et je ne veux m'en mêler en rien sauf que cette fois-ci, c'est différent. Nous ne voulons pas de guerre ouverte contre aucune tribu rivale.

— Pour quelle raison ?

— Tu sais comme moi que les Romains cherchent à nous assimiler à leur culture depuis bien des années déjà. Un certain Varus, grand général de l'armée romaine, arrivé sur nos terres depuis quelque temps, tente de grossir leurs territoires de conquêtes plus au nord au cœur même de notre chère Germanie.

— Comment sais-tu tout cela ? interrogea Malaric.

— La semaine dernière, j'ai reçu un envoyé de Hermann, le Jarl du clan des Chérusques et précurseur d'une rébellion à grande échelle. Il me convoqua au village Lombard, où il était l'invité le temps qu'il visite les clans se trouvant plus au nord pour une grande assemblée réunissant tous les chefs de clans importants peuplant cette partie de notre patrie. Je m'y suis rendu en compagnie de deux escortes et j'ai écouté ce que cet homme avait à dire.

— Quel nom as-tu dit ? demanda Malaric soudain très attentif.

— Hermann, chef du clan chérusque. Pourquoi ?
À ce nom, il s'anima :

— Où se trouve ce clan ? demanda-t-il encore.

— Au sud-est d'ici. Au bout de la rivière Elbe. Mais je t'ai dit que Hermann attendait notre réponse chez les Lombards ! Cesse de m'interrompre, veux-tu ?

— Je t'écoute, dit Malaric soudainement très intéressé par la tournure que prenait la conversation.

— Ce Hermann, qui connaît le langage des Romains, nous expliqua qui était ce Varus et quelles étaient ses intentions. Hermann proposait de tous nous unir pour la même cause afin de bouter hors de nos frontières ces envahisseurs prétentieux. Et même de les repousser jusqu'en Gaule si nous le pouvions. Toutefois, notre sang bouillant de guerriers n'est pas près d'oublier toute l'animosité et les vieilles querelles nous divisant. Quelques clans se sont montrés en faveur de cette proposition mais beaucoup d'autres, qui font commerce avec les Romains et bénéficient de leur technologie avancée, se sont montrés en désaccord. Pour ma part, j'hésite encore. Pour l'instant, notre clan n'est aucunement menacé par Rome et je me demande pourquoi j'irais faire tuer mes jeunes guerriers inutilement. Surtout si c'est pour sauver la peau de ces maudits Saxons, Angles et Jutes qui ne cessent de nous défier depuis toujours ! Quoi qu'il en soit, la tâche de ce Hermann s'avère très ardue. Jamais il ne réussira à unir tous les clans mais je lui souhaite tout de même bonne chance. Ma décision n'étant pas encore prise, je ne veux plus entendre aucune histoire pouvant compromettre ma neutralité. Est-ce clair, Malaric ?

— Limpide, lui répondit-il.

— Et qu'en est-il de ta promesse concernant mon union avec ta fille ? lui demanda Fridric.

— Quoi ? Ma fille ?

— Elle est bien assez âgée maintenant pour songer au mariage !

— Avec toi ? Tu veux rire ?

L'héritier du grand Dvorak rougit de fureur. Il s'en fallut de peu qu'il lui saute à la gorge.

— Sale meurtrier, tu me paieras cet affront !

Le Jarl s'interposa :

— Allons, mon fils, calme-toi ! Laissons-le !

— Nous nous retrouverons, assassin ! cracha Fridric.

— Quand tu voudras, jeune impétueux. Jamais tu n'auras ma fille. Je la marierai à un « troll » plutôt qu'à toi !

— Assez j'ai dit ! cria Dvorak. Partons ! Quant à toi, Malaric, je t'ai à l'œil ! N'oublie pas que nous t'avons accueilli au sein du clan les bras ouverts autrefois et je peux très bien t'en bannir dans la seconde si le cœur m'en dit ! Alors, tiens-toi tranquille. Cela fait plusieurs histoires louches dans lesquelles tu es directement impliqué. N'attends pas que je te mette aux arrêts ! conclut le Jarl avant de quitter la demeure en compagnie de son fils, fou de rage. Malaric referma lourdement la porte derrière eux.

— Bon débarras ! leur cria-t-il dès qu'ils furent assez loin pour ne pas l'entendre.

Il s'aspergea ensuite le visage au-dessus du bol en argile servant à sa toilette matinale et mangea un croûton de pain rassis avant de se rasseoir sur sa couchette et de réfléchir à ce que le Jarl venait de lui dire.

— Hermann ! pensa-t-il tout haut.

Malaric se remémora la veille :

« Il s'agissait du même nom que celui qui était apparu sur l'un des murs de la caverne après que l'équipage saxon fut massacré à l'intérieur de la grotte la nuit dernière. Ce nom lui avait été révélé après qu'il eut servi aux pirates une part de quartiers de viande et ouvert plusieurs cruches de vin qu'il avait rapportées du village pour ce moment bien précis. Il avait attendu que le soleil se couche et s'était retiré ensuite discrètement vers le couloir sombre. Là, il avait libéré La Terreur, qui maintenant avait presque atteint la taille gigantesque de sa mère. Sitôt qu'il eut ouvert l'enclos, la bête s'était empressée de le suivre et de remonter le couloir pour rejoindre le groupe qui festoyait sans se douter de ce qui se tramait dans son dos.

L'ayant précédée, Malaric s'était subtilement approché des torches qui éclairaient la salle principale et là, une à une, il les avait éteintes, sauf la dernière qu'il avait empoignée. Il était sorti et avait allumé la nappe d'huile répandue auparavant sur le seuil de l'entrée et, comme décrit par Fridric, l'incendie s'était aussitôt déclaré. À cause de leur ivresse avancée, les Saxons comprirent trop tard qu'on venait de leur tendre un guet-apens. Eux qui croyaient l'occire pour s'emparer de ses richesses, voyaient le sort se retourner contre eux. Sans armes et aveugles dans ces ténèbres opaques, ils furent à la merci de la bête enragée qui fonça droit sur eux car la barrière de flammes n'éclairait que très peu l'intérieur de la caverne. Ignorant ce qui leur tombait dessus ainsi, ils se mirent tous à hurler leur effroi et leur agonie.

Cependant, Ragnard avait menti. Il avait conservé un poignard qu'il s'était empressé de sortir de sa botte. Tentant d'atteindre la gorge de l'animal, il n'avait réussi qu'à lui sectionner une partie de l'oreille droite, ce qui avait mis La Terreur dans une colère dévastatrice. Ce fut le plus grand carnage auquel Malaric n'eut jamais assisté. À grands coups de griffes acérées et d'une longueur exceptionnelle, les pirates furent tous mis en pièces. Aidée de sa mâchoire puissante,

La Terreur se régala de chair humaine. Un des hommes voulut s'enfuir malgré la barrière de feu qui lui bloquait la route mais Malaric avait dégainé sa grande épée et lui avait sectionné la jambe gauche. Le Saxon s'était écroulé dans les flammes et s'était transformé très vite en torche humaine. Quelques minutes plus tard, l'homme trépassait.

Après avoir inspecté le navire et y avoir dérobé les objets de valeur, Malaric l'avait sabordé ainsi que la barque afin de faire disparaître toutes preuves compromettantes et était retourné dans sa grotte. Il avait rallumé les torches et, enjambant les corps déchiquetés, avait arpenté les murs dans l'espoir d'y voir surgir de nouvelles inscriptions. Pendant qu'il longeait le couloir sombre menant à la porte close, il avait vu la fine brume verdâtre disparaître par la fente minuscule qui se trouvait sous l'immense porte. Seule une substance éthérée pouvait s'y faufiler. Ce n'était pas la première fois qu'il voyait la brume verte disparaître dans cette direction. Il comprit que, si effectivement cette mystérieuse matière lui insufflait de nouvelles connaissances, ce qu'il soupçonnait depuis un bout de temps, et qu'elle devait toujours revenir vers la porte close, le gros du pouvoir qu'elle recelait devait se trouver de l'autre côté. Il se devait de retrouver coûte que coûte la clé permettant d'ouvrir cette satanée porte qui ne cessait de l'obséder.

Patiemment, il avait poursuivi ses recherches toute la nuit jusqu'à ce que, enfin, il avait découvert «H.E.R.M.A.N.N.», écrit en lettres de sang sur le mur gauche de la salle principale tout près de la sortie. Sa théorie s'avérait donc fondée. Pourtant, il en était certain, il avait scruté cette section auparavant mais il n'y avait alors rien d'inscrit. Il avait mémorisé ce nom qui lui était inconnu.

— Qui est cet homme? avait-il pensé à ce moment.

L'aube pointait déjà à l'horizon et Malaric avait décidé de rentrer au village. Il avait pris le traité de démonologie avec lui et avant de partir, avait crié à l'énorme bête qui s'acharnait sur l'un des survivants:

— La Terreur! Je te laisse à ton repas, maintenant! Surveille bien l'endroit et ne laisse personne y pénétrer!

Curieusement, l'animal monstrueux avait semblé comprendre tout ce qu'il lui avait ordonné. Son plan pour se débarrasser des pirates saxons sitôt qu'ils lui auraient remis ce qu'il avait désiré avait très bien fonctionné.»

Malaric, après ces doux souvenirs, s'allongea de nouveau sur sa couchette et réfléchit:

— Dommage que cet idiot de Fridric ait assisté à la scène. Ce jeune homme devient de plus en plus gênant ! Il faudrait bien que j'y remédie un jour ou l'autre ! En quoi ce damné Hermann peut-il m'être utile ?

Ne trouvant pas la solution à cette énigme, il tenta de se consoler en feuilletant de nouveau le précieux ouvrage rapporté par Ragnard. Comme s'il s'était agi d'une relique sacrée, il ouvrit avec précaution le livre presque millénaire.

Parmi toutes les langues dans lesquelles l'ouvrage avait été rédigé, aucune ne lui était familière. Sauf le bref paragraphe rédigé en grec, trouvé au moment où Ragnard lui avait remis le recueil. Celui-là même qui mentionnait le nom du roi Salomon. Il continua de faire défiler les centaines de pages manuscrites que contenait le livre quand soudain, il tomba sur l'une d'elles dont un même texte avait été écrit en cinq langues différentes. Dans le premier de ces cinq courts paragraphes, il reconnut le dialecte des Égyptiens avant la conquête d'Alexandre le Grand. Le deuxième ressemblait à de l'hébreu, peut-être de l'araméen, il n'en était pas certain. Les troisième et quatrième étaient respectivement écrits en latin et en grec ancien. Finalement, le dernier texte avait été rédigé dans un dialecte qu'il ne put identifier.

— Quelle trouvaille ! s'exclama-t-il. Grâce à ceci, il me sera aisé de déchiffrer le reste du livre et ainsi être en mesure d'en saisir la teneur et de découvrir tous ses secrets.

Pour l'instant, il ressentait la fatigue l'envahir et décida de s'accorder quelques heures de repos de plus. Lorsqu'il se réveillerait de nouveau, il retournerait à la grotte.

Luna, assise sur sa roche face à la mer, tentait d'apaiser sa colère envers son père. Lorsqu'elle vit Fridric courir vers sa propre barque, elle l'intercepta :

— Où vas-tu ainsi ? demanda-t-elle, curieuse.

— Nulle part, fiche-moi la paix, femme.

Luna ne s'en laissa pas imposer. Déjà, toute petite, elle osait affronter les garçons de son âge. Surtout celui-ci. Le plus têtu et le plus orgueilleux d'entre eux.

— Je-veux-sa-voir-où-tu-vas ?, lui répéta-t-elle en détachant chaque syllabe. Elle poursuivit :

— Le Jarl et toi sortez de chez moi à l'instant. Que vouliez-vous à mon père ?

Luna le toisa avec défi et s'approcha jusqu'à ce que son nez touche presque celui de Fridric. Ce dernier, contemplant ses yeux à faire rêver et respirant son haleine fraîche, finit par lui avouer :

— Je vais tenter de me procurer des preuves des forfaits que ton père a accomplis cette nuit et auxquels j'ai assisté au risque de ma vie. Il y a trop longtemps déjà que son petit manège perdure. Je tiens à ce que justice soit rendue.

— Mais de quoi parles-tu ? Qu'est-ce que c'est que cette histoire ?

Fridric n'osa pas trop en dire à Luna de peur que l'affection qu'elle vouait à son père ne l'aveugle et ne la détourne de lui.

— Pourquoi fais-tu cela ? renchérit l'adolescente.

— Tu le sais très bien. Ne fais pas l'innocente avec moi. Tu connais très bien les sentiments que j'éprouve pour toi et ton père me refuse toujours ta main.

La jeune fille rougit à cette affirmation. Fridric était lui-même un beau jeune guerrier très prometteur et elle n'était pas insensible à ses charmes. Après un court moment, il lui demanda sans détour :

— Serais-tu heureuse de le devenir ?

— Peut-être, nous verrons... répondit-elle évasivement. Mais que crois-tu que mon père manigance ainsi ? lui demanda-t-elle en reculant d'un pas, pour changer de sujet car elle trouvait la situation de plus en plus embarrassante.

— Je... n'en suis pas certain ! C'est ce que je vais tenter de découvrir pendant qu'il est au village. Si jamais tu vois ton paternel se diriger vers sa barque, retiens-le, je t'en pris. Je vais revenir le plus tôt possible.

— Tu connais l'endroit où il se rend ?

— Oui.

La jeune fille eut soudain un terrible pressentiment.

— Serait-ce une presqu'île cachée derrière un écran de brume, à deux heures de navigation d'ici ?

— Mais... Comment le sais-tu ?

— Laisse tomber ce détail. Mais sache que cet endroit porte malheur ! C'est là qu'a péri Karan, le fils de Sven. N'y va pas si tu tiens à la vie !

Fridric la saisit brusquement aux épaules. Angoissé et sentant sa peur de la veille resurgir en lui, il la fixa droit dans les yeux. Avec un trémolo dans la voix, il demanda :

— Pour... pour quelle raison dis-tu ceci ?

— J'étais là-bas le jour où c'est arrivé. Mais je n'ai pas été témoin directement de l'accident qui causa sa perte. Mon père, lui, y était. Mais il n'a jamais voulu m'en dire plus à ce sujet.

Craignant que Luna ne réussisse à le décourager dans sa quête, il conclut :

— Je suis désolé mais il faut vraiment que j'y aille.

— Tu sembles nerveux, pourquoi donc ?

— Comment cela ?

— Dans tes yeux, je peux lire la peur !

Piqué au vif et ne désirant pas paraître froussard, Fridric détourna le sujet et demanda du tac au tac :

— Vas-tu m'aider, Luna ? Oui ou non ?

— Tu peux compter sur moi. En échange, je voudrais qu'aucun malheur n'arrive à mon père. Si tu trouves quelque chose le compromettant dans de sombres complots, je tiens à être la première avertie, d'accord ?

Fridric acquiesça de la tête. Profitant de la situation, il ajouta :

— M'offriras-tu le baiser qui me donnera le courage dont j'aurai besoin pour m'acquitter avec succès de cette mission ?

À cette demande particulière, Luna rougit un peu. Elle releva la tête avec fierté. Sensuellement, elle approcha ses douces lèvres rosées de celles plus charnues de son prétendant et lui donna un baiser appuyé comme jamais Fridric n'avait osé espérer. Le cœur battant la chamade et électrisé par ce geste d'amour, il quitta le clan en direction de son destin.

CHAPITRE VI

ARRIVÉE EN GERMANIE

Jérusalem. An 30 après J-C.

Leur repas terminé, Joseph et Longinus quittèrent la chambre d'invités et se rendirent au jardin à l'arrière de la villa. Le Romain put apprécier dans toute leur splendeur, les goûts raffinés de son hôte. Après tant d'années, il pouvait enfin savourer les bienfaits de sa vision rétablie. Partout, de somptueuses plantes exotiques égayaient la place. Ils marchèrent un peu à travers ce paradis terrestre afin d'aider leur digestion. Joseph pointa un banc confortable et pria son invité d'y prendre place afin de poursuivre le récit de ses mésaventures. Longinus n'était pas habitué à de si longues conversations. Il était plutôt le genre d'homme laconique et taciturne. Déjà, il lui en avait beaucoup dit. Mais voyant l'intérêt de son hôte à son égard, il prit place sur un petit banc à l'ombre. Se sentant en sécurité dans cet endroit paisible, il dit à Joseph :

111

— J'ai confiance en toi, vieillard. Mais avant d'en venir à l'incident sur le Golgotha, laisse-moi t'expliquer les raisons de ma présence ici, à Jérusalem. Tu seras peut-être plus à même de comprendre mon geste.

— Je t'en prie. Tu as toute mon attention.

— Très bien alors. Où en étais-je ?

— Tu arrivais en Germanie, à ta destination aux abords du Rhin, répondit Joseph qui n'avait rien perdu de la conversation précédente.

— C'est exact. Je me souviens maintenant.

Germanie. An 16 après J-C.

— Nous savions que les Germains constituaient un peuple féroce et sauvage. De nombreuses légendes circulaient dans les rangs à propos d'eux tandis que nous avancions tranquillement mais sûrement vers cette terre hostile. Au matin suivant, nous arrivâmes enfin. Le temps était maussade et à cette heure aussi matinale, le camp devant moi semblait abandonné. Toutefois, dès que nous approchâmes davantage, je constatai que ce n'était qu'une fausse impression.

Parmi tous ces soldats massés aux abords de la frontière, je devais trouver la tente du haut commandant, au fort principal, afin de m'y rapporter. J'ordonnai à mes hommes de monter le campement quelque part sur la plaine et d'y attendre mon retour. D'autres officiers firent comme moi et m'accompagnèrent. Après m'être informé auprès d'un légionnaire, nous trouvâmes Germanicus confortablement installé sur un banc de camp, une coupe de nectar à la main. Un énorme plat de fruits avait été déposé sur une table basse à portée de sa main et, par politesse, il nous en offrit.

Après les présentations d'usage, il nous fit entrer dans sa vaste tente. Là, il nous proposa de nous restaurer à même son extravagant buffet. Après m'être assuré que mes hommes auraient aussi de quoi se sustenter, je sautai littéralement sur les plats. Le général Germanicus s'enquit de notre voyage et de l'état de nos troupes respectives.

Fils adoptif de l'empereur Tibère, c'était un homme rustre et peu avenant mais je savais aussi quel redoutable commandant et stratège il était. À la tête de cinquante mille hommes, il nous raconta que cela faisait déjà cinq ans qu'ils effectuaient des raids dans les régions avoisinantes au cœur même de cette contrée sauvage, afin de mater ce peuple. Mais toujours sans succès et lui causant toujours plus de pertes.

Quelques mois plus tôt, nous avions enfin réussi à retrouver la forêt de Teutobourg, mais nous nous gardâmes bien d'y pénétrer, nous expliqua Germanicus. Nous l'avons contournée et en mesure punitive, avons attaqué les villages des alentours. Ainsi, je réussis à soumettre quelques tribus, mais Hermann, ce sale traître, comme à son habitude, réussit à nous repousser. J'ai donc rebroussé chemin avec mes troupes et nous avons retraité vers la rive ouest du Rhin. Cette dernière expédition en territoire ennemi m'a coûté plusieurs milliers d'hommes. Voilà la raison de votre présence. Il faut remplacer ces morts et se préparer à une nouvelle incursion, victorieuse, celle-là.

À l'énoncé de la sinistre forêt, j'eus une pensée pour mon père et la colère monta en moi. Après ce briefing, il nous ordonna de rejoindre nos troupes et nous dit qu'il nous convoquerait de nouveau plus tard pour nous expliquer en détail les plans de l'attaque. Avant de quitter la grande tente, je lui remis la lettre que Tibère m'avait donnée. Germanicus la parcourut avidement et lorsqu'il eut fini sa lecture, mit sa main sur mon épaule et me confia :

— Eh bien ! je suis heureux de pouvoir compter sur un homme tel que toi, Longinus. À partir de demain et durant tout le temps de ce conflit, je te veux à mes côtés, me dit-il tout en m'administrant une retentissante claque dans le dos.

De retour à mon campement, je constatai que mes hommes avaient monté ma tente et je ne me fis pas prier pour aller y piquer un somme bien mérité. Après ce qu'il m'avait semblé quelques minutes seulement, Lucius vint me quérir. En fait, le soleil était au midi et le général réunissait les officiers comme convenu. Nous pénétrâmes dans sa tente mais une surprise nous y attendait :

— Messieurs, dit Germanicus, je vous présente Malaric, Jarl du clan des Frisons, village installé sur les rives de la mer du Nord.

Abasourdi par cette présence incongrue, nul n'osa parler. Pour ma part, j'étais furieux de voir présent dans la tente du commandant en chef, un Germain des plus repoussants. De stature moyenne et osseuse, il avait le visage émacié et de grands yeux ronds exorbités. Cet homme était barbu avec des cheveux sales et grisonnants, hormis sur le dessus du crâne, lequel était complètement chauve. Son apparence aurait évoqué un batracien si cela n'avait été de ses habits constitués de peaux de bêtes sauvages dégageant une odeur âcre.

L'un des officiers, croyant à une traîtrise, sortit son glaive, mais Germanicus leva la main et cria à tous de se calmer et d'écouter ce qu'il avait à dire.

— Cet homme est ici pour nous aider. Il est arrivé hier en compagnie d'un équipage. Il nous propose de nous conduire vers l'emplacement exact du village de Hermann le Chérusque. En raison d'un différend avec ce dernier, son clan et lui préfèrent collaborer avec nous. En échange, nous leur garantissons une sécurité face aux autres tribus hostiles et leur assurerons un territoire plus vaste, administré par eux après la victoire contre la coalition de Hermann. D'après ce Jarl, la majorité de ses guerriers se joindront à notre armée en cours de route. Je vous expliquerai tous les détails de notre itinéraire un peu plus tard. En tout, ce nouvel effectif représente environ cinq mille hommes, ce qui n'est pas à dédaigner. Ces Frisons sont réputés pour être parmi les plus terribles guerriers de Germanie. De plus, cet homme connaît bien le terrain, ce qui s'avérera très utile quand nous serons sur place. Vous en conviendrez, quand nous y serons, messieurs.

— Venant du nord, comment ont-ils fait pour traverser le pays sans être vus des tribus alliées à Hermann ? demanda un collègue à Germanicus.

— Nous avons fait le voyage de nuit en contournant la côte à bord d'un de mes navires, s'interposa Malaric d'une voix nasillarde tout en le regardant de façon inquiétante, même si la question ne lui avait pas été posée directement.

Il poursuivit :

— De ce fait, aucun d'eux n'a pu deviner que nous avions quitté notre village. Cela répond-il à ta question, Romain ?

Assurément, malgré un accent prononcé, il connaissait bien notre langue. L'officier voulut répliquer mais Germanicus intervint :

— Bon, écoutez-moi bien maintenant. Voici le plan. Pour que Rome puisse vivre en paix sans menace d'attaques surprises des Barbares, il nous faut établir la paix du côté est de la frontière en anéantissant la source même du conflit, c'est-à-dire le village de Hermann le Chérusque. J'ai appris dernièrement qu'il y tenait regroupé le gros de son armée. J'ai aussi su de sources fiables que d'autres clans, comme les Marcomans, les Lombards, les Saxons et les Angles avaient rejoint Hermann dans sa rébellion depuis sa victoire contre le général Varus. Plus inquiétant encore, d'autres clans, dont certains se situent droit devant nos positions, seraient sur le point de les imiter. Ce qui est surprenant car avant le retour de Hermann parmi son peuple, les Germains, tout comme les Gaulois autrefois, sont plutôt portés à se combattre entre eux et ne sont pas reconnus pour être du genre à se regrouper sous l'égide d'un chef suprême. Ça semble être le cas maintenant et tout ça est très inquiétant. Étant donné les villages possiblement ennemis localisés devant nous, nous devons contourner les terres qui s'étendent de notre frontière jusqu'à l'Elbe, un autre fleuve plus au nord-est.

Le général se versa une coupe de vin et sans en offrir à ses invités, il prit une bonne rasade, redéposa la coupe vide, s'essuya la bouche du revers de la main et après un rot sonore, il poursuivit :

— Nous embarquerons sur nos vaisseaux et nous remonterons le Rhin. Grâce au canal, que feu Drusus fit creuser autrefois, nous gagnerons la mer du Nord, soit le même chemin que Malaric et ses hommes ont effectué, mais en sens contraire. Ensuite, nous naviguerons direction est, passerons devant le village frison et gagnerons ensuite l'embouchure de l'Elbe que nous descendrons vers le sud. Nous débarquerons un peu avant que le fleuve ne se sépare en deux et prendrons pieds sur la rive à notre gauche ; c'est là que l'armée de Malaric nous attend. Nous marcherons ensuite jusqu'à ce que notre objectif soit en vue. À ce moment-là, nous serons alors en plein cœur de la Germanie et le danger sera grand.

— Pourquoi ne pas opter plutôt pour une attaque terrestre au lieu de faire tout ce détour par voie maritime qui nous prendra des jours de plus ? questionna un second officier.

— Parce que le terrain est très risqué et que je crains également une attaque sournoise des clans des Sicambres et des Bructères qui se trouvent juste entre nous et notre objectif. De plus, nous aurions deux rivières à devoir traverser. Avec nos effectifs si imposants, nous ne pourrions que nous empêtrer dans ce merdier. Sans oublier les Chatti à notre droite et les Suèves plus au sud qui pourraient nous surprendre par-derrière. Tous ces clans ont peut-être rejoint la coalition depuis les dernières nouvelles que j'ai reçues à leur sujet. Heureusement, plusieurs tribus, qui bénéficient de notre présence ici, ont décidé de combattre à nos côtés mais il n'est pas impossible qu'elles changent d'idées en cours de route. Nous devons donc contourner les clans rebelles et ainsi sauvegarder le plus gros de l'armée en vue de l'ultime bataille. Il faut abattre l'homme qui a convaincu plusieurs tribus germaines de se révolter contre la puissance de Rome et de nous attaquer de ce côté-ci du fleuve Rhin. Quand nous aurons pris le bouc, les brebis seront prêtes à tondre. La patience de l'Empereur a atteint sa limite et ce Frison affirme qu'il connaît personnellement le chemin pouvant nous mener au village des Chérusques. Nous avons besoin de lui... Ah oui ! avant que je l'oublie, il me le faut vivant. En échange de la collaboration des Frisons, j'ai promis à Malaric de lui livrer Hermann sain et sauf.

— Pourquoi est-ce si important qu'il reste vivant ? Que lui voulez-vous ? me risquai-je à mon tour en me tournant vers le chef frison étonné que je m'adresse à lui.

— Cela ne vous regarde en rien, soldat ! Contentez-vous d'exécuter les ordres que votre grand chef vous a donnés !

— Ne me dites pas quoi faire, sale Barbare. Sachez que je suis centurion et vous me devez le respect.

Il s'avança vivement vers moi l'air menaçant en faisant cliqueter les osselets qui lui servaient de collier et me siffla :

— Tu es très curieux, n'est-ce pas, Romain ? Eh bien, pour ta gouverne, il a tué ma fille... et j'ajouterai qu'avant la fin de cette bataille, tes yeux n'y verront plus grand-chose !

Je ne suis pas homme à me faire menacer de la sorte et je dégainai aussitôt mon glaive, prêt à le pourfendre, mais Germanicus intervint de nouveau :

— Allons, allons, cela suffit, Longinus !

— Mais, Général, répliquai-je, si vous le permettez, cet homme m'a menacé et a mis mon honneur en jeu. De plus, comment lui faire confiance ? Rappelez-vous la trahison contre le général Varus. Ces Barbares sont tous les mêmes, qu'est-ce qui vous fait penser que celui-ci est différent ?

— Ne discute pas mes ordres, centurion. Cet homme te doit respect, j'en conviens, mais cette fois-ci, j'ai pleinement confiance. Maintenant que je connais le différend qui l'oppose à Hermann, j'estime que je peux me fier à lui d'autant plus. Si toutefois c'est la vérité, en ce qui concerne sa fille... ajouta-t-il. Enfin, pour m'assurer de sa sincérité, les membres de son équipage sont présentement gardés comme otages et leur vaisseau demeurera sous notre contrôle jusqu'à la capture de Hermann et de la fin de sa coalition.

À ces mots, le chef frison se retourna vers Germanicus, étonné :

— Co... comment ? s'exclama-t-il.

— Eh oui, Germain. C'est comme ça. Tu embarqueras sur ma propre galère et tu nous guideras. Croyais-tu que je me fierais simplement à ta parole ? C'est grâce à ces otages que j'ai confiance. Je n'ai pas oublié la traîtrise de ton compatriote, même si certains de mes hommes semblent en douter, ajouta le général à mon attention.

J'inclinai la tête en signe de regret. Malaric, lui, se renfrogna mais conclut l'accord. Dans la position précaire où il s'était lui-même placé, il n'avait plus vraiment le choix. Le briefing terminé, le général congédia tout le monde. De même que les autres officiers, j'allai préparer mes hommes et quelques heures plus tard la formidable armada, menée par le général Germanicus, se mit en branle.

En comptant les guerriers auxiliaires des tribus germaines soumises, des Gaulois et des guerriers des autres peuples conquis, l'armée de Germanicus comptait plus de quarante-quatre mille hommes en tout. Selon les dires de Malaric, l'armée de Hermann était constituée d'environ trente-cinq mille combattants. Mais je le soupçonnais d'avoir biaisé ces chiffres pour ne pas décourager notre enthousiasme, nous qui étions prêts à l'aider dans l'assouvissement de sa vengeance. J'avoue que je rêvais d'en découdre avec ceux qui avaient massacré mon paternel.

Nous remontâmes donc le Rhin vers le septentrion. Jamais ce fleuve n'avait eu à transporter autant de navires de guerre. Comme prévu, après trois jours de navigation sans rencontrer trop de problèmes, nous atteignîmes notre destination. Quand nous fûmes tous descendus, nous assemblâmes nos légions et attendîmes que l'aube se lève avant de nous risquer plus avant. Malaric avait dit vrai ; ses guerriers nous attendaient sur la grève. Ils sortirent des fourrés tout près sans que nous ayons pris conscience de leur présence, ce qui me renseigna sur l'agilité des peuples barbares à se dissimuler parmi les bois.

C'était la nuit et la lune était voilée de nuages sombres. Quand l'aube fut levée, nous avançâmes finalement. Les formations de combat furent modifiées car sur ce terrain accidenté, celles auxquelles nous étions habituées, par exemple la formation de la tortue, s'avéraient inutilisables. Germanicus ordonna de nous diviser en sept légions, c'est-à-dire environ six mille hommes, répartis à égale distance et d'avancer en rangs serrés. Le reste des hommes demeura sur place afin d'assurer nos arrières et de protéger nos navires.

Malaric ouvrait la marche, suivi de Germanicus et de sa garde rapprochée dont je faisais partie. Les sept légions suivaient de près et le silence était de mise. Le chef des Frisons nous guidait mais les chevaux peinaient à se faufiler à travers ce terrain composé de ravins et de forêts denses remplies d'enchevêtrements de branches et de racines tortueuses. Selon la position du soleil, nous nous dirigions direction nord-est. Le Barbare, comme il l'avait affirmé, semblait bien connaître les sentiers menant au village de notre ennemi. Il nous mena sans hésitation, sachant pertinemment où se trouvait chaque ravin à contourner ou chaque ruisseau à franchir à gué. Mais je me méfiais toujours. Alors que je chevauchais auprès de lui un peu à l'écart du commandant, je lui demandai :

— Eh bien, Germain, où est ce village ?

— Patience, soldat. Nous arrivons bientôt. Et ferme un peu ta gueule si tu ne veux pas nous faire repérer.

En me disant ces paroles, il ne prit même pas la peine de se retourner, ce qui eut pour effet de m'insulter davantage.

— Regarde-moi quand je m'adresse à toi et ne t'avise plus jamais de me parler de la sorte, Barbare, sinon je te jure que je...

Il daigna enfin se retourner et me regarda d'une manière méprisante de ses grands yeux globuleux.

— Que quoi, Romain ? Tu n'es pas de taille à m'affronter. Tu es probablement aussi pleurnichard que ton père, que j'ai vu mourir à la bataille de Teutobourg en couinant comme un sanglier qu'on égorge !

Sur ce, il se détourna et continua sa marche sans me donner plus d'attention. Figé sur place, j'étais trop abasourdi pour répondre quoi que ce soit. Comment pouvait-il savoir au sujet de mon père ? De plus, cet homme dégageait quelque chose de... comment dire, euh... de néfaste, de profondément mauvais. Comme je ne bougeais plus, Germanicus me rejoignit.

— Qu'y a-t-il ? On dirait que tu as vu Méduse la Gorgone en personne ! Qu'est-ce qu'il t'a dit encore ?

Je sortis de ma stupeur et lui répondit que tout allait bien mais que nous ne devrions pas laisser notre guide prendre trop de distance. Nous poursuivîmes notre chemin toujours aux aguets d'une attaque sournoise des Germains, surtout quand nous traversions les clairières, de plus en plus nombreuses, et que nous étions les seuls visibles, me semblait-il. Durant des heures, tout ce que nous aperçûmes furent des lièvres et des couleuvres fuyant à notre passage. Un guerrier frison vint s'entretenir avec Malaric. Après l'avoir renvoyé, il nous fit signe de nous arrêter. S'adressant à Germanicus, il dit :

— Nous arrivons en vue du village des Chérusques. Mes éclaireurs m'avisent qu'aucun guerrier, ni aucune femme d'ailleurs, n'y sont présents.

— Qu'est-ce que cela signifie ? Serais-tu en train de me dire que nous avons parcouru tout ce chemin pour rien ? Serait-ce une traîtrise de ta part ?

— Aucunement, mon seigneur ! J'ignore la raison de ceci, je le jure ! s'exclama Malaric.

Germanicus réfléchit à la question un bref instant et décida finalement :

— Allons-y tout de même pour nous en assurer et brûlons tout par la suite. Auparavant, saisissez-vous de toutes les victuailles que vous pourrez trouver. Capturez un vieillard et demandez-lui où se trouvent Hermann et sa coalition. S'il ne veut pas parler, crucifiez-le ! Il finira bien par avouer.

Quelques minutes plus tard, nous arrivâmes au village sous les cris des habitants apeurés de notre arrivée à l'improviste. Enfants et vieillards constituaient l'ensemble du clan restant. Les guerriers avaient disparu, accompagnés de leurs femmes. Nous fîmes comme Germanicus nous l'avait ordonné et en quelques heures, tout fut incendié mais aucun des vieillards et des jeunes enfants ne fut mis à mort car celui capturé ne se fit pas prier pour nous informer de l'endroit exact où se trouvait la coalition. Mais cela, à condition qu'aucun mal ne soit fait à l'un d'entre eux. Ce que Germanicus jura sur son honneur.

Le vieillard nous raconta que Hermann, avisé de l'arrivée massive de nouveaux effectifs romains, avait quitté le village quelques jours plus tôt avec ses guerriers en direction ouest, vers la rivière Wesser, afin d'intercepter l'incursion romaine. Ce qui serait probablement arrivé si nous avions décidé de prendre la voie terrestre. Nous décidâmes de nous fier à sa parole et de partir immédiatement à leur poursuite.

Nous rebroussâmes chemin et reprîmes nos navires sur la rive est de l'Elbe afin de traverser sur l'autre rive. Sitôt fait, le général ordonna aux capitaines des navires de remonter l'Elbe, de contourner les terres avec une partie de l'armée et de se rendre sur la Wesser pour nous y rejoindre. Germanicus préféra faire le trajet à pied espérant peut-être rejoindre et abattre les retardataires en chemin. Nous nous remîmes donc en route vers la rivière en direction de l'endroit indiqué par le vieux. Malaric, ouvrant de nouveau la marche, informa le général :

— Bientôt la Wesser sera en vue et au-delà, la grande forêt de Teutobourg. Là où votre prédécesseur Varus a péri avec ses légions sept ans plus tôt. Un très bon endroit pour une embuscade, d'ailleurs. Peut-être nous y attendent-ils, s'ils pensent que nous arriverons de l'ouest. Mes éclaireurs me disent qu'ils n'en savent rien. Selon eux, il n'y a aucun signe qu'ils se trouvent bien là. Soyons prudents tout de même.

Tout en avançant, je scrutais les environs, tentant d'apercevoir quelque chose. Soudain, parmi les branches d'un bosquet à ma droite, une petite silhouette se détacha. À quelques pas de moi se tenait un jeune garçon d'à peine dix ans. D'après ses habits, il n'était ni Romain et certainement pas Germain. Il détonnait du décor qui nous environnait. En fait, je n'avais jamais vu de vêtements aussi étincelants portés par un enfant aussi beau ! Il se tenait là, serein, un demi-sourire aux lèvres en me fixant d'un regard énigmatique. Je regardais Lucius qui cavalait à côté de moi mais il n'avait rien remarqué et poursuivait sa route. Lorsque je reportai mon attention sur le jeune garçon, tel un mirage, il avait disparu. Le garçon n'avait pas dit un seul mot mais jamais je n'oublierai la façon dont il me regarda. Comme s'il se montrait désolé pour moi... ou quelque chose comme ça ! Je me souviens m'être demandé si je n'avais pas été victime d'hallucinations. Tout cela me troubla un peu. Je n'arrivais pas à comprendre ce qu'un enfant comme lui faisait là, aucunement apeuré par l'armada qui défilait devant lui. Tout ça commençait à me peser. D'abord, les révélations de Malaric sur mon père, ses menaces et maintenant cet enfant sorti de nulle part, que j'étais le seul à avoir vu à ce qu'il semblait.

La Wesser apparut devant nous. Malaric nous mena vers un pont qui la traversait et nous expliqua que les Romains, venus bien des années avant, l'avaient construit lorsqu'ils contrôlaient la zone. Nous traversâmes et marchâmes dans les hautes herbes jusqu'à ce qu'une forêt dense apparût devant nous. Jusque-là nous n'avions traversé que des petits boisés touffus mais cette forêt-là était immense et sombre. Le soleil peinait à traverser les feuillages des arbres qui y siégeaient. La crainte s'installa rapidement parmi les légionnaires. Tous redoutaient une attaque dans cet enfer vert. Parmi tous ces arbres, il nous était impossible de nous regrouper. Malaric nous expliqua qu'au cœur de cette forêt se trouvait la clairière dans laquelle les légions de Varus avaient péri.

Nous prîmes les chevaux par la bride car aucun cavalier ne pouvait pénétrer dans cet endroit. Après quelques heures de marche, nous débouchâmes sur la clairière. Une butte la dominait au nord. Malaric nous conduisit vers elle. Tout autour de la butte, à des centaines de pieds de circonférence, de nombreux ossements humains, restes des soldats ayant appartenu aux légions de Varus, gisaient çà et là. Depuis toutes ces années, personne ne les avait touchés sauf les animaux sauvages qui en avaient dévoré les chairs. Hormis tous ces cadavres, personne n'était en vue.

Germanicus donna l'ordre d'établir le camp pour la nuit. Des hommes furent chargés de rapporter du gibier, car le fait de ne pas trouver Hermann à son village avait causé un contretemps et avait affecté la quantité des denrées prévues pour cette expédition. D'autres furent mandatés pour abattre quelques arbres afin de fortifier le campement. L'efficacité de nos armées à accomplir ce genre de travail en peu de temps était légendaire auprès de nos ennemis. Les règles de la légion romaine exigeaient que même un campement provisoire devait être résistant aux coups de l'ennemi et protéger chaque homme se trouvant à l'intérieur.

Chacun des légionnaires traînait dans son grabat une sorte de petite pelle qui servait à creuser la terre tout autour de l'emplacement du futur camp. Cette terre était rejetée vers l'intérieur afin de créer un petit talus destiné à recevoir les palissades de pieux qui ceinturaient le campement. En quelques heures, un solide camp de forme rectangulaire, avec une tour de guet sur chaque coin, était construit.

Le général ordonna ensuite qu'on rassemble toutes les dépouilles des hommes morts sur le talus et qu'on les ensevelisse dans trois grandes fosses afin qu'ils profitent enfin d'un repos digne d'eux. Je demandai la permission au général de superviser ce travail car j'espérais retrouver les restes de mon défunt père parmi tous ces ossements. Je montai ma jument et, accompagné de trois cents hommes, je me dirigeai vers l'entrée de la clairière par laquelle nous étions arrivés. J'ordonnai à quelques-uns de surveiller les alentours. Je redoutais une attaque sournoise tandis que nous serions occupés à cette pénible tâche. De mon côté, je cherchai mon défunt père. J'espérais un signe ou un indice pouvant l'identifier, mais en vain. Impossible de le reconnaître parmi toutes ces immondices. Soudain, Lucius, qui avait tenu à m'accompagner, me héla :
— Cassius, viens jeter un œil par ici !

J'allai vers lui et il me désigna l'endroit de sa découverte. Lorsqu'il avait soulevé le cadavre qui s'y trouvait, il avait glissé et, dans sa chute, avait dégagé une partie du terrain. Là, quelque chose de doré brillait au soleil. Je descendis de cheval et entamai de dégager le mystérieux objet. Lucius m'aida et à notre plus grande joie, cela se révéla être l'aigle de la XIXe légion, c'est-à-dire l'étendard de la légion de mon père. Après avoir accompli notre tâche, nous retournâmes au camp. La découverte de l'étendard ragaillardit les hommes et ils reprirent confiance. Germanicus me félicita pour cette trouvaille et m'invita à prendre une coupe de vin dans sa tente en sa compagnie. Je lui spécifiai que mon optione m'avait aidé et Lucius fut également convié. Après avoir échangé sur l'ensemble du déroulement de la journée, je vidai ma troisième coupe et demandai la permission de me retirer dans mes quartiers. La journée avait été dure et cette nuit-là, je dormis à poings fermés et n'eus aucune connaissance que durant ce temps, nous avions eu de la visite inattendue.

Le matin, très tôt il m'a semblé, le général me convoqua d'urgence sous sa tente. S'y trouvaient présents non plus un Germain mais quatre. En plus de Malaric, s'y tenaient deux hommes et une femme. Le premier avait le regard fier et un physique imposant. L'autre, un peu plus âgé, tenait une jeune femme par le bras, une grande rousse d'une vingtaine d'années, pulpeuse à souhait. Elle semblait farouche et sauvage.

— Ah ! Enfin, te voilà donc ! dit Germanicus à mon intention. Voici Flavius, le frère de notre ennemi, dit-il en désignant l'homme au port altier. L'autre, c'est Ségestes, Jarl de la tribu des Quades, un village tout à l'ouest, accompagné de sa fille Thusnelda. Elle est l'épouse de Hermann. Ils sont venus frapper à la porte de notre camp au cours de la nuit. Peu s'en fallut que notre garde les abatte à vue. Paraît-il qu'ils sont bien intentionnés et ont une proposition à nous faire. Je les ai gardés enfermés pour la nuit. Maintenant, avec le concours de Malaric comme traducteur, nous allons savoir ce qu'il en retourne. Prends un siège, Longinus, et écoutons ce qu'ils ont à nous raconter.

Le général fit signe au dénommé Flavius de s'exprimer. D'une voix gutturale, il débuta son récit. Selon la traduction faite par Malaric, ils arrivaient tous les trois de l'est de la rivière Wesser, qu'ils avaient traversée grâce à une barque de pêcheurs près de la rive, cachée là des années auparavant par Flavius lui-même après la bataille de Teutobourg. Ils avaient fui Hermann et sa coalition durant la nuit. Lui, son propre frère, en avait assez de ces guerres contre nous qui ne faisaient qu'appauvrir encore plus son pays. D'après lui, la domination de Hermann sur le peuple était devenue intolérable. Toute cette folie devait prendre fin. Alors qu'il cherchait du gibier, par un heureux hasard, il nous vit passer à quelques pas de lui. Déjà décidé à freiner les ambitions de son frère, il opta de s'unir à Rome et chercha un moyen pour nous avertir que nos ennemis se tenaient regroupés sur la rive est de la Wesser, juste de l'autre côté d'où nous étions. Comme le vieillard au village chérusque nous l'avait affirmé, Hermann s'était dirigé vers la forêt de Teutobourg. Toutefois, il avait plutôt décidé d'installer son campement près d'une autre forêt, beaucoup plus petite celle-là, et d'y attendre notre venue avec son armée comptant près de cinquante mille hommes. Ces derniers étaient installés au sommet d'une butte entourée d'un petit boisé d'un côté et de la rivière de l'autre, rendant l'endroit pratiquement imprenable.

Sans s'en apercevoir, en traduisant au fur et à mesure les propos de Flavius, Malaric s'était parjuré en nous ayant mentionné auparavant que la coalition de Hermann ne comptait tout au plus que trente-cinq mille guerriers. Cette bévue n'échappa pas à Germanicus qui lui jeta un coup d'œil lourd de sous-entendus. Voyant que Malaric ne réagissait pas, le général laissa porter et tourna son regard vers Ségestes, qui tenait toujours fermement l'avant-bras de sa fille.

— Et toi, lui dit-il, pourquoi désires-tu t'allier à Rome ?

— Pour la simple raison que je veux la perte de Hermann le Chérusque ! Enfin, grâce à vous, je tiendrai ma vengeance. Ce rat a capturé ma fille sous mes yeux, il y a sept ans lors de sa victoire à Teutobourg. À l'époque, notre clan était de la bataille à ses côtés. Quand le massacre fut terminé, il profita de sa popularité et, pour fêter sa victoire, jeta son dévolu sur ma fille. Comme vous le savez peut-être déjà, nous, les Germains, amenons nos femmes sur le champ de bataille afin de nous ragaillardir face à l'ennemi de peur qu'ils les capturent et les vendent aux marchés des esclaves à Rome. Cela nous motive à nous battre comme des déchaînés. Ainsi, cette journée-là, ma fille était présente car elle était promise à un jeune guerrier de ma tribu dont elle était follement amoureuse. J'avais donné mon consentement et ils devaient s'unir à la prochaine pleine lune. Ayant vaincu Varus et profitant de la fête, Hermann me demanda de lui présenter ma fille. J'ignore encore par quel procédé il réussit son coup, mais ma Thusnelda sembla totalement envoûtée par lui et elle le suivit sans réticences sous sa tente ! Le lendemain, sans mon approbation, il l'emmena avec lui vers son village.

— Mais pourquoi la tenir ainsi par le bras ? As-tu peur qu'elle ne se sauve ? Sache que le camp est bien gardé. Impossible de vous échapper d'ici ! dit Germanicus.

— Ce n'est pas pour cette raison que je la retiens ainsi. C'est pour la protéger d'elle-même. J'ai peur qu'elle commette une folie, comme vous sauter à la gorge, bec et ongles sortis, simplement pour que vous mettiez fin à sa vie.

— Comment cela ? Pourquoi ferait-elle cette stupidité ?

— Parce qu'elle s'est éprise de son ravisseur, qu'elle l'a marié de son plein gré, paraît-il. Ce sale rat lui a sûrement jeté un sort pour la rendre comme ça. Avant qu'il ne la voie sur le champ de bataille, elle n'avait d'yeux que pour son promis. Le pauvre gars ne s'en est pas remis. Il a quitté le champ de bataille et durant de longues années, il n'a donné aucun signe de vie.

Il y a quelques mois, Hermann est venu me trouver à mon village dans l'espoir que je m'allie de nouveau à lui dans sa guerre contre vous. Son pouvoir de persuasion est grand et la plupart de mes hommes ont été tentés de le suivre illico mais je m'y opposai violemment prétextant les arguments que je vous ai déjà mentionnés. Je ne peux souffrir l'affront qu'il m'a fait. Devant mon refus, Hermann, tout sourire, me dit qu'il ne m'en voulait pas de rejeter sa proposition et s'en alla comme il était venu. Deux jours plus tard, nos plus proches voisins, le clan des Marcomans, alliés à Hermann avec le Jarl Marobod à sa tête, nous attaquèrent à l'improviste et passèrent mon village aux flammes sans auparavant avoir négligé de massacrer guerriers, femmes et enfants qui ne purent s'enfuir à temps. Grâce au dieu Wotan, plusieurs ont tout de même pu y réchapper. Quant à moi, je réussis à fuir l'incendie mais Hermann, qui surveillait le déroulement de l'opération, eut tôt fait de m'intercepter. Plus tard, durant ma détention, un compagnon d'infortune m'instruisit que le jeune homme promis à ma fille autrefois était revenu sur les lieux du sinistre et qu'avec l'aide des survivants, ils avaient rebâti le village de mes ancêtres. Le clan des Quades s'était donc relevé de ses cendres.

Longtemps j'ai dû suivre Hermann dans tous ses déplacements à travers le pays en vue de soulever le peuple contre la puissance de Rome. Il est très bon dans ce domaine. Tel un serpent, il sait charmer les foules par de belles paroles empoisonnées mais moi, je ne suis pas dupe, je connais la couleur de son cœur qui est noir comme la suie.

De jour en jour ma frustration grandissait de ne pouvoir lui arracher sa langue venimeuse. Jusqu'à ce que nous arrivions à l'endroit où il se trouve présentement et que par surprise, Flavius, par une nuit sans lune, me libère et que nous puissions nous évader tous les deux. Avant de nous enfuir, je le priai de m'aider à emmener ma fille avec nous. Ce qui fut fait sans trop de mal étant donné la confiance de Hermann envers son frère. Il pénétra aisément dans la hutte de son chef pendant qu'il dormait ivre mort comme pratiquement tous les soirs. Flavius sortit vite de la tente avec ma fille sous le bras et tous les trois nous nous dirigeâmes vers l'ouest.

Mon sauveur avait eu rumeur que vous tentiez une nouvelle incursion en Germanie, alors nous avons décidé de nous rendre aux Romains et nous avons rejoint votre camp au milieu de la nuit. Voilà, notre sort repose maintenant entre vos mains.

Germanicus garda le silence pendant un instant, regarda intensément tour à tour les deux hommes avant de déclarer :

— Eh bien, quelle belle histoire ! Mais je pense que je peux vous croire. Très bien. Vous deux, vous nous accompagnerez à l'endroit que vous m'avez désigné. Là où se trouve notre ennemi commun. Nous verrons bien si vos dires sont vrais. Quant à la fille, elle restera détenue dans ce camp jusqu'à notre retour. Pas question qu'elle vienne avec nous... elle pourrait m'être utile en temps et lieu. Quant à vous, votre sort dépendra de votre honnêteté envers Rome.

Sur ce, il congédia tout le monde sauf moi.

— Eh bien, Longinus, cette fois Hermann va en découdre. Il ne s'attend certainement pas à ce que son frère et son « beau-père », si je puis dire, se réfugient chez les Romains au lieu de fuir vers le village Quades. Il ne soupçonnera pas qu'ils nous ont donné sa position. Prépare tes hommes et avertis les autres officiers que nous levons le camp dans deux heures. Assure-toi que tout soit prêt.

— D'accord, dis-je. Mais puis-je me permettre une question, mon Général ?

— Laquelle ?

— Que comptez-vous faire de la fille à notre retour ?

— Étant donné que j'ai donné ma parole de livrer Hermann au clan des Frisons, je ne peux compter sur lui pour mon défilé lors de mon retour triomphal à Rome. Sa femme Thusnelda fera une bonne compensation. Je vais cependant m'assurer qu'elle sera étroitement surveillée afin qu'elle n'attente pas à sa vie.

— Assurez-vous aussi que personne n'assouvisse ses bas instincts.

— Ne t'inquiète pas, j'y veillerai personnellement. Je ne tiens pas à ce que cette race impure se mêle à la nôtre.

Sur ce, j'allai préparer mes hommes. Comme convenu, nous quittâmes le camp deux heures plus tard tout en laissant quelques hommes pour le protéger d'une possible attaque. Cela nous laissait en plus une retraite sécuritaire si jamais l'affrontement devait mal se passer pour nous. Il était donc primordial de conserver notre position dans la forêt de Teutobourg.

De nouveau, se trouvait devant nous la Wesser. Cette rivière n'était pas très large mais selon les dires de Flavius, plus en amont, elle se rétrécissait davantage. C'est là que lui et Ségestes avaient traversé. Germanicus suivit son conseil et, sur les lieux, ordonna l'arrêt des troupes. La moitié des hommes fut mandatée pour construire un pont permettant d'enjamber le cours d'eau à cet endroit bien précis. L'autre pont, que nous avions traversé auparavant, se trouvait beaucoup trop au sud de notre position pour nous être utile. Tout le temps que durèrent les travaux, je me tins sur la rive et j'observai un boisé, de l'autre côté un peu en aval de notre position. Flavius s'approcha de moi et me désigna de l'index l'endroit que j'observais. À l'aide de signes, car il ne parlait pas le latin, il me fit comprendre que c'était dans ce boisé que se tenaient son frère et son armée de barbares sanguinaires. Flavius jeta un regard circulaire autour de nous et, à ma grande stupéfaction, réussit à baragouiner dans un latin hésitant :
— Mé... méfiez-vous... de Mal... aric !

Le bois ne manquant pas dans ce pays, le travail fut accompli en quelques heures à peine. J'avais beau être dans l'armée depuis quelques années déjà, je ne pus m'empêcher d'admirer de nouveau l'efficacité de celle-ci. Les hommes de Malaric, près de cinq mille en tout, regardaient ce travail efficace et bien coordonné d'un œil admiratif, mais aucun n'y participa.

Le nouveau pont ne pouvait supporter que peu d'hommes à la fois. Les cavaliers traversèrent donc en premier, suivis de l'infanterie. Lorsque toute l'armée eut gagné la rive est, elle n'eut guère plus de repos. Il fallait maintenant ériger un second camp fortifié. Pendant que le soleil poursuivait sa descente à l'ouest, nos légionnaires peinèrent au labeur et le camp fut terminé avant la nuit. De cet endroit, en regardant vers le sud-est, la rivière adoptait une courbe et continuait sa course un peu plus vers la gauche. À l'intérieur de ce coude, on distinguait un monticule de terre dissimulé derrière le boisé que j'avais aperçu avant de traverser. Des lueurs de torches nous confirmèrent les dires des deux Germains. Les officiers firent passer le mot qu'aucun feu ne devait être allumé. Les cuisiniers, mécontents, durent préparer un repas froid qui consistait en résumé à de la viande séchée au gros sel accompagnée de salade. Germanicus convoqua les officiers sous sa tente dans le but d'élaborer une stratégie adéquate en vue de la confrontation à venir. Pendant ce temps, les légionnaires allèrent se reposer à tour de rôle jusqu'à l'aube et une garde avait été établie pour surveiller le camp pendant la nuit.

— Bon, dit Germanicus, procédons par ordre. Tout d'abord, Flavius, dis-moi de combien d'hommes exactement dispose ton frère ? Tu connais certainement la réponse...

— *Vierzigtausend krieger, höchstens, zu Herr !* dit Flavius.

— Qu... quoi ? s'enquit le général qui, tout comme moi, n'avait pas saisi un seul mot.

— Malaric, traduis-moi ce charabia, exigea-t-il.

Mais le chef des Frisons n'était pas présent. Pourtant, Germanicus l'avait bel et bien fait quérir. Constatant cela, il se mit dans une colère terrible et ordonna à une douzaine de légionnaires de le rechercher dans tout le camp et de le lui ramener illico pieds et poings liés. Les gardes cherchèrent partout mais l'homme semblait s'être évanoui dans la nature. Aucune trace de lui ! À bout de patience, Germanicus s'écria :

— Ah ! La sale crapule ! Je parierais qu'il a fui ! Peu lui importe sans doute la mort de ses hommes que je tiens en otages !

Les gardes ajoutèrent que les cinq mille guerriers frisons qui dormaient à l'extérieur du camp avaient eux aussi disparu.

— Fouillez les environs ! Je le veux devant moi ce chien galeux ! J'arracherai un à un les poils de sa barbe infecte !

Les gardes sortirent et rentrèrent presque aussitôt en hurlant :

— Mon Général ! Le camp est attaqué ! On nous lance une pluie de flèches enflammées.

— C'est donc ça... Le salaud, après avoir essayé d'affamer notre armée avec des détours inutiles, est passé du côté de Hermann et il s'est empressé d'aller leur dévoiler notre position. Longinus, prends avec toi deux cents cavaliers et va me nettoyer les environs. Je doute que Hermann ait fait avancer son armée au complet.

— Très bien mon Général. Mais, sauf votre respect, vous auriez dû suivre mon conseil et prendre des dispositions particulières envers cet homme.

— Trop tard pour les regrets et ce n'est pas à toi de me sermonner, officier. Exécute mes ordres !

Lucius ainsi que mes meilleurs cavaliers m'accompagnèrent et j'ordonnai que l'on ouvre les portes. Entre-temps, les légionnaires éteignirent les flammes qui heureusement n'avaient pas eu le temps de trop se propager et les dégâts au camp furent de moindre importance. Un groupe d'environ cinq cents Germains, montés sur de petits chevaux, s'enfuyait vers la forêt au sud, là où se tenait le reste de ces barbares. Je rattrapai quelques retardataires, surtout les archers qui nous avaient tiré leurs flèches sans arrêt, et je fis rouler la tête de quelques-uns d'entre eux du tranchant de mon glaive. Une centaine de ces sauvages trouvèrent la mort cette nuit-là. Mes cavaliers, dont la perte s'élevait à une trentaine seulement, s'en donnèrent à cœur joie. Ils étaient affamés de massacre après tout ce temps passé à voyager, à ériger des camps et à construire des ponts. C'était euphorique. Enfin, nous pouvions taillader ces fils de chiennes.

Arrivé près des abords de leur campement, j'ordonnai de cesser la poursuite. De là où je me trouvais, malgré la noirceur de la nuit, je constatai que Hermann s'était bien installé sur les hauteurs d'une butte à l'orée du bois comme Flavius me l'avait pointé du doigt. Des barricades avaient été érigées tout autour du campement germain. Signe que notre présence lui était connue. Nous avions bel et bien été trahis et la disparition de Malaric semblait le désigner comme le seul coupable.

J'observai les dispositions militaires déployées par les Germains. L'endroit semblait imprenable et il valait mieux ne pas traîner dans le coin. Les Barbares, favorisés par la distance qui nous séparait, nous raillaient et se moquaient de nous dans le but de nous attirer à eux. Mais, comme nous ne comprenions rien à leur baragouinage, cela eut peu d'effets. Nous menaçant de leurs armes, ils s'étaient même blottis tout contre les barricades et nous crachaient dessus sans pour autant nous atteindre. Je pris conscience du danger que les archers représentaient au moment même où une volée de flèches s'abattit sur nous sans toutefois nous affecter lourdement. Les Germains nous démontrèrent qu'ils étaient de bien piètres tireurs.

— Ramassons nos morts en chemin et rentrons au camp, que je puisse rapporter ces faits au général. Dans le même temps, dénichez-moi un Barbare qui respire encore. J'aurais quelques questions à lui poser ! ordonnai-je à mes hommes.

Par chance, ils en trouvèrent un qui respirait toujours. Il avait une lance fichée dans le dos et perdait beaucoup de sang. Je m'approchai de lui, lui retirai le pilum afin de le tourner face à moi :

— Je peux abréger tes souffrances, Germain. Dis-moi, comprends-tu notre langage ?

— Qu... quelques mots... Ahhhgggn !

— Bon, alors, sais-tu qui vous a avertis de notre présence ?

— Donne-moi mon épée... qui se trouve près de ton pied droit... afin que je sois admis au royaume... du Valhalla... et je te dirai ce que je sais, Romain, répondit-il en respirant péniblement.

Je n'avais pas remarqué l'arme qui gisait au sol et lorsque je la remis au Barbare, il la prit tendrement et la serra contre sa poitrine comme si c'était l'objet le plus précieux au monde. Ensuite, avant d'expirer, il me souffla qu'une flèche venue des bois s'était fichée sur l'un des poteaux de la tente de Hermann. Un message avait été attaché à son plumage. Ce mot les avertissait de notre position et les renseignait sur le nombre d'effectifs dont nous disposions. Ce fut ses dernières paroles.

De retour au camp, j'allai me présenter devant Germanicus qui n'avait toujours pas retrouvé ni Malaric, ni ses guerriers frisons. Il était furieux. Je lui fis mon rapport et cela lui confirma mes doutes au sujet du chef frison. Maintenant que l'effet de surprise ne comptait plus, il fallait trouver une autre solution pour venir à bout de ces Barbares. Les Germains n'oseraient pas attaquer notre camp fortifié ; l'assaut des flèches enflammées n'avait été qu'un appât. Ils désiraient sans doute confirmer les dires du message reçu et avaient eu la preuve que nous étions revenus forts d'une armée de plus de cinquante mille hommes afin de les annihiler. Ils avaient donc renforcé leurs défenses sur les hauteurs de la butte et attendaient notre venue.

Nous fîmes de même et l'attente dura quelques jours. Aucun des deux opposants n'osait ouvrir les hostilités. Nous prîmes ce temps pour essayer de trouver une astuce qui nous éviterait un face à face mortel avec l'ennemi. Il fut décidé d'envoyer des éclaireurs tout autour de leur camp, pendant la nuit, afin de dénicher une façon de prendre les Germains à revers.

Nos denrées diminuaient dramatiquement et un matin, dès l'aube, Flavius effectua une sortie avec quelques chasseurs. Il les guida vers des pistes de gibier connues de lui seul. Par malheur, ils furent aperçus par des éclaireurs germains qui les attaquèrent. Ils purent regagner le camp sans subir trop de pertes, mais hélas, sans viande non plus. Flavius s'était montré loyal envers Rome en aidant plusieurs légionnaires blessés à rejoindre le camp. Lui-même, atteint sérieusement au visage par une hache de combat, perdit un œil. Voulant récompenser son courage, Germanicus le nomma à la tête d'une centurie constituée des guerriers de clans germains alliés. Les heures passèrent sans qu'aucune autre sortie ne fût effectuée.

Certains Barbares, montés sur leurs chevaux trapus, venaient nous provoquer jusqu'aux portes de notre camp en nous lançant des restes de victuailles et retraitaient aussitôt en direction de leur campement sans que nous puissions les atteindre de nos flèches. Vers la fin de l'après-midi de la troisième journée, Germanicus, voyant que les légions commençaient à souffrir du manque de nourriture, décida de tenter le coup et opta pour un combat de face. Nos éclaireurs n'étaient toujours pas revenus et nous pensions bien qu'ils avaient été tués. Soudain, un homme de tour nous cria qu'un Barbare marchait vers nous, agitant un drapeau blanc de la main. Germanicus se dirigea vers la grande porte afin de constater par lui-même que l'homme qui se présentait ainsi n'était nul autre que notre ennemi... Hermann.

Le général ordonna qu'on ouvre la porte et sortit à la rencontre du Chérusque. C'était un homme de constitution robuste. Pas très grand mais large d'épaules et légèrement bedonnant. Comme tous ses compatriotes que j'avais croisés jusque-là, ses seuls vêtements se résumaient à quelques peaux de bêtes. Il avait le crâne rasé de près et arborait la barbe traditionnelle. Dans ses petits yeux porcins, on pouvait y déceler une malignité sans bornes doublée d'une vive intelligence. Il ne portait aucune arme sur lui, du moins en apparence. Il se dégageait une telle arrogance et une telle confiance en lui que sa simple présence en imposait. Il prit la parole de sa voix grave :
— Ave à toi, Germanicus. Je me présente à toi en paix... pour l'instant du moins. Je désire m'entretenir avec mon frère Flavius qui se trouve à tes côtés, de son propre chef, semble-t-il.
— Que lui veux-tu ? demanda le général.

— Simplement lui parler. Aucun mal ne lui sera fait. C'est mon frère après tout. Ne l'oublie pas ! Avertis tes hommes sur les tourelles si tu le veux ! Ils n'auront qu'à me tirer comme une bête si jamais je ne tiens pas parole.

— Qu'est-ce qui m'empêche de te tuer à l'instant ?

— Ton honneur, voyons !

— N'en sois pas si certain, traître et assassin de Varus !

— Non, tu ne ferais pas une telle chose. Tes hommes rêvent d'une vraie bataille. Tu les décevrais de faire une telle folie. De toute façon, l'un de mes archers est caché dans les fourrés et te tient présentement en joue. S'il m'arrivait malheur... !

— Nom d'un... Tu n'es qu'un sale rat !

— Tous ces trucs, je les ai appris de vous, Romains. Alors, tu me l'amènes, mon frère ?

Germanicus resta songeur. Il appela finalement Flavius. Le grand blond se présenta à contrecœur. Il semblait appréhender l'entrevue souhaitée par son frère aîné.

— Très bien, dit le général, je me retire mais entends-moi bien, hypocrite. Nous nous reverrons bientôt et je te ferai payer toutes tes ignominies. Quant à toi, Flavius, ne nous fais pas faux bon ou tu le regretteras amèrement.

— C'est ça ! C'est ça ! Laisse-nous maintenant ! cracha Hermann.

Flavius et lui discutèrent pendant de longues minutes. En compagnie d'un auxiliaire germain qui me servit de traducteur, je m'approchai un peu de la porte, grimpai l'échelle et du haut de la palissade, nous pûmes saisir l'essentiel de leur conversation :

— Alors, mon cher frère, disait Hermann, tu t'es réellement rendu aux Romains ? Que t'a valu la perte de ton œil ? Quelles récompenses t'ont-ils données pour que tu te retrouves ainsi défiguré ?

— Ils m'ont nommé décurion mais ce n'est pas ce qui explique ma nouvelle allégeance envers Rome. Je n'aime pas où tu conduis ce pays. À cause de toi, toute la Germanie ne sera que ruine dans peu de temps. Les Romains sont trop forts pour nous. Il faut l'accepter et profiter de leurs connaissances et de leur technologie afin de devenir un peuple plus civilisé et plus évolué.

— Mais qu'est-ce que tu racontes là, mon frère ? Tu sais très bien qu'avec ce que j'ai en ma possession, personne ne peut m'arrêter. Quitte cette racaille et reviens parmi la plus grande armée germanique jamais vue. Unis-toi à moi de nouveau avant qu'il ne soit trop tard !

— Non, mon frère, j'ai choisi de combattre le mal que tu propages.

Hermann le regarda intensément et Flavius, tout à coup, sembla chanceler et se prit la tête entre les mains. Pendant qu'il semblait souffrir le martyre, son frère tenta encore de le convaincre de revenir avec lui et chaque fois, Flavius lui répondait derechef par la négative. Mais plus Hermann insistait, plus Flavius se tordait de douleur. Lorsque du sang avait commencé à s'écouler de son nez et de ses oreilles, il fut sur le point de céder à la requête de son frère.

— Tu m'avais pourtant juré de ne pas t'en servir contre moi ! réussit à articuler Flavius.

— Et toi, tu m'avais juré fidélité !

Je jetai un coup d'œil vers mon général et lui aussi comprit que la rencontre avait assez duré. Il quitta de nouveau l'enceinte du camp et mit un terme à l'entretien :

— Cela suffit ! Toi, Hermann, retourne vers ta meute de chiens et tiens-toi prêt à rencontrer tes dieux dans l'au-delà !

— C'est plutôt toi qui iras saluer les tiens, Romain. Ta défaite est inévitable. Quant à toi, Flavius, sache que tu m'as profondément déçu. Pense à la peine que notre pauvre mère aura du haut du ciel quand elle verra son fils aîné transpercer de sa lame son fils cadet ! Quelle honte !

— Tu n'es qu'un monstre, Hermann ! lui répondit Flavius en titubant.

Sur ces paroles, il gémit et s'écroula dans les bras du général. Après un dernier regard chargé de haine en direction de notre ennemi, Germanicus rentra au camp. Le Chérusque, lui, s'en retourna vers les siens. Une déception mêlée d'une colère sourde se lisait sur son visage.

La nuit parut courte et dès l'aurore, Germanicus cria le rassemblement en vue de la bataille. Soudain, Lucius fit irruption dans ma tente pour m'annoncer qu'un des éclaireurs était finalement revenu mais qu'il se trouvait dans un piteux état. Je le suivis jusqu'à l'arrière du camp, là où on avait creusé un tunnel permettant aux hommes sélectionnés pour cette mission de traverser incognito la palissade. Il va sans dire qu'elle était bien protégée de l'intérieur au cas où un Germain aurait eu le malheur de la découvrir ! L'éclaireur était bien là. La moitié de son corps traînait encore à l'extérieur du tunnel. Il était grièvement blessé. Deux flèches étaient fichées dans son dos. Selon ses dires, un Barbare l'avait surpris alors qu'il revenait au camp après avoir découvert une manière de contourner les défenses de Hermann. Il expliqua péniblement qu'il avait marché à l'est et avait tourné ensuite vers le sud. Et là, un peu plus loin, il avait débouché sur une clairière dont l'un des sentiers menait directement à l'arrière du camp ennemi. Il nous certifia que ce sentier était assez large pour que trois cavaliers puissent y passer et qu'en plus, nul ne semblait soupçonner son existence, car l'éclaireur n'avait aperçu aucun Germain ennemi dans les environs du sentier. Ce n'est que tout près du camp, lors de son retour, qu'il fut découvert et se fit tirer dessus. Il poussa ensuite un cri à fendre l'âme. L'un de ses assaillants l'avait poursuivi et lui avait planté son poignard dans la cuisse pendant qu'il se trouvait toujours à mi-chemin sous la palissade. Le garde de la tourelle nord aperçut l'agresseur et lui ficha un trait dans la gorge. J'ordonnai qu'on conduise notre espion à l'infirmerie. Deux heures plus tard, il trépassait.

Suite à ces révélations, j'allai aussitôt trouver Germanicus pour tout lui raconter. Quand j'entrai sous sa tente, je le surpris revêtant son armure de combat.

— Pardonnez-moi, mon Général, j'aurais dû me faire annoncer !

— Ce n'est rien. Belle armure n'est-ce pas ? Elle appartenait à mon père et elle a connu bien des batailles. Regarde ici, me dit-il en me montrant du doigt une partie gauche de l'abdomen, ça, c'est un coup de hache d'un de ces animaux il y a deux ans lors d'une razzia. Et regarde un peu cette épée, n'est-elle pas magnifique ?

J'acquiesçai et il poursuivit avec fierté :

— Bien qu'elle ait beaucoup servi, aucune écorchure n'est visible sur le fil de sa lame. Regarde.

Tandis qu'il me passait l'arme, je lui confiai le but de ma visite :

— Ma présence ici est pour t'avertir qu'un des éclaireurs est revenu au camp avec une formidable nouvelle.

— Ah oui ? Quelle est donc cette formidable nouvelle ?

Je lui contai tout ce que l'espion m'avait révélé et lui signalai également son état de santé.

— Combien d'hommes avons-nous ainsi envoyés en mission ?

— Une douzaine. Seul celui-ci a réussi à revenir au camp jusqu'à maintenant.

— Très bien, très bien. Cet homme, par son courage, nous permet d'espérer la victoire. Grâce à sa découverte, la chance et les dieux sont de notre côté. Fais donner l'ordre du rassemblement !

— Comment comptez-vous vous y prendre, mon Général ? demandai-je.

Il déroula une carte sommaire des alentours qu'il avait illustrée et m'expliqua :

— Le gros de l'armée ira de front, c'est-à-dire près de trente-cinq mille hommes que je conduirai moi-même avec l'aide de quelques officiers. Tandis que la cavalerie avec toi à sa tête et le reste de l'infanterie prendrez le sentier de la forêt rapporté par l'espion. Attaqués sur deux fronts simultanément, les insurgés ne pourront que subir la défaite. Il faut se croiser les doigts. La surprise sera grande s'ils ignorent vraiment que nous connaissons ce passage dans les bois et ils risquent fort de fuir dans tous les sens face à nos assauts combinés. N'oublie pas qu'au début, avant le massacre de Varus, beaucoup de clans hésitèrent à suivre Hermann dans sa rébellion. Un rien peut les faire revenir sur leur décision. Faisons ainsi, Longinus, et fais passer l'ordre parmi les officiers car je n'ai pas le temps de les convoquer tous. Nous devons partir dès que les hommes seront prêts.

— À vos ordres, mon Général.

J'exécutai les consignes et quelques heures plus tard, après avoir laissé une garnison comme de coutume pour surveiller le fort, nous fûmes enfin prêts à en découdre avec les Barbares. Je pris la tête de la cavalerie, quelque deux mille hommes, et je m'engageai dans la forêt à la recherche du précieux sentier. Sept mille légionnaires d'infanterie nous suivaient de près. De leur côté, Germanicus et ses hommes se dirigèrent pour affronter de face l'armée de Hermann. Ils longèrent la rive est de la rivière d'un pas lent, afin de nous laisser le temps d'atteindre notre position stratégique. Au bout d'un moment, je trouvai la clairière et le sentier décrit par l'éclaireur et je m'y engageai avec mes légions.

CHAPITRE VII

LE NOUVEAU JARL

Germanie. An 8 après J-C.

Malaric dormit jusqu'au lendemain matin. Lorsqu'il s'éveilla enfin, il constata que le soleil se levait à peine. Passant devant la chambrette de sa fille, il jeta un regard à l'intérieur. Luna dormait encore à poings fermés. Il ne se souvint pas de l'avoir entendue rentrer. Après avoir mangé un pauvre déjeuner, il lui écrit un mot en latin, langue qu'il lui avait apprise alors qu'elle était très jeune, disant qu'il s'absenterait durant au moins une semaine. Ensuite, il se dirigea vers les quais comme à son habitude. Cependant, il n'était pas seul ce matin-là. Quelqu'un de plus matinal que lui, semblait-il, l'attendait auprès de sa barque.

— Jarl Dvorak ! Que fais-tu là ? questionna-t-il, étonné.

— Je voulais te parler avant que tu ne t'éclipses de nouveau vers je-ne-sais-où !

— Qui y a-t-il encore ?

— Depuis notre conversation d'hier après-midi, je n'ai plus eu de nouvelles de mon fils. Aurais-tu une idée d'où il serait passé ?

— Aucunement ! Je ne suis pas comme lui, moi ; je ne gaspille pas mon temps précieux à espionner les gens !

— Mais tu n'en as aucune idée ? Tu en es certain ? Peut-être est-il retourné vers le lieu de ta cachette ?

Dvorak semblait ébranlé par la disparition de son fils aîné. Son ton était calme mais posé.

— Je n'ai pas de cachette, comme tu le prétends. Je vais où je veux quand je le veux !

— Ne fais pas l'innocent avec moi ! Je ne suis pas aussi stupide que tu sembles le croire ! Tout le monde sait ici que tu as un repère secret auquel tu te rends chaque jour. J'aimerais seulement que tu m'y conduises afin de m'assurer que Fridric ne s'y est pas rendu et qu'aucun malheur ne lui est arrivé.

— D'accord, je te le concède. J'ai bien un endroit secret mais jamais je ne t'y conduirai ! Non... Jamais ! Tu m'entends, jamais !

— C'est un ordre, Malaric, pas une suggestion ! Si tu tiens à garder ta liberté, tu vas m'y amener à l'instant !

Le ton sur lequel il exprima ces derniers mots imposait le respect. Malaric était coincé. Il n'avait pas le choix.

— Peut-être réussirais-je à me débarrasser de lui rendu sur place, pensa-t-il.

Cependant, c'était un grand risque. Le Jarl était un peu plus jeune que lui et beaucoup plus fortement constitué. Il ne serait pas aisé de le terrasser. Néanmoins, il pouvait toujours compter sur la force brute de La Terreur.

— D'accord. Je me plie à ta demande. Monte et je t'y mènerai ! proposa Malaric.

— Attends un peu. De sombres histoires courent au sujet de cet endroit inconnu de tous hormis de toi. Je vais aller quérir deux solides guerriers pour m'escorter. Tu m'attends !

Dvorak redoutait, avec raison, une traîtrise de la part de Malaric et il voulait s'assurer de revenir bien vivant de leur destination. Dès qu'il fut de retour en compagnie des deux hommes encore à moitié endormis, Malaric avait déjà filé. Constatant ce fait, le Jarl entra dans une colère sourde.

— Comment l'un de mes sujets peut-il se permettre de me rire ainsi au nez ? cracha-t-il.

Au grand plaisir des deux gaillards qui l'accompagnaient et qui redoutaient ses emportements peu fréquents mais dévastateurs, il se calma et réfléchit. En fuyant ainsi, Malaric venait de lui démontrer sa culpabilité. Sitôt qu'il rentrerait, il serait mis en détention pour l'avoir ainsi défié. Un procès bidon suivrait et il serait condamné à mourir. En agissant ainsi, il venait de lui donner une bonne raison pour se débarrasser de lui une bonne fois pour toutes. Ces histoires sordides l'impliquant n'avaient que trop duré. Il n'y avait plus qu'à attendre son retour car tôt ou tard, Malaric reviendrait auprès de sa chère fille. Concernant cette dernière, s'il s'avérait que Fridric était toujours vivant, il l'unirait à son fils, qui semblait avoir jeté son dévolu sur Luna. Sinon, il s'en contenterait aisément lui-même.

— Doit-on le poursuivre, Jarl ? demanda l'un des deux hommes.

— Non. Laissons-le filer. Tôt ou tard il reviendra. Le temps que nous préparions une embarcation, il sera déjà loin. Rentrez maintenant. Je n'ai plus besoin de vos services pour le moment !

Luna fut mise au courant de la situation catastrophique dès qu'elle sortit de sa couchette. Ida, qui avait un peu repris du poil de la bête depuis quelques jours, vint l'en avertir.

— Mais mon père est innocent ! Il n'a pas quitté notre demeure, j'en suis témoin ! Il n'a aucune implication dans la disparition de Fridric. Je me rends immédiatement chez le Jarl !

Telle une furie, la jeune fille se rendit chez Dvorak. Sitôt devant le chef du clan, Luna témoigna en faveur de son paternel. Elle expliqua au Jarl que, suite à son entretien avec lui la veille, son père n'était pas sorti de la cabane de la journée.

— De plus, ajouta-t-elle, il ne l'a pas quittée de la soirée non plus.

— Le problème, chère enfant, c'est qu'il m'a berné et cela je ne peux le permettre. De quoi j'aurais l'air devant tous mes sujets ? Non, il faut qu'il paye pour ça. Je suis désolé mais, de toute façon, je suis sûr qu'il est impliqué de près ou de loin dans la disparition de mon fils et même dans celles de Sven et de ses deux fils. N'aurais-tu pas toi-même une petite idée de l'endroit où Fridric se serait volatilisé par hasard ?

Luna n'osa pas lui avouer leur conversation de la veille, de peur d'incriminer indirectement son père par la même occasion.

— N... non ! Pourquoi le saurai-je ?

—. Une question comme ça. Et je suppose que tu ignores aussi où se situe la cache secrète de ton père ?

— J'ignore où il se rend ainsi. Jamais il n'a voulu m'en parler, répondit-elle.

Luna mentait bien entendu. C'est elle-même qui avait trouvé la petite baie la première et Fridric lui avait certifié que c'était bien à cet endroit que son père se rendait chaque jour. Cependant, elle souhaita de tout son cœur que son mensonge ne serait pas découvert. Le Jarl reprit la parole :

— Je te crois. Par contre, je ne peux rien faire pour ton père. Dès qu'il rentrera, il sera mis aux fers en attendant l'heure de son exécution.

— Non, pitié ! Je vous certifie qu'il est innocent !

— Cela n'efface pas l'affront de ce matin. Et pourquoi s'est-il alors enfui comme le plus vil des voleurs ?

— Il ne veut pas que qui que ce soit découvre son repère secret. Je n'en sais pas plus à ce sujet, mais encore une fois, ayez pitié ! Souvenez-vous de l'amitié que vous lui portiez naguère ! N'avez-vous donc plus aucune affection pour lui ?

— Je dois t'avouer qu'elle a beaucoup diminué depuis quelque temps. En fait, depuis la mort de la famille de Ida. Tout comme moi, les villageois sont de plus en plus soupçonneux à son endroit. Dès qu'il leur arrive le moindre pépin, ils en mettent la faute sur lui et viennent s'en plaindre à moi. Je suis fatigué de tout ça !

Luna, maintenant à genoux devant lui, l'implora de nouveau :

— Je vous en prie, mon seigneur, laissez-lui la vie sauve ! C'est le seul parent qu'il me reste !

Le Jarl, contrairement à ce qu'il était en son jeune temps, fut pris d'une certaine compassion pour la jeune fille. Peut-être que la perte d'un être cher avait ouvert un peu son cœur face à la détresse humaine. Il se leva de son siège et l'aida à se remettre debout. Avec des paroles douces, il lui dit :

— Très bien ma belle enfant. Ton amour pour ton père l'a peut-être sauvé pour un temps. Voici ma décision : si d'ici une semaine je n'ai pas de nouvelles de mon aîné, ton père sera écartelé par quatre bœufs sur la place publique, avec ou sans preuve de son crime. Dès qu'il rentrera ce soir, il sera mit aux arrêts.

— Mais puisque je vous dis que...

— Suffit, femme ! Sors maintenant. Ma décision a été rendue et jamais je ne reviens sur l'une d'entre elles.

Luna obtempéra et quitta la demeure du Jarl pour se diriger aussitôt vers les quais. Elle s'assit sur sa roche comme elle le faisait toujours dans ces moments-là et pleura toutes les larmes de son corps. Elle pensa tout haut :

— Pourquoi tous ces malheurs nous arrivent-ils ? Qu'avons-nous fait, mon père et moi, pour mériter ainsi le courroux des dieux ?

Grâce au court message de son père, elle savait très bien qu'il ne serait pas de retour avant quelques jours. Il fallait absolument qu'elle trouve un moyen de le prévenir de ce qui l'attendait.

— Mais comment faire ? se tourmenta-t-elle. En prenant la chance d'essayer de le rejoindre en plein jour à bord du *Goéland* ? Mais alors le Jarl aura tôt fait de me poursuivre et ainsi découvrir le repère secret... Mes pauvres leçons de navigation me permettront-elles de retrouver la presqu'île dans la noirceur de la nuit ? J'espère que Fridric va se montrer d'ici là !

Cependant, au fond d'elle-même, elle pressentait qu'un terrible malheur était survenu. La veille, elle avait attendu le retour de son prétendant jusque tard dans la soirée. En vain. Elle sentait qu'un autre drame s'était probablement déroulé. Avait-elle bien agi en mentant ainsi au Jarl ? Sa tête se mit à tourner de façon vertigineuse et elle décida de rentrer à la cabane. Lorsqu'elle fut étendue sur sa couche, la solution pour sauver son paternel, quoique très risquée, s'imposa d'elle-même. Si dans cinq jours, tout au plus, Fridric ne donnait signe de vie, elle mettrait son plan en marche.

Malaric remerciait le vent de l'aider ainsi à fuir rapidement le Jarl. Il savait qu'il lui faudrait revenir dans une semaine et d'ici là, il tenterait de trouver une solution pour se débarrasser de ce gêneur et de tous les autres qui pourraient avoir l'idée folle de se mettre au travers de sa route. Jamais ils ne trouveront son repère. Luna connaissait bien l'endroit mais elle ne savait pas naviguer. De toute façon, elle ne le trahirait pas, il en était certain. Par contre, son altercation avec Dvorak le laissait songeur. Il n'en doutait pas une seconde : le fils aîné de celui-ci avait sûrement profité de son repos pour aller à la caverne y chercher des preuves aux accusations qu'il lui portait et Malaric était anxieux de s'en assurer.

— Pauvre fou. Il n'a aucune idée de la fin atroce qui l'attend, s'exclama-t-il.

Son ricanement sinistre se mêla aux cris des mouettes qui survolaient son embarcation. Dès son arrivée, il vit l'embarcation de Fridric accostée sur la grève. Ne prenant pas la chance que Fridric soit toujours vivant et qu'il décide de s'enfuir emportant avec lui les preuves qu'il recherchait, Malaric détacha l'embarcation et la repoussa vers le large. Lorsqu'il fut certain qu'elle ne reviendrait pas vers son point de départ, il dégaina sa longue épée. Aux aguets, il se dirigea prudemment vers l'entrée de la caverne.

Dès ses premiers pas à l'intérieur, il fut à même de constater le décès du jeune homme. L'héritier du Jarl avait été complètement démembré par La Terreur. Le gros animal mâchonnait encore l'une de ses jambes qu'il avait arrachée du tronc quand Malaric était arrivé. Soulagé du résultat, il ramassa la tête du jeune homme, qui avait roulé dans un coin, et balança les restes de sa carcasse du haut de la falaise pour rejoindre Sven et Khorr parmi les récifs en contrebas. Ceci fait, il rentra à l'intérieur et félicita son étrange animal de compagnie de son bon travail. L'énorme bête, enfin rassasiée, alla s'étendre dans un coin obscur de la salle principale et s'endormit en peu de temps.

Malaric alluma les torches et se remit à arpenter les parois en quête d'un nouvel indice obtenu grâce à la mort de Fridric. Malheureusement, il ne trouva rien. Enfin... pour le moment ! Il avait remarqué la dernière fois qu'un certain temps s'écoulait entre le moment du décès et l'apparition d'un mot sur l'une des parois. Il décida de patienter en parcourant les feuillets du *Livre noir de Salomon*. La veille, il avait trouvé un passage qui semblait, selon les illustrations grotesques qui l'accompagnaient, très prometteur et intéressant. Mais le texte était écrit en un dialecte inconnu. Par chance, ce même dialecte se retrouvait sur le parchemin contenant les cinq textes rédigés en différentes langues. Une étude laborieuse lui en révélerait le contenu en entier. Aidé du manuscrit en cinq traductions, il réussit néanmoins vers la fin de la journée, à le décrypter et en saisir la teneur. Ce texte indiquait les procédures à suivre pour réaliser un sort, une malédiction. Sa lecture achevée, il s'exclama :

— Ceci est tout simplement magnifique ! Grâce à ceci, plus personne n'osera me défier et je deviendrai l'homme le plus puissant du clan !

Le lendemain, il expérimenta sa découverte sur de petits animaux capturés en forêt au nord de la grotte. Après maints tests concluants, il s'avérait que le sort fonctionnait à merveille. Suite à ces succès, il revint à l'étude de l'ouvrage millénaire. Comme le lui avait expliqué Ragnard, le *Livre noir de Salomon* contenait un ensemble d'écrits traitant essentiellement de démonologie et de nécromancie avancée, excepté le long passage écrit en grec, dans lequel il avait retracé le nom du grand roi. Il entreprit de le lire en entier. Dans un paragraphe, il prit connaissance d'importantes révélations concernant la porte close et la clé permettant de l'ouvrir. Suite à cette lecture fructueuse, Malaric devint euphorique. Cette clé n'était pas qu'un objet quelconque servant seulement à ouvrir la porte close. Elle possédait aussi de grands pouvoirs. Selon les indications, cette clé était en réalité une émeraude de grande taille qui se trouvait quelque part dans les catacombes du Grand Temple de Jérusalem.

— Il me faut absolument cet objet de puissance. Avoir su, j'aurais demandé à Ragnard de visiter le Grand Temple du temps qu'il était sur place !

Avide d'en savoir plus encore, il continua de parcourir les nombreux feuillets de l'ouvrage en décomposition avec une curiosité toujours grandissante. Vers la fin du recueil, il trouva un feuillet annexé et rédigé en latin qui semblait beaucoup plus récent que les autres, car le papyrus ainsi que l'encre semblaient presque neufs. Ce feuillet expliquait comment cette émeraude avait finalement quitté les donjons humides du Grand Temple pour ensuite passer de main en main jusqu'à ce qu'un grand général romain s'en saisisse par hasard. Il se trouvait alors en Gaule et avait décidé de la ramener avec lui jusqu'à Rome. Fort possiblement, elle y était toujours. Ce texte avait certainement été annexé à l'ouvrage par l'homme intercepté par Ragnard dans une ruelle. Cet officier ignorait probablement tout de la puissance de l'émeraude et de sa relation avec la porte close.

— Mais comment pourrais-je me la procurer ? dit-il en s'adressant à la brume verdâtre qui flottait de nouveau autour de lui.

Sitôt qu'il prit conscience de la présence éthérée, un éclair de génie lui traversa l'esprit.

— Hermann !

Décidément, cette matière diaphane était une source d'inspiration fantastique.

— Je comprends maintenant en quoi ce Jarl chérusque peut m'être utile ! C'est toute une chance que Dvorak m'ait parlé de cet homme !

Enfin, Malaric obtenait une grande partie des réponses à toutes ses interrogations. Si son stratagème fonctionnait comme il l'espérait, il serait bientôt en mesure de découvrir la source d'un pouvoir grandiose. Mais d'abord, il devait rencontrer ce Hermann. Il reprit sa barque et se dirigea vers le village des Lombards, clan auquel Hermann était l'invité en ce moment, d'après Dvorak. Ce village se trouvait sur les rives de la rivière Elbe, à une demi-journée de navigation en direction sud-est.

Deux jours s'étaient écoulés et ni Fridric ni Malaric n'avaient encore donné de nouvelles. L'impatience du Jarl de les revoir de retour au village devenait de plus en plus palpable. Tout ce qu'il pouvait faire était d'attendre et cela le mettait de fort mauvaise humeur. Désespérant de retrouver son fils, il avait envoyé des hommes à sa recherche de plus en plus profondément en forêt, mais sans succès. D'autres avaient eu pour mission de trouver l'endroit secret de Malaric. Ils étaient tous passés devant la presqu'île sans l'apercevoir pour autant. L'épais brouillard nimbant l'endroit la rendait invisible à l'œil. De plus, Malaric avait été prévoyant ; sur le côté de la bande de terre qui séparait la presqu'île du continent, il avait découvert une passe étroite dans laquelle il accostait désormais sa barque. Donc, même si quelqu'un découvrait son repère et s'en approchait, il lui serait impossible de soupçonner sa présence car il ne pourrait remarquer la barque de Malaric, bien cachée comme elle l'était. De toute façon, Malaric ne s'y trouvait pas et dès qu'il accosta aux quais des Lombards, il s'aperçut que la place était pratiquement déserte. Il s'en informa auprès d'un jeune garçon d'à peine neuf ans qui jouait à proximité :

— Bonjour à toi, mon jeune ami, dit-il amicalement. Où est passé tout le monde ?

— Qui êtes-vous, monsieur ? Un ami ou un ennemi ?

— Mais un ami bien sûr ! Tu n'as pas à avoir peur de moi. Je suis incapable de faire du mal à une mouche.

Voyant le sourire du garçon apparaître sur son visage, tel le serpent qui enjôle sa proie, Malaric poursuivit :

— J'aurais besoin d'une simple information. Sais-tu, petit, si le dénommé Hermann le Chérusque se trouve toujours parmi votre clan ?

— Oui monsieur, il s'y trouve. Mais présentement, il accompagne les hommes à la chasse. Ils devraient rentrer bientôt, cela fait déjà un bon bout de temps qu'ils s'en sont allés ! Pourquoi cette question, monsieur ?

— Ce jeune se montre fort curieux, pensa Malaric qui détestait ce trait de caractère.

Cependant, il ajouta gentiment :

— J'ai un travail pour toi. Aimerais-tu gagner une belle pièce d'or, mon gaillard ?

— Je ne sais pas trop... je n'en ai jamais vu !

— Eh bien ! regarde.

Malaric sortit de sa bourse l'une des pièces prélevées de son trésor et l'exhiba devant les yeux écarquillés du jeune garçon.

— Oh ! Comme ça brille !

— N'est-ce pas ? Et ça permet aussi d'obtenir une foule de choses. Si tu accomplis bien ton travail, cette pièce sera pour toi.

— Est-ce vrai ? Oh ! merci, monsieur ! Que faut-il que je fasse ?

— Premièrement, sais-tu lire le latin, le dialecte de Rome ?

— Aucunement monsieur. Je ne sais ni lire, ni écrire aucune langue connue, comme le reste du village, d'ailleurs, et j'en suis bien fier. Ces idioties sont pour les filles. Nous les hommes, nous n'avons pas besoin de connaître le sens de tous ces gribouillis !

— Très bien petit, j'adore ta vision des choses. Maintenant, prends ce papyrus scellé à la cire, ne l'ouvre surtout pas et dès que Hermann sera de retour, tu lui remettras en main propre. Tu m'as bien compris ? Tu dois le donner rien qu'à lui et à lui seul !

— C'est d'accord, monsieur. J'ai bien compris.

Malaric lui lança la pièce et recommanda au jeune garçon de ne pas l'exhiber devant les autres avant que son travail soit fait.

— Je ferai comme vous le demandez, monsieur. Au revoir.

La prochaine étape planifiée par Malaric était qu'il devait maintenant rentrer dans son propre village. Malgré le sort probable qui l'attendait... Par chance, grâce à son nouveau sort, il n'avait plus rien à craindre de personne.

Le soleil était déjà bien haut lorsqu'il fut enfin de retour sur la rive du clan frison. Malaric accosta son embarcation, lia les amarres et en descendit tout bonnement À ce moment, une centaine de personnes, dont de nombreux guerriers, l'attendaient déjà de pied ferme. Le Jarl fut immédiatement mis au courant de la nouvelle et il s'empressa aussitôt de venir l'apostropher. En chemin, il ordonna à Ida :

— Va chercher Luna, et toutes les deux, courez vous enfermer chez toi. Je ne veux pas que la jeune fille assiste à la scène qui va suivre. Vous y resterez cachées jusqu'à ce que je vous le dise. Tu m'as bien compris ? Alors file vite !

— Oui, Dvorak ! J'y vais à l'instant.

La grosse femme courut aussi vite que son obésité le lui permettait. Feignant la surprise, Malaric dit à la foule :

— Eh bien ! mes amis, quel accueil ! Que me vaut toute cette attention particulière ?

— Cesse ton petit jeu, vieux renard ! Pourquoi m'as-tu fui ainsi ? lui demanda le Jarl d'une voix forte.

Devant tous ses sujets, il devait se montrer intransigeant s'il voulait demeurer à leur tête.

— Te fuir ? Mais qu'est-ce que tu racontes ? Je croyais que tu me suivrais à bord de ta propre barque en compagnie de ton escorte ? J'ai simplement pris un peu d'avance, c'est tout. Je t'ai attendu un peu plus loin et quand j'ai vu que tu ne venais pas, j'ai pensé que tu avais changé d'idée et j'ai poursuivi ma route. Au fait, pourquoi n'es-tu pas venu ?

— Menteur ! Tu n'es qu'un sale menteur ! lui cracha Dvorak dont la patience venait d'atteindre ses limites. Gardes, emparez-vous de lui. Qu'on le jette dans la fosse en attendant son châtiment !

— Holà ! Un instant, messieurs ! dit Malaric d'un ton impératif.

Surpris, les gardes stoppèrent leur élan d'un coup. Le nécromancien en devenir poursuivit :

— Avant cela, j'ai un cadeau pour toi, Dvorak ! Peut-être sauras-tu me pardonner mon erreur après ceci.

Malaric lui lança une sorte de ballot enroulé de draps de satin bleu de haute qualité qu'il avait récupéré au fond de l'un des coffres phéniciens. Le Jarl capta l'objet de ses deux mains. Curieux, il commença à en dégager le contenu des tissus qui le recouvraient. L'instant suivant, le présent de Malaric tomba au sol et la tête tranchée de Fridric roula jusqu'aux pieds d'une femme qui se mit aussitôt à hurler de terreur :

— Il l'a tué ! Malaric a tué le fils du Jarl !

Dvorak regarda Malaric avec le meurtre dans les yeux et voyant que celui-ci lui souriait en retour, pris d'une rage folle, s'élança sur lui. C'est précisément ce que souhaitait Malaric. Dès que le Jarl fut assez près de lui, dans un geste répété plusieurs fois depuis, il leva le bras droit et du bout de son index toucha le front de son assaillant avec une rapidité surprenante. Dvorak arrêta net sa course et se mit à tituber. Ses yeux devinrent vitreux et son teint livide. Soudain, il s'écroula au sol, évanoui.

Les témoins restèrent bouche bée devant ce constat. Comment le vieux charpentier avait-il pu réussir à terrasser Dvorak de ce simple geste ? À l'évidence, des forces obscures étaient à l'œuvre juste sous leurs yeux. Craintifs, ils reculèrent devant la puissance dévastatrice de Malaric. Celui-ci profita de l'effet de surprise :

— Vous connaissez tous la loi : celui qui remporte un duel contre le Jarl, devient le Jarl à son tour !

Il attendit quelques instants, le temps que ses paroles fassent leur effet et poursuivit :

— Quelqu'un parmi vous conteste-t-il ce fait ? Si oui, qu'il s'avance alors et il subira le même sort.

Des murmures apeurés parcoururent le groupe assemblé aux quais. Soudain, un jeune homme, ami intime du jeune Fridric, sortit sa lame et s'élança sur Malaric. Hélas, ce dernier était rapide comme l'éclair et l'agresseur subit le même maléfice que Dvorak. Un autre guerrier, plus vieux celui-là, tenta de lui lancer une lance mais dès que Malaric le fixa de ses grands yeux globuleux, l'homme fut pris de peur et laissa tomber son arme.

Maintenant, il fallait passer aux choses sérieuses. Malaric s'avança, menaçant, vers la foule, et grimpa sur une grosse pierre adjacente aux quais afin que tous puissent le voir et l'entendre clairement :

— D'autres téméraires ? Allez-vous enfin comprendre que vous n'êtes rien devant ma puissance !

Profitant des éléments qui l'entouraient, il poursuivit :

— Vous voyez ce gros nuage gris qui se dirige vers nous à l'est ? Il est le fruit de mes artifices ! Si je le voulais, je pourrais détruire ce village simplement en claquant des doigts et la foudre viendrait anéantir vos petites vies insignifiantes. Servez-moi fidèlement et jamais malheur ne vous arrivera. Trahissez-moi et vous périrez tous !

C'était un mensonge, bien sûr. Malaric n'avait pas ce pouvoir sur les éléments, mais ces gens superstitieux l'ignoraient et c'était tout ce qui comptait. Il savait pertinemment que l'intimidation et le culte de la peur étaient des armes très efficaces.

— Jurez-moi tous fidélité maintenant ! Ensuite je vous permettrai d'aller trembler dans vos demeures.

Devant si terrible menace, les témoins des combats et par la suite, les dix mille âmes fortement impressionnables qui composaient l'ensemble du clan, lui jurèrent fidélité et Malaric devint dès cet instant l'un des Jarls les plus puissants et les plus craints de tout le nord de la Germanie.

— J'accepte votre serment, dit-il. Mais si un seul de vous me trahit, c'est tout le clan qui en pâtira !

— Non, pitié ! Nous exécuterons vos moindres désirs ! Épargnez-nous, nous vous en prions ! lui répondirent-ils à l'unisson, terrorisés.

— Très bien. Voyons jusqu'où va votre dévouement. Cet homme qui a voulu me transpercer de sa lance, emmenez-le devant moi !

Cinq gaillards le saisirent et le poussèrent devant Malaric.

— Maintenant, tuez-le de vos propres mains. Le premier qui me rapportera ses tripes recevra cette bourse d'or.

Malaric lança une pleine bourse remplie de piécettes dorées. Dès qu'elle toucha le sol, les cordons se délièrent et chacun admira les reflets de l'or qui miroitait au soleil. Les cinq hommes se regardèrent l'espace d'un moment, hésitants.

— Obéissez-moi et prouvez-moi que vous m'êtes fidèles. Je veux entendre hurler ce chien. Sinon, c'est vous qui périrez !

Bien qu'ils étaient de formidables guerriers et qu'ils étaient habitués aux tueries, les Frisons n'étaient pas du genre à trucider l'un des leurs à la légère. Néanmoins, les hommes désignés par le nouveau Jarl n'eurent d'autres choix que d'obéir à cet ordre répugnant et dégainèrent leurs épées.

— Non! cria le nouveau Jarl! Pas d'armes: de vos mains nues je vous ai dit!

La pauvre victime qui avait osé lever sa lance contre Malaric hurla à s'en fendre le gosier. Ces cris de souffrance furent entendus à des lieues à la ronde lorsque ses cinq compatriotes lui arrachèrent les membres, les yeux et la peau jusqu'à ce que l'un deux réussisse à pénétrer son bras en entier à l'intérieur de son corps et l'éviscérer alors qu'il était toujours conscient. Les femmes et les enfants qui assistaient à la scène pleuraient à chaudes larmes en détournant le regard et tentaient de boucher les oreilles de leur progéniture. Bientôt, la mort délivra le moribond et mit fin ainsi à ses indescriptibles souffrances.

— Excellent. Vous m'avez prouvé votre loyauté et votre valeur! En récompense, lorsque je serai présent au village, vous serez dorénavant ma garde personnelle.

— Nous sommes à votre service, dirent les cinq bourreaux en chœur.

— Vous autres, cria-t-il à la foule. Déguerpissez! Allez vous terrer dans vos trous à rats!

Les villageois obéirent promptement et s'enfermèrent à double tour dans leurs mansardes.

— Toi! dit-il au gagnant de l'épreuve qui s'était tenue face à lui. Sais-tu où est ma fille?

— Dvorak l'a fait enfermer dans la cabane d'Ida. La grosse femme lui tient compagnie présentement! répondit l'homme tout en tremblant.

— Ne t'avise plus JAMAIS de prononcer le nom de l'ancien Jarl devant moi si tu tiens à la vie.

— Très bien, mon seigneur, je ne l'oublierai pas. Voulez-vous que j'aille quérir votre fille?

— Non, laisse-la où elle se trouve! Mieux vaut ainsi. Par contre, assure-toi qu'aucun mal ne lui sera fait pendant mon absence.

Luna était la seule personne que Malaric n'osait affronter en ce moment. Sa fille ne pourrait comprendre ses motivations.

— Si tel est votre désir, mon Jarl.

Malaric le scruta de la tête aux pieds :

— Il me semble t'avoir déjà croisé auparavant. Rappelle-moi ton nom ? lui demanda-t-il.

— Harald. J'ai travaillé pour vous autrefois à la forge.

— C'est donc ça. Eh bien ! mon cher Harald, tu m'as l'air d'un homme honnête et un bon guerrier d'après ta carrure. Bref, tu seras mon intendant et je t'expliquerai plus tard ce que j'attends de toi.

Devant l'air ahuri de l'homme qui ignorait la signification de ce mot, Malaric poursuivit :

— Tu seras mon remplaçant lors de mes absences. Maintenant, ramasse cette bourse. Elle est à toi, tu l'as bien méritée. Je te nomme responsable du village et les quatre autres hommes choisis pour ma garde seront sous tes ordres jusqu'à mon retour. Tu gouverneras à ma place mais selon ma volonté. Est-ce clair ?

— Oo... oui mais... pourquoi moi ? se risqua l'homme.

— Et pourquoi pas ? répliqua Malaric. Tu vaux bien au moins autant que l'un de ces crétins qui nous entourent. De plus, j'ai bien aimé ton sang froid tout à l'heure. Mais ne t'avise pas de me trahir, tu n'as aucune idée des tourments que tu subirais dans ce cas.

— Bon... très bien alors. J'essayerai de me montrer digne de votre confiance.

— Je n'en doute pas une seconde, mon brave. Et pour me prouver encore une fois ta loyauté, tes quatre compagnons et toi, prenez une charrette et déposez-y l'ancien Jarl ainsi que les corps des deux autres traîtres.

— Mais Dvorak et le jeune homme ne sont qu'évanouis. Ils ne sont pas morts, plaida Harald.

Malaric descendit de sa roche et s'approcha du jeune guerrier. Il tira sa longue épée et lui trancha la gorge sans autre procès.

— Maintenant celui-ci l'est. Laissons Dvorak au pays des rêves et dirige-toi au milieu de la forêt et abandonne-les sur place ! Je les ai assez vus ! Tu m'as bien compris ?

Harald n'avait pas le choix d'obéir à Malaric qui devenait de plus en plus friand de cruauté. En effet, lorsque Dvorak se réveillerait dans une couple de minutes, perdu en forêt parmi les loups, avec une cécité complète, car telle était la conséquence du sort qu'il lui avait jeté, accompagné de deux cadavres ensanglantés à ses côtés, l'ex-Jarl prierait les dieux que sa fin arrive au plus tôt. Malaric s'imaginait la scène et il désespérait de ne pouvoir y assister. Le nuage gris qui avait si bien servi ses plans planait maintenant juste au-dessus du village. Profitant du fait que plusieurs habitants apeurés surveillaient son départ, Malaric s'exclama bien haut, secondé par de grands gestes théâtraux :

— Ô toi, puissant Thor, cesse ton courroux et épargne ce clan. Tous m'ont juré fidélité. Tu peux poursuivre ta route ! Je te libère de mon emprise en cet instant !

Cela convainquit les plus sceptiques de l'immensité de ses nouveaux pouvoirs. Comme par magie, le gros cumulus se dirigea vers l'ouest sans qu'il y ait aucun orage. Après cette interprétation digne des plus grands acteurs de la tragédie grecque, Malaric s'arrêta quelques instants à sa cabane et s'en retourna vers sa caverne maudite qui devint dès lors sa principale demeure.

Ce soir-là, le clan frison s'endormit difficilement, sachant que les jours relativement paisibles qu'ils avaient vécus depuis ces dix dernières années venaient de se terminer. Désormais, un tyran cruel et sorcier était à leur tête et cela ne présageait rien de bon dans une Germanie fortement divisée.

CHAPITRE VIII

L'AFFRONTEMENT

Jérusalem. An 30 après J-C.

L'une des servantes vint interrompre la conversation des deux hommes en annonçant à son maître que le repas du midi les attendait à la salle à manger. Joseph profita de ce moment pour se dégourdir un peu les jambes et rejoignit le centurion qui, lui, tournait autour de la petite fontaine au centre du jardin depuis un bon bout de temps déjà. Longinus, tout en racontant son récit à son hôte et n'en pouvant plus de rester assis aussi longtemps, s'était levé et avait entrepris cette ronde étourdissante.

— Prenons une petite pause, mon ami. J'avoue que je suis follement impatient de connaître le dénouement de cette bataille mais un bon plat nous attend à l'intérieur. Ensuite, si tu le veux bien, je te ferai couler un bon bain chaud. Sans vouloir t'offenser, tu en as bien besoin ! Téréza n'a pas bien fait son travail à ce que je vois, tu es encore tout couvert de crasse et ton odeur... laisse un peu à désirer ! Au fait, où est-elle passée celle-là ?

— Probablement cachée dans un coin ! répondit le centurion sans prendre ombrage des derniers commentaires de son hôte.

— Ne parlons plus d'elle et rentrons.

Longinus suivit Joseph à travers plusieurs couloirs richement décorés. Les murs étaient ornés de tapisseries précieuses représentant les hauts faits du peuple hébreu depuis le début de son histoire. Plusieurs stèles surmontées de sculptures à l'image de leurs plus illustres personnages encombraient pratiquement le passage. Longinus ne put s'empêcher de questionner son hôte :

— Comment es-tu devenu si riche, vieillard ?

— Oh ! En faisant des affaires ici et là... Quand j'ai débuté mon commerce il y a de cela trop d'années déjà, je ne possédais qu'un bateau de dimension moyenne. Cependant, cette embarcation se révéla assez solide pour naviguer sur la mer Méditerranée et de là, atteindre les mers Ionienne, Égée, Adriatique et même Tyrrhénienne. Ainsi, pendant des années je me suis contenté de commercer entre les peuples aux abords de ces rives. Grecs, Perses, Italiens, Ibériens, Lusitaniens et tous les autres, ils ont tous fait commerce entre eux grâce à moi. Lorsque j'eus atteint une fortune assez considérable, je fis construire une flotte marchande de six navires, les plus gros et les plus rapides qui soient, et mon entreprise prit de l'ampleur. Avec de telles embarcations, mes capitaines ont même réussi à traverser les colonnes d'Hercule et atteindre l'île Britannia sur laquelle j'acquis une mine de cuivre. C'est d'ailleurs mon fils unique Josépha qui s'occupe actuellement de son exploitation... À ce propos, je n'ai pas reçu de ses nouvelles depuis des lunes et cela commence à me préoccuper grandement... Mais revenons à nos moutons ! Le bateau que tu prendras ce soir se rend justement là-bas afin d'amener à mon fils des denrées et autres choses indispensables. Et du même coup, je pourrai m'enquérir de la situation.

— Et ce détour vers Rome ne te retardera pas trop, vieillard ? demanda Longinus.

— Aucunement, c'est sur la même route de toute façon. Un simple petit contretemps, rien de plus ! Ne t'en fais pas avec ça, mon ami, et sens un peu ce fumet qui vient nous chatouiller les narines... Mmm...

— Tu as raison. Je meurs de faim ! concéda Longinus.

Leur repas terminé, le centurion suivit le conseil de son hôte et fila prendre un bain que les domestiques lui avaient préparé dans sa chambre à l'étage. Une demi-heure passa et Joseph, constatant que son intrigant invité n'était pas encore redescendu, gagna le bas des marches et s'écria :

— Alors soldat, as-tu terminé ta toilette ? J'ai hâte d'entendre la suite de ton histoire !

N'obtenant aucune réponse en retour, il grimpa l'escalier, inquiet. Devant la chambre d'invités, il frappa à la porte qui avait été refermée. Encore une fois, aucune réponse. Son angoisse augmenta et il décida de forcer la porte. Heureusement, le loquet n'était pas en place et Joseph surgit dans la pièce. Longinus était encore immergé dans sa cuve remplie à ras bord et croyant avoir commis un impair, le riche marchand débita ses plus plates excuses :

— Oh, je suis désolé ! Je ne savais pas que...

— Rrrroonn... !

Le ronflement du Romain lui signifia qu'il parlait dans le vide. Exténué par toutes les émotions vécues dernièrement, Longinus s'était assoupi. Joseph décida de le laisser se reposer encore un peu avant de le réveiller. Sur la pointe des pieds, il sortit de la pièce et regagna la terrasse. Une heure plus tard, Longinus, fraîchement lavé et reposé, vint rejoindre son bienfaiteur.

— Alors, lui demanda Joseph, ce n'était pas une si mauvaise idée que ça après tout. Il n'y a rien de mieux qu'un bon bain chaud pour se détendre !

— On dirait que j'ai dormi une semaine et cela m'a fait le plus grand bien, malgré que l'eau était beaucoup plus froide vers la fin !

— Tiens, prends l'une de ces bananes venues d'Afrique, elles sont excellentes, tu verras !

Longinus tendit la main vers le panier à fruits et se servit. Il jeta un œil à Joseph et lui avoua avec une sincérité déconcertante :

— Hormis les deux femmes de ma vie, ma mère et mon épouse, jamais personne ne m'a dorloté comme tu le fais. Du fond du cœur, je te remercie, vieillard ! Dès que je serai de retour chez moi, je t'enverrai l'argent qui couvrira tous tes frais.

— Mais jamais de la vie ! Garde ton argent, je n'en ai pas besoin comme tu peux le constater. De toute façon, je ne le fais pas pour ça. Ma récompense est d'avoir été en mesure de te remettre sur pied, mon ami. Je n'en demande pas plus.

— N'y a-t-il rien que je puisse faire pour te remercier comme tu le mérites ?

— Si, il y a bien quelque chose qui me rendrait vraiment très heureux.

— Tes vœux sont exaucés d'avance vieillard. Que souhaites-tu ?

— Simplement que tu poursuives ton récit. Tel un gamin, je ne tiens plus en place. Raconte-moi la suite et j'en serai comblé !

— C'est tout ? Rien que ça ?

Voyant le large sourire de Joseph illuminer son visage ridé, Longinus éclata d'un rire tonitruant. C'était la première fois que le marchand juif assistait à un éclat de ce genre chez son invité depuis qu'il l'avait ramené chez lui. Lorsqu'il finit de s'esclaffer, Longinus dit à Joseph :

— Eh bien soit ! Mais fais apporter d'autre vin si tu veux que je tienne le coup.

Décidément, le centurion savourait pleinement le nectar que Joseph s'était procuré d'une cargaison en provenance d'Hispanie. L'hôte commanda le divin liquide et l'invité poursuivit son récit.

Germanie. An 16 après J-C.

— Le soleil déclinait et cela convenait bien à notre plan car l'armée menée par Germanicus devait s'arrêter à une centaine de pieds des barricades et attendre notre signal disant que nous étions en position. En attendant ce signal, ils devaient conserver l'attention des Barbares sur eux en les insultant et en les provoquant. L'un de mes archers devait tirer une flèche enflammée au-dessus de la masse forestière une fois notre point stratégique atteint. Ainsi, nos attaques agiraient simultanément au grand dam des Germains.

Le sentier n'était pas très large mais comme l'avait mentionné l'éclaireur, trois cavaliers pouvaient y avancer côte à côte. Le trot était de mise et nous devions être aussi silencieux que possible. Soudain, dans un tournant, j'aperçus du coin de l'œil une petite silhouette se détacher des arbres environnants. À mes côtés, Lucius leva le bras en signe d'arrêt aux autres cavaliers. Lui aussi avait senti la présence sur notre droite. La frêle créature traversa le sentier à quelques pas devant nous et regagna les bois de l'autre côté à une vitesse surprenante. Sur l'instant, j'ai pensé que c'était un jeune louveteau. Mais j'eus le temps de voir qu'il n'en était rien. C'était une jeune personne, probablement un garçon germain par ses vêtements de fourrures douteuses et sa chevelure blonde hirsute. Il ne semblait pas avoir remarqué notre présence et avait continué sa course. Pour m'assurer qu'il n'était pas à la solde de Hermann, j'envoyai deux cavaliers à sa poursuite à travers les bois. Si cet enfant s'avérait être un éclaireur, il valait mieux l'intercepter avant qu'il n'avertisse la coalition. Ce fut la dernière fois que je vis ces deux hommes. La forêt les avait engloutis. Nous poursuivîmes notre chemin. L'astre nocturne était maintenant presque complètement disparu et l'aube pointait quand j'aperçus finalement la fin du sentier. Il débouchait sur une clairière juste devant nous. J'ordonnai l'arrêt des troupes. Imité de Lucius et d'une faible escorte, je descendis de ma monture et allai devant analyser la situation. Prenant mille précautions en me faufilant à travers le sousbois, je finis par me rapprocher d'assez près pour constater que Flavius n'avait pas menti en ce qui concernait les effectifs ennemis.

De mes propres yeux, j'observai qu'ils devaient bien être quarante mille hommes, sinon plus, massés au sommet et autour d'une large butte. Hermann avait bien réuni toute son armée entre la forêt à leur droite et la rivière à leur gauche, leur donnant ainsi un grand avantage. Pour l'instant du moins. Un grand tumulte régnait dans le camp germain et les meutes de dogues qui précèdent les hordes de guerriers, ne cessaient d'aboyer. La plupart de nos ennemis s'étaient avancés vers leurs défenses constituées de pieux aiguisés et érigés tout autour du campement. De l'autre côté des barricades, j'aperçus les nôtres, provoquant l'ennemi mais tenant toujours leur position.

L'arrivée de Germanicus avait eu l'effet d'un coup de bâton sur un nid de guêpes. Je retournai voir mes hommes et leur ordonnai de se tenir prêts à charger. Durant mon absence, les fantassins nous avaient rejoints. Tous gardaient le silence mais la peur se lisait dans leurs yeux. La surprise était notre seule chance de salut. Nous le savions parfaitement. J'allai quérir l'archer désigné et lui dicta d'attendre mon signal avant de s'exécuter. J'avertis mes cavaliers de l'importance de bien tenir leur rang, afin de ne pas nous nuire nous-mêmes, jusqu'à ce que nous débouchions sur la clairière. Dès lors, ils pourraient ensuite se déployer et foncer dans le dos de l'ennemi.

Je donnai l'ordre à l'archer et la flèche enflammée fila haut vers le ciel. Le signal d'assaut fut donné et Germanicus chargea à son tour au même moment. À l'évidence, ils ignoraient tout de notre venue par le sentier derrière eux car leur étonnement fut total. J'avais envoyé en première ligne mes meilleurs combattants et lorsqu'ils franchirent les défenses et qu'ils fondirent sur les Barbares, ils ressemblaient alors à une vague dévastatrice comme on en trouve en haute mer lorsqu'elle est déchaînée.

Ils fauchèrent tout sur leur passage et nous n'eûmes qu'à suivre derrière pour achever les survivants. Les Germains ne possédaient pas une imposante cavalerie mais celle-ci réagit vite et se retourna pour nous affronter. La violence du choc des deux armées causa un vacarme assourdissant. De ma position, un peu en retrait, je tentai de voir à travers toute cette mêlée si, de son côté, le général progressait. Mais très vite, j'ai dû livrer bataille lorsque deux Barbares tentèrent de m'arracher de ma selle. De mon glaive, je réussis à les écarter. Heureusement, ma jument ne fut pas blessée dans l'échauffourée et je partis de l'avant avec mon escorte. Je vis que les légions de Germanicus avaient réussi, de leur côté, à percer les barricades et à pénétrer plus profondément à l'intérieur du campement germain, causant une boucherie sans pareille.

Tout à coup, je vis sur ma droite, sur les hauteurs de la butte, Hermann, accompagné de quelques hommes. Constatant que sa coalition était sur le point d'être anéantie, il avait gravi un sentier étroit situé derrière le campement et menant à la forêt. Ce sentier, d'environ cent pieds, était flanqué de profonds ravins de chaque côté. Hermann s'était arrêté à l'orée de la forêt et regardait le désastre. À l'évidence, cette retraite était déjà planifiée au cas où les choses tourneraient au vinaigre. Pour défendre ce passage étroit, un énorme guerrier avait été choisi. À lui seul, cet homme d'une stature exception-nelle faucha nombre des miens qui avaient eu le malheur de s'y aventurer. Hermann, en pleine maîtrise de ses moyens malgré sa défaite évidente, observait le tout d'un œil attentif et demeurait sur place, faisant fi des avis contraires que lui prescrivaient quelques conseillers militaires se tenant près de lui.

La bataille faisait rage autour de moi et l'assaut soudain d'un Barbare me sortit de ma contemplation. Dans mon insouciance, je n'avais pas vu venir le danger. Heureusement, Lucius bloqua la hache qui m'était destinée à l'aide de sa lance. Dans la seconde suivante, il tua l'homme grâce au bracelet à lame rétractable qu'il avait acheté dans un bazar à Rome quelques mois plus tôt. Le coup qu'il asséna à notre ennemi le prit au dépourvu et trancha sa gorge de bord en bord.

— Prends garde à toi, Cassius, je ne serai pas toujours là pour te sauver les fesses, me dit-il en riant.

— Merci, mon ami, je tâcherai de m'en souvenir. Je t'en dois une.

— Seulement une ? Tu oublies la fois que tu...

— C'est bon. C'est bon. Sans toi je serais mort depuis longtemps. Tu es content maintenant ?

— Ça peut aller pour l'instant mais tu me payeras un pichet de cette excellente cervoise gauloise dès que nous serons rentrés chez nous.

— Tu en auras des tonnes si nous parvenons à revoir nos familles un jour. J'aimerais tellement pouvoir observer encore une fois mon épouse lorsqu'elle me tourne le dos et laisse tomber sa robe le soir avant de me rejoindre au lit. Son corps est si merveilleux dans la pénombre de la chambre. Et ce moment est si excitant...

— Tu parles de ma sœur, ne l'oublie pas. Ces détails ne m'intéressent pas.

— Ah oui ! c'est vrai, pardonne-moi, Lucius.

Une nouvelle attaque mit un terme à notre conversation. Partout autour de nous c'était le chaos. Jamais encore je n'avais assisté à un tel carnage. Je me ressaisis et décidai de me rendre jusqu'au chef de la coalition afin d'en finir une bonne fois pour toutes. Nos légions combinées avaient le dessus mais tant que Hermann était libre, il constituait une menace et nous devions absolument l'arrêter.

Devant l'évidence de leur défaite, plusieurs ennemis se mirent à fuir en direction nord et d'autres, profitant du fait que le colosse protégeait l'entrée de la passe, filèrent par la forêt. Hermann les exhortait de rester et de se battre jusqu'à la mort afin de sauvegarder la liberté de la Germanie. Devant leur déconfiture, la fuite était la seule alternative logique mais malgré ce fait, leur chef en convainquit plusieurs de retourner vers le carnage. Je me trouvais maintenant à l'entrée de la passe. De ma position, je m'aperçus que Hermann commençait à perdre de sa superbe. Maintenant accompagné d'un seul homme, les autres ayant fui, il reculait imperceptiblement malgré le succès de son colosse qui, à grand moulinet de son arme dévastatrice, fauchait à lui seul tous les nôtres qui avaient le courage de se présenter devant lui.

J'examinai attentivement ce terrible guerrier et j'en conclus très vite qu'il devait s'agir de l'un de ces berserks dont j'avais entendu parler dans ma jeunesse par mon oncle Gnaus. Ces berserks étaient de simples guerriers, dotés de toutes les qualités du combattant, et à qui l'on administrait certaines drogues hallucinogènes. Ce qui avait pour effet de les transformer en véritables machines à tuer. Celui-ci qui me faisait face à ce moment me paraissait des plus puissants. D'un simple élan de son arme, constituée d'un long manche en fer muni d'une boule de piques à chaque extrémité, il envoyait dans le ravin tous ces adversaires ce qui décourageait les légionnaires. La largeur du sentier ne permettait qu'à seulement deux ou trois soldats de s'y aventurer en même temps. Germanicus me rejoignit et constata lui aussi le problème. Stupéfait, il cria aux officiers :

— Comment un seul homme peut-il tenir l'armée romaine ainsi en échec ? Courage ! À l'assaut !

— Je passe devant, lui dis-je.

— Non. Pourquoi sacrifierais-tu ta vie, Longinus ? J'ai encore besoin de tes services.

— Je sens qu'il faut que je l'affronte.

— Comment ça ? Je ne comprends pas. C'est de la folie ! Laisse nos hommes s'en charger. Où sont les archers ? cria-t-il impatient. Qu'on les fasse venir et qu'on lui tire dessus !

Cependant, les quelques archers visibles de notre position étaient bien trop loin pour intervenir. Quelques hommes tentèrent de l'atteindre avec leurs lances mais le champion les évita d'une série de mouvements vifs et rapides.

— Laissez-moi y aller avant qu'il ne s'échappe, répétai-je à la vue de ces échecs consécutifs.

— Très bien alors ! C'est ta vie après tout. Fais comme tu l'entends.

Je descendis de ma monture et allai à la rencontre du berserk. Derrière lui, Hermann avait cessé de reculer, probablement avide de voir le duel à venir entre son champion et un centurion romain. Le sol était jonché de cadavres et certains organes que je pouvais difficilement identifier traînaient dans une mare de sang glissant.

Le berserk remarqua enfin ma présence. D'un coup de pied, il tassa la dépouille d'un de nos hommes qui gisait devant lui et leva son arme, prêt à me fendre en deux. Il était immense. Son aspect était des plus impressionnants. N'importe qui aurait tremblé devant cet adversaire titanesque. Il devait bien mesurer plus de sept pieds de haut avec des cuisses ressemblant à des troncs d'arbres. Sa tête était couverte d'un casque à cornes muni d'une arête nasale. Avec son regard de dément et l'écume aux lèvres, son état de berserk ne faisait aucun doute. D'un geste de la main, il m'invita à approcher. Lucius, resté derrière moi, me cria d'arrêter cette folie, que ce monstre allait m'arracher les membres un à un. Hermann, en arrière-scène, vit mon hésitation et se mit à rire bien fort. Cela eut pour effet de me provoquer et, rassemblant tout mon courage, j'avançai vers le sentier. Le colosse attaqua aussitôt. D'un élan vigoureux, il faillit m'atteindre. J'avais été assez rapide pour me pencher de côté et je répliquai par un coup de glaive dans les flancs. Il parut ne rien sentir, malgré l'entaille faite à sa cotte de mailles et le sang qui s'écoulait de la blessure. D'une droite, il m'envoya valser plusieurs pieds plus loin. Deux de mes hommes, voyant ma position précaire, se risquèrent dans le sentier et l'assaillirent. Ils finirent, l'un dans le ravin de gauche, l'autre dans celui de droite. Le berserk s'avança furieux. Encore sonné, j'eus du mal à me relever. Je voyais bien que Lucius essayait de me rejoindre mais Germanicus et lui en avaient plein les bras avec les Barbares qui les assaillaient de tous côtés à l'entrée de la passe. J'évitai de justesse l'arme de mon adversaire une seconde fois et celle-ci alla cogner le sol avec fracas. Heureusement, je tenais toujours mon glaive et je lui assenai un coup d'estoc. Il para l'attaque avec une facilité déconcertante. Malgré sa taille, il était très rapide. Pour m'étourdir davantage, il fit tournoyer son arme comme si c'était un simple manche de lance. Pourtant, cette arme, peu d'hommes auraient pu s'en servir sur un champ de bataille. Elle semblait extrêmement lourde et les dégâts qu'elle avait causés jusque-là avaient prouvé son efficacité.

À jouer ainsi au chat et à la souris, mes forces commençaient à diminuer dramatiquement. Du meilleur de mon entraînement militaire et de mes réflexes, j'évitai tant bien que mal les coups meurtriers que mon adversaire me destinait. Mais cela ne faisait que repousser l'inévitable. C'est alors que je trébuchai sur le corps de l'un de mes compatriotes et que je me retrouvai étendu sur le dos, perdant mon arme et mon couvre-chef dans ma chute. Le géant en profita pour s'avancer vers moi et il leva bien haut son arme pour m'asséner le coup mortel. Soudain, il s'arrêta net dans son élan. Tel un homme statufié, plus rien ne bougeait en lui. Soudain, le médaillon qu'il portait à son cou se mit à briller en son centre d'une couleur rougeâtre. Simultanément, les yeux du berserk brillèrent de cette même lueur étrange.

Certains de nos archers, enfin parvenus à notre hauteur, en profitèrent pour lui lancer quelques traits dont deux allèrent se ficher dans l'épaule gauche du berserk. Encore une fois, il parut ne rien sentir. Par contre, cela eut pour effet de le sortir de sa transe. Il baissa son arme et de sa main droite arracha froidement les flèches enfoncées dans son épaule. Ensuite, à notre grand désarroi, il fit demi-tour. Hermann, surpris de voir le colosse se diriger vers lui d'un air mauvais, lui cria :

— Olaf, qu'est-ce que tu fais ? Je t'ordonne de reprendre ton poste immédiatement et d'en finir avec ce centurion !

Mais le dénommé Olaf ne semblait plus l'entendre et il continua d'avancer vers son chef de manière menaçante. Aussitôt, Hermann répéta son ordre :

— Retourne immédiatement à ta place, chien !

Voyant que cela ne fonctionnait pas, il jeta un regard au guerrier qui était à sa droite. Sans un mot, l'homme se mit aux devants de son chef afin de le protéger de la fureur du berserk. Ce fut l'affaire d'un instant. L'homme reçut un formidable coup qui lui perfora l'estomac. Bizarrement, il s'était volontairement sacrifié afin de permettre à Hermann de fuir par la forêt. J'ignore pourquoi le berserk avait soudainement arrêté son élan dévastateur et s'était retourné ainsi contre son chef. Quoi qu'il en soit, Olaf était parti à la poursuite de Hermann.

Ayant retrouvé tous mes esprits, je décidai de les suivre à mon tour. Derrière moi la plupart des combats étaient presque terminés. De nombreux Barbares abreuvaient de leur sang le sol de leur chère patrie. Tout autour, les quelques survivants prenaient la fuite et tentaient de rejoindre leurs épouses qui les attendaient cachées parmi les fourrés. Beaucoup de nos légionnaires les poursuivirent et les massacrèrent en bon nombre. On pouvait entendre les cris de mort à des lieues à la ronde. Je voyais Lucius à l'entrée de la passe qui aidait le général. Ce dernier avait reçu une blessure superficielle à la jambe gauche. Je leur criai :

— Je prends deux hommes avec moi et je les poursuis. Lucius, viens me rejoindre dès que tu le pourras !

— Prends garde, Cassius. Et laisse-moi un peu de cette charogne.

Accompagné de deux de mes légionnaires, je suivis la trace de nos ennemis. Parmi tous les sentiers qui serpentaient dans la forêt, il fut aisé de retrouver la piste qu'ils avaient empruntée. Une traînée de sang, laissée par les nombreuses blessures d'Olaf, nous indiquait clairement la direction prise. Dans ma poursuite, je croisai des femmes germaines. Comme je l'ai dit, celles-ci étaient cachées dans les fourrés. Certaines étaient même accompagnées du plus jeune de leurs enfants ! Je croyais que tout ce que j'avais entendu à ce sujet n'était que légende jusqu'à ce que je tombe face-à-face sur l'une d'elles. Sous l'effet de surprise, l'un de mes hommes tenta de la transpercer de son pilum mais sur mon ordre, il arrêta son geste avant l'irréparable. La femme germaine avait de jolies tresses blondes qui lui descendaient jusqu'aux reins et malgré ses accoutrements disgracieux, elle était très jolie. Elle ne devait pas avoir plus d'une vingtaine d'années et elle tremblait comme une feuille. Voulant filer, l'un de mes soldats l'intercepta. Je voyais qu'elle tenait quelque chose en son sein qui semblait très précieux. J'avançai vers elle, ouvris la fourrure et constatai qu'il s'agissait d'un poupon. Comment ces Barbares pouvaient être assez stupides pour traîner sur un champ de bataille femmes et enfants ? C'était pure folie ! J'ordonnai qu'on la relâche. Lorsqu'elle comprit sa chance, elle me gratifia d'un sourire tendre, reconnaissante de les avoir sauvés, son enfant et elle. Sitôt, elle poursuivit sa course vers je ne sais où. Pendant cet intermède, j'espérais que le berserk n'en avait pas déjà fini avec Hermann. J'entendis des hurlements plus avant et j'accourus vers leur provenance. Je débouchai sur une petite clairière et tombai sur mes ennemis.

D'autres fuyards qui avaient rejoint Hermann dans sa fuite et tenté de le protéger du berserk gisaient maintenant face contre terre. Le chef germain, lui, était grièvement blessé et suppliait son bourreau de l'épargner. Olaf, indifférent à ses supplications, s'élança vers lui pour le coup fatal. Une flèche tirée dans son dos par l'un de mes deux gardes lui fit rater sa cible. J'en profitai pour m'élancer vers lui dans l'intention de lui faire perdre l'équilibre. D'un formidable plaqué, le colosse s'écroula mais tenta aussitôt de se relever, toujours bien vivant. J'en étais stupéfait. Ce monstre n'était sûrement pas humain pour encaisser autant de coups sans périr. Je profitai quand même de mon assaut pour lui asséner un solide coup de pied sous le menton. Imperturbable, il releva sa gigantesque charpente, se contenta de me regarder de ses yeux hypnotisés et sans faire plus attention à moi, tenta de rejoindre à nouveau Hermann sur sa gauche. À cette distance, j'aperçus clairement en détail l'amulette lui servant de médaillon. Elle était sphérique, gravée d'une étrange étoile à cinq branches avec en son centre ce qui ressemblait à un rubis. Elle brillait d'une lueur sombre. Ce bijou, dans l'ensemble, semblait être fabriqué de manière grossière.

Je criai à Hermann de s'enlever du chemin du berserk et l'un de mes légionnaires accourut afin de l'aider à se relever. Depuis la trahison de Malaric, peu m'importait la mort de cet homme mais je voulais comprendre le fin mot de l'histoire. Je me rappelai soudain que l'amulette du berserk ne brillait pas comme ça, au début, lorsqu'il se tenait à l'entrée du sentier et qu'il massacrait nos hommes par douzaines. C'est lorsqu'elle s'était mise à luire qu'il avait retourné sa haine vers son chef. Une idée me traversa l'esprit. Je me penchai et ramassai une hache de combat qui traînait au sol et j'allai me placer devant l'agresseur. Avec précision, je lui lançai l'arme qui alla directement frapper le curieux bijou. Sous la force de l'impact, il éclata en morceaux. Cette fois-ci, Olaf sembla ébranlé. Respirant avec difficulté, il plia le genou, lâcha son arme dévastatrice et de nouveau ne bougea plus.

Au moment même où mon arme brisa le médaillon, j'entendis un cri de douleur sur ma droite. Je laissai les deux légionnaires sur place pour surveiller le berserk et s'occuper de Hermann grièvement blessé et je courus vers la provenance du cri. Stupéfait, j'y trouvai Malaric accroupi se tenant la main gauche qui, curieusement, dégageait une fumée rougeâtre. J'en compris immédiatement la signification. Un procédé maléfique permettait à Malaric de contrôler l'esprit du berserk ! En détruisant le rubis que le colosse portait à son cou, cela avait eut le même effet sur celui que tenait Malaric au creux de sa main. Ces deux morceaux distincts provenaient certainement du même joyau. En explosant, le morceau appartenant à Malaric lui avait causé une terrible brûlure et cela avait mis fin au charme qui le liait au berserk.

Lorsqu'il me reconnut, il me jeta un regard noir, maugréa et se releva vivement pour s'enfuir vers les profondeurs de la forêt. Je le poursuivis jusqu'à ce qu'il atteigne un tournant du sentier qu'il avait emprunté. Subitement, il se retourna, dégaina son épée et me fit face en position défensive.

— Tu n'as aucune chance de t'échapper, sorcier. Rends-toi pendant qu'il en est encore temps. Pense à tes hommes retenus captifs par Germanicus. Tu peux encore les sauver si tu le veux. Viens avec moi et aucun mal ne te sera fait, je te le jure! lui dis-je.

Il déposa son arme et lentement, fit un pas vers moi. À ce moment-là, je croyais bien l'avoir convaincu d'abandonner la lutte. Mais soudain, il leva l'index de sa main encore valide et aussi vite et sournois que l'attaque d'un serpent, son long doigt décharné vint frôler mon front entre les deux arcades sourcilières. Ayant eu juste le temps de me reculer par réflexe, il m'a semblé que le geste n'avait pas été aussi efficace que Malaric l'aurait souhaité. Néanmoins, je me sentis subitement pris d'un vertige. Je m'écroulai au sol et me frappai la tête sur une grosse racine qui saillait du sol.

— Je t'avais dit que ta curiosité causerait ta perte, sale Romain. Maintenant que tu as perdu l'usage de la vue, je te laisse aux bons soins des loups. Croyais-tu vraiment qu'un simple idiot de ton espèce m'empêcherait d'accéder au pouvoir et à la connaissance suprêmes? J'ai déjà perdu assez de temps avec toi! Je dois retrouver Hermann avant qu'il ne soit trop tard.

Sur ses mots, il me cracha au visage et je m'évanouis sous ses ricanements sadiques et les grognements des carnassiers, qui à l'odeur du sang causé par la terrible bataille qui venait de se produire, s'approchaient dangereusement.

CHAPITRE IX

LE PACTE

Germanie. An 8 après J-C.

Luna avait tout vu du macabre spectacle. Après avoir accompagné Ida chez elle comme l'avait ordonné Dvorak, elle s'informa auprès de son amie des raisons pour lesquelles elles étaient ainsi confinées toutes les deux dans ce lieu. La grosse femme lui répondit simplement que quelque chose de fâcheux était sur le point de se produire et qu'elles n'étaient pas autorisées à y assister. Suite à ses nombreuses supplications, Luna réussit à convaincre Ida de lui permettre de regarder par la fenêtre qui donnait sur la scène.

— Je crois que tu ne devrais pas faire ça, conseilla Ida.

L'instant suivant, la jeune fille regretta son entêtement. Sa raison refusait de croire ce qu'elle venait de voir de ses propres yeux. Cet homme qui se montrait aussi cruel envers son propre peuple, ce même peuple qui les avait accueillis jadis avec tant de bonté, n'avait plus rien de son père. L'éviscération du pauvre homme qui avait essayé de le tuer avait mis fin à son visionnement. Prise d'un haut-le-cœur, la jeune fille fila vomir dans le pot de chambre qui se trouvait au fond de la pièce. Intriguée, Ida prit sa place à la fenêtre. Au lieu d'y voir l'arrestation de Malaric comme prévu, elle vit plutôt celui-ci menacer ses pairs des pires calamités. La grosse femme, impressionnée par les talents maléfiques de Malaric, resta sans mots jusqu'à ce qu'il quitte enfin le rivage vers son étrange cachette. Lorsqu'il fut loin des côtes, elle se retira de la fenêtre et aida Luna à se relever.

— Pauvre petite, la consola-t-elle. Que vas-tu devenir ? Tu es bonne, courageuse et intelligente. Tu ne mérites pas ça. Oh ! Quel malheur ! Mais il faut se rendre à l'évidence ; ton père est envoûté et use de magie noire contre nous ! Suite à ce spectacle horrible, je suis certaine maintenant que c'est lui qui a décimé ma famille ! Mais que va-t-il advenir de nous tous ? sanglota Ida à son tour.

— Que lui arrive-t-il, enfin ? Pourquoi ce changement si drastique chez lui ? demanda Luna sans trop espérer de réponse.

— Je l'ignore mais tu dois bien t'en douter un peu toi-même, non ?

Soudain, la tristesse de Luna se transforma en colère. Elle essuya son beau visage, se leva et déclara à son amie :

— Oui ! Je pense en connaître la raison et dès demain, peu importe ce qui arrivera, j'irai le retrouver à son repère et je l'affronterai. J'aurai enfin les explications qu'il me doit depuis trop longtemps déjà !

— Tu connais cet endroit ? Méfie-toi, ma belle, ton père n'est plus le même, il est dangereux dorénavant. Tu as vu comme moi ce qu'il a fait à ces hommes !

— Sa sauvagerie m'étonne grandement mais je suis sa fille quand même. Celle-là même qu'il chérit depuis toujours. Je ne le crois pas capable de me faire du mal. Ne t'inquiète pas. Dès l'aube, je partirai !

— Mais tu vas te noyer en mer voyons ! Tu ne sais même pas comment naviguer !

— J'ai appris un peu. Assez je pense, et cela grâce à l'un de tes fils, Karan.

Au souvenir de son enfant mort, la grosse femme versa de nouveau une larme.

— Et s'il survenait un malheur, comment ferons-nous pour te retrouver ?

— Il ne m'arrivera rien, je te l'assure. Cesse de t'inquiéter sinon, tant pis. Je ne veux pas risquer une autre vie innocente par ma faute. Adieu, ma tendre amie, prends bien soin de toi jusqu'à mon retour !

Sur ces mots déchirants, les deux femmes, qui s'étaient liées d'une solide amitié au fil des années, pleurèrent toutes les deux sans aucune retenue et s'étreignirent un long moment, pressentant que c'était la dernière fois qu'elles effectuaient ce geste d'affection.

Le lendemain, à l'heure où le coq chanta, Luna prit la mer à bord du *Goéland* et se dirigea vers la mystérieuse presqu'île. Le temps était maussade et la journée s'annonçait pluvieuse. Mettant toutes ses énergies à bien manœuvrer son embarcation, elle fila à bonne allure. C'était son deuxième essai seule sur les eaux et cela la servit bien car, en cette journée grise, la mer était beaucoup plus tumultueuse que lors de sa première expérience. Curieusement, l'épaisse brume qui environnait habituellement l'endroit et qui en cachait la présence était absente lorsqu'elle arriva à destination. Luna retrouva donc l'endroit sans trop de mal. Elle contourna les périlleux récifs et atteignit la petite grève. Curieusement, la barque de son père ne s'y trouvait pas. Elle songea qu'il avait sans doute trouvé un autre endroit où amarrer son embarcation ou bien qu'un malheur lui était arrivé. Dès qu'elle mit le pied sur la terre meuble, elle remarqua le macabre poteau surmonté d'un crâne humain, érigé au beau milieu de la place. L'horreur de cette vision la fit chanceler un court moment. Elle se demanda à qui pouvait bien appartenir cette tête pourrissante qui lui souriait ainsi ?.

Une sorte de cor était accroché juste au-dessous du crâne. Manifestement, cet attirail servait à avertir l'hôte des lieux qu'un visiteur désirait le rencontrer. Luna préféra s'en abstenir et opta plutôt pour la surprise. De toute façon, elle dédaignait d'apposer ses lèvres sur cet objet répugnant. À sa droite se trouvait le petit sentier menant vers la forêt que les jumeaux avaient emprunté lors de leur première visite. Elle gravit la pente et se retrouva sur la plaine herbeuse. L'endroit était sordide. C'était la première fois qu'elle y venait et le paysage la fit frissonner. Toutefois, rien ne pouvait la faire changer d'idée. Plus au loin, elle nota la présence de la forêt mais continua son chemin en direction de la masse rocheuse à sa droite d'où elle devina l'entrée d'une grotte. Une fine pluie commençait à tomber. Luna sentait qu'un orage ferait rage dans quelques instants. Elle se hâta donc d'atteindre la grotte avant d'être complètement trempée. Dans sa course, elle faillit trébucher plus d'une fois dans l'une des nombreuses racines tortueuses appartenant aux arbres rabougris et dépourvus de vie qui l'environnaient. Néanmoins, elle atteignit son objectif et pénétra à l'intérieur. Une odeur écœurante irrita soudain ses narines. Des torches allumées étaient fixées aux murs de la vaste pièce circulaire, signes évidents d'une présence humaine. Elle empoigna l'une d'elles et avança courageusement de quelques pas. À l'évidence, c'était bien ici le repère secret de son père. Elle reconnut quelques-uns de ses effets personnels qui traînaient pêle-mêle dans l'une des parties de la salle circulaire. D'une voix cassée, elle l'appela :

— Père, êtes-vous ici ?

Seul l'écho de sa voix répercutée sur les parois rocheuses lui répondit. Des frissons lui parcoururent l'échine lorsqu'elle vit les lettres de sang qui tapissaient les murs. Partout il y avait des graffitis étranges et des illustrations bizarres. Luna poursuivit son inspection quand soudain sa curiosité fut piquée :

— Mais qu'est-ce que... ?

Au fond de la vaste salle, elle discerna l'entrée du couloir sombre. Curieuse, elle se dirigea vers celui-ci. Se faufilant à travers les saillies rocheuses qui dépassaient du sol, elle se rapprocha. Une humidité oppressante régnait dans cet endroit sordide. Juste avant de pénétrer dans le couloir, l'odeur nauséabonde s'accentua. Par mégarde, la jeune fille mit le pied sur quelque chose de cylindrique et trébucha. Sa torche alla s'éteindre dans une flaque d'eau et Luna se retrouva au sol, dans la pénombre. Au moment de se relever, elle trempa sa main droite dans une substance visqueuse. Dégoûtée et ignorant ce que cela pouvait être, elle s'empressa de s'essuyer sur ses fourrures. Voulant se relever à nouveau, elle toucha cette fois-ci l'objet responsable de sa chute. À son grand étonnement, un examen plus attentif lui révéla que c'était un os, ou plus précisément, un tibia d'origine humaine. Des lambeaux de chair le recouvraient partiellement et les restes d'une botte de cuir se trouvaient toujours à son extrémité. Répugnée, elle poussa un cri strident et lança sa découverte au loin. Prise d'une peur incontrôlable, elle décida de faire demi-tour et de rentrer au village malgré l'orage qui sévissait à l'extérieur. Peu importait sa détermination à obtenir l'entretien escompté avec son père, il lui fallait immédiatement quitter cet endroit maudit.

Malheureusement pour elle, son cri d'horreur avait réveillé La Terreur qui s'était assoupie dans son enclos déverrouillé. L'énorme ours se précipita vers le haut, en direction de la salle principale, prêt à attaquer l'intrus qui avait osé pénétrer dans la grotte. Son terrible grognement parvint jusqu'aux oreilles de la jeune fille qui sentit ses jambes flancher.

— Quel animal peut bien rugir ainsi ? se dit-elle paniquée.

De lourds pas provenant des profondeurs du sombre tunnel accouraient dans sa direction. La peur de Luna se mua en panique totale. Elle courut rapidement vers la sortie, mais dans sa fuite, heurta une pierre et se tordit la cheville gauche. Une douleur lancinante l'envahit et elle chuta au sol. Étourdie et incapable de se relever, Luna n'avait d'autre choix que de subir, impuissante, sa mort imminente. Appuyée sur ses coudes, elle rampa péniblement jusqu'au mur le plus près. Aux pieds des torches où elle se trouvait, il lui était difficile de discerner ce qui venait vers elle. Elle cria à pleins poumons le nom de son père, espérant qu'il pourrait intervenir à la toute dernière seconde et lui éviter une fin atroce. Si la créature s'avérait être la même que celle qui avait massacré l'ancien propriétaire du tibia, Luna pouvait dire adieu à la vie.

Tout à coup, le bruit terrifiant des pas de course de la bête cessa lorsque celle-ci s'immobilisa à la sortie du couloir sombre. Luna sentit plus qu'elle ne vit, que la créature l'avait aperçue. Devinant qu'elle ne pouvait s'enfuir, la bête s'amenait maintenant à pas feutrés vers sa proie. Désespérée, la jeune fille continua de s'époumoner et d'appeler à l'aide.

Elle cessa ses cris et resta sans voix lorsqu'elle vit apparaître dans le faisceau lumineux, le début du long museau de La Terreur. La créature ressemblait à s'y méprendre à un ours brun, mais celle-ci était gigantesque. Sa tête était aussi grosse que la roche sur laquelle elle s'assoyait face à la mer. Ses petits yeux malins étaient dissimulés parmi une touffe de poils recouvrant l'ensemble de son faciès. Son oreille droite avait subi une atroce blessure et une écume blanchâtre s'écoulait de sa gueule pour finir sa course au sol, provoquant ainsi un bruit de flic flac dégoûtant.

Luna pouvait maintenant apercevoir ses grosses pattes velues munies de griffes démesurées et acérées comme des rasoirs. La bête se cambra sur ses pattes arrière démontrant ainsi toute l'ampleur de sa stature et le sommet de son crâne toucha presque le plafond de la salle. Elle ouvrit la gueule toute grande, découvrant des crocs longs comme des poignards et poussa un rugissement si assourdissant que les parois de la grotte semblèrent s'écrouler sur la jeune fille. La créature était maintenant juste au-dessus d'elle. Lorsque Luna sentit la salive de l'animal couler le long de son visage, d'un ultime effort, elle tenta de se relever. Sa blessure étant trop sérieuse pour que sa cheville puisse supporter son poids, elle s'affaissa de nouveau et perdit tout espoir. Les éléments se mirent à tournoyer autour d'elle à une vitesse fulgurante et alors que l'énorme animal se préparait à l'agresser sauvagement, elle s'évanouit, s'épargnant ainsi d'inévitables souffrances.

— Allons, ma chérie, réveille-toi maintenant.

Sur ces paroles réconfortantes, prononcées par une voix qu'elle reconnaissait parmi toutes, Luna ouvrit les yeux.

— P... Père ? Est-ce bien vous ?

— Oui, ma fille. Je suis là. Prends garde ; ne bouge surtout pas la jambe gauche ! Tu as subi une grave foulure. Je t'ai soignée et j'ai fabriqué une attelle de bois. Tu devras la porter quelques semaines, jusqu'à ce que ta blessure soit entièrement guérie.

Luna referma les yeux, soulagée de retrouver enfin l'homme bon et généreux qu'était son paternel. Celui qu'elle connaissait depuis toujours. Heureuse d'être encore de ce monde, elle l'étreignit et lui demanda :

— Que s'est-il passé ? Comment m'en suis-je sorti vivante ?

— J'étais parti très tôt ce matin pour chasser le cerf dans les bois juste à côté et je m'en revenais avec ma prise quand j'ai entendu un hurlement en provenance de la grotte. J'ai accouru aussitôt et lorsque j'ai franchi le seuil, j'ai vu cette énorme bête te couvrant de son ombre, prête à faire de toi son dîner. J'ai décroché l'une des torches que j'ai ensuite lancée sur son épaisse fourrure. Elle s'enflamma d'un coup et, apeuré, l'animal s'est rué sur moi. J'ai dégainé ma grande épée, prêt à toute éventualité, mais l'ours m'a simplement contourné et s'est enfui dans la forêt. Quelle ne fut pas ma crainte de te voir ainsi étendue sur le sol. J'ai pensé durant un instant que tu avais trépassé mais ta faible respiration me prouva le contraire. Je t'ai amenée ici, dans une partie plutôt agréable de la caverne que j'appelle mes appartements privés.

— Mais d'où peut bien sortir cette terrifiante bête ?

— Je n'en sais rien. C'est la première fois que je la vois rôder par ici, mentit Malaric.

La jeune fille, encore un peu dans les vapeurs du sommeil, lui demanda toutefois :

— Depuis combien de temps suis-je inconsciente ?

— Un peu plus de dix heures. Dehors, le mauvais temps n'a pas cessé depuis. Tu devras demeurer ici pour la nuit.

Voyant la frayeur apparaître dans le regard de sa fille, Malaric la rassura :

— Ne t'inquiète pas, Luna. Tu ne cours plus aucun danger tant que je suis auprès de toi. La bête est probablement morte à l'heure qu'il est.

— Mais cette caverne humide me fait peur ! J'y ai trouvé des choses horr... !

Par prudence, elle préféra s'abstenir d'en dire plus. Elle se reprit aussitôt :

— Pourquoi affectionnez-vous tant cet endroit répugnant ? Et qu'est-ce que c'est que tous ces gribouillis écrits sur les murs ?

— Ne t'occupe pas de ça. Ce n'est pas important !

Luna se releva sur un coude et demanda à boire un peu d'eau. Malaric, tel un père plein d'attentions, s'empressa de la satisfaire.

— Mais avant, avale ce breuvage concocté dans l'intention de soulager ta douleur.

Elle prit le gobelet d'argile et, hésitante, elle sentit son contenu :

— Pouah ! ! ! Mais qu'avez-vous mis là-dedans ! Ça... pue !

— Quelques racines, plantes, champignons... et un œil de salamandre pour finir...

— Quoi ? ! !

— Bois maintenant. Fais-moi confiance, ma fille. Je vais t'apporter une cruche d'eau afin de faire passer tout ça.

Après un moment d'hésitation, mais connaissant le côté herboriste de son père, Luna se décida à caler l'odieuse mixture, et ensuite, s'empressa aussitôt d'absorber le contenu complet de la cruche d'eau en grimaçant. Elle le remercia et s'étendit de nouveau. Par chance, la douleur à sa cheville commençait à s'estomper.

— Est-ce vrai, Père, que vous êtes devenu le nouveau Jarl de notre clan ? se risqua Luna qui n'osait lui avouer qu'elle avait assisté à sa démonstration de la veille.

— C'est la vérité. Et je te promets que dès ton retour au village, tous te traiteront avec dignité. Tu es la fille du chef et jamais plus tu n'auras à redouter un quelconque danger. Je nous ai assuré à tous les deux, prospérité et gloire. Plus personne ne viendra t'importuner avec des demandes en mariage !

De nouveau entraîné dans l'un de ses élans despotiques, Malaric, les yeux hagards et oubliant qu'il s'adressait à sa fille, poursuivit sur sa lancée :

— Tous plieront le genou devant ma puissance et dans un avenir lointain, les auteurs de livres d'histoire mentionneront mon glorieux nom et raconteront les exploits de mes conquêtes. Dès que j'aurai cette clé qui me permettra d'accéder au pouvoir suprême, je serai le maître du monde...

— Que racontez-vous, Père ?

Soudain, il réalisa sa bourde et se tut subitement. Il s'approcha du lit de sa fille et ses traits redevinrent doux et bienveillants.

— Oublie mes paroles, ma chérie, ce ne sont que lubies de vieux fou ! Repose-toi bien et demain je t'aiderai à prendre place à l'intérieur de ta barque. Dès ton arrivée au village, les hommes de ma garde personnelle prendront le relais.

— Comment ? Quels hommes et quelle garde ? Pourquoi ne rentrez-vous pas avec moi ?

— Je t'expliquerai tout cela plus tard peut-être, lors de mon prochain retour au clan mais pour l'instant, j'ai à faire ici.

— Quelles affaires ? Vraiment, je n'y comprends rien !

— Ne me pose jamais de questions en ce qui concerne mes occupations. Je te l'ai déjà dit, il me semble. Tu sais pourtant très bien que je déteste les gens trop curieux...

Malaric s'était exprimé calmement mais de manière intransigeante. Il voulait s'assurer que sa fille avait bien saisi cette fois. Il poursuivit donc :

— Je dois demeurer ici encore un bout de temps. Dès que je le pourrai, je reviendrai auprès de toi. Mais tu dois partir dès l'aurore. Alors, je t'en prie, essaie de dormir un peu d'ici là. D'accord ?

— Mais Père, il y a plein de choses que j'aimerais éclaircir avec vous ! C'est pour cette raison que j'ai risqué ma vie en venant jusqu'ici.

— Je le sais, ma fille, dit Malaric. Mais je ne peux t'en dire plus pour l'instant. Maintenant, dors, je te prie. Je ne bougerai pas d'ici et te veillerai le temps que tu prendras pour te reposer.

— Vous promettez ?

— J'en fais le serment !

Il se releva de son chevet et ajouta :

— Regarde, je m'assois ici auprès de cette petite table tout près. Aie l'esprit tranquille pendant que je travaille un peu ici.

— Quel est ce travail ?

— Chut, ma fille. N'oublie pas ce que je viens de te dire. Dors maintenant.

— Une dernière question : avez-vous eu connaissance que Fridric aurait pu aboutir ici ?

— Aucunement ! Personne n'est venu me rendre visite dernièrement.

— Peut-être que la bête l'aurait attrapé ?

— Et où se trouverait sa barque dans ce cas ? Allons, je te dis qu'il n'est pas venu ici. Endors-toi, je te prie !

Luna obtempéra enfin. De toute façon, malgré les interrogations qui défilaient dans sa tête et les doutes concernant l'état mental de son paternel, la fatigue prit le dessus et bientôt, ses doux ronronnements de petit félin remplirent la salle principale, pour une première fois, d'une douce musique.

Malaric profita de l'occasion pour sortir de la grotte et revenir avec le fruit de sa chasse. Il déposa la carcasse d'un petit cerf au sol et dépeça un gros quartier de viande saignante. Ceci accompli, il se dirigea vers le couloir sombre et gagna l'enclos où il avait enfermé La Terreur après son intervention.

— Eh bien ! On peut dire que tu m'as causé une belle frousse ! Tu as bien failli commettre une grave erreur, mon ami, dit-il à l'énorme bête qui se tenait toute penaude dans le fond de la pièce.

— Tiens, attrape ! Régale-toi de ceci à la place et ne t'avise plus jamais d'attaquer ma fille. Tu m'as bien compris ? Ne me déçois plus désormais, sinon je devrai me passer de tes services, si utiles soient-ils.

Comme à son habitude, l'énorme animal sembla saisir les propos de Malaric. Jamais jusqu'à présent, elle ne lui avait désobéi.

— Tu restes ici le temps que Luna est encore là-haut. Fais-toi discret et si tu es gentil, tu auras d'autres beaux quartiers de viande bien fraîche.

D'un timide grognement, la bête lui confirma qu'elle avait bien compris.

— Très bien alors ! Bon appétit et ne fais aucun bruit.

Malaric referma l'enclos, mit le gros loquet qui en barrait l'ouverture et remonta ensuite le couloir sombre. De retour dans la salle principale, il s'arrêta juste devant le dernier mot qui était apparu récemment sur l'une des parois. Il le fixa attentivement et comme pour la première fois qu'il l'avait vu lors de son retour à la grotte la veille, il resta interdit. Il avait bien réussi à le lire, ce nom. Écrit en lettres de sang, il portait la même signature que ceux de « Salomon » et de « Hermann » inscrits auparavant. Il l'avait reconnu mais n'en comprenait toujours pas la signification. Il n'avait pas la moindre idée pourquoi ce nom, qui lui était si familier, se retrouvait maintenant sur les murs suintants d'humidité de la salle principale.

Se tenant de nouveau devant ce nom, une crainte insondable surgit en lui et il décida alors de l'effacer du mur. Si jamais sa fille le découvrait, elle n'en finirait plus avec ses questions et alors, il serait bien obligé de lui répondre.

Il prit son petit poignard d'ivoire et gratta la surface rugueuse. Au bout d'un moment, le résultat fut assez satisfaisant mais dès qu'il rangea sa lame, le mot redevint aussi visible qu'avant. Stupéfait et extrêmement contrarié, il abandonna la partie et s'en retourna débiter le reste du cerf. Il n'en était pas à un mystère près de toute façon. Depuis sa découverte, l'image de ce nom inscrit en lettres de sang l'obsédait. Sans cesse, il revoyait dans son esprit aussi clairement que sur la paroi, les quatre lettres qui formaient le mot : L.U.N.A.

— Pourquoi le nom de ma fille se retrouve-t-il là ? Qu'est-ce que cela signifie ?

Pensant qu'elle pourrait sûrement l'inspirer comme les fois d'avant, il chercha la brume verdâtre du regard. Curieusement, celle-ci, qui habituellement tournoyait autour de lui, s'était volatilisée et demeurait introuvable depuis que sa fille avait mis les pieds à l'intérieur de la caverne.

N'obtenant pas de réponse à cette énigme, il décida de s'occuper de choses plus importantes. Il revint donc vers ses quartiers et s'assura que Luna dormait profondément. La pauvre petite avait subi de violentes émotions et dormait comme une bûche. Malaric s'en retourna vers sa table de travail et, tournant le dos à sa fille, s'assit et se remit à l'étude et à la traduction du *Livre noir de Salomon*.

De plus en plus, ce recueil millénaire lui dévoilait des informations inouïes. Dernièrement, il avait réussi à traduire un texte concernant des démons qui parcourraient la Terre et sèmeraient la destruction et le malheur partout sur leur passage. Sept de ces démons, d'une puissance élevée, constituaient les plus dangereux d'entre eux. On les nommait les « Barons du Chaos ». Ce texte les concernant décrivait leurs caractéristiques générales et l'ensemble des pouvoirs extraordinaires qu'ils possédaient. Ainsi, complètement absorbé par ces révélations, Malaric ne remarqua pas le retour de la brume mystérieuse dans la salle principale. En volutes diaphanes, elle se rendit jusqu'au chevet de Luna. Effectuant de larges cercles autour d'elle, la brume sembla envahir l'esprit de la jeune fille endormie. Les spirales atteignirent bientôt des vitesses considérables et le corps de Luna fut soulevé du sol. Ensuite, transporté par l'énigmatique substance, le corps de Luna lévita jusqu'au couloir sombre et atteignit la porte close. Lorsque la brume passa devant l'enclos, La Terreur, se souvenant de l'avertissement de son maître, gémit et se réfugia au fond de sa cellule.

Devant l'immense portail, la brume déposa Luna au sol et se retira ensuite dans la fine fissure sous l'énorme cloison. Elle revint quelques instants plus tard rechargée d'énergie et cette fois-ci, attaqua la jeune fille. Tels des éclairs verts, la substance gazeuse bombardait et pénétrait Luna de tous les pores de sa peau. Prise de convulsions, la jeune fille cambra sa silhouette gracieuse de façon obscène et émit de petits cris, mélanges de douleur et de plaisir. Bientôt, mais toujours inconsciente, elle atteignit l'orgasme pour la première fois de son existence. Lorsque tout fut accompli, la brume transporta de nouveau Luna sur sa couchette, juste sous le nez de Malaric à présent endormi sur sa table, complètement ignorant de l'évènement extraordinaire qui venait de se produire à son insu.

Le soleil venait de se lever quand le cor du crâne sur la grève retentit. À cet appel, Malaric se réveilla en sursaut et bien des choses se bousculèrent dans sa tête.

— Qui cela peut-il bien être ? se demanda-t-il.

En effet, personne ne connaissait l'existence de son repère. Bien vite, il comprit le sens de ce vacarme matinal.

— Hermann ! Bien sûr, je l'avais complètement oublié, celui-là !

Il s'assura que Luna était toujours endormie et se précipita vers la sortie.

— Pourvu qu'elle ne se réveille pas entre-temps, espéra-t-il.

L'esprit tourmenté, il referma le livre, prit sa sacoche et alla à la rencontre de son invité.

Tout comme Ragnard quelques semaines avant lui, Hermann le Chérusque débarqua sur la plage de la petite anse en compagnie de son garde du corps, un colosse. L'orage était passé mais une légère pluie tombait toujours. Il avait ancré son navire au-delà des dangereux récifs et avait accosté à bord d'une chaloupe. N'eut été des indications laissées par l'inconnu à son attention au petit garçon du village lombard, jamais il n'aurait pu trouver l'endroit. Il marcha sur la grève et alla souffler dans le cor du crâne comme indiqué sur la missive. L'hôte des lieux descendit le sentier qui se trouvait à sa droite et vint à sa rencontre presque aussitôt.

— Salut à toi, Jarl Hermann, lui dit-il d'un ton convivial.

— J'aimerais bien te rendre la politesse, mais j'ignore à qui je m'adresse.

— Je me nomme Malaric et suis le Jarl des Frisons.

— Comment ? Dvorak serait-il décédé ?

— Eh oui ! Un bête accident de chasse. J'ai été élu par mes compatriotes afin de le remplacer.

— Quel malheur ! J'avais espéré compter sur son appui dans mon combat contre l'envahisseur !

Hermann scruta ce nouveau Jarl d'un œil interrogateur et lui demanda :

— Quelles sont tes positions sur ce sujet ?

— Je sais que Dvorak penchait plutôt pour la neutralité ! Bien entendu, maintenant que je suis le chef, tu peux compter sur mes hommes. Je déteste les Romains. Sous ma gouverne, cinq mille guerriers frisons se tiennent donc prêts à marcher à tes côtés.

Un sourire illumina le visage rond du Chérusque :

— J'avoue que tu m'en vois soulagé. Il m'est très difficile de convaincre tous les clans. Seulement quelques-uns se sont joints à moi depuis que j'ai entrepris d'unifier tous les clans contre la menace de Rome.

Cependant, Malaric n'avait pas terminé d'exprimer sa pensée :

— Je vais t'aider, mais à certaines conditions... Mais avant, j'aimerais que tu m'expliques pourquoi tu as amené ce... ce géant avec toi ? J'avais bien spécifié que tu devais venir seul. Personne ne doit connaître l'emplacement de mon repère sauf ceux en qui j'accorde ma confiance !

— Olaf ne me quitte jamais depuis que j'ai entrepris cette mission. Beaucoup ne partagent pas mon point de vue. Pour eux, je ne fais qu'attiser la colère de ces vautours. Mais ne t'inquiète pas pour sa discrétion. Sa langue a été tranchée par son ivrogne de père alors qu'il était très jeune et il ne sait ni lire ni écrire. Maintenant, dis-moi, pourquoi m'as-tu fait venir ici au juste ?

— J'ai une solution qui peut régler tous tes problèmes !

— C'est effectivement ce que tu affirmais dans ta lettre mais préfères-tu que nous discutions ainsi sous la pluie ou bien nous inviteras-tu à l'intérieur de ton abri, quel qu'il soit ?

Malaric était très irrité de la situation car la présence de sa fille à l'intérieur risquait de compliquer les choses. Néanmoins, il n'avait guère le choix.

— Venez ! maugréa-t-il aux deux hommes. Suivez-moi !

Le trio gravit la petite pente, traversa le seuil de la grotte et atteignit la salle principale.

— Par le puissant Odin ! Qu'est-ce que c'est que cet endroit ? s'exclama Hermann, impressionné par le site.

— Aucune importance. Faites attention où vous mettez les pieds !

Dès qu'ils furent dans la lueur des torches, Malaric les stoppa :

— Restons ici sous la lumière. Nous y serons à l'aise pour bavarder. Auparavant, je préfère vous mettre en garde : tant que vous resterez à l'intérieur des halos de lumière, vous ne risquez rien, mais au-delà...

— Pourquoi ? Qu'y a-t-il plus loin ? questionna Hermann soucieux.

Maintenant sur ses gardes et en colère, il cracha :

— Si jamais tu m'as tendu un piège, vieux crapaud, tu me le paieras chèrement !

— N'aie crainte. Rien ne t'arrivera si tu fais comme je te le dis.

— Très bien alors. Parle maintenant. Qu'as-tu à me proposer ? Et toi, Olaf, surveille nos arrières !

— Comme je te l'ai mentionné, je suis au courant de tes projets, dit Malaric. Dvorak m'en avait parlé un peu avant son accident. Je savais déjà à ce moment-là que tu éprouvais quelques difficultés à réunir tous les clans germains à ta cause.

— Ces imbéciles ! tonna Hermann. Ils ne pensent qu'à se combattre les uns contre les autres. J'ai bien réussi à convaincre certains Jarls de se joindre à moi, comme celui des Marcomans et des Lombards, mais ce n'est pas suffisant ! C'est la raison pour laquelle je sillonne le Nord dans l'espoir d'aider les autres tribus indécises comme les Saxons, les Angles et les Jutes, à prendre la seule décision honorable qui soit. Mais ils sont têtus. Ces querelles qui divisent la Germanie finiront par nous être fatales.

— Si tu veux bien m'accorder quelques minutes de ton temps et cesser tes jérémiades, je pourrai t'expliquer mon plan.

Hermann rougit de colère devant cette impertinence. Cependant, il ravala sa rage, curieux d'en savoir plus :

— Très bien, parle ! Je t'écoute !

Malaric lui révéla l'existence de l'émeraude et les grands accomplissements que celle-ci lui permettrait de réaliser s'il réussissait à s'en emparer. Toutefois, il se gardait bien de lui dire quoi que ce soit concernant la porte close et le lien de l'émeraude avec cette dernière.

— Dès que tu seras en sa possession, lui expliqua-t-il, tu n'auras qu'à la toucher, à prendre contact avec elle d'une façon quelconque et presque tous les hommes te suivront aveuglément !

Hermann qui suivait très bien le raisonnement de son interlocuteur ne put s'empêcher de s'exclamer :

— C'est incroyable. Es-tu certain de ce que tu avances ? Comment as-tu appris cette légende à propos de cet objet magique ? s'exclama Hermann fortement impressionné.

— Ce n'est pas une légende de bonne femme comme tu sembles le croire ! J'ai des preuves concrètes prouvant l'authenticité de mes dires.

— Montre-les-moi !

— Impossible. Tu devras te fier à ma parole.

N'insistant pas plus, Hermann se mit à rêver tout haut :

— Au nom de Thor ! Avec ce joyau de grand pouvoir, je pourrai enfin réunir tous les clans à ma cause ! Mon rêve de chasser l'usurpateur romain de notre chère Germanie pourra finalement se concrétiser ! Mais... Comment se la procurer ? Tu m'as révélé tout à l'heure qu'elle se trouvait en sol ennemi !

— Ne t'inquiète pas, j'ai tout prévu. Tu vas te rendre tout simplement à la frontière et t'offrir comme otage en échange de la sécurité de ton clan, les Chérusques.

— Holà ! Serais-tu cinglé par hasard ? Pourquoi ferais-je une telle folie ?

— Tu n'as pas le choix ! Tu dois te rendre jusqu'à Rome, là où notre précieux objet repose. Et pour ce faire, il n'y a que ce moyen. Les Romains ont déjà entendu parler de tes projets et pour eux, tu es une menace. Alors, dès que tu arriveras devant les sentinelles, présente-toi et sitôt qu'ils apprendront qui tu es, ils auront tôt fait de t'envoyer devant l'Empereur dans son palais à Rome. Étant donné ta grande valeur, aucun mal ne te sera fait durant ton transfert. Tout à l'heure, je te dévoilerai l'emplacement exact du joyau et comment t'en emparer.

— Pourquoi pas en cet instant ?

— Avant, tu dois me faire serment !

— Serment à propos de quoi ?

— Jure-moi sur la tête des dieux, qu'après avoir pris possession de l'objet et d'avoir réussi à rassembler assez de clans pouvant te permettre de mettre fin à la menace de ce général Varus, tu me remettras ce joyau dès le lendemain de ta victoire.

— Pourquoi ? En quoi le pouvoir de cet objet pourrait t'être utile ? Tu voudrais peut-être me renverser quand tout sera accompli et du même coup me remplacer quand je serai devenu le « Grand Jarl de toute la Germanie » ?

— Aucunement. Regarde autour de toi, mes besoins sont modestes. Je n'aspire pas à ce genre de... pouvoir. Et pour ce qui est de gérer tout un peuple, j'ai bien assez à faire avec mes propres sujets. Non, si je désire l'émeraude, ce n'est pas pour ses propriétés à contrôler l'esprit des hommes simples. Tu peux me croire. Seulement, mes raisons m'appartiennent et je ne peux t'en dévoiler la teneur. Et sans ta promesse de me la remettre dès que Varus sera anéanti, jamais tu ne sauras où elle se cache ni comment la retrouver.

— C'est un fait, vieux crapaud, et jamais un Germain ne revient sur sa parole. Laisse-moi un peu réfléchir à tout ça.

Voyant l'hésitation de Hermann, Malaric, qui, pour la deuxième fois, n'avait pas tenu compte de l'insulte, poursuivit:

— Ta guerre contre Varus risque de te coûter très cher et je suis disposé à t'offrir une centaine d'autres joyaux en échange de l'émeraude qui nous intéresse. Leur valeur est inestimable. Admire par toi-même.

Malaric vida le contenu de sa sacoche au sol et les nombreuses pierres précieuses scintillèrent sous la lueur des torches. Un gros rubis roula même jusqu'aux pieds d'Olaf qui se tenait un peu en retrait. Hermann écarquilla les yeux devant cette fortune colossale qui inondait la salle de mille feux.

— Comment peux-tu posséder une telle richesse?

— Un héritage, ironisa Malaric.

— Ne te moque pas de moi, vieux crapaud! Je ne suis pas idiot! Pourquoi voudrais-tu d'une seule émeraude en échange de tous ces joyaux si ce n'est pas pour te servir de son pouvoir sur les hommes?

— J'ai mes raisons. Je te l'ai déjà dit. Alors, tu marches ou pas? s'impatienta Malaric.

Hermann hésitait encore. Il sentait qu'une traîtrise flottait au-dessus de sa tête mais du même coup, cet objet pourrait s'avérer très utile pour son entreprise. Mais sans ce marché avec ce vieux crapaud, impossible de se l'approprier. Comment pourrait-il s'assurer qu'aucune trahison de Malaric ne surviendrait à ses dépens dès qu'il lui remettrait l'émeraude suite à sa supposée victoire sur Varus?

Pendant que Hermann analysait l'offre de Malaric, Luna s'était réveillée, prise d'un besoin pressant d'uriner. Malgré son attelle, la jeune fille avait réussi à se mettre debout et à se rendre jusque dans un coin aménagé à cet effet par son père. Lorsqu'elle entendit des voix d'hommes provenant de l'entrée de la grotte, elle s'empressa d'aller voir de plus près avec qui son père discutait ainsi aux petites heures du matin.

— Serait-ce Fridric? espéra-t-elle.

Luna s'avança vers la lueur des torches et se blottit derrière une grosse saillie qui émergeait du sol. Furtivement, elle risqua un regard en direction des voix. Deux hommes, dont l'un était d'une taille surprenante et l'autre, un chauve ventripotent à l'air hautain, se trouvaient avec son paternel.

— Eh bien? disait Malaric à bout de patience. Que décides-tu?

Pendant qu'Olaf, qui avait toujours eu un faible pour les beaux joyaux scintillants, admirait le rubis échoué à ses pieds, Hermann réfléchissait toujours à la proposition de Malaric. Alors qu'il s'apprêtait à abdiquer, un cri derrière eux attira leur attention. Luna, accroupie dans l'ombre, avait dévoilé sa présence lorsque sa cheville blessée l'avait trahie. Dans sa chute, elle avait émis une plainte et les trois hommes s'étaient retournés.

Elle releva la tête et vit dans les yeux exorbités de son père qu'elle venait de commettre une terrible bêtise. Tandis que ceux de l'inconnu à qui Malaric venait de s'adresser, brillaient d'une lueur de désir. Ce genre de regard, elle le savait, ne présageait rien de bon. Hermann, agréablement surpris de cette entrée théâtrale, s'écria avec enthousiasme:·

— Eh bien! qu'avons-nous là? Pourquoi nous avoir caché cette beauté, vieux crapaud? Tu as vu comme elle est belle, Olaf?

Mais le colosse ne dérivait pas les yeux du rubis. Hermann poursuivit:

— Bah! Tu n'y connais rien en femmes, pauvre niais. Alors, Jarl des Frisons? Qui est cette jeune beauté vierge?

Malaric était sous le choc. Le nom de sa fille inscrit sur la paroi lui revint en mémoire et il comprit qu'un terrible malheur était sur le point de se produire. Ivre de colère, il se précipita pour l'aider à se relever et la sermonna:

— Luna! Que fais-tu ici nom de...? Je t'avais pourtant bien conseillé de rester allongée à cause de ta blessure! Pourquoi m'as-tu encore désobéi?

— Je suis désolée, Père! s'excusa-t-elle. Je ne voulais pas... C'est juste que j'ai entendu des voix et j'ai peur d'être seule dans cet endroit sordide. Alors je suis venue vous retrouver. Vous m'aviez promis de ne pas quitter mon chevet.

— Menteuse! Ta maudite curiosité risque de nous créer des problèmes!

Luna assistait encore une fois au changement radical de personnalité de son père. Malaric, n'écoutant que sa colère à son encontre, s'élança pour une percutante gifle quand Hermann lui saisit le bras juste à temps:

— Holà, vieux crapaud! Tu ne vas tout de même pas abîmer un si beau minois? Laisse-moi au moins la chance d'en profiter un peu avant!

Malaric se calma. Hermann, confiant, lui dit:

— Réponds-moi maintenant. Qui est cette déesse aux cheveux couleur de miel?

— C'est ma... fille unique, Luna.

Cette dernière, qui s'était de nouveau effondrée devant la menace de son père, se cacha les yeux de ses mains et pleura à chaudes larmes. Jamais celui-ci n'avait menacé de la frapper auparavant. Hermann sursauta:

— Ta fille? Comment as-tu pu engendrer une si merveilleuse créature, toi qui ressembles à un batracien? J'imagine qu'elle a tout de sa mère! Cependant, voilà une rencontre très fortuite. J'accepte ton offre mais je pose une condition à mon tour.

— Si tu acceptes ma condition, répliqua Malaric en sueur, je tenterai d'accepter la tienne dans la mesure du possible, bien sûr. Quelle est-elle?

— Laisse-moi d'abord te raconter une petite histoire que les membres du clan des Saxons m'ont racontée lors de ma tournée chez les tribus du Nord. Il y a de cela quelque temps, un homme chauve et portant une barbe grisonnante est débarqué sur leur rivage. Selon les témoignages entendus, cet homme aurait engagé l'un de leurs meilleurs guerriers. Un capitaine d'une grande bravoure ainsi que tout son équipage, pour accomplir une quelconque mission en Orient, paraît-il. Jamais plus, ils ne les ont revus. Peut-être est-ce simplement une coïncidence, mais je trouve que tu ressembles fort à la description de cet homme, ne trouves-tu pas? Mais comme je n'ai pas de preuves de ce que j'avance, je ne peux formellement t'accuser de ces mystérieuses disparitions. Quoi qu'il en soit, nous savons bien tous les deux de quoi il en retourne, n'est pas? Alors, disons que je n'ai pas grande confiance en toi.

Malaric se rendit compte que Hermann, malgré ses manières de rustre, était un homme rusé et doué d'une bonne cervelle. Autrement plus brillant que tous les hommes qu'il avait rencontrés jusqu'ici... Ce n'était pas pour rien qu'il était destiné à accomplir de grands exploits.

— D'accord, d'accord. Que proposes-tu alors? En quoi consiste ta condition qu'on en finisse?

— Patience. J'y arrive à l'instant. Nous allons procéder comme tu l'as suggéré. Lorsque j'aurai en ma possession l'émeraude et que j'aurai anéanti Varus et ses légions, nous procéderons ensuite à l'échange des joyaux. Ta centaine contre l'émeraude...

À ces mots, Olaf sourit. Le garde du corps personnel de Hermann espérait que, quand tout serait accompli, son maître lui offre le somptueux rubis dont il ne pouvait détacher les yeux. Malaric, méfiant, attendait la suite avec anxiété. Il demanda d'une voix tremblante :

— Et ?

— ... mais si tu veux que nous concluions ce pacte, il te faut céder ta fille en signe de bonne foi. Avec elle sous ma garde, je serai à l'abri d'un coup bas de ta part !

— Non... Pas ma fille chérie... !

Malaric s'élança sur Hermann qui s'était approché de Luna. Olaf sortit de sa torpeur et alla se placer entre eux. Malaric fut tenté durant l'espace d'une fraction de seconde de lui administrer le même sort qu'il avait servi à Dvorak. Mais cela anéantirait du même coup ses chances de posséder l'émeraude. Déçu, il implora de nouveau :

— Je t'en prie, Hermann, aie confiance en moi. Ma fille est pure et n'a pas connu l'homme. Ne lui fais pas de mal, je t'en conjure !

— Mais je n'en ai aucunement l'intention. Je désire plutôt l'honorer comme il se doit, comme la femme d'un Jarl. Je vais en faire mon épouse ! Une créature de cette beauté irait très bien aux côtés du Grand Hermann. Ne crois-tu pas ?

Malaric était effondré. Jamais il ne s'était attendu à un tel dénouement. Luna, maintenant dans les bras de son futur époux, criait à faire tinter les oreilles de son ravisseur :

— Père, ne les laissez pas m'amener. Je vous en prie ! Faites quelque chose, voyons !

Malaric était coincé. Son désir de posséder la clé lui permettant d'ouvrir la porte close était devenu une obsession maladive et Hermann s'avérait sa seule chance d'acquérir l'objet. Finalement, il abdiqua :

— Accord conclu, Hermann. Je consens à ta demande et je bénis ton union avec ma Luna adorée. Je suis désolé, ma chérie. Je te souhaite d'être heureuse et sache que je t'aimerai toujours et prierai pour qu'aucun mal ne t'arrive ! De toute façon, tu es en âge de te marier et je ne peux repousser les demandes incessantes éternellement.

Luna n'en croyait pas ses oreilles. Son père, qui avait sorti bec et ongles pour la garder à ses côtés lorsque les jeunes prétendants du clan s'étaient présentés devant lui il n'y avait pas si longtemps de cela, ce même homme qui l'avait ensuite cloîtrée pendant des mois afin de la soustraire aux regards des hommes, venait à l'instant de l'unir à un parfait inconnu qui empestait la vieille sueur. Hermann regarda Malaric tout sourire et fier de sa performance :

— Eh bien, te voilà raisonnable, vieux crapaud ! Ne t'inquiète pas. Lors de mon absence à Rome, elle sera bien gardée et aucun mal ne lui sera infligé.

Il déposa Luna en pleurs dans les bras d'Olaf et ordonna au géant :

— Amène cette petite fleur avec toi à la chaloupe. Nous quitterons dans quelques minutes. Le temps que ce vieux crapaud m'explique les derniers détails de l'affaire comme il me l'a promis, n'est-ce pas ?

Malaric ne pouvait que s'avouer vaincu. Pour cette fois-ci du moins. Hermann l'avait entraîné dans un sentier dont il tenait les rênes. Par contre, s'il voulait que sa fille reste en vie tout en obtenant la clé, il se devait de bien manœuvrer ce coup-ci. Il s'empressa de remettre les joyaux dans sa petite sacoche en cuir et fixa Hermann d'un air résigné :

— Très bien alors. Écoute-moi bien.

Malaric expliqua dans les moindres détails les fruits de ses recherches intenses : l'emplacement exact de l'émeraude et comment faire pour y parvenir.

— Toutes ces informations proviennent d'un manuscrit millénaire que j'ai en ma possession, confia Malaric.

— Et où se trouve-t-il, ce fameux manuscrit ?

— Tut, tut ! Ne m'interromps pas ! Dès que tu seras en possession de l'objet, il te sera aisé de berner tes geôliers et de revenir ici, en Germanie.

— Mais comment ?

— Tu verras bien par toi-même !

Hermann quitta un Malaric encore sous l'effet de choc et rejoignit Olaf et Luna dans la chaloupe. Il regagna son navire et fila en direction de son propre village. Se tenant à la poupe et le visage face au vent, il songeait à sa jeune épouse enfermée dans sa cabine et à la nuit de rêve qu'il vivrait en sa compagnie dès son retour chez lui. Bientôt, si tout se déroulait comme le vieux crapaud l'avait prédit, il deviendrait l'homme le plus puissant de la Germanie. Mais avant, il lui faudrait trouver par lui-même, une fois sur place, le dernier indice qui manquait à Malaric, c'est-à-dire l'identification du fameux rouleau-manuscrit dans lequel l'émeraude fut dissimulée.

Malaric, de son côté, rageait de cette malencontreuse situation. Pourquoi sa fille avait-elle choisi ce moment précis pour venir l'enquiquiner jusqu'ici ? Un grognement sourd venant de l'enclos lui rappela que La Terreur désirait reprendre sa liberté, comme promis. Lorsque Malaric gagna le couloir sombre, il jeta un œil sur les lettres de sang qui formaient le nom de sa fille et s'aperçut que celles-ci avaient complètement disparu. Abasourdi et ne comprenant pas ce nouveau prodige, il se demanda si par hasard le nom n'avait disparu à cause du fait qu'elle remplissait son rôle, quel qu'il soit, dans la recherche de l'émeraude. Il s'empressa de jeter un œil à l'endroit où se trouvait inscrit le nom de Salomon afin de vérifier si le même phénomène s'était produit et constata qu'il n'en était rien. Il fit de même en ce qui concernait celui de Hermann et sa surprise fut si grande qu'il faillit tomber à la renverse. Le nom d'Hermann y était toujours inscrit mais contrairement à ce qu'il croyait au départ, celui de Luna, par une force étrange et ironique, avait été transféré juste en dessous de celui du Chérusque.

CHAPITRE X

RETOUR À ROME

Germanie. An 16 après J-C.

— Lucius, optione Lucius! Venez par ici! Votre ami le centurion se réveille enfin.

Telles sont les premières paroles que j'entendis lorsque je repris conscience. Un léger tangage me permettait de croire que je me trouvais étendu sur le pont parmi les autres blessés à bord de l'une de nos galères. Une terrible nausée me prit soudain. Voulant me lever, deux légionnaires m'aidèrent à me pencher au-dessus de la rambarde afin de restituer mon dernier repas à la mer. Je ressentais une terrible douleur à la jambe droite. Entre-temps, Lucius s'était approché pour s'enquérir de ma condition.

— Ouach! Je pensais que tu avais le pied marin?

Je ne pris pas la peine de répondre à cette remarque. Je venais juste d'ouvrir les paupières pour constater que ma vision était tout embrouillée. Comme si je regardais à travers un rideau de pluie.

— Je suis seulement un peu étourdi, lui mentis-je. Qu'on m'apporte de l'eau fraîche, j'ai une de ces soifs!

— Allez vite chercher ce que mon ami désire! cria Lucius aux deux légionnaires. Ensuite il s'enquit de ma condition.

— Hey, Cassius!? Cela fait deux jours que tu es inconscient. Je suis heureux de te voir à nouveau parmi nous... Est-ce que ça va?

— Je te répondrai dans quelques instants!

J'arrivais à peine à distinguer les contours des autres galères de notre flotte qui nous entouraient sur la mer. Les deux hommes revinrent avec un grand seau d'eau de pluie. D'emblée, je mis mes mains en coupe et je m'aspergeai le visage abondamment. Lucius me tendit une grande serviette. Je m'essuyai et rouvris les yeux de nouveau pour constater qu'aucun changement n'était survenu.

— Lucius! dis-je. Fais partir ces hommes.

— Merci, messieurs. Vous avez entendu le centurion Longinus? Vous pouvez disposer.

Il se rapprocha de moi.

— Que t'arrive-t-il, mon ami? Tu n'as pas l'air dans ton assiette. Puis-je t'aider?

Sur le moment, je n'osai lui avouer que j'y voyais aussi bien qu'une taupe. Je déviai sa question par une autre:

— Que s'est-il passé? Comment je me suis retrouvé sur ce navire? Avons-nous gagné la bataille?

— Holà, une question à la fois. Premièrement, lorsque je t'ai vu poursuivre Hermann et le berserk vers les bois, dans l'intention de te rejoindre, j'ai réussi à me faufiler à travers le mur de boucliers. Accompagné d'une faible escorte, j'ai suivi vos traces jusqu'à ce que je débouche sur une clairière. J'y ai trouvé deux de nos hommes qui gisaient morts au sol, mais aucune trace de toi.

— Hermann ne s'y trouvait pas?

— Non, pourquoi?

— Il y était pourtant, ainsi que le berserk, lorsque j'ai quitté cette clairière pour me lancer à la poursuite de Malaric.

— Nous avons bien retrouvé ce berserk. Il gisait dans son sang auprès de l'un de nos gardes. Mort lui aussi.

— Il a finalement succombé à ses nombreuses blessures, dis-je.

— Tu as mentionné le nom de Malaric. Il se trouvait dans les bois ?

— Oui. C'est lui qui contrôlait le berserk grâce à un procédé impie. J'avais laissé l'endroit sous la surveillance des deux légionnaires que tu as retrouvés morts. Hermann était lourdement blessé et Olaf était tombé dans un état léthargique. Je m'étonne qu'Hermann ait pu assassiner ces légionnaires pour ensuite disparaître dans la nature. Vous ne l'avez pas retrouvé, tu en es sûr ?

— Nulle part. Probablement disparu dans la forêt.

— Je t'assure qu'Hermann était si mal en point qu'il n'aurait pu parcourir que quelques pieds avant de s'effondrer. Et tu me dis que vous n'avez pas vu Malaric non plus ?

— Non, mais... qu'est-ce que c'est que toute cette histoire ? interrogea Lucius qui ne comprenait rien à mon charabia.

Je lui narrai finalement l'épisode de la poursuite à travers les bois, de mon duel avec Malaric et les conséquences fâcheuses que cela avait occasionnées.

— Tu veux dire qu'en ce moment, tu ne peux me voir ?

— Non, je te vois bien lorsque tu es près de moi mais lorsque tu t'éloignes... tout m'apparaît embrouillé. Je ne perçois plus les détails. C'est à cause de ce satané Malaric, j'en suis certain. Ce sorcier m'a jeté un sort maléfique lorsqu'il me toucha le front de son long doigt décharné.

— Vraiment ? Si c'est le cas, cet homme est très puissant, répliqua Lucius, impressionné.

— Effectivement. Mais je pense que j'ai réussi à éviter le pire.

— Comment cela ?

— À la dernière fraction de seconde, j'ai senti qu'il me préparait une autre traîtrise. J'ai eu juste le temps de m'esquiver un peu et cela l'a empêché d'exercer toute la pression voulue sur mon front. Mes réflexes de soldat m'ont probablement sauvé du pire. Quand je me suis écroulé et évanoui, Malaric a sans doute pensé que son sort s'était bien accompli et il est parti.

— Alors, peut-être que ton état n'est que passager ?

— L'avenir nous le dira. Mais pour l'instant ça va être assez ardu de cacher ce fait à nos supérieurs. Lorsqu'ils en prendront connaissance, ils m'expulseront de l'armée. Le statut social que j'ai mis tant d'efforts à construire s'écroulera d'un coup. Ça sera la fin du centurion Longinus et... Ah! Que j'aimerais tenir ce sale rat afin de lui tordre le coup de mes mains nues.

— Allons, Cassius, ne te décourage pas comme ça, mon ami! Tant que je serai en vie, jamais je ne permettrai une telle chose. Je t'aiderai du mieux que je le peux et personne ne remarquera ta condition. Tu peux compter sur moi, je serai toujours à tes côtés. Tout comme avant d'ailleurs.

— Merci Lucius. Mais penses-tu vraiment que ça pourrait fonctionner?

— Et pourquoi pas? Tu n'es que malvoyant, il suffira seulement de te guider un peu. Étant centurion, tu n'as plus à combattre d'homme à homme comme lorsque nous étions de simples légionnaires, si tel est ton désir. Tu continueras à donner des ordres comme autrefois et de faire semblant que ta vision est toujours en bon état. Impossible pour quelqu'un qui l'ignore d'y voir une différence.

— Mais comment ferais-je quand il faudra que j'appose ma signature sur quelque document officiel, par exemple?

— Je t'aiderai, te dis-je. Et en peu de temps, tu t'y feras, du moins, jusqu'à ce que tout redevienne comme avant.

— Et... Livia? Comment réagira-t-elle?

— Je connais bien ma sœur, Cassius. Ce n'est certainement pas cet incident qui fera changer l'amour qu'elle éprouve pour toi. De plus, je suis sûr que dans quelques mois, tout reviendra comme avant. Allons, repose-toi un peu et ça va sûrement te passer!

— Peut-être en effet. Je l'ignore. Ma condition peut tout aussi bien s'avérer être dégénérative. Et dans quelques mois, semaines, jours... je deviendrai complètement aveugle.

— Bah! nous ferons des offrandes à Apollon et à Jupiter et eux, ils sauront te guérir. Pour l'instant, viens te nourrir un peu et t'étendre dans ma cabine.

— Merci. Tu es le plus généreux des hommes. Mais réponds-moi, maintenant: avons-nous remporté la bataille?

— Avec grand succès et cela grâce en partie à notre concours. Les quelques centaines de survivants barbares se sont tous enfuis dans la forêt. Le lieu de la bataille était un véritable charnier lorsque je l'ai quitté pour te rejoindre.

— Comment m'as-tu finalement trouvé? lui demandai-je.

— Lorsque je suis arrivé à la clairière et que je ne t'y ai pas trouvé, j'ai demandé aux soldats qui m'accompagnaient qu'ils se mettent à ta recherche en périphérie de l'endroit. L'un d'eux m'appela pour nous dire qu'une meute de loups, attirés par l'odeur du carnage sans doute, approchait à grandes enjambées dans notre direction. Lorsque j'arrivai à sa hauteur, je constatai moi-même le danger. Quelque deux cents de ces canidés sauvages venaient vers nous en se faufilant parmi les arbres et les fourrés. Par chance, le gros de la meute continua sa course sans nous repérer pour se rendre directement au charnier. À quelques pieds de l'endroit où nous nous trouvions, j'ai vu reluire parmi les ombres des sous-bois, une armure. La tienne, Cassius ! Je venais enfin de te retrouver. Toutefois, je craignis le pire en te voyant ainsi étendu face contre terre. J'espérais de tout mon cœur que tu étais toujours en vie. Je courus pour me rendre jusqu'à toi, quand soudain, un énorme loup blanc surgit devant moi et me bloqua le passage. De l'écume s'écoulait de sa gueule béante. Derrière lui venait une douzaine de ses semblables. Voyant ma surprise, il se ragaillardit et se dirigea dangereusement vers toi. L'un des gardes sortit son glaive et tenta de faire fuir l'affreuse bête, le chef de la meute probablement. Cet animal était entêté et ne voulait pas quitter sa position. Pendant que nous nous occupions de lui, les autres avançaient de plus belle. Soudain, quelques traits tirés par-derrière nous tuèrent quelques membres de la meute. Les soldats que j'avais auparavant envoyés à ta recherche étaient revenus pour nous aider. Profitant de cette ouverture, je m'élançai comme un fou furieux sur le loup blanc. Il était maintenant sur toi et avait réussi à t'agripper la jambe droite de ses longs crocs. J'ignorais si tu étais vivant, mais heureusement pour toi, tu es resté inconscient. Je ne pense pas que tu aurais particulièrement aimé la sensation occasionnée par une telle morsure. Le loup avait réussi à refermer la mâchoire sur ta cuisse droite, d'où le pansement que tu portes à la jambe. Je sautai sur l'animal et le tuai en lui tranchant la gorge d'un coup de glaive. Le reste de la meute ne demanda pas son reste et rejoignit les autres au site de la bataille. Nous avons réussi à désinfecter ta blessure et tu devrais bien te rétablir. L'armée compte quand même de bons médecins dans ses rangs ! Dans quelques jours, tout au plus, tu seras complètement remis. Nous t'avons mis sur un brancard et, comme le reste des légions, nous sommes retournés aux galères dès que la bataille fut gagnée.

— Je te remercie, Lucius. Je t'en dois encore une.

— Ouais, ça devient une habitude.

— À combien se comptent nos pertes ?

— Selon les estimations fournies à Germanicus, environ... trente mille de nos hommes ont péri au cours du conflit.

— Trente mille ! Mais c'est énorme ! Et pour les Germains ?

— Pratiquement le même nombre. Nous leur étions supérieurs au départ et nous avons fini par les avoir à l'usure. J'avoue que ces Germains sont de redoutables guerriers. J'ai bien failli y passer moi-même quatre ou cinq fois. Leur position surélevée leur avait donné un grand avantage, d'autant plus qu'il nous était impossible de les prendre sur les flancs, comme tu le sais. N'eut été de notre intervention par le sentier secret, je pense que la balance aurait penché de leur côté et nous aurions perdu.

Pendant que je m'appuyai sur lui en marchant en direction de sa cabine, je demandai encore :

— Où la flotte se dirige-t-elle ainsi maintenant ?

— Nous nous replions aux forts de la frontière germano-romaine, à l'ouest du Rhin.

— Comment ? Un repli ? Mais pourquoi n'avons-nous pas poursuivi notre progression plus avant dans le pays ? Germanicus aurait dû profiter de cette occasion pour anéantir à tout jamais les Barbares et conquérir facilement toute cette patrie.

— Je sais, Cassius, je partage ton opinion. À ce qu'on dit, dès que la victoire fut acquise, le général envoya un coursier prévenir Rome. Ce matin, soit deux jours après le conflit sanglant que l'on nomme dorénavant « la bataille d'Idistaviso », Germanicus a reçu un courrier venant de la capitale, écrit de la main même de Tibère, l'empereur.

— Que disait ce courrier ? Le sais-tu ?

— J'aimerais bien. Toutefois, le bruit court parmi les hommes que l'Empereur serait jaloux de l'énorme popularité que son fils adoptif, Germanicus, suscite dans tout l'empire. Grâce à cette victoire, il préfère l'avoir près de lui afin de le surveiller et de s'assurer de sa loyauté envers lui. L'Empereur redoute que les nombreux partisans du général ne le poussent vers de plus grandes ambitions.

— Quoi? Es-tu en train de me dire que par un simple caprice de l'Empereur, tout ce que nous avons accompli ici ne veut plus rien dire? Tous ces hommes, autant les nôtres que les Germains, ont tous péri inutilement?

— Exact, t'as tout saisi. De toute façon, le sénat a sûrement approuvé notre retrait de ces terres infertiles. Partout il n'y a que des forêts infranchissables et des marais nauséabonds. Bref, une terre incultivable. Rien qui ne puisse justifier les sommes astronomiques que le sénat nous avait déjà accordées. À mon avis, c'est plutôt pour cette raison que nous nous replions. De toute façon, c'est mieux ainsi... pour toi, je veux dire.

Il avait raison. Comment aurais-je pu survivre avec mon handicap? Je me sentis soudain fortement diminué. Je chassai cette impression. Tout à coup, une douleur lancinante dans la cuisse m'obligea à prendre une pause. Je m'appuyai sur la rambarde et demandai de nouveau à Lucius:

— Où se trouve le général en ce moment?

— Dans la première galère à bâbord! Tu ne la reconnais pas? Oups, je suis désolé, j'avais oublié ta...

— Chut. Ne parle pas si fort. Je ne voudrais surtout pas que cela se sache.

— Ne t'en fais pas, Cassius. Je prendrai garde.

Nous voguâmes ainsi une autre journée complète et arrivâmes enfin à destination. Dès notre débarquement, Germanicus vint s'informer de ma condition.

— Eh bien, centurion!, tu sembles tout à fait rétabli! dit-il.

Il parlait de ma blessure à la jambe bien sûr.

— Je me sens beaucoup mieux, mon Général. Merci. Dans quelques jours, je pense être tout à fait rétabli.

— Très bien, excellent même, car j'aimerais quitter cet endroit le plus vite possible. Toi et l'optione Lucius, ton inséparable copain, vous m'accompagnerez.

— Pour aller où, si je peux me permettre cette question? demandai-je inquiet.

J'appréhendais une affectation dans un conflit quelconque quelque part à l'intérieur de l'empire.

— Avec une partie du reste de l'armée, nous retournons à Rome. Vous avez droit, vous aussi, à tous les honneurs. Les autres resteront ici pour assurer nos positions.

— Quand prévoyez-vous le départ?

— Dans deux jours tout au plus. Alors tâchez de reprendre des forces d'ici là.

Sur ce, il partit en direction de ses quartiers. Je vis deux légionnaires le suivre en poussant devant eux Thusnelda, la femme d'Hermann. Comme il me l'avait mentionné, Germanicus l'amenait dans la capitale afin qu'elle parade en tête de son défilé organisé en son honneur dès son retour. J'imaginai sans mal ce qui était pour se produire sous cette tente au cours des prochaines heures. Heureusement, il ne s'était pas aperçu de ma condition visuelle. Peut-être, comme me l'affirmait Lucius, pourrais-je réussir à berner tout le monde... y compris ma tendre épouse. Ainsi, je m'assurerais qu'elle demeure à mes côtés... C'était bien mal la connaître!

Trois semaines plus tard, nous étions enfin de retour dans la plus grande ville du monde civilisé. Germanicus eut le triomphe escompté. Un grand défilé fut organisé pour fêter son succès face à la menace barbare. Les guerriers frisons qui avaient fait partie de l'équipage de Malaric lorsqu'il était venu nous offrir ses services, et laissés en otages par la suite, furent tous conduits dans les donjons du cirque Maximus en prévision de la prochaine représentation des gladiateurs.

Flavius, en remerciement de sa précieuse aide, reçut la citoyenneté romaine. Il s'installa dans la campagne, en banlieue de la ville, et demeura un homme libre. Ségestes, le père de Thusnelda, fut tué à la bataille lors d'un duel l'opposant à Marobod, le Jarl des Marcomans, celui-là même qui avait incendié son village autrefois.

Une permission d'une semaine nous fut accordée. Lucius et moi quittâmes la grande ville le plus vite possible pour rejoindre ma villa qui se trouvait en banlieue. Chevaucher avec ma vision trouble me causa moins de problèmes que je ne l'avais imaginé. Lors du débarquement, j'avais réussi à récupérer ma fidèle jument. C'était une bonne bête et je remerciai Diane la grande déesse, gardienne de tous les animaux, d'avoir bien veillé sur elle. Je n'avais qu'à grimper sur son dos, et connaissant bien le chemin menant jusqu'à ma villa, elle s'y dirigea d'elle-même.

Mon émotion était grande de revenir enfin chez moi et je regardai Lucius chevaucher à ma droite qui semblait partager ma joie. Tout sourire, il me lança :

— N'oublie pas que tu me dois quelques amphores de cervoise !

— Dès que j'aurai pris un bon bain et toi aussi, car laisse-moi te dire que même une truie ne voudrait pas de toi, je ferai ouvrir tous les fûts que je détiens dans la fraîcheur de ma cave et je te promets une cuite dont tu ne te remettras pas avant que nous nous présentions de nouveau au quartier général dans une semaine.

— Quelles seront nos nouvelles affectations ?

— Je l'ignore et pour le moment je ne m'en préoccupe pas. Tout ce qui compte, c'est de retrouver ma chère Livia.

— Mais qu'est-ce que tu lui trouves enfin à ma cadette ? ironisa-t-il pour me taquiner un peu.

À quelques pieds de ma demeure, j'aperçus une forme floue se profiler sur le chemin juste devant nous. Nous stoppâmes nos montures et la silhouette s'avança vers nous. Elle semblait sortir d'un rêve.

— Qui est-ce ? chuchotai-je à mon ami.

Lucius ne tint pas compte de ma question et s'avança vers l'inconnue, les bras ouverts :

— Livia, ma chère sœur. Content de te revoir !

Lorsque je saisis enfin que devant nous se tenait ma tendre épouse que j'avais eu peine à reconnaître de loin, une immense peine mêlée de joie me submergea. J'avais tellement espéré ce moment !

— Bonjour mon frère, dit-elle à Lucius en l'embrassant sur les deux joues. Je suis si heureuse de vous voir en vie tous les deux. Mais pousse-toi maintenant. Je désire un baiser de mon époux.

Elle repoussa légèrement Lucius et me regarda intensément. Sitôt que je fut descendu de ma monture, elle me sauta littéralement au cou. Nous tombâmes tous les deux au sol. Voyant qu'aucun mal ne lui était arrivé et faisant fi de la présence de Lucius, je l'embrassai passionnément. Ah ! Quelle joie ce fut de la serrer de nouveau contre mon cœur. Je me languissais de ne pouvoir la presser contre moi et de sentir sa généreuse poitrine.

— Hum, hum... !

— Excuse-nous, Lucius... mais tu connais la villa alors... fais comme chez toi, lui dit Livia. Aussitôt, elle reprit son étreinte que je partageai allégrement.

La semaine fut très agréable mais passa beaucoup trop vite. Comme je le redoutais, dès le premier soir, Livia s'aperçut qu'il y avait quelque chose qui clochait chez moi. Étendu sur notre couchette, je lui avouai donc tout. Je lui narrai ma mésaventure dans les moindres détails et la condition dans laquelle je me retrouvais désormais.

— Mon pauvre chéri! Cesse de te tourmenter. Mon frère a raison, ton mal n'est sûrement que passager. Hormis l'Empereur, bien sûr, mon père, qui est sénateur comme tu le sais, a à son service, les meilleurs docteurs en ville. Ils pourront certainement faire quelque chose pour toi. Demain, à la première heure, je les ferai quérir.

— Non. Pas demain. Plus tard. Laisse-moi savourer ces moments de paix et de gaieté en ta compagnie. J'ai eu bien assez de soucis ces derniers temps et je n'ai pas envie d'entendre d'autres mauvaises nouvelles.

— Mais qu'est-ce qui te fait croire que les nouvelles seront négatives? Ça peut aussi bien être le contraire. Mais pour le moment, nous ferons comme tu l'entends, mon amour. Je ne voulais que t'aider tu sais?

— Je le sais, ma douce. Je te promets que dans quelques jours, je les recevrai, d'accord?

— Très bien. Par contre, je te prends au mot. D'ici là, repos complet pour toi!

— Quoi? Mais je croyais que nous ferions l'amour comme des bêtes durant trois jours au moins! lui dis-je moqueur.

— Oh! vous n'êtes qu'un gros pervers, centurion Longinus.

Sur ce, elle monta sur moi et me chevaucha.

— Aujourd'hui seulement. Par la suite je veux que tu te reposes. Bien compris?

Pour toute réponse, je l'étreignis et l'honora comme il se doit durant toute la journée.

Comme je le lui avais promis, trois jours plus tard, je reçus la visite des médecins envoyés par son père. Ils étaient quatre et avaient plus l'air de bouchers que d'hommes de science. Suite aux nombreux examens qu'ils effectuèrent sur ma personne, chacun y alla de son pronostic, l'un plus farfelu que l'autre. Le premier de ces imposteurs expliqua que j'avais subi un châtiment de Jupiter Le suivant dit que c'était le résultat d'un choc nerveux survenu au cours du conflit. Un troisième me signifia que, suite à ma chute et dû au fait que je me fus assommé sur la grosse racine, seul l'œil droit avait été touché mais que l'autre, étant donné qu'il forçait pour deux, finirait dans quelques années à ne plus fonctionner du tout. Il me conseilla de reposer l'œil gauche le plus souvent possible. Le dernier de ces charlatans, lui, me dit que tout cela était le fruit de mon imagination. Enfin, aucun ne partageait l'avis de l'autre et il s'ensuivit de longues discussions. Voyant mon impatience et mon découragement grimper en flèche, Livia, prétextant le besoin de me reposer, leur demanda de quitter la villa.

— Merci messieurs de vos bons conseils. Voyez mon père pour le règlement de vos honoraires.

Je n'étais pas plus avancé qu'auparavant. Néanmoins, la semaine se termina et accompagné de Lucius, j'allai me présenter à mes supérieurs.

Suite à cet entretien, nous reprîmes nos postes ici même à Rome au sein de la garde prétorienne. Les premiers jours furent difficiles. En plus de faire accroire à tous que j'avais une vision normale, je dus m'acquitter de mes tâches administratives. Comme promis, Lucius fut d'une aide inestimable. Livia, qui partageait l'avis du troisième médecin, me prodigua tous les soins possibles.

Quatorze années passèrent et ma vision était demeurée stable. Ni pire, ni meilleure. Cependant, je m'étais bien accoutumé à mon handicap et personne ne soupçonna jamais rien. J'avais découvert quelques trucs afin de me sortir de n'importe quelle situation embarrassante. Livia se montrait une femme exceptionnelle à tous les égards. Néanmoins, je percevais qu'une légère tristesse l'habitait depuis quelque temps. Un soir, alors que nous nous préparions à nous coucher, je lui en demandai la cause.

— Je pensais qu'il n'en paraissait rien. Mais tu as raison, je suis triste ces temps-ci.

— Et pourquoi donc?

— Je vais bientôt atteindre l'âge où il me sera impossible d'enfanter. Mon seul regret dans la vie sera celui de n'avoir pu connaître la joie d'être mère et de t'offrir un fils.

Effectivement, depuis le premier jour de mon mariage, je n'avais pas manqué d'occasions de lui faire l'amour mais pour une raison que seuls les dieux connaissent, jamais Livia n'était tombée enceinte.

Je partageai sa tristesse car moi aussi, j'aurais bien aimé tenir dans mes bras mon enfant.

— Aimerais-tu mieux divorcer afin de pouvoir t'unir à un autre homme ? lui demandai-je le cœur serré par cette perspective.

— Cassius, es-tu devenu fou ? Ne dis pas de bêtises, voyons ! Qu'est-ce qui te fait croire que tu en es la cause ? Notre incapacité de fonder une famille vient peut-être de moi. Y as-tu songé ? Je pourrais te retourner la question.

— Jamais je ne te quitterai, ma chérie. Je préfère être avec toi sans enfant plutôt que d'en avoir une multitude avec une autre femme que je ne pourrais aimer autant que je t'aime.

Là-dessus, elle m'embrassa tendrement et sembla un peu rassérénée.

Le lendemain, la dégénérescence de ma vue débuta. Lorsqu'à mon réveil, j'ouvris les yeux, ma vision était deux fois plus floue que la veille. Livia, follement inquiète, me plaça une compresse sur les yeux et me conseilla de la garder durant toute la journée. Je lui spécifiai que je devais me rendre à mon poste et que je ne pouvais pas m'attarder plus longtemps.

— Lucius leur dira que tu ne te sens pas bien aujourd'hui. C'est tout. Rien que pour un jour. Demain, nous aviserons. Aujourd'hui, il faut prendre soin de toi.

— À quoi bon le cacher ? Bientôt, tous sauront que le centurion Longinus est devenu un personnage inutile.

J'étais découragé mais Livia tenta de me motiver :

— Allons, mon chéri. Je suis à tes côtés et... je t'aime. Nous trouverons bien une solution.

Je lui donnai raison et passai la journée à la villa. Après une nuit de sommeil, mon état ne s'était pas amélioré. Bien que follement inquiet, je dus me présenter à mon poste. Livia me prévint d'être extrêmement prudent et de ne pas faire de stupidités. Aidé de Lucius, tout se déroula relativement bien et à mon retour, Livia m'attendait.

— J'ai deux bonnes nouvelles pour toi, mon amour. La première : aujourd'hui, j'ai reçu d'un courrier provenant de la Palestine, des nouvelles de ma cousine Claudia Procula. Dans sa missive, elle m'annonce que son mari, le procurateur de la Judée, lui a parlé d'un homme venu de Nazareth qui accomplirait, semble-t-il, des merveilles partout où il se rend. Toujours selon ma cousine, ce prophète aurait annoncé son entrée dans la ville de Jérusalem pour très bientôt. C'est là qu'elle demeure. Si ce qu'elle raconte à son sujet est véridique, peut-être cet homme pourra-t-il t'aider à retrouver une vue normale ?

— Encore un autre charlatan qui profite de la crédulité des gens pour s'enrichir à leurs dépens.

— Mais elle affirme que c'est un homme pauvre, fils d'un charpentier et qu'il est né dans une étable !

— Peu importe. Il n'est pas question que je donne ma confiance de nouveau à l'un de ses escrocs. Qu'ils soient médecins, prêtres ou... prophètes. Jamais je ne mettrai les pieds dans cet endroit et je te l'interdis à toi aussi !

— Mais Cassius ? !

— Suffit Livia. Je ne veux plus en entendre parler. As-tu autre chose à m'annoncer ?

— Non. Je préfère m'en abstenir pour le moment.

— Tu m'as dit que tu avais deux nouvelles à m'annoncer... alors ?

Sans mot dire, elle rentra à l'intérieur de notre villa, déçue de mon attitude. Mais je n'en avais cure. Ma décision était prise.

Durant les deux jours suivants, elle ne parla plus de ce prophète. Ma vue diminuait de jour en jour et Livia, malgré sa déception, continuait à me mettre régulièrement des compresses sur les yeux. Lucius, de son côté, faisait des offrandes aux temples consacrés aux dieux. Mais rien n'y fit. Sans l'amour que ma femme me démontrait quotidiennement, j'aurais sûrement attenté à ma vie.

Un jour que je rentrais chez moi, après une journée des plus pénibles, je fus surpris d'apprendre que Livia ne s'y trouvait plus. Je m'informai auprès de l'un de mes esclaves. Il m'avoua qu'elle était partie ce matin même avec sa suite personnelle et nombreux bagages en direction du port. Quand je lui ordonnai de me dire vers quelle destination elle comptait se rendre ainsi, il m'affirma qu'il n'en savait rien. Mais moi, j'en avais une petite idée... Livia m'avait trahi. Je lui avais bien défendu pourtant de se rendre dans cet endroit. À ma connaissance, c'était bien la première fois qu'elle passait outre mes exigences. Lorsque Lucius, qui demeurait avec nous à la villa, rentra à son tour, je le mis au courant de la disparition de sa sœur.

— Je cours avertir mon père, dit-il. Peut-être sait-il quelque chose à ce sujet.

J'attendis son retour sur le seuil de ma porte d'entrée. Au bout de deux heures, il revint me prévenir que Livia avait emprunté la galère de leur père pour se rendre à Jérusalem.

— C'est quoi encore cette histoire à propos de Jérusalem ?

Je mis Lucius au parfum de toute l'histoire.

— Alors, si j'ai bien compris, selon toi, elle se rendrait dans cette ville dans l'espoir de rencontrer ce prophète et de le ramener ici afin qu'il puisse te guérir ?

— C'est cela.

— Là, je ne reconnais plus ma sœur. Croire en ces sottises de bonnes femmes... Mais si elle a vraiment fait une telle chose, c'est par amour pour toi, Cassius. Ne lui en veux pas trop !

— Je le sais. Mais je lui avais bien spécifié que cela ne m'intéressait pas. Pourquoi a-t-elle transgressé mes ordres ?

— C'est ton épouse, Cassius, pas l'un de tes légionnaires.

Il avait raison. Mais je n'aimais pas que l'on décide à ma place.

— Que faut-il faire selon toi ? demandai-je à Lucius.

— Attendons quelques semaines avant de faire quoi que ce soit. Peut-être sa démarche aboutira-t-elle et que tu pourras enfin voir clair de nouveau. De toute façon, si elle réside au palais royal, la demeure de Pilate, aucun tort ne lui sera fait. Bien que j'aie entendu dire que de nombreux conflits troublaient la paix romaine dans cette région.

— J'ai quand même un peu peur pour sa sécurité.

— Ne t'en fais pas. Pilate sera prévenu de son arrivée dans quelques jours. Mon père s'en est déjà chargé. Il a fait envoyer un courrier pour l'avertir.

— Comment ferai-je sans elle durant tout ce temps ?

— Cassius, prends sur toi ! Tu as de nombreux esclaves à ton service. Ils sauront comment prendre soin de toi.

— Rentrons à l'intérieur maintenant.

Lorsque je gagnai ma chambre, j'y trouvai sur les draps de soie, une lettre écrite de la main de ma bien-aimée. Je la parcourus avidement.

« Mon tendre amour, j'espère que tu n'es pas trop en colère contre moi d'avoir agi ainsi contre ta volonté. Mais tu ne m'as pas laissé le choix. Je ferais n'importe quoi pour t'aider, tu le sais. Ton désarroi est trop dur à supporter. En tant que ton épouse, je me dois de tout faire pour y remédier. C'est pour cette raison que je me rends en Palestine, dans la ville de Jérusalem, dans l'espoir d'y rencontrer ce prophète dont je t'ai parlé. J'ai amené avec moi une petite somme d'argent dans l'espoir de le convaincre de louer ses services le temps de ta guérison. Dès mon arrivée, j'enverrai un courrier pour te prévenir que la traversée s'est bien déroulée. Une escorte de dix hommes m'accompagne pour assurer ma sécurité. Au revoir mon amour. Prends bien soin de toi d'ici mon retour et n'oublie pas les compresses. Je prierai les dieux tous les soirs en pensant à toi. Aie confiance en moi, j'ai de bonnes raisons d'agir ainsi. »

Ta bien-aimée Livia

Je m'effondrai sur ma couchette, angoissé, et tentai de trouver le sommeil.

Les jours passaient et mon inquiétude grandissait au même rythme que ma dégénérescence optique. J'avais beau effectuer tous les conseils de ma femme : reposer mes yeux le plus souvent possible et appliquer des compresses régulièrement, rien n'y fit. L'astre lunaire effectua un cycle complet. J'avais espéré un courrier comme elle l'avait promis mais Livia ne donnait toujours pas de nouvelles. Un soir, je fis part de ma vive inquiétude à Lucius :

— Pourquoi ne donne-t-elle pas de nouvelles ? Cela fait déjà plusieurs jours que j'aurais dû en recevoir.

— Je partage ton anxiété. Je pars à l'instant chez mon père m'informer s'il n'est pas au courant de quelque chose à son sujet. Entre-temps, sers-toi donc un peu de vin, ça te calmera.

— Bonne idée. Cours vite et reviens le plus tôt possible.

Comme il tardait, je finis la carafe et m'endormis sur la terrasse.

— Cassius, réveille-toi !

— Quoi ? Qu'est-ce...

Se tenaient devant moi, du peu que je pouvais le distinguer, Lucius et son père le sénateur.

— Cassius, me dit Lucius. Je crains que nous ayons de mauvaises nouvelles à t'annoncer.

— Non. Ne me dites pas que...

Crassus, mon beau-père, prit la parole :

— Depuis son départ, nous n'avons plus eu de nouvelles de la galère sur laquelle ma fille et sa suite ont embarqué. Nous ignorons si elle s'est rendue à destination ou si un malheur est survenu au cours du voyage en mer. De nombreux navires pirates sillonnent la mer Méditerranée. Mais je n'ose songer à cette perspective. Oh, ma pauvre fille !

— Allons Père, ressaisissez-vous.

— Il faut nous rendre là-bas ! m'exclamai-je. Lucius m'accompagnera s'il le veut bien. Nous enquêterons sur place et la retrouverons, je le jure !

— Tu connais mes sentiments pour toi et ma chère sœur, répondit Lucius. Cependant, crois-tu qu'il soit très prudent de faire un si long voyage... je veux dire, dans ta condition ?

— Quoi ? s'exclama le sénateur. Serais-tu souffrant, mon gendre ?

— Euh, une... une simple grippe qui me harasse depuis une semaine déjà, lui répondis-je tout en jetant un regard appuyé en direction de Lucius. Je ne le voyais plus très bien mais lui, si. Il s'en fallut de peu que mon secret soit révélé.

Je me levai, complètement dégrisé après cette terrible nouvelle.

— Me suivras-tu, oui ou non ? demandai-je à Lucius.

— Bien sûr que si, voyons. De plus, j'en connais un brin sur les us et coutumes de ce pays. Mes connaissances nous seront sûrement utiles.

— Très bien alors, préparons-nous au départ. Sénateur ? Pourriez-vous avertir nos supérieurs et le sénat de notre absence et leur en expliquer les raisons ? Il ne faudrait pas que nous passions pour des déserteurs.

— Soyez-en assurés. Le sénat sera mis au courant de cette situation malheureuse. Aucun problème. C'est ma fille après tout, ils m'écouteront. Je vous rédige à l'instant un pli disant que je vous permets de réquisitionner une galère au port en mon nom pour ensuite vous diriger vers Jérusalem. Donnez cela au capitaine.

Avec ceci vous n'aurez aucun problème. Sur une autre missive, je rédigerai une autorisation pour une audience privée avec le procurateur dès que vous serez sur place.

— Quand désires-tu que nous partions ? demanda Lucius.

— Sitôt que ton père aura fini d'écrire, lui répondis-je.

Nous allâmes nous préparer et quelques minutes plus tard, nous galopâmes en direction du port. J'étais décidé à retrouver coûte que coûte la femme de ma vie.

CHAPITRE XI

SURPRISE AU VILLAGE

Germanie. An 9 après J-C.

Envoyé par l'Empereur afin d'aller prêter main-forte au général Publius Quintilius Varus, Hermann était enfin de retour en sol germanique. Il devait renforcer les effectifs de l'ex-gouverneur d'Afrique et de Syrie, affectés à la frontière germano-romaine, et l'aider dans sa lutte contre les rébellions signalées un peu partout en territoires conquis. En cette fin d'après-midi pluvieuse, le chef chérusque se trouvait à la tête d'une troupe équestre formée de cinq cents auxiliaires venus de tous les pays de l'Empire mais particulièrement de Germanie même. Le plan soumis par Malaric l'année d'avant avait fonctionné à merveille et pendant que le paysage familier se déroulait sous ses yeux, Hermann repassa le fil des évènements des douze derniers mois dans sa tête :

« Trois jours après son entretien avec le vieux crapaud, il avait quitté son village et s'était présenté, désarmé et sans escorte, devant les gardes romains installés à la frontière. Le risque d'y perdre la vie était grand mais, ceux-ci, étonnés d'avoir sous leurs yeux le célèbre chef barbare, se contentèrent de le fouiller et de le mettre aux fers. Ils le traînèrent ensuite devant leur supérieur. Tous avaient entendu parler de cet homme qui désirait former une coalition des clans germains en vue de les jeter hors du pays. Varus, voyant lui aussi l'importance du personnage, décida de l'offrir en cadeau à Auguste et ordonna aussitôt son transfert vers la capitale de l'Empire, comme Malaric l'avait prédit.

Lorsqu'il passa la porte ouest, le garde qui était en fonction à ce moment-là profita de sa situation pour l'insulter au passage et lui cracher au visage en le traitant de « sale porc ». Cependant, pour le bien de sa mission, il préféra ignorer cet affront, mais il avait la mémoire longue. Après un court voyage à bord d'une galère, il fut présenté tel un chien devant l'Empereur avec chaînes et entrave au cou. Après l'avoir longuement considéré, Auguste, non sans surprise, lui demanda les raisons de sa reddition. C'est alors qu'il lui dicta sa requête :

— En échange de ma propre personne et d'une promesse solennelle qu'aucun mal ne sera fait aux membres de mon clan, tous, nous jurerons allégeance à la puissance de Rome. De plus, je t'offre, ô grand César, mes services en tant que guide, ce qui pourrait t'être très utile pour réaliser ton rêve de coloniser toute la Germanie. Grâce à ma grande connaissance du terrain, je pourrai conduire sans mal tes légions à travers forêts et ravins qui parsèment mon pays.

Auguste, petit neveu et fils adoptif du grand Jules César, continuait à le détailler de haut en bas et semblait montrer une curiosité mêlée d'admiration pour cet homme prostré devant lui. Hermann expliqua à l'Empereur la coutume voulant que le fils aîné d'un chef de clan soumis à Rome serve d'otage durant un certain temps en signe de loyauté. Étant donné que ses nombreuses concubines ne lui avaient donné que des filles, il se livrait donc lui-même. Passant les rênes du pouvoir en son absence à son frère Flavius, dont il avait toute la confiance et qui avait servi lui-même d'otage alors qu'il était si jeune que leur pauvre mère n'avait même pas eu le temps de le prénommer. D'où la consonance latine de son nom que les Romains lui avaient alors donné.

Auguste était tellement fier et satisfait d'avoir enfin à ses pieds ce terrible chef barbare, craint de tous ses soldats campés en Germanie, qu'il goba la supercherie tel un lézard devant un moustique lui passant sous le nez. Il conclut l'accord, fit libérer Hermann de ses liens, et contre la promesse de celui-ci de bien se tenir, une grande récompense lui serait remise en retour. L'Empereur ajouta :

— Cependant, pour valider ta fidélité, je dois te garder ici durant quelques mois avant de t'envoyer à Varus pour lui servir de guide. Tu comprendras aussi que si un seul de tes concitoyens chérusques tente quoi que ce soit contre nous, tu périras dans la minute qui suivra.

— Je le comprends, César, et j'y consens.

— Très bien alors. Tu prétends être un homme connaissant bien son pays, Hermann. C'est ce qu'on va voir. J'aimerais beaucoup m'entretenir avec toi durant ta détention provisoire à propos de cette contrée si difficile à conquérir !

Hermann mit un genou au sol et déclara solennellement :

— Il en sera comme vous le désirez, mon seigneur !

— Très bien. Chaque jour où tu auras le grand privilège d'être convoqué au palais afin de t'entretenir avec moi, tu seras fouillé par mes gardes afin qu'aucune arme ne soit trouvée sur toi. Mais je pense pouvoir me fier à ta parole, n'est-ce pas ?

— Tout à fait, ô grand César. Mais si tu me permets ce conseil, ne perds pas trop de temps avant de m'envoyer aider le gouverneur Varus car je sens qu'une révolte générale est sur le point d'éclater.

— Cela saura attendre un peu. Selon mes sources, n'est-il pas vrai que tu en es l'instigateur ?

— Aucunement, César. Sinon que ferais-je ici ?

— Pourtant, jamais mes espions ne m'ont fourni de mauvais renseignements jusqu'à présent, enfin... peu importe ! Laissons passer les lunes, nous verrons bien dans quelques mois si tu es sincère !

Ainsi, durant tout ce temps, l'empereur Auguste se prit d'affection pour Hermann. Jour après jour, il le convoquait et s'informait auprès de lui des us et coutumes de son pays natal et comment parvenir à y établir une paix durable. Le Germain, rusé comme pas un, se prêtait volontiers à ce petit jeu et en retour, se servait de ces moments intimes pour tenter discrètement de soutirer à l'Empereur des renseignements cruciaux concernant la réussite de sa mission à Rome. Malaric lui avait révélé que l'objet se trouvait dans la Grande Bibliothèque située dans le palais impérial.

Selon le vieux crapaud, le puissant joyau, après avoir été la possession du roi Salomon, était passé de main en main pour aboutir finalement dans celles de Jules César qui à cette époque était général de plusieurs légions cantonnées en Gaule. Aucun texte officiel ne relatait cet épisode. Quoi qu'il en soit, César l'avait ensuite légué à son héritier Octave, devenu depuis l'empereur Auguste. Jules César connaissait les pouvoirs obscurs de cet objet maudit et c'est en partie grâce à eux qu'il put soumettre toute la Gaule, remporter ses batailles sur ses ennemis du sénat, abolir la république et réussir à se faire élire par la plèbe « Impérator Rex ». Lorsqu'une étrange maladie l'affecta et qu'il s'aperçut qu'il perdait peu à peu de son âme à soumettre ainsi la volonté des hommes simples, et aussi que de nombreux ennemis très puissants recherchaient l'émeraude pour s'en emparer, il décida de la camoufler à l'intérieur d'un rouleau-manuscrit. Ce rouleau, que lui seul pouvait identifier, il le cacha parmi la multitude d'ouvrages que contenait la Grande Bibliothèque du palais.

Un jour qu'ils étaient seuls tous les deux, César avait confié son secret à Octave. Dans l'intimité de leur conversation, il lui avait dévoilé les raisons pour lesquelles il ne devait jamais se servir de l'émeraude sauf si, par malheur, un grave danger menaçait la survie de l'Empire. Pour ce faire, il lui confia comment la retrouver à travers la multitude d'ouvrages encombrant la Grande Bibliothèque. Comme le destin est souvent ironique, un esclave, qui leur avait apporté à boire à ce moment-là, avait saisi des bribes de la conversation et s'était aussitôt empressé d'aller tout raconter à un jeune officier romain pour lequel il effectuait plusieurs tâches grassement bien payées. Ce Romain, collectionneur d'œuvres ésotériques à ses heures et surtout, possesseur de la source d'informations de Malaric, avait échoué dans ses tentatives de retrouver le joyau. L'homme, avant qu'un mercenaire ne l'intercepte dans une ruelle sombre, s'était contenté d'annexer ces informations primordiales au manuscrit millénaire que Malaric possédait maintenant, mais qu'il avait refusé de lui montrer.

À partir de là, le vieux crapaud l'avait averti qu'il devrait se débrouiller seul afin de découvrir l'identification exacte du rouleau-manuscrit, caché quelque part parmi les milliers d'ouvrages que contenait l'immense pièce, car il ne savait rien de plus sur ce sujet. C'était justement cette information qui avait manqué à l'officier pour réussir sa quête. Et lui, Hermann, après presque un an de détention, était parvenu à la découvrir.

Ce que le vieux crapaud n'avait pas prévu, c'est que sa tâche en serait d'autant plus aisée grâce à la générosité et à l'affection que lui témoignait l'Empereur. Effectivement, à sa grande surprise et contrairement à ce qu'il avait pensé, Auguste s'avérait être un homme de faible prestance. Ses succès militaires reposaient presque entièrement sur l'efficacité de ses généraux et plus proches conseillés. L'opportunité qu'il lui offrit un jour en faisant de lui l'un de ses favoris accéléra grandement les choses. De plus, un logement lui fut attribué dans l'une des ailes du palais. Grâce à ces avantages et malgré son statut d'otage, il avait accès à presque tous les quartiers importants, ainsi qu'aux endroits les plus hautement gardés de la capitale. Comme la Grande Bibliothèque impériale.

Lors d'une discussion d'apparence anodine avec l'Empereur, celui-ci lui avait affirmé combien son cher oncle Jules César avait estimé sa fille Julia de son vivant. Il l'avait mariée au grand Pompée du temps qu'ils étaient grands amis tous les deux, avant les guerres civiles. Julia en fut très heureuse car c'était l'homme de son choix malgré leur grande différence d'âge. Hélas, comme c'était monnaie courante, la pauvre décéda à l'accouchement de leur premier enfant. César, qui apprit la nouvelle alors qu'il se trouvait en Britannia, ne s'en remit jamais tout à fait. Avant sa mort, Julia avait toutefois pris l'initiative de lui envoyer ses mémoires en cadeau. Elle les avait rédigées durant sa grossesse afin de le divertir un peu entre deux combats. César adorait sa fille et suite à son décès, ce fut tout ce qu'il conserva d'elle.

Suite à cette confidence, Hermann songea alors qu'il serait fort possible que ce rouleau-manuscrit écrit de la main de cette Julia soit celui qu'il recherchait. Lorsqu'il avait finalement quitté le flot de paroles incessantes de l'Empereur, il avait regagné son logement et avait élaboré son plan. Une nuit, alors que presque tout le palais était endormi, il se rendit en catimini dans cet immense entrepôt où tout texte rédigé concernant l'histoire millénaire de la Grande Ville trouvait son ultime emplacement. Devant les deux grands battants qui en bloquaient l'accès, un garde l'intercepta.

— Hé! Qui va là? lui demanda-t-il sur la défensive.

Lorsque le garde le reconnut à la lueur des torches, il lui demanda les raisons de sa présence en ces lieux en pleine nuit.

— Notre très estimé Empereur désire consulter quelques vieux registres afin de passer son insomnie!

Le garde, connaissant les excentricités d'Auguste, le laissa entrer sans poser plus de questions. Aidé de son dernier indice, il chercha parmi les nombreux ouvrages qui couvraient la pièce de haut en bas, celui qui lui permettrait enfin de mettre la main sur la raison de sa venue à Rome. Au troisième étage de l'aile gauche du vaste entrepôt se trouvaient les plus anciens manuscrits connus. La plupart provenaient de la Grande Bibliothèque d'Alexandrie, rescapés lors de son incendie il y avait une cinquantaine d'années de cela.

Par chance, on avait classé en ordre alphabétique ces nombreux rouleaux de papyrus et tablettes d'argile, et très vite, il retrouva la lettre qu'il recherchait. Si sa théorie se révélait exacte, quelques minutes lui suffiraient pour mettre la main sur le précieux rouleau-manuscrit. Connaissant bien le latin, il lut le titre qui en ornait l'étui: « *Mémoires et souvenirs de Julia Ceasaris, fille unique de Jules César et Cornélia Cinna, son épouse* ».

Regardant autour de lui afin de s'assurer qu'il était bien seul, il ouvrit le couvercle et sortit le contenu de son enveloppe tubulaire de cuir épais. Il déroula ensuite délicatement le manuscrit rédigé il y avait plusieurs années déjà. Sa déception fut grande lorsqu'il constata que le joyau ne s'y trouvait pas emprisonné en son centre comme il le croyait au début. Il regarda au fond de la gaine mais n'y voyait rien non plus prouvant la présence de l'émeraude. Alors que le désespoir l'envahissait, le garde pénétra à l'intérieur de l'enceinte et lui cria:

— Alors, Germain! As-tu trouvé ce que tu es venu quérir ici?

— Ça ne sera pas long! J... je n'en ai que pour une minute encore! répondit Hermann en tressaillant. Mais, dans son sursaut, le couvercle de l'étui qu'il tenait sous son bras glissa et se retrouva trois étages plus bas. Le garde, qui avait fait demi-tour et s'apprêtait à regagner son poste, fut attiré par le bruit de la chute du couvercle.

— Mais qu'est-ce que...?

Hermann avait bien entendu lui aussi le son bizarre que venait de produire le couvercle de cuir lorsqu'il toucha le sol et rapidement il en comprit la signification. Il s'empressa de dévaler les vieilles marches de bois en essayant de ne pas se casser le cou et tenta d'atteindre l'objet avant que le garde ne s'en empare. Déjà, celui-ci s'apprêtait à le ramasser quand il arriva en trombe, feignant de trébucher, il tomba dans les bras du garde juste au moment propice.

— Merci mon brave ! dit-il au garde étourdi. Sans vous, je me serais étalé de tout mon long...

— Tu as failli nous faire tomber tous les deux, imbécile ! Pourquoi te précipites-tu ainsi ? Qu'est-ce que cette chose ? grogna le garde en désignant l'objet tombé sur le sol de marbre.

— C'est simplement le couvercle d'un étui qui s'est détaché, répondit Hermann en s'empressant de le ramasser.

— Ça n'a pas sonné comme tel. Je dirais plutôt que ça avait le bruit de la chute d'un gros caillou. Qu'y a-t-il de caché à l'intérieur ? Montre-moi ça de plus près ! ordonna le garde.

Hermann sentit au contact du couvercle qu'effectivement, un objet très dur de forme circulaire semblait cousu entre deux épaisseurs de cuir. Se rappelant les paroles de Malaric, il serra très fort le poing et testa les supposés pouvoirs du joyau.

— Fais place ! ordonna-t-il au garde sans trop de conviction. Enlève-toi de mon chemin et laisse-moi tranquillement quitter cette pièce ! ajouta-t-il avec plus d'autorité. Ensuite, tu oublieras mon visage à jamais !

Le garde, sur le moment, le regarda d'un air incrédule, mais l'instant suivant, ses yeux devinrent vitreux, il se tassa sur la droite et lui céda le passage. Sans demander son reste, Hermann s'empressa de quitter la pièce avec sa précieuse trouvaille.

De retour dans ses appartements, il jubila de constater avec quelle facilité il avait disposé de ce garde niais. Malaric avait raison au sujet de cette étrange émeraude. Il s'assura que le loquet était bien en place et déposa le fruit de sa découverte sur sa paillasse. Son instinct l'avait bien servi et ses soupçons concernant la cachette de l'émeraude s'étaient avérés fondés. Cependant, dans son empressement, le rouleau-manuscrit des mémoires de Julia, dénué de son étui, gisait sur l'un des planchers de la Grande Bibliothèque impériale. Mais il n'y pouvait rien et espérait que ce forfait ne parvienne pas jusqu'aux oreilles de l'Empereur qui était le seul dans tout Rome à connaître l'extrême importance du contenu de ce rouleau. D'après la poussière accumulée sur les documents, il estima que très peu de gens avec accès à cette section de la bibliothèque et qu'il aurait amplement le temps de fuir la ville.

Reportant son attention sur le fruit de son larcin, il prit le petit couteau subtilisé aux cuisines qu'il cachait depuis sous sa couche et se mit à découdre la doublure de l'étui. En un tour de main, il extirpa et admira à la lueur de sa lampe à l'huile le fameux bijou dans toute sa splendeur. Le plus beau et le plus volumineux qui lui avait été donné de voir. Chacune de ses surfaces avait été taillée avec un savoir inégalé. Sa luminosité verte éclairait la pièce de mille feux. De peur que celle-ci ne trahisse son secret, il fourra l'émeraude aussitôt dans l'une des poches de sa tunique. Tout sourire, il s'étendit sur son lit, espérant profiter des dernières heures de la nuit. Dès lors que cette partie de la mission était accomplie, il ne restait plus qu'à trouver un moyen de quitter la capitale au plus vite et d'enfin retourner en Germanie fomenter sa rébellion. S'il voulait accélérer les évènements, il se devait dès sa prochaine convocation au palais de tester le pouvoir de l'émeraude sur le plus important personnage de Rome.

Celui-ci, dès le lendemain, par une matinée encore un peu froide, le fit venir au palais. Au terme de cet entretien d'une durée de plus de deux heures, Auguste le gratifia du titre de commandant en chef d'une cavalerie d'auxiliaires qui devait se préparer à rejoindre le gouverneur Varus dans les plus brefs délais. Ainsi, après une année d'absence, loin de sa jeune épouse Luna dont il n'avait pu pleinement profiter de ses charmes, le Jarl des Chérusques revenait enfin dans sa chère contrée. »

Hermann fut interrompu dans ses pensées quand l'un des éclaireurs lui annonça que la route était libre jusqu'au fort principal de la frontière sur le Rhin, là où il s'était entretenu avec Varus avant son départ pour Rome l'année d'avant. La route avait été longue et ardue et Hermann et sa troupe de cavaliers n'étaient pas fâchés d'arriver à destination.
— Très bien, accélérons un peu, je n'en peux plus d'être assis sur ce maudit canasson ! grogna-t-il.

Lorsqu'il passa sous la voûte de la porte ouest, Hermann reconnut le légionnaire qui l'avait insulté lors de son premier passage. Arrivé à sa hauteur, il serra l'émeraude dans son poing et se pencha de sa selle pour dire au garde :

— Dépose ton pilum contre la palissade et va te perdre dans la forêt.

Sous l'œil ébahi des auxiliaires les plus proches de la scène, le légionnaire, tout comme celui de la bibliothèque, obtempéra. Tel un zombie, il plaqua son arme contre la paroi et se dirigea droit vers la forêt. Sans s'en préoccuper davantage, Hermann et ses hommes poursuivirent leur route. Au-dessus de leurs têtes, ils entendirent crier l'homme de la tour de guet à l'adresse du pauvre garde qui s'enfonçait maintenant dans les bois :

— Mais qu'est-ce qu'il fait, celui-là ? Hé Paulus... où vas-tu comme ça ? C'est dangereux de s'aventurer là-dedans, surtout quand le jour tombe, cria-t-il sans succès.

Le dénommé Paulus ne semblait pas l'entendre et était déjà hors de vue. Hermann, satisfait de sa petite vengeance, se présenta souriant au général Varus. Le commandant en chef lut le pli qu'il lui présenta et quand il eut fini de le parcourir, dit :

— Eh bien Barbare ! Il semble que tu te sois enfin montré intelligent et que tu aies enfin compris que rien ne peut arrêter l'expansion de notre glorieuse nation. Aucun de vos clans d'arriérés ne pourra nous contenir encore bien longtemps. Sauf que cette maudite terre remplie d'obstacles nous cause de fichus problèmes.

Décidément, ce Varus se montrait très arrogant.

— J'ai donné ma parole à l'Empereur. Je suis dès cet instant à votre entière disposition, Général !

— Il est écrit sur ce papyrus qu'Auguste, puisque tu en parles, t'a donné un titre important et qu'il nous certifie ton allégeance envers nous. Sauras-tu nous guider à travers cette jungle ?

— Je connais ma patrie comme pas un. Grâce à moi, vous sauverez des heures à tenter de vous y retrouver parmi tous les pièges qu'elle recèle, répondit Hermann feignant la servitude.

— Très bien alors. Toujours selon Auguste, tu mérites une récompense pour ta bonne conduite là-bas. Tes hommes et toi avez une permission spéciale de cinq jours, gracieuseté de notre illustre dirigeant.

Hermann décela un certain sarcasme derrière ces propos. Varus poursuivit, visiblement mécontent :

— Retournez donc voir les vôtres durant ce temps et profitez-en pour vous reposer. Dès la fin de ce délai, tu te présenteras au centurion Cornélius Septus pour prendre tes ordres.

— L'Empereur est trop généreux !

— Je te fais préparer une galère, tiens-toi prêt à appareiller dans une demi-heure.

Hermann s'apprêtait à quitter les quartiers généraux lorsque Varus l'arrêta :

— Une dernière chose, Barbare. Je ne suis pas aussi dupe que l'Empereur, tu sauras. Je sais, par mes hommes de confiance, qu'avant de quitter ce pays boueux, c'est bien toi qui as poussé ces clans mécontents à se révolter un peu partout en Germanie et cela même en territoires conquis depuis des années. Tu as beau avoir juré à Auguste, ce pantin, de ta bonne volonté mais moi, j'en suis peu convaincu. Compte sur moi, je t'ai à l'œil et je m'assurerai en tout temps que tu respectes ton serment. Ai-je été clair ?

— Tout à fait mon Général. Mais j'ignore de quoi vous parlez !

Varus regarda Hermann dans les yeux et vit un éclair de malice y apparaître. Toutefois, il se contenta d'ajouter :

— Pars vite maintenant avant que je ne change la décision de l'Empereur et n'oublie pas cet entretien !

Hermann quitta finalement le camp. Les auxiliaires, eux, allèrent chacun de leur côté. Quelques hommes provenant de son clan lui servirent d'escorte durant le trajet. Toutefois, sa rencontre avec Varus le laissa songeur. Il était évident que cet homme était doué d'un esprit fort que le pouvoir de l'émeraude ne pourrait soumettre. Il allait devoir trouver une alternative pour espérer sa perte.

— Peu importe, se dit-il. J'ai d'autres flèches dans mon carquois. Je trouverai bien une solution d'ici la fin de ma permission.

À bord d'une galère romaine, ils remontèrent le Rhin jusqu'à la mer du Nord pour ensuite faire tourner l'embarcation côté tribord jusqu'à l'embouchure du fleuve Elbe, qu'ils descendirent jusqu'en vue du village d'Hermann plus au sud. Seulement, il restait une bonne distance encore à parcourir et Hermann se félicita d'avoir fait embarquer leurs montures à bord. Sa suite et lui chevauchaient depuis plus de trois heures quand soudain il vit venir à leur rencontre une douzaine d'hommes à pied et fortement armés. Sous l'ombre des arbres, le Jarl des Chérusques ne distinguait pas très clairement qui s'amenait ainsi.

— Holà! leur cria-t-il. Identifiez-vous sinon il en coûtera de votre vie!

Le groupe, qui de toute évidence ne les avait pas aperçus, stoppa net sa marche. Un grand gaillard se détacha de la bande et se montra à la lumière du jour.

— Flavius!? Mon frère, est-ce toi? Que fais-tu sur ce sentier armé ainsi jusqu'aux dents?

Hermann descendit de sa monture et étreignit chaleureusement son frère. Les deux hommes s'étaient toujours voué une affection sincère. Leur paternel, l'ex-Jarl Ségimérus, avait été tué alors qu'ils étaient encore enfants tous les deux. Leur mère Anna, pour éviter que son aîné ne serve d'otage aux Romains, l'avait caché et avait plutôt offert son dernier-né à la place: Flavius. À la mort de son père, Hermann devint donc chef du clan, à l'âge de onze ans. La captivité de Flavius avait duré cinq années. Depuis son retour au village, les deux frères avaient presque tout partagé ensemble.

— Eh bien, répondit Flavius, j'ai entendu dire que tu étais de retour. Étant donné que les routes ne sont plus très sûres, j'ai pensé venir à ta rencontre et te soumettre les dernières nouvelles concernant notre grand projet.

— Bonne initiative, mon frère. Marchons un peu devant les hommes. Puis, il se tourna vers ceux-ci:

— Messieurs, nous continuons à pied. Laissez reposer vos montures un peu. Le village n'est plus très loin maintenant. Flavius, raconte-moi: est-ce que tout se déroule comme prévu de ton côté?

— Assez bien. De nombreux clans ont rejoint notre coalition mais beaucoup trop hésitent encore. Je crains que nous ne soyons pas assez nombreux pour tenter quelque chose avant une année ou deux.

— Nous n'avons pas ce temps, mon frère! Dans cinq jours, je devrai retourner auprès de Varus qui tentera ensuite de reprendre au plus vite les territoires qu'ils ont perdus ces dernières années pour ensuite conquérir le pays en entier. Nous devons trouver une solution pour nous débarrasser d'eux avant qu'ils n'y parviennent. Si nous ne pouvons compter sur assez de guerriers pour ce faire, il faudra compter sur une autre sorte d'aide.

— Que veux-tu dire?

Hermann savait qu'il n'aurait pas le temps de rendre visite à tous ces indécis et d'utiliser les pouvoirs de l'émeraude pour les convertir à sa cause. Son absence à Rome fut plus longue qu'il ne l'avait prévue. Durant ce temps, des soulèvements un peu partout au pays avaient continué d'attiser la colère de Varus qui, maintenant qu'il pouvait compter sur les services d'un guide compétent, était pressé d'en finir. Pour toute réponse, il répondit à Flavius :

— J'ai un service à te demander. Fais envoyer quelques cavaliers vers les clans toujours hésitants et demande à chacun des Jarls de venir me rencontrer à ma demeure ici au village d'ici trois jours tout au plus. Tu leur diras qu'une menace imminente s'apprête à déferler sur nous et que j'ai la solution à ce grave problème. Lorsqu'ils seront devant moi, je leur expliquerai de quoi il en retourne.

— Que comptes-tu faire ?

— Les forcer à combattre malgré nos pauvres effectifs.

— Mais Hermann, jamais nous ne serons assez nombreux pour espérer la moindre victoire. Les Sicambres, les Bructères et les Chattis, qui font déjà partie de notre coalition, ne possèdent pas assez d'effectifs pour affronter cette armée. Nous nous ferons tous massacrer !

— Qu'en est-il des autres ?

— Au sud-est, les Marcomans et Quades hésitent encore mais je pense qu'ils sont prêts à pencher bientôt en notre faveur. Tous les autres clans du Nord ont refusé de s'impliquer dans ce conflit. Pour eux, le danger est bien loin de leurs terres et les rivalités qui les opposent les uns aux autres sont très tenaces. Nul Jarl ne veut risquer la vie d'un de ses guerriers.

— Veulent-ils quand même participer à notre petit complot que je t'avais soumis à leur intention avant mon départ l'an passé ?

— De ce côté, il n'y a rien à craindre. Même s'ils ne veulent pas s'engager dans les combats, ils sont prêts à participer à ta petite mascarade.

— Ça fait toujours ça d'acquis. Espérons que ça sera suffisant ! Qu'en est-il des Frisons ?

— Je n'ai eu aucune nouvelle venant de ce clan depuis que tu nous as quittés. Mais peut-être que ton union avec la fille de leur Jarl actuel nous fera bénéficier de leur appui.

— N'y compte pas trop !

— Mais pourquoi donc?

— Je te raconterai toute l'histoire plus tard, mon frère. Pour l'instant le temps presse!

Décidément, Hermann se montrait de plus en plus intrigant et Flavius commençait à se questionner:

— Tu es persuadé de convaincre ces Jarls malgré une défaite évidente?

— Oui mon frère.

— Et comment t'y prendras-tu?

— Grâce à ceci!

Hermann sortit l'émeraude de sous sa veste de fourrures et la montra discrètement à Flavius.

— Par Thor et Odin réunis, comment t'es-tu procuré un tel joyau?

— Je t'expliquerai en temps et lieu. Pour le moment, apprends que cette émeraude n'est pas qu'un simple bijou. Elle me permettra de vaincre enfin ces maudits chiens de Romains! Cependant, mon cher frère, garde ce secret pour toi. Nul, hormis nous deux, ne doit en connaître l'existence.

— Sois sans crainte, Hermann, je tiendrai ma langue.

Flavius n'avait jamais vraiment abhorré Rome autant que son frère aîné. Et il avait une bonne raison pour cela. En tant qu'otage pendant cinq années, il avait directement profité du haut savoir technologique des Romains. De plus, cette technologie avait permis aux clans germaniques soumis d'évoluer et de se sortir un peu de la noirceur de la barbarie. Mais Flavius se gardait bien de partager ses opinions personnelles avec son frère, de peur de perdre son affection. Ainsi, il le suivait dans sa guerre sans mot dire. Pourtant, il ne put se retenir d'insister:

— Comment cette énorme émeraude peut-elle nous aider?

— Sois avec moi jusqu'à la fin et tu sauras de quoi il en retourne!

Hermann savait bien que les Jarls nommés à la tête de leurs clans respectifs étaient habituellement des gens ayant une forte personnalité et que le joyau risquait de ne pas fonctionner contre eux. Cependant, étant donné ses succès inespérés sur l'Empereur, le chef du monde civilisé, il se dit qu'il pourrait peut-être trouver des esprits faibles parmi les Jarls, susceptibles d'être manipulés. Afin de détourner l'attention, il demanda à son frère:

— Donne-moi des nouvelles du village maintenant.

Flavius sentait bien qu'à travers cette demande, Hermann désirait en premier lieu s'enquérir de sa jeune épouse.

— Tout roule comme d'habitude. Les affaires vont bien, notre mère est en grande forme et ta femme s'est bien intégrée au clan. Malgré qu'elle soit encore un peu farouche, sa beauté nous a tous subjugués. Notre vieille mère s'est prise d'affection pour elle. Surtout ces derniers mois...

— Quoi ? Qu'est-ce qui s'est passé ?

— Oh ! rien d'alarmant, sauf qu'une surprise t'attend. Comme nous arrivons bientôt, je te laisse la découvrir toi-même.

Hermann détestait les surprises. Étant un homme extrêmement jaloux, il n'avait pas du tout apprécié que Flavius lui annonce que tous les hommes du clan désiraient sa femme alors qu'il était absent. De toute façon, dans quelques minutes, il saura bien de quoi il en retourne.

Luna avait aussi été mise au courant du retour de son époux et depuis, elle sentait qu'une catastrophe était sur le point de survenir. Lorsque Flavius partit à la rencontre d'Hermann ce matin-là, sa peur empira de plus belle. Elle prit avec elle la petite chose emmitouflée de peaux de loutres et se rendit chez Anna, sa belle-mère et doyenne du clan, pour se confier. Celle-ci, surprise de sa réaction, lui dit :

— Que crains-tu au juste ? Le retour de mon fils Hermann ? Sa réaction face à l'heureux évènement ? Allons ma fille, mon aîné sera l'homme le plus fier sur Terre dès qu'il saura.

— Je n'en suis pas aussi certaine que vous... !

Anna la regarda et, ne comprenant pas sa crainte, tenta de nouveau de la réconforter quand l'homme de guet cria qu'Hermann venait d'entrer dans l'enceinte du village. Sous les applaudissements de ses sujets, le Jarl, de nouveau sur sa monture, paradait tel un grand conquérant. Anna ainsi que Luna qui la suivait sortirent pour aller vers lui afin de lui présenter à leur tour leurs salutations. Les voyant, Hermann descendit de cheval et embrassa sa mère pour ensuite faire de même avec son épouse toute tremblante.

— Eh bien, Luna ! n'es-tu pas heureuse de me revoir ? Pourquoi fais-tu cette tête ?

En guise de réponse, Luna releva le menton, prit son courage à deux mains et sortit le petit ballot de sous ses couvertures :

— Mon époux, laisse-moi te présenter ton fils Elrik, né il y a un peu plus de trois mois.

Le choc de la surprise fut brutal pour le Jarl. La foule qui s'était rassemblée autour de lui à son arrivée tomba muette de stupeur devant son air ahuri. Pensant qu'il serait heureux d'entendre nouvelle aussi merveilleuse, comme n'importe quel père qui n'a pas encore eu la chance d'avoir un fils, ils virent au contraire une terrible colère monter subitement en lui et tous reculèrent d'un pas. Hermann regarda Luna dans les yeux et siffla entre ses dents :

— C'est impossible ! Cet enfant ne peut être mon fils. Femme ! Tu m'as trompé pendant mon absence !

Ce n'était pas une question mais plutôt une affirmation. Luna chancela sous l'accusation d'adultère car elle connaissait très bien le sort réservé à ces pauvres femmes. D'une voix chevrotante, elle répliqua :

— Co... comment peux-tu dire une telle chose ? Jamais je n'ai commis d'acte aussi répréhensible !

— Alors comment expliques-tu la naissance de ce petit bâtard ? Aurais-tu oublié ce qui s'est passé la nuit de nos noces ?

Luna fondit en larmes et passa son petit fardeau à Anna qui se tenait toujours à ses côtés. Elle s'approcha d'Hermann, suppliante :

— Mon seigneur, je vous en prie. N'élevez pas la voix contre moi. Je me souviens clairement de cette soirée, mais le fait est là et je ne sais comment l'expliquer. J'ai appris que j'étais enceinte peu de temps après votre départ. Je vous prie de me croire lorsque je jure aux noms de tous les dieux d'Asgard que jamais je n'ai connu les faveurs d'un homme autre que vous, se justifia Luna, en se surprenant à vouvoyer son mari.

— Me prends-tu pour un imbécile, putain ?

— Aucunement ! gémit-elle, maintenant à ses pieds et l'implorant de croire à sa sincérité.

Prise d'un élan d'empathie, la vieille Anna s'interposa :

— Un instant mon fils ! Qu'est-ce que cette histoire ? Tous, nous t'avons vu filer vers ta tente, ta jeune épouse sur l'épaule, le soir de ton union. Ensuite, nous l'avons entendu gémir de plaisir, alors... Quel est le problème ?

— Mère, ne vous mêlez pas de ça ! dit Hermann, furieux.

— Mais enfin, je peux te certifier que ton épouse est au-dessus de tout soupçon !

Hermann regarda autour de lui et dit à la foule de curieux :

— Vous autres, dégagez la place ! N'avez-vous pas de tâches qui vous attendent ? Cette conversation ne vous regarde en rien ! Flavius, amène cette traînée aux cages jusqu'à ce que je décide de son sort !

Le frère, encore abasourdi de la tournure des évènements, tenta une réplique à son tour :

— Voyons mon frère, calme-toi un peu ! M'expliqueras-tu enfin ce qui se passe exactement ? Qu'est-ce qui te fait croire que ce bébé n'est pas ton fils ?

— Eh bien soit, mère et toi, vous le saurez. La nuit de nos noces, lorsque ce fut le temps d'accomplir l'acte de mariage, cette fille se lamentait bel et bien mais ce n'était pas de plaisir qu'elle le faisait. C'étaient des cris de douleur ! Elle pleurait tellement que j'ai dû me retirer avant d'avoir atteint l'orgasme. Comment, dans ces conditions, aurait-elle pu se retrouver engrossée si ce n'est que par le fait d'un autre homme que moi ?

— Écoute mon frère, je me souviens que tu avais beaucoup bu ce soir-là. Peut-être que tu y es tout de même parvenu ?

— Non je te dis ! Pour la dernière fois, et vous aussi mère, écoutez-moi bien : je ne suis pas le père de ce morveux ! Posez-lui la question à elle, si vous ne me croyez pas ! dit-il en désignant Luna prostrée au sol et pleurant toutes les larmes de son corps.

— Si elle est sincère, elle vous dira que je dis vrai.

Flavius, Anna et les hommes qui avaient accompagné Hermann au village tournèrent tous leur regard en direction de la jeune fille effrayée, qui finit par répondre :

— Il dit vrai ! Il n'a pas pu conclure ce soir-là. Mais je jure d'avoir été fidèle à mon époux !

En entendant ces paroles fatidiques, Anna ne put s'empêcher de s'émouvoir de nouveau. La jeune fille venait de se condamner à une mort cruelle et même elle, la doyenne du clan et génitrice du Jarl ne pourrait rien y faire. Quand Luna comprit qu'il n'y avait plus aucun espoir de s'en sortir, elle se releva vivement et s'approcha d'Anna. Elle caressa tendrement son fils et pria sa belle-mère de lui promettre de bien veiller sur lui.

— J'userai de tout mon pouvoir afin de le sauver, je te le promets. Je suis désolée pour toi ma chère enfant. J'aimerais pouvoir en faire davantage.

— Je le sais, Anna, je comprends.

— Je veux que tu saches que moi je te crois innocente !

— Ta confiance me touche beaucoup, ma bonne Anna.

Puis, elles s'embrassèrent. Flavius, sur ordre de son frère, s'approcha à son tour des deux femmes :

— Allons, viens avec moi Luna.

Hermann remonta sur son destrier et clama haut et fort :

— Cette femme a été trouvée coupable d'adultère et par ce geste, m'a déshonoré, moi, le Jarl des Chérusques. En conséquence, elle subira le châtiment approprié lors de la prochaine pleine lune, c'est-à-dire, dans deux jours. D'ici là, une cage lui sera octroyée et personne, hormis son geôlier, ne devra s'en approcher sous peine de la rejoindre illico. Je déclare mon union avec cette créature invalide pour cause de non-consommation et d'adultère de sa part. Cette sorcière, dont je suis tombé sous le charme grâce à des enchantements produits par son crapaud de père, ne fait plus désormais partie de ce clan et seule la mort lui est destinée.

La foule qui s'était approchée de nouveau s'embrasa d'un coup. Luna, escortée de Flavius et de quelques guerriers, traversa l'enceinte du village pour se rendre jusqu'à sa geôle sous les huées et les injures du peuple qui, l'année précédente, l'avait accueillie comme une reine. Lorsqu'un crachat, provenant d'un jeune garçon qui lui avait toujours témoigné une affection sincère jusque-là, atterrit dans son œil droit, les nerfs de la jeune condamnée craquèrent et Luna s'évanouit dans les bras de Flavius juste avant d'atteindre sa sordide destination.

CHAPITRE XII

ENQUÊTE À JÉRUSALEM

Les deux hommes se trouvaient toujours confortablement assis au petit jardin à l'arrière de la somptueuse villa du vieux marchand. L'après-midi ensoleillé contrastait grandement avec les orages que la ville avait subis trois jours plus tôt. Les autorités avaient estimé que bien des édifices avaient été détruits par les flammes et que de nombreuses personnes avaient perdu la vie au cours de cette fin de journée fatidique. Le temple, qu'avait fait bâtir autrefois le roi Salomon et qui avait été retapé sous le règne de l'ancien tétrarque Hérode le grand, avait subi lui aussi de lourds dommages. La ville était encore sous le choc des derniers évènements.

Joseph était si subjugué par le récit de Longinus que les heures passèrent sans qu'il s'en rende compte. Cependant, depuis quelques minutes, le centurion Longinus, à la suite de ses dernières confessions, s'était replongé dans ses souvenirs douloureux et s'était tu. Joseph lui mit la main sur l'épaule pour lui démontrer un soutien moral mais le Romain, n'étant pas familier avec ce genre de démonstrations affectives, se dégagea et se remit à arpenter de nouveau la place. Il respira un bon coup, prit une datte dans l'un des paniers placés à sa disposition et dit à son hôte :

— Pourquoi tout cela m'arrive-t-il ?

— Je n'en sais rien mais si tu veux que je puisse t'aider, tu devras poursuivre ta confession, si cela te convient, bien sûr.

Joseph brûlait d'impatience d'entendre la suite de cette histoire extraordinaire. Mais il n'osait pas trop insister de peur d'offenser son curieux invité et qu'il se taise à jamais. À son plus grand soulagement, le centurion s'installa en face de lui et poursuivit la narration de son récit :

« Nous débarquâmes donc, après une rude et longue traversée, au port de la ville de Césarée. De cet endroit, Lucius et moi devions chevaucher durant plusieurs heures en direction de la ville de Jérusalem qui se trouvait plus à l'intérieur des terres. À notre grande surprise, plusieurs embarcations, de différentes envergures et venant de toutes les contrées entourant la Méditerranée, encombraient littéralement le port de la modeste ville côtière. Chacune à leur tour, elles déversèrent un flot incessant d'hommes, de femmes et d'enfants de tout acabit : infirmes, vieillards, estropiés, femmes de mauvaise vie, voleurs repentants et nombre d'autres.

Je m'informai auprès de notre capitaine de la cause de toute cette agitation. Il m'affirma que tous ces gens avaient payé une forte somme pour que les navires les conduisent jusqu'ici et qu'ensuite, tout comme moi, ils puissent gagner la ville sainte. Devant ce fait, Lucius me fit remarquer :

— Eh bien, cher beau-frère, il semble que tu n'es pas le seul à désirer rencontrer ce prophète. Je ne pense pas que ce petit hameau ait déjà vécu une aussi grande effervescence !

Les autorités semblaient dépassées par les évènements. Comme je n'y voyais presque plus rien, Lucius m'expliqua qu'aucune disposition particulière n'avait été déployée par le gouverneur en vue d'accueillir cette populace subitement débarquée. Chaque marchand ou loueur de chevaux et charrettes avait écoulé tous ses stocks. Quelques rixes survinrent ici et là mais sans plus. Heureusement.

— Voyons si Livia s'est arrêtée ici et quittons ce tumulte au plus tôt, proposai-je.

Nous nous sommes dirigés sans plus attendre vers la caserne la plus proche. Par chance, l'un des gardiens nous certifia qu'effectivement, une femme romaine de grand renom, selon le gouverneur et sa femme qui l'ont reçue, avait débarqué en ville avec suite et bagages, il y avait quelques semaines de cela. Cependant, ce garde ignorait la suite. Il me certifia toutefois qu'il ne l'avait plus revue en ville depuis ce temps.

— Mais que se passe-t-il au juste ? Pourquoi tous ces gens sont-ils ici ?

— Tous veulent se rendre à la ville sainte, pour la fête de la Pâque, mon centurion.

— N'est-ce pas comme cela à chaque année ? Pourquoi tout ce désordre alors ?

— Tous veulent avoir la chance d'y rencontrer le prophète qui accomplit des miracles. Selon les rumeurs, il se dirigerait présentement à Jérusalem.

— Mais comment cela se fait-il qu'il n'y ait aucune patrouille pour contrôler cette foule ?

— Le gouverneur a ordonné pendant son absence que tous les hommes soient regroupés dans l'enceinte de leurs casernes respectives jusqu'à ce que la manne soit passée, de peur qu'une révolte éclate et que nous soyons submergés.

— Le gouverneur n'est pas en ville ?

— Non mon centurion. Il est en visite à l'extérieur.

— Et où ça, je te prie ?

— Ben... à Jérusalem justement.

Impossible d'en savoir davantage. Nous quittâmes le garde. Je me disais que tous ces gens étaient devenus complètement fous. Assurément, ma femme s'était dirigée dès le jour suivant sa venue ici vers Jérusalem et nous n'avions plus aucune raison de nous éterniser à Césarée. J'étais toutefois heureux d'apprendre que s'étant rendue jusqu'ici, elle n'avait pas péri en mer comme je le redoutais au début. Confiant de la retrouver, Lucius me dit :

— Elle a probablement passé la nuit ici pour ensuite se rendre, le lendemain, à Jérusalem rejoindre sa cousine. Faisons de même étant donné que le jour s'achève déjà. Quand penses-tu Cassius ?

— Je pense au contraire que nous ferions mieux de poursuivre notre route tout de suite, Lucius. À mon avis, nous ne trouverons aucun endroit où passer la nuit ici, de toute façon. En plus, je sens une certaine tension augmenter graduellement.

Les Romains n'étaient pas particulièrement les bienvenus dans cette contrée d'Orient. Or, pour deux officiers sans escortes, déambulant à cheval dans une ville où tout le monde en recherchait désespérément un, cela pouvait s'avérer très dangereux. Surtout que je sentais que je devenais de plus en plus un fardeau pour Lucius. Serait-il en mesure de me protéger si jamais nous subissions une agression en nombre ?

Nous fîmes comme je le proposai et quittâmes Césarée, traversant la foule telles des flèches filant vers leur cible. Sans nous reposer une minute, ni faire souffler nos montures, nous chevauchâmes toute la nuit à un rythme effréné et gagnâmes enfin notre objectif dès l'aurore : Jérusalem.

J'appris par Lucius que cette ville édifiée à huit cents mètres d'altitude dominait la plaine de sa splendeur et de sa grandeur. Elle était entourée de trois rangées de remparts hauts comme dix hommes sauf aux endroits où se présentaient des ravins.

Lucius, qui me précédait, stoppa devant la porte ouest, l'un des douze passages donnant à l'intérieur de l'enceinte fortifiée de la grande cité. Après s'être assuré de ma condition, il me demanda :

— Dis-moi Cassius, tes faibles yeux te permettent-ils de voir toute cette foule devant nous ?

Seul un homme complètement aveugle aurait pu manquer un tel spectacle. Ils devaient bien être des milliers massés autour de cette porte. Mon compagnon m'affirma qu'il en était de même tout autour des murs extérieurs de la ville.

Les soldats romains, affectés à la surveillance de chacune des entrées, avaient reçu l'ordre de ne plus laisser pénétrer personne à l'intérieur de l'enceinte déjà amplement submergée. Pilate, tout comme le gouverneur de Césarée, redoutait sans doute l'éventualité d'une révolte au sein d'une population aussi nombreuse. Surtout que depuis quelque temps, selon ce que j'appris plus tard, plusieurs groupuscules religieux, comme les zélotes, lui causaient passablement de soucis. Il suffirait d'une simple étincelle pour allumer la flamme de la révolte dans le cœur de tous ces fanatiques. Lucius me conseilla :

— Tiens-toi près de moi, Cassius, nous allons tenter de nous faufiler jusqu'à l'entrée. Vous autres, poussez-vous, laissez passer les représentants de Rome ! cria-t-il à l'intention de la populace.

Non sans maugréer, la foule s'écarta devant nos montures et nous céda le passage. Lorsque le garde reconnut nos grades d'officiers, il s'empressa de se mettre au garde-à-vous et nous laissa passer. Lucius lui demanda la direction à prendre pour atteindre la procure. Sitôt informés, nous nous dirigeâmes vers l'édifice en question. Ponce Pilate, mon cousin par alliance, avait décidé d'installer ses quartiers dans le palais royal, juste en face du Grand Temple.

La ville ressemblait à une fourmilière pleine à craquer. Par chance, nous réussîmes à nous rendre à destination sans trop de peine. Partout on entendait scander le nom de Yeshua. Tous s'informaient auprès de son voisin à quel endroit se trouvait le prophète sans toutefois obtenir de réponse. Je saisis que Yeshua avait déjà fait son entrée en ville. Ce qui expliquait toute cette exultation. Précédés de quatre gardes, nous nous présentâmes devant le procurateur.

Après les présentations d'usage, je lui remis la missive qu'avait écrite Crassus, mon beau-père, à son intention. Je lui expliquai les raisons de ma venue impromptue sans toutefois lui avouer ma condition physique. Lorsqu'il eut fini de parcourir la missive, il me dit :

— Eh bien, je suis désolé mon cher... Longinus ? C'est ça ? Quoi qu'il en soit, pour ma part, je suis souvent absent de la ville à cause de mes obligations et je n'ai jamais entendu parler de la visite d'une soi-disant cousine de mon épouse, venue expressément de Rome afin de la rencontrer ! Es-tu sûr de ce que tu avances ?

J'osai insister :

— Lucius, son frère ici présent, pourra témoigner de la véracité de mes dires. Permettras-tu, ô procurateur, que nous puissions nous entretenir avec ton épouse ? Peut-être sait-elle quelque chose que tu ignores ?

Pilate, insulté, se leva de son siège et rouge de colère, me cracha :

— Comment ? Veux-tu insinuer que j'ignore ce qui se passe sous ma gouverne et sous mon propre toit ?

— Aucunement. Mais je sais de source sûre que ma femme Livia, arrière-petite-fille du grand Jules César lui-même s'est rendue jusqu'à Césarée. Depuis, aucune nouvelle d'elle. J'aime mieux te le dire franchement, je ferai tout pour elle. Je remuerai ciel et terre afin de la retrouver. Pour les besoins de mon enquête, laisse-moi m'adresser quelques minutes à ton épouse. Je te le demande à genoux !

Le procurateur de la Judée, jugeant l'étendue de mon désespoir, s'adoucit et vint vers moi :

— Très bien mon brave ! Relève-toi maintenant. Légionnaire ! cria-t-il soudain à l'un des hommes affectés à sa garde personnelle. Va quérir ma femme. Dis-lui de venir ici le plus vite possible !

— À vos ordres, répondit le soldat.

Pilate se retourna vers nous :

— Maintenant, dis-moi donc la vraie raison pour laquelle ta femme serait venue jusqu'ici dans ce bled de fous ?

— Je... je te l'ai dit... Simple visite de courtoisie... De plus, elle a toujours voulu connaître l'Orient et...

— Ne serait-ce pas pour rencontrer ce fauteur de troubles qu'est le Nazaréen ?

· À mon grand soulagement, l'épouse du procurateur et cousine de ma femme choisit ce moment pour pénétrer dans la vaste pièce et mettre fin à l'interrogatoire. De cette distance, je ne pouvais distinguer parfaitement ses traits mais lorsqu'elle s'approcha davantage, je pus admirer sa silhouette gracieuse et son port altier, héritage de ses glorieux ancêtres, malgré sa quarantaine avancée. Elle avait un joli visage avenant et des yeux exprimant une grande sensibilité.

— Qu'y a-t-il, mon époux ? Quelqu'un veut me voir, paraît-il ?

— Oui, chère Claudia. Voici le centurion Cassius Longinus et son optione Lucius Julius. Ils désirent s'entretenir avec toi. Si vous me le permettez, messieurs, je vais vous laisser quelques minutes en sa charmante compagnie. J'ai une affaire urgente à régler. Avant que vous n'arriviez, l'un de mes aides m'annonçait que l'on venait de mettre aux arrêts un homme accusé du meurtre d'un de nos légionnaires. Ils l'ont conduit à la tour Antonia et je veux interroger cette charogne moi-même.

Pilate quitta la vaste pièce et nous restâmes seuls avec sa femme, qui s'adressa à moi :

— Très bien, centurion, en quoi puis-je t'être utile ?

— Veuillez nous excuser de vous déranger ainsi, Madame, mais notre visite se veut d'une importance capitale.

— Je vous écoute. Veuillez prendre place, je vais ordonner qu'on nous apporte du vin.

Dès que nous fûmes confortablement installés, je lui relatai la même histoire qu'à son époux. Dès que j'eus fini, elle fondit en larmes :

— Oh non ! Ma pauvre cousine ! Quand vous a-t-elle quitté ?

— Il y a un peu plus d'un mois. Mais... est-ce à dire que vous ne l'avez point vue, Madame ?

— Non, jamais elle ne s'est présentée à ma porte, mais je vous en prie centurion, étant donné que vous êtes de la famille, appelez-moi Claudia. Vous dites qu'elle a bel et bien débarqué à Césarée ? Alors, si c'est le cas, il doit lui être arrivé malheur sur la route qui mène jusqu'ici.

— Qui aurait l'audace de s'attaquer ainsi à elle, une femme romaine avec escorte, en plein territoire conquis ?

— Je l'ignore mais plusieurs groupes religieux s'opposent ouvertement à notre présence ici. La plupart sont pacifiques mais d'autres le sont moins. Mon mari me parle souvent des zélotes, réputés pour être assez violents. Peut-être que l'un de ces groupes aurait pu... Ce pays est une vraie poudrière ! Il est très dangereux de s'y promener sans une forte escorte bien armée ! Ah ! Qu'est-elle donc venue faire ici ?

— Je vous l'ai déjà dit, une simple visite.

— Veuillez m'excuser, mais je n'en crois rien, centurion. Elle m'aurait prévenue dans ce cas. Il doit sûrement y avoir une autre raison.

Je décidai de tout lui raconter mais lui fit promettre de n'en rien dire à son mari. Ce qu'elle fit de bonne foi.

— Je comprends maintenant les raisons de sa démarche. Ce prophète est vraiment exceptionnel.

— Vous pensez vraiment que tout ce qu'on raconte sur lui est vrai ? demandai-je incrédule.

— Tout à fait. Je me souviens maintenant d'avoir écrit à Livia, il y a quelques lunes de cela, à propos des phénomènes inexplicables accomplis par ce Nazaréen. Écoutez messieurs, je comprends votre peine mais il faut réaliser que si Livia avait réussi à rencontrer cet homme, il y a de fortes chances qu'il t'aurait guéri de ta condition sans même quitter ces terres pour se rendre à ton chevet.

— Mais comment pourrait-il accomplir une telle chose alors qu'une énorme distance nous sépare ? Non, je ne peux croire à toutes ces balivernes. Pour ma part, je crains qu'il ne soit arrivé grand malheur à mon épouse à cause de sa foi en cet imposteur.

— Vous souffrez, j'en conviens, mais cela n'est aucunement la faute de Yeshua. Surtout que personne ne sait où il se trouve depuis deux jours.

— Merci, Madame, d'avoir usé de votre précieux temps afin de nous recevoir. Vos informations sont très précieuses et je dois poursuivre mes recherches. S'il s'avère que ce faux prophète est responsable de la disparition de ma femme, je saurai, moi, où le trouver et là, il le paiera de sa vie. Je le jure. Partons, Lucius.

— Attendez ! cria-t-elle alors que nous franchissions les portes. Ne commettez pas de bêtises, j'ai toutes les raisons de croire qu'il est un homme d'exception. Si vous aviez entendu tous les témoignages que j'ai reçus à propos de lui, c'en est hallucinant. Sur le tas, il doit sûrement s'en trouver qui soient véridiques, n'ai-je pas raison ?

— Je n'ai rien à ajouter, Madame. Je ferai ce qu'il faut. Merci pour tout !

J'étais anéanti. La piste de Livia s'arrêtait quelque part entre les deux villes. En plein désert. Sitôt à l'extérieur, Lucius me demanda :

— Bon et maintenant, qu'est-ce qu'on fait ?

— Allons rejoindre Pilate. J'aimerais en savoir plus au sujet de ces zélotes.

À quelques pas de notre destination, Lucius me signala que le procurateur, accompagné de deux gardes, sortait justement de la forteresse.

— Eh bien messieurs, est-ce que ma chère épouse a éclairé un peu vos lanternes ? nous demanda-t-il lorsqu'il arriva à notre hauteur.

— Hélas non, lui répondis-je. Toutefois, elle m'a parlé de ce Yeshua et de ces zélotes qui te causent beaucoup de soucis, paraît-il, et qui pourraient peut-être savoir quelque chose sur l'objet de ma requête. J'aimerais en apprendre davantage sur ces derniers. Qui sont-ils au juste et en quoi représentent-ils une menace pour Rome ?

— C'est une secte nouvellement formée, du moins d'après mes sources, et dont les membres sont de grands fanatiques religieux. Défenseurs de la loi, ils s'opposent à notre pouvoir les armes à la main et n'hésitent pas à tuer quiconque de leurs compatriotes qui oserait collaborer avec nous. À cause d'eux, il m'est très difficile de recruter des effectifs locaux. Tous ont peur des représailles de ces fous furieux. Selon ces rebelles, seul leur dieu mérite de se faire appeler Seigneur et Maître. En gros, ils ne nous tolèrent pas sur leurs terres et désirent nous voir partir.

— Pourquoi ne pas exterminer ces zélotes jusqu'aux derniers ? Vous possédez ici une forte garnison qui suffirait amplement à régler le compte à ces gens.

— Le problème c'est qu'ils ne restent jamais au même endroit plus de vingt-quatre heures. Dans cette perspective, il est difficile d'envisager une attaque bien orchestrée, et le désert est grand dans les environs. Mes hommes redoutent d'y affronter une tempête de sable ou de s'y perdre. Et si par chance, nous réussissions à en capturer un, comme celui à qui je viens de rendre visite, malgré la torture, ils refusent de nous dire quoi que ce soit.

Je comprenais beaucoup mieux la situation. Ces zélotes, à n'en pas douter, étaient sérieusement menaçants. Toujours selon le procurateur, ils attaquaient surtout en plein jour, dans un endroit public, là où il y avait foule. À ce jour, Pilate avait déjà recensé une quinzaine d'assassinats portant leur signature.

— Pouvons-nous rencontrer ce prisonnier ? demanda Lucius qui voyait là tout comme moi une opportunité à saisir.

— C'est... que j'en sors à l'instant et que... Bon, très bien ! Suivez-moi !

Ainsi, nous pénétrâmes dans l'édifice pour nous rendre directement vers les sous-sols humides. Je n'y voyais rien dans ce sinistre endroit éclairé seulement par quelques torches distancées par de nombreuses coudées. Par opposition, mon excellente ouïe ne me permettait pas de me soustraire aux plaintes désespérées des nombreux prisonniers qui occupaient les cellules. Lucius se boucha le nez tellement les odeurs qui nous parvenaient du fond de ces cellules étaient infectes. Arrivé devant l'une de ces cages, Pilate s'arrêta et cria à son occupant :

— Barrabas! Lève-toi, sale chien, et approche-toi un peu. Ces messieurs voudraient te parler et tu as intérêt à collaborer sinon tu auras droit à une autre raclée, pire que celle de tout à l'heure.

Le prisonnier accusé de meurtre, crime qui méritait le châtiment suprême, s'avança vers la lueur des torches, le corps bien droit malgré les nombreux coups qu'il avait reçus. Même moi, je pus ressentir toute la fierté et l'arrogance qui émanaient de cet homme.

— Salut à toi, zélote. Je me nomme centurion Longinus et j'ai quelques questions à te poser.

— Que me veux-tu, Romain?

Tout en jetant un œil à Pilate, qui se trouvait à ma gauche, je dis au condamné:

— Si tu me donnes les réponses dont j'ai besoin, je te promets que tu n'iras pas sur la croix. Ta mort aura certes lieu mais cela se fera rapidement et tu ne souffriras pas.

— Comment pourrais-je me fier à la parole d'un chien de Rome?

— Qu'as-tu à y perdre?

Barrabas regarda Pilate et quand ce dernier donna son accord à contrecœur, il réfléchit à la question quelques instants et finit par me dire:

— Que veux-tu donc savoir?

— Aurais-tu eu connaissance par hasard du passage d'un convoi venant de Césarée et se dirigeant jusqu'ici, transportant à son bord une femme romaine?

Malgré que je distinguais à peine mon interlocuteur, je crus voir s'allumer une lueur dans ses yeux crasseux.

— Pourquoi? Serait-ce quelqu'un que tu connais?

— Oui.

— Hum...! Longinus dis-tu? Pourquoi ce nom me rappelle-t-il quelque chose? Ces coups reçus à la tête m'ont probablement fait perdre la mémoire. Sûrement qu'une petite promenade à l'extérieur me ferait le plus grand bien.

Lucius se pencha vers moi:

— Il bluffe, Cassius! Ne l'écoute pas.

Je n'avais pas besoin d'y voir clair pour m'apercevoir que cet homme se jouait de moi. Cependant, ma curiosité l'emporta:

— Alors, tu sembles être au courant de quelque chose. Parle et je respecterai ma promesse, l'assurai-je de nouveau.

Soudain, il se retourna et s'élança vers les barreaux, causant un bruit assourdissant :

— Écoute-moi bien, sale Romain. Même si je savais quelque chose sur cette femme, jamais je ne te le dirais. Je vais mourir de toute façon. D'une manière ou d'une autre alors... Je n'ai aucune raison de te donner satisfaction. Pars, ton offre est rejetée. Je préfère crever dans d'énormes souffrances plutôt que d'aider l'un de mes ennemis. À moins que...

— Que quoi ?

— Que si je te dévoile ce que tu désires savoir, je retrouve mon entière liberté !

C'en était assez pour Pilate :

— Ça, mon gaillard, ni compte pas trop. Désolé, Longinus, mais je ne peux le libérer. J'espère que tu me comprends. Cet homme doit mourir sinon je serai la risée de tous ces babouins et le pouvoir de Rome ici s'en trouverait grandement affaibli.

Il avait raison quoique j'étais fort déçu. Comme Lucius l'affirmait, cet homme bluffait probablement. Je m'adressai de nouveau à lui :

— Eh bien soit. Tu regretteras de ne pas avoir accepté mon marché lorsque tu te retrouveras les membres cloués sur le bois. De toute façon, je crois que tu ne sais rien à propos de ma... de cette Romaine.

Sur ce, nous le quittâmes. Au bout du couloir menant à la sortie, Barrabas me cria :

— Hé Longinus ? Ta Livia t'envoie ses salutations. Tu dois rudement t'ennuyer d'elle, n'est-ce pas ? Il faut dire qu'elle dégage une si bonne odeur, surtout libérée de tous ses vêtements encombrants. N'es-tu pas d'accord ?

Je me retournai, furieux, et m'élançai vers sa geôle. Lucius, Pilate et ses hommes me suivirent aussitôt et m'empêchèrent de trop m'en approcher.

— Qu'as-tu dit, vermine ?

— Moi ? Je ne m'en souviens plus.

J'apostrophai Pilate tout en tirant sur sa toge. Ses gardes tentèrent d'intervenir mais ce dernier, d'un geste, les pria de s'éloigner. Sans égard pour son rang, je lui dis :

— Ouvre-moi cette porte immédiatement ! Cet animal sait quelque chose à propos de mon épouse. Tu l'as entendu tout comme moi.

Je lui arracherai les ongles jusqu'à ce qu'il me dise ce qu'il sait.

— Allons, calme-toi ! tonna Pilate. Je ne peux permettre une telle chose ! Non pas qu'il ne le mérite, mais j'ai besoin qu'il soit encore vivant lorsque nous le clouerons à sa croix. De toute façon, il ne te dira rien tout autant qu'à moi. Il ment sûrement simplement dans l'espoir de recouvrer sa liberté.

— Mais comment connaîtrait-il le nom de ma femme si ce n'est pas lui et sa bande qui l'ont capturée sur la route ?

— Je l'ignore. Peut-être a-t-il simplement entendu parler de cette histoire, voilà tout ! Dans le désert tout se sait très rapidement. Va savoir comment, mais c'est comme ça. Il profite simplement de la situation, crois-moi. Maintenant, si ça ne te dérange pas trop, j'aimerais beaucoup récupérer ma toge !

Lucius acquiesça aux dires du procurateur. Ils avaient encore raison, et je relâchai la toge de Pilate. Barrabas s'était réfugié au fond de sa cellule. Je ne le voyais plus mais je savais que mes compagnons disaient vrai. Rien ne le ferait avouer.

— Allons-nous-en d'ici maintenant. Je ne suis pas capable de supporter cette odeur écœurante plus de quinze minutes, suggéra Pilate.

À contrecœur, nous sortîmes sous le rire moqueur du zélote. J'enrageais littéralement. Au fond de moi je savais que ce Barrabas détenait des informations primordiales qui me permettraient de retrouver ma femme, mais il m'était impossible d'en connaître la teneur.

Pilate me réitéra ses regrets et me souhaita bonne chance dans mes investigations :

— Si tu as besoin de quoi que ce soit, fais-moi signe et je tenterai du mieux que je le peux de te satisfaire. Au revoir, messieurs !

— Excusez-moi, procurateur, mais je profite de votre offre. Nous n'avons aucun endroit pour nous loger cette nuit. Avez-vous une suggestion à nous proposer ? lui demanda Lucius.

— Mais bien sûr. Présentez-vous à la caserne près de l'entrée de la porte ouest. Là, vous direz au préfet responsable qu'il vous cède deux couchettes de légionnaires le temps que durera votre séjour ici. Je sais que ce n'est pas l'idéal pour deux officiers mais c'est tout ce que je peux faire pour vous. Comme vous voyez, avec tous ces gens en ville, impossible de trouver autre chose.

— Au nom de mon ami et de moi-même, nous te remercions. Une autre question avant que nous te quittions. Sais-tu où prêche ce prophète, ce Nazaréen ? demandai-je à mon tour.

— Non. Il est arrivé à Jérusalem sur le dos d'un âne il y a cinq jours de cela et il a piqué une crise lorsqu'il est monté au Grand Temple. À grands coups de bâton, il a chassé tous les marchands qui avaient étalé leurs marchandises à ses abords. Il menaça les gens du peuple des pires tourments s'ils poursuivaient dans la même voie, et dit qu'il était pour rebâtir le temple en trois jours si celui-ci venait à être détruit, et un tas d'autres inepties.

— L'avez-vous fait mettre aux arrêts ?

— Ce ne fut pas nécessaire puisqu'un membre important du Sanhédrin a réussi à le calmer et tout est rentré dans l'ordre par la suite. Sauf pour les pauvres marchands qui avaient subi sa colère. Quelques jours plus tard, alors qu'il prêchait au bain public du Temple, quelques pharisiens, membres éminents du Sanhédrin, sont venus le défier. Ils contestaient ce que le prophète affirmait et, finalement à bout de patience, Yeshua, suivi de ses nombreux disciples, quitta l'endroit en colère et sortit de l'enceinte. Depuis ce jour, personne ne l'a revu en ville. Du moins, selon les rapports que j'ai reçus.

Sur ce, il nous quitta et Lucius et moi nous rendîmes vers la caserne que nous avions croisée en chemin. Le garde, surpris de nous revoir, nous dirigea vers son supérieur dès qu'on lui soumit notre requête.

Le préfet, Abénader de son prénom, nous reçut avec convivialité. C'était un homme près de la cinquantaine, assez bedonnant mais dont les traits, du moins ce que je pus en discerner, démontraient une grande bonté en lui. Il ordonna à deux légionnaires de prendre soin de nos montures et nous guida jusqu'à nos quartiers afin que nous puissions enfin nous débarrasser de nos bagages et nous reposer un peu. Sitôt fait, il nous invita à partager son dîner. Il expliqua qu'il avait la charge du bon maintien de la ville sous les ordres du procurateur lui-même. En discutant de choses et d'autres, j'en vins à lui raconter l'histoire de la disparition de mon épouse et de ma venue ici dans cette ville. Mais, encore là, rien en ce concernait mon état. L'homme écouta mon récit, apparemment grandement touché par mon tourment. D'un ton condescendant, il m'affirma :

— Écoute, on ne se connaît pas mais je peux comprendre ton désir de vengeance à l'égard de ce prophète. Cependant, laisse-moi te raconter une expérience personnelle à son sujet. Par la suite, peut-être que ta perception du personnage pourrait changer.

Ainsi, durant notre repas, Abénader nous narra un récit des plus invraisemblables. Enfin, je le croyais à l'époque... Maintenant, je ne suis plus sûr de rien. Voici un résumé de l'histoire qu'il nous raconta :

« Alors qu'un de ses fidèles serviteurs, un Juif de surcroît, tomba gravement malade atteint d'une forte fièvre, les médecins qu'il fit quérir lui assurèrent qu'il n'en avait plus que pour quelques heures à vivre. C'est là qu'il eut l'idée de demander l'aide de ce Yeshua qui était arrivé à Jérusalem le jour d'avant. Ayant entendu parler des miracles qu'il accomplissait partout où il se rendait en Palestine et auxquels il croyait lui-même, Abénader s'était mis en tête de le chercher aux abords du Grand Temple. Dès qu'il l'eut trouvé, il hésita à lui adresser la parole car il ne se sentait pas digne de l'approcher. Yeshua le remarqua parmi la foule toujours de plus en plus nombreuse et vint vers lui.

— Est-ce moi que tu cherches ? lui demanda-t-il.

Les disciples qui l'accompagnaient prirent peur. Sur le moment, ils crurent qu'il venait pour effectuer son arrestation.

— Seigneur, dit Abénader. Je viens vers toi car je sais que tu es celui que tu prétends être. Alors voici ma requête : mon serviteur, que je considère comme mon propre fils, se trouve présentement chez moi, gravement malade, et les médecins ne peuvent rien y faire. Comme j'ai entendu parler de toi et du fait que tu accomplis des merveilles, j'ai pensé venir te voir.

— Très bien, Romain. Conduis-moi à ta demeure.

— Oh non, Seigneur ! Je ne suis pas digne de te recevoir sous mon toit. Prononce seulement un mot et je sais que mon cher serviteur sera aussitôt guéri.

Yeshua l'avait regardé intensément et un grand sourire de satisfaction était apparu sur ses lèvres. Il se tourna en direction des badauds ébahis d'entendre de telles paroles dans la bouche d'un Romain :

— Vous tous, vous avez entendu ce que cet homme vient de dire ? Je vous le dis, nulle part en Israël, je n'ai trouvé une aussi grande foi chez un homme !

Ensuite, toujours avec un sourire avenant et les yeux remplis d'émotions, Yeshua lui commanda :

— Va, Romain. Rejoins ton serviteur. Ta foi en moi l'a guéri.

Il revint vite chez lui et là, il trouva la maisonnée en liesse. On lui annonça que son serviteur venait de se mettre sur pieds, complètement rétabli et prêt à accomplir ses besognes. Il voulut remercier le saint homme mais lorsqu'il revint en ville, Yeshua ne s'y trouvait déjà plus. »

Suite au récit d'Abénader, je regardai Lucius pour constater que son incrédulité était pareille à la mienne. Toutefois, nous nous gardions bien de faire la moindre remarque. Voyant notre scepticisme, l'homme tenta de nous convaincre en nous relatant d'autres miracles, plus incroyables les uns que les autres, accomplis par ce prophète. Hélas pour lui, nous n'arrivions pas à gober toutes ces inepties.

La nuit pointait et nous prîmes congé de notre hôte. Après presque deux jours sans dormir, je tombai comme une bûche jusqu'à tôt le lendemain. Partageant le même édifice que les simples légionnaires, nous étions soumis au même horaire. Durant toute la journée, Lucius et moi parcourûmes les lieux entourant la grande ville dans le but d'essayer de trouver ce prophète et de tenter de retracer ma Livia. Sans succès. J'étais au bord du désespoir mais grâce à l'amitié sincère de Lucius, je tenais le coup. Par contre, je sentais que lui aussi commençait à perdre espoir de retrouver sa sœur bien-aimée. J'étais tout près d'abandonner et de rentrer à Rome y vivre le reste de ma vie infirme et... veuf, quand soudain, les événements prirent une tournure décisive.

La nuit était déjà bien avancée et alors que nous rentrions à notre caserne, un grand tumulte provenant de la porte est attira notre attention.

— Que se passe-t-il ? demandai-je à Lucius.

— Attends-moi ici, je vais aller voir.

Il fit pivoter sa monture et me laissa sur place. Au bout de quelques minutes, il revint au galop m'annoncer que les soldats du Temple, à la solde du Sanhédrin, avaient réussi à capturer le prophète et l'emmenaient présentement devant le Grand Prêtre pour interrogatoire.

— Allons-y ! Mène-moi jusque-là.

Arrivés devant les portes du Grand Temple, il était trop tard. Les gardes l'avaient déjà traîné à l'intérieur de l'enceinte et avaient refermé les grandes portes derrière eux.

— Demandons à l'un des témoins ce qui se passe au juste, proposai-je à mon ami.

— Voici justement l'un de ceux qui l'ont arrêté, je vais l'intercepter.

Heureusement pour nous, l'homme parlait un peu le latin. Contrairement à ses pairs, qui prenaient un malin plaisir à molester le prisonnier, celui-ci semblait fortement ébranlé. Je pris un ton autoritaire et lui demandai :

— Eh bien, voici que vous arrêtez des hommes sans que Rome en soit au courant ? Réponds-moi, pourquoi cette arrestation en pleine nuit ?

— Nous avons simplement suivi les ordres de nos supérieurs, dit l'homme à l'expression bizarre.

— Et de quoi cet homme est-il accusé ?

— Il passe en ce moment même en procès devant Caïphe et ses pairs, sous les accusations de blasphèmes et d'avoir troublé l'ordre public.

— Est-ce grave ?

— Cela peut mener jusqu'à la peine de mort. Mais pour que cela se réalise, il faudra d'abord l'accord du procurateur. Le Sanhédrin n'a pas le pouvoir d'exécuter un condamné.

— Comment l'avez-vous trouvé ? On m'a dit qu'il avait quitté la ville depuis quelques jours déjà en compagnie d'un groupe d'hommes et qu'il était introuvable depuis.

— C'est exact, mais nous avons réussi à le localiser grâce au concours de l'un de ses disciples qui nous a menés jusqu'à lui dans le jardin de Gethsémané au pied du Mont des Oliviers.

— Tu n'as pas l'air très enchanté de cette arrestation. Pourquoi donc ?

— C'est que...

— Parle, je t'écoute.

— Eh bien, il est arrivé quelque chose là-bas qui, ma foi, est assez incompréhensible. Arrivé au repère du prophète, un autre garde, un gars que je connais depuis fort longtemps, et moi-même fûmes choisis par l'un des prêtres du Sanhédrin pour effectuer l'arrestation au moment convenu. Lorsque le traître nous désigna l'homme en question par un baiser sur sa joue droite, mon ami Malchus et moi l'empoignâmes sans ménagement. C'est à ce moment que ses disciples décidèrent d'intervenir. L'un d'eux sortit sa courte épée et visa la tête de Malchus. Heureusement, celui-ci eut juste le temps d'éviter le pire mais la lame réussit toutefois à lui trancher l'oreille droite. Il se tordit de douleur et nous relâchâmes le prisonnier. Le sang giclait de la plaie, pareil à une fontaine. Les autres disciples tentaient de prendre le dessus mais lorsqu'à notre tour, nous ripostâmes, le prophète les exhorta :

— Cessez cela, mes frères. Car celui qui vit par l'épée périra par l'épée ! Pierre, je t'en prie, laisse tomber ta lame. J'ai besoin que tu restes en vie afin que tu poursuives mon ministère lorsque je ne serai plus de ce monde. Et penses-tu que je ne puisse pas invoquer mon Père, qui me donnerait à l'instant plus de douze légions d'anges ? Comment donc s'accompliraient les Écritures, d'après lesquelles il doit en être ainsi ?

Après cette tirade, il se pencha vers mon ami à l'oreille tranchée, prit l'organe au sol et d'un geste tout ce qu'il y a de plus banal, la remit simplement à sa place initiale. Comme par enchantement, l'oreille se retrouva telle qu'elle était deux minutes auparavant. Comme si rien ne s'était passé. Lorsque nous avons constaté ce phénomène étrange, que malheureusement aucun autre garde n'avait vu, trop occupés qu'ils étaient à contenir la fougue des disciples, nous en avons déduit que cet homme était bel et bien un être exceptionnel.

— Et qui est-il selon toi ? lui demandai-je.

— Le fils de Dieu ! J'ai poursuivi ma mission, en avais-je le choix ?

Et quand le prophète eu réussi à calmer ceux qui tentaient de le défendre, le prêtre qui supervisait l'arrestation nous ordonna :

— Arrêtez-les tous !

Mais le prophète réussit à lui faire changer d'idée en disant :

— N'est-ce pas moi que tu cherchais ? Libère-les et je te suivrai sans causer de problèmes.

Le prêtre acquiesça et nous reprîmes le chemin du retour. Je tentai de relever Malchus, mais de toute évidence, il se trouvait dans un état second. Toujours agenouillé, il gémissait comme un nourrisson le regard levé vers le ciel, mais son oreille toujours bien en place. J'ai dû l'abandonner là et je m'apprêtais justement à le rejoindre, lorsque vous m'avez intercepté.

— Où sont passés les disciples ?

— Évanouis dans la nuit quoique je pense que l'un d'eux l'a suivi jusqu'ici.

Au même moment, j'entendis le chant du coq par trois fois.

L'homme partit en direction du Mont des Oliviers rejoindre son ami. Aux portes du Temple, une foule s'était massée. Les uns crièrent à l'innocence du prophète tandis que d'autres réclamaient qu'on le mette à mort. Lucius me glissa à l'oreille :

— Tu sais, Cassius, après tout ce que j'ai entendu à ce jour à propos de cet homme, je commence à penser qu'il est peut-être... comment dirais-je... spécial ?

— Balivernes de bonne femme que tout cela ! Pourquoi ces gens le feraient-ils condamner si c'était le cas ?

— Par jalousie ou par peur peut-être. Le Sanhédrin apprécie avoir le contrôle de la population entre ses mains. Or, ce Yeshua semble affirmer que chacun peut s'adresser à son dieu sans passer par l'entremise des prêtres.

— Si c'est le cas, je les comprends. Comment pourraient-ils laisser cet imposteur remplir le crâne de ces sauvages avec des inepties ?

— Pourquoi t'entêtes-tu à penser que c'est un imposteur ? N'as-tu pas entendu comme moi toutes les histoires incroyables à son sujet ? Peut-être en est-il autrement ?

À ces mots, surpris, je me retournai vers Lucius tout en essayant de distinguer l'expression de ses traits. Se moquait-il de moi comme à son habitude ou était-il vraiment sérieux cette fois-ci ? Ignorant mon geste d'étonnement, il poursuivit :

— Je me demande si ce n'est pas la vengeance qui t'aveugle plutôt que ta mystérieuse maladie.

— De quoi parles-tu ? Tous ces contes ne sont que des sornettes, voyons ! Serais-tu en train de devenir superstitieux à ton tour comme ces babouins imbéciles prêts à croire n'importe qui et n'importe quoi ?

— On dit bédouins, Cassius. Pas babouins...

— Bédouins, babouins, c'est toute la même gang de singes pour moi ! Jamais je n'aurais imaginé que tu serais aussi crédule que ces naïfs !

— Je ne suis pas crédule mais disons... simplement perplexe. Peut-être est-il effectivement le Messie qu'ils attendent depuis que nous avons conquis ce pays ?

— Libre à toi de croire toutes ces sottises. Pour ma part, j'estime que cet imposteur est responsable du sort de Livia. Et puis, si cet homme est bien le fils du Dieu d'Israël, pourquoi s'est-il laissé molester et emmener ainsi ? Qu'attend-il pour accomplir l'un de ses miracles qui lui permettrait d'échapper à ses accusateurs ?

— Je l'ignore, Cassius.

— Rentrons maintenant. Il n'y a plus rien à faire ici.

Même si l'histoire du garde israélite semblait assez plausible, mon désespoir de retrouver celle que j'aimais m'empêchait d'entendre raison. Au moment de partir, les portes du Temple s'ouvrirent et la foule se remit à crier lorsque Yeshua, poussé à l'extérieur de l'édifice par trois gardes, se montra à eux enchaîné comme le plus grand criminel.

— Libérez-le ! Il est le Messie, innocent de tout crime ! crièrent les uns.

— Tuez-le, c'est un faux prophète ! crièrent les autres.

Une jeune partisane du condamné qui avait réussi à se faufiler à l'intérieur de l'enceinte avait tout entendu du procès bidon. Elle vint vers nous m'annoncer que le Sanhédrin avait agi illégalement en procédant à une arrestation en pleine nuit dans l'ignorance des Romains. Elle nous dit que tout cela était contraire à la loi et que nous devions intervenir.

— Qu'ont décidé les prêtres à son sujet ? lui demandai-je.

— Lorsque Caïphe le Grand Prêtre, après avoir écouté un nombre incroyable de témoignages contradictoires des membres présents, demanda en dernier recours à Yeshua s'il était bien le « Fils de Dieu » et que ce dernier le lui confirma, le Grand Prêtre devint subitement très furieux et pour signifier sa profonde indignation, déchira sa toge et le condamna pour crime de blasphème.

— Que va-t-il lui arriver maintenant ?

— La peine de mort est prescrite pour lui. Ils le conduisent présentement devant le procurateur Pilate. Je vous en prie, faites quelque chose...

— Désolé, femme, je n'y peux rien.

Nous quittâmes l'endroit et suivîmes les gardes en direction de la procure. Beaucoup de ceux qui se trouvaient présents nous imitèrent. Le prophète ne cessait d'être bousculé par les gardes et c'est avec beaucoup de peine qu'il se présenta finalement à Pilate. Celui-ci, jugeant que l'homme ne semblait pas tellement dangereux, demanda aux prêtres qui accompagnaient le cortège de quoi cet individu était accusé.

— C'est un blasphémateur ! cria celui que Lucius me désigna comme étant le Grand Prêtre Caïphe.

Il vociféra ces accusations avec éloquence et haine, sans même reprendre son souffle :

— Il se dit le roi d'Israël alors que tous savent qu'il n'y a qu'un seul roi ici et que c'est l'Empereur de Rome.

La foule se mit à rire et Pilate jeta un coup d'œil à Abénader qui se trouvait à ses côtés.

— Très bien. Il sera châtié et reprendra sa liberté ensuite.

— Non ! s'écria de nouveau Caïphe. Il faut le crucifier !

— Quoi ? Vous voulez que j'ordonne sa mise à mort ? Mais pourquoi donc ?

— Je te l'ai dit, ô Pilate, c'est un provocateur qui attise la haine des Juifs envers Rome. Il mérite la mort, rien de moins.

Les partisans du Sanhédrin hurlèrent de nouveau en chœur.

— D'où vient cet homme au juste ? demanda Pilate à son second.

— De Nazareth en Galilée.

— Mais ! C'est sous la juridiction du tétrarque Antipas ? Menez-le à lui. S'il décide qu'il mérite la mort, je l'autoriserai peut-être.

Le groupe reprit de nouveau la route en direction du palais d'Hérode Antipas qui se trouvait à l'autre bout de la ville. Lucius et moi décidâmes de rester sur place et d'attendre leur retour. Je demandai à Lucius de me décrire l'attitude de Pilate.

— Sa femme vient de le rejoindre sur l'esplanade et ils ont l'air de discuter ardemment. Je me demande bien quelle sera la conclusion de toute cette histoire !

— Moi aussi mon ami. Moi aussi.

Deux heures plus tard, alors que l'aube apparaissait, les gardes du Temple, accompagnés d'un des hommes d'Antipas, revinrent en poussant le prophète devant eux. Dès que Pilate eut terminé son entretien avec l'émissaire d'Antipas, il s'adressa de nouveau aux accusateurs :

— Antipas n'a pas trouvé, plus que moi, de motifs assez incriminants pour que ce charpentier mérite la crucifixion.

La foule, faisant fi de ces paroles et toujours influencée par Caïphe, se mit à réclamer sa mort de plus belle. Pilate consulta Abénader. Ce pays étant prompt à déclencher des émeutes, la situation était délicate. En poste depuis onze années, Pilate devait tout essayer afin d'accommoder cette populace fanatique. S'il rendait la liberté au dénommé Yeshua, il risquait d'attirer la colère du Sanhédrin. Étant donné sa grande influence au sein de la communauté juive, le jeu n'en valait pas la chandelle. Soudain, il leva le bras et exigea l'attention de l'audience.

— Voici ma décision : deux cents coups de fouet lui seront donnés comme châtiment. Amène-le maintenant et reviens ici avec le condamné sitôt après, ordonna-t-il à Abénader.

Les gardes, romains cette fois-ci, prirent le prisonnier par le bras et le conduisirent dans la cour arrière du palais. J'avais déjà assisté à ce genre de punition et peu d'hommes ne peuvent survivre bien longtemps suite à pareille torture. Pourtant, chancelant mais toujours debout, le Nazaréen revint se présenter devant le procurateur. Estomaquée par cette vision, la foule cessa soudain tout vacarme. C'est avec beaucoup d'émotions qu'elle le vit réapparaître sur l'esplanade, déambulant tel un mort-vivant.

— Par Apollon ! C'est à peine croyable. N'est-ce pas Cassius ?

— Quoi ? Qu'est-ce qui se passe ? Je n'y vois presque plus rien Lucius, ne l'oublie pas !

— Cet homme ressemble maintenant plus à un quartier de viande sanguinolent sortant directement de la boucherie qu'à un être humain. Nos gars n'y sont pas allés de main morte. Je pense qu'il n'y a plus un pouce carré de sa chair qui n'a pas été lacérée ou arrachée, et il se tient seul debout, sans aide de quiconque, malgré ses souffrances évidentes. Ils lui ont foutu sur la tête une couronne faite d'épines et une toge rouge le recouvre partiellement.

Je proposai à Lucius de nous rapprocher un peu dans l'espoir d'y voir un peu plus clairement. Effectivement, le condamné faisait piètre figure en cet instant fatidique. Pilate, qui semblait fortement ébranlé de cette vision jeta un œil désapprobateur en direction d'Abénader. De notre nouvelle position, j'entendis le procurateur vociférer :

— Mais ! Nom de... Je t'avais pourtant donné l'ordre de ne pas y mettre trop d'ardeur !

Abénader, qui semblait encore plus ébranlé que son supérieur, lui répondit avec un trémolo dans la voix :

— Je suis désolé. Moi-même je suis estomaqué de constater l'état de
cet homme. Les gardes qui s'en sont chargés ont probablement
bu avant d'accomplir leur travail. Je les sermonnerai gravement,
sois-en assuré !

— Vous autres, aidez-le, bon sang ! cria Pilate aux gardes les plus
proches.

Ensuite, il ordonna qu'on lui enlève la toge et il le fit s'avancer
au-devant de la scène. J'avoue que l'image était assez saisissante.
Le « chat à neuf queues » avait dû être utilisé comme instrument
de torture car de grands bouts de chair avaient été complètement
arrachés. Ce fouet, muni de neuf lanières de cuir d'une longueur
d'environ deux pieds et munies d'un crochet à chaque extrémité, était
d'une efficacité redoutable. Pilate dit à la foule :

— « Ecce homo » ! Voici l'homme !

Les femmes et quelques fidèles pleurèrent en le voyant ainsi.
Tandis que les prêtres, Caïphe en tête, exhortaient Pilate qu'il le fasse
tout de même crucifier.

— Tuez-le ! Tuez-le !

— N'en avez-vous pas assez ! Non mais regardez-le, il a eu sa dose,
croyez-moi, s'époumona Pilate.

— Crucifiez-le ! crièrent-ils à nouveau, insistants.

Soudain, Pilate se tourna vers le moribond et lui dit :

— D'où viens-tu réellement ? Qu'ont-ils à te craindre ainsi ?

Le prophète, qui avait peine à respirer, ne lui donna aucune
réponse.

— Tu refuses de me parler ? Sache que j'ai le pouvoir de te relâcher
si je le veux !

Cette fois, le condamné releva la tête et lui marmonna quelque
chose que je ne pus saisir. L'instant suivant, Pilate recula d'un pas, le
regarda avec étonnement et décida aussitôt de le relâcher. Caïphe
renchérit derechef :

— Si tu le relâches, tu seras traître à ta patrie, procurateur !

À ces mots, je sentis que Pilate prit peur. J'avais entendu dire
que l'Empereur s'impatientait de constater que plusieurs rebellions
et émeutes commises par les Juifs étaient toujours en action et
qu'il avait expressément demandé au procurateur de s'en charger
une bonne fois pour toutes. Si par malheur, Pilate déclenchait l'une
d'elles à cause d'une de ses décisions douteuses, jamais Tibère ne lui

pardonnerait cette faute et il serait probablement le prochain à se retrouver au gibet. Le procurateur discuta quelques instants avec Abénader et conclut :

— Voici ma décision finale : à chaque Pâque, comme le veut la coutume, nous libérons un prisonnier choisi par le peuple. Il y en a deux dont le jugement n'a pas encore été rendu.

On fit amener cet autre prisonnier et, comme je le présumais, l'arrogant Barrabas fit son entrée sur scène. Pilate reprit la parole :

— D'un côté, Yeshua de Nazareth, charpentier de son métier. De l'autre, Barrabas le zélote, assassin. Au peuple de choisir !

Les gens se mirent à crier à l'unisson les noms des deux hommes. Au début, ce n'était qu'un brouhaha incompréhensible. La femme qui nous avait apostrophés à la sortie du Temple possédait une voix stridente. Elle hurlait à s'en fendre l'âme le nom du prophète et réussit presque à faire pencher la balance en sa faveur jusqu'à ce qu'un garde israélite la fasse taire d'une retentissante gifle qui la projeta au sol. Voyant cela, les supporteurs de Yeshua prirent peur et bien vite, le nom de celui que je suspectai d'avoir un lien quelconque dans la disparition de mon épouse se démarqua.

Pour ma part, j'espérais cette conclusion qui me permettrait de faire d'une pierre deux coups. Avec Barrabas retrouvant sa liberté, je pourrais ainsi le suivre et tenter de dénicher son repère et de plus, j'obtiendrais ma vengeance sur l'imposteur.

Le zélote remporta le vote populaire. Pilate, ne cachant pas son dégoût face à cette injustice, fit signe aux gardes de libérer l'assassin et condamna le Nazaréen à la crucifixion.

— Vite, dis-je à Lucius. Suivons Barrabas avant qu'on ne perde sa trace !

Cependant, mon ami restait cloué sur place. Je m'approchai de lui et lui demandai ce qui se passait.

— Je n'en sais rien, Cassius, mais cet homme m'a profondément touché. Je me demande si Pilate n'est pas en train de faire une grave erreur.

— Ah non ! Ne recommence pas et viens vite ! J'ai besoin de toi, tu le sais bien. Pense à ta sœur ; voilà enfin notre chance de la retrouver !

À ces mots, il sortit de sa torpeur et me guida dans la direction qu'avait prise le zélote. »

CHAPITRE XIII

DOUBLE TRAHISON

Germanie. An 9 après J-C.

Durant la détention d'Hermann à Rome, le général Varus fut informé que certains clans qui avaient juré fidélité aux Romains menaçaient de se révolter. Dans les faits, tout cela n'était qu'une mascarade car aucun clan n'avait vraiment menacé les Romains. Flavius, sur les recommandations de son frère durant son absence, avait visité chacun des clans soumis et les avait informés du plan de son frère. Tous avaient accepté et avaient feint un semblant de rébellion, voyant là une agréable opportunité de se débarrasser enfin de ces envahisseurs arrogants sans prendre de coups.

   Pour s'assurer de leur bonne conduite, Varus ordonna quelques crucifixions publiques et affecta une garnison, en surveillance, pour chaque clan récalcitrant. Ainsi, il commit l'erreur d'éparpiller ses forces à travers les territoires conquis à l'intérieur de la Germanie, tel qu'Hermann l'avait souhaité.

De retour de sa permission à son village, le Chérusque se présenta devant Varus et enclencha son plan final. Il mentit en affirmant au général qu'une coalition comptant des milliers de Barbares avançait vers eux venant du Nord et risquait de convaincre les clans neutres ou déjà soumis à la cause romaine, de les rejoindre dans leur sillon. Maintenant devenu son guide officiel, Hermann convainquit Varus d'endiguer ce flot grandissant avant qu'il n'atteigne leur dernière ligne de défense. Toutefois, le général ne put compter que sur trois légions, les autres ayant été éparpillées afin de s'occuper et de surveiller les clans récalcitrants. Et cela, à cause d'Hermann qui avait réussi à monter cette énorme supercherie.

Son stratagème avait formidablement bien fonctionné et deux jours plus tard, Varus, guidé par Hermann, s'enfonça à l'intérieur des terres accompagné de trois légions : la XVIIe, la XVIIIe et la XIXe. Le général se méfiait de cet homme, et cela, depuis leur première rencontre. Cependant, devant la menace, il devait se risquer à suivre les conseils de ce dernier. Il ignorait qu'Hermann les conduirait directement, ses légions et lui, dans une souricière.

Quand l'armada atteignit une large clairière au centre de la forêt de Teutobourg, les hordes de Germains assoiffés de sang leur tombèrent dessus à l'improviste. Lors de cette première offensive, presque toute l'armée de Varus périt à cet endroit. Le général, qui criait à pleins poumons qu'Hermann n'était qu'un sale traître, et quelques officiers suivis d'un millier d'hommes, réussirent à fuir. Mais plus tard, ils furent rattrapés par les Barbares surexcités par leur récent succès. Voyant leur déconfiture ne faire aucun doute, le général Varus et ses officiers se suicidèrent.

Hermann commanda à Olaf de trancher la tête de Varus et de la lui rapporter. Dans les jours suivants, il se ferait un plaisir de l'exhiber dans chacun des villages de Germanie dans l'espoir de ranimer la flamme patriotique parmi les clans qui pourraient encore se montrer indécis même après cette retentissante victoire.

Hermann tenait enfin sa vengeance. Son génie créatif avait réussi à faire en sorte que l'armée de Varus se fragmente en plusieurs parties et ainsi il avait pu réussir à faire disparaître d'un coup le tiers de la force romaine campée en Germanie. Grâce au puissant joyau, il avait réussi à convaincre les tribus déjà ralliées à sa cause d'attaquer sans tarder malgré leur nombre inférieur. Maintenant, il ne restait qu'à s'occuper des garnisons isolées et dispersées un peu partout dans le pays.

Au milieu du carnage, pendant que les guerriers germains achevaient les blessés et dépouillaient les morts, les Jarls de chacune des tribus qui s'étaient jointes à Hermann vinrent le rejoindre au sommet d'une petite butte à l'extrême nord de la clairière. De cet endroit, ils contemplaient le résultat de leur victoire. Des milliers d'hommes avaient péri au cours de la bataille. Parmi eux se trouvaient bien sûr de braves guerriers nordiques, mais la majorité des hommes étaient des Romains. Les officiers qui avaient survécu furent gardés en vie et, chacun à leur tour, défilaient devant Hermann qui les interrogeait sur leurs origines. Ceux qui provenaient de familles riches étaient retenus prisonniers en échange de rançons exorbitantes. Les autres, comme un certain Philippus Longinus, né d'une famille modeste, furent passés par le fil de l'épée et allèrent rejoindre la masse des cadavres.

Une odeur écœurante régnait sur le charnier et déjà, de nombreux corbeaux noirs, ces charognards répugnants, survolaient le site en quête de nourriture. Quelques loups se montrèrent le bout du museau mais se gardèrent bien de s'approcher du site tant que les hommes y étaient présents.

Les femmes germaines qui avaient tenu à accompagner leur époux ou leur prétendant sortirent des bois où elles s'étaient cachées durant l'attaque, et vinrent rejoindre les hommes. Pataugeant dans des mares de sang, elles parvinrent jusqu'à eux. Elles les étreignirent et les embrassèrent à pleine bouche, faisant fi du sang et de la crasse qui les recouvraient. Cependant, plusieurs femmes en pleurs cherchèrent leur homme en vain parmi les cadavres et les blessés.

Les Jarls, satisfaits de la tournure des événements, se félicitèrent mutuellement. Tous s'entendaient à dire que le plan d'Hermann relevait du génie. Toutefois, ils l'ignoraient, n'eut été du pouvoir du joyau vert pour les convaincre, jamais ils ne se seraient aventurés dans cette entreprise hasardeuse.

— Qu'on nous apporte à boire ! cria Hermann. Fêtons cette victoire, mes amis. Nous l'avons bien mérité !

Tous acquiescèrent et bientôt leurs cris de joie vinrent camoufler les hurlements de souffrance poussés par les blessés et les épouses éplorées.

Le soir s'annonçait et les Jarls, d'un commun accord, décidèrent de monter le campement à l'écart du charnier. L'instinct de Ségestes, le chef du clan des Quades, l'avertissait que tôt ou tard, les Romains reviendraient en nombre se venger de cette cuisante défaite. Contrairement aux autres Jarls réunis qui avaient été influencés par l'émeraude, Ségestes ne partageait pas l'enthousiasme général. Tout comme Marobod, le Jarl des Marcomans, il était doté d'une forte personnalité et le joyau n'avait aucun effet sur lui. Tous deux, s'ils avaient suivi Hermann, c'était de leur propre gré car ils aspiraient aux mêmes ambitions. Toutefois, alors que Marobod, l'un des Barbares les plus cruels du pays, festoyait allègrement en compagnie d'Hermann, Ségestes lui, se tenait à l'écart, songeur. Tout comme Varus, il s'était toujours méfié d'Hermann qui, tel un serpent, pouvait se montrer très sournois à l'occasion. Néanmoins, il était tout de même satisfait du présent résultat. Jamais il n'avait accepté la présence de Rome au sein de sa patrie.

Sa fille, une plantureuse rousse du nom de Thusnelda, s'était prise d'affection pour un jeune guerrier de son propre clan et elle avait tenu à les accompagner lui et son père au combat. Lorsqu'elle courut rejoindre son promis, qui heureusement s'était sorti indemne de cette bataille, elle passa devant Ségestes, juché au sommet de la butte. S'assurant au passage qu'il allait bien, elle poursuivit sa route jusque dans les bras de son fiancé. Hermann ne manqua pas de remarquer cette beauté et n'écoutant que ses bas instincts, demanda à Ségestes de la lui présenter :

— Voilà une créature digne de remplacer ma dernière épouse. Qui est-elle, Ségestes ?

— C'est ma fille. Elle est promise et follement amoureuse d'un autre, comme tu peux le constater.

— Bah ! un simple guerrier avec à peine du poil au menton ! Écoute-moi bien, Jarl des Quades. Je suis prêt à te payer une forte somme si tu consens à me la céder de bon gré comme épouse.

— Ce n'est pas une question d'argent, Hermann, je te l'ai dit : elle est déjà éprise d'un autre et...

— Très bien alors, oublions l'argent. J'ai un autre marché à te proposer. Présente-moi ta fille et si elle ne succombe pas à mon charme, elle pourra s'en aller tranquillement et jamais plus je ne te reparlerai d'elle. Sinon, je l'amène avec moi et je la prends comme femme dès que je serai de retour dans mon village. D'accord ?

— N'as-tu pas déjà une épouse sous ton toit ? s'enquit Ségestes.

— Il lui est arrivé un petit malheur dernièrement. Je suis de nouveau libre et prêt à ouvrir ma couche à ta jolie fille !

Voilà un petit jeu que le Jarl des Quades ne pouvait pas perdre. Hermann n'était pas particulièrement le type d'homme attrayant aux yeux d'une jeune femme. Surtout comparé à celui auquel Thusnelda avait donné son cœur. Cependant, il n'osait pas s'opposer trop ouvertement à Hermann de peur de se mettre à dos cet homme devenu puissant. L'occasion était bonne de fermer définitivement le clapet à cet arrogant personnage imbu de lui-même.

— C'est d'accord ! dit Ségestes.

Il fit venir Thusnelda auprès de lui. Elle stoppa ses accolades et en compagnie de son prétendant, grimpa sur la butte rejoindre son paternel et les autres chefs de clans.

— Qu'y a-t-il, Père ? s'enquit-elle. Tu n'es pas blessé, j'espère ?

— Pas le moins du monde, Thusnelda ma chérie, sauf que j'aimerais te présenter Hermann, le Jarl des Chérusques. C'est grâce à lui si nous avons obtenu cette victoire. Il aimerait beaucoup faire ta connaissance.

La jeune fille, intriguée, se mit face à ce dernier. Au grand dam de son prétendant, Hermann, de ses petits yeux porcins, la lorgna de haut en bas comme un chien lorgne un morceau de viande fraîche. La nature avait doté la jeune fille d'un physique gracieux aux formes généreuses et excitantes. Elle mesurait près de six pieds et sa longue tignasse rousse tressée, descendait jusqu'à ses fesses bien arrondies. Son visage était agréable à regarder, présentant de belles pommettes rondes, de grands yeux marron et un sourire juvénile. Dès que Thusnelda s'était approchée de lui, Hermann s'était empressé de mettre la main sur l'émeraude maudite qu'il cachait dans l'une de ses poches. Thusnelda s'inclina légèrement en signe de respect mais son expression de dédain ne manqua pas d'échapper à son père, tout heureux de cette constatation. Hermann lui susurra :

— Tu es follement amoureuse de moi !

Stupéfaite de ce qu'elle venait d'entendre, elle leva des yeux furieux vers lui et croisa son regard :

— Comment osez-v... ?

L'instant suivant, elle ressentit une vive émotion. C'était comme si tout ce qu'elle avait vécu de sa vie jusque-là n'avait été qu'une suite d'évènements insignifiants. Elle ne pouvait résister au magnétisme qu'exerçait cet homme sur elle et quelques secondes suffirent pour que son fiancé ne soit plus que chose du passé et que malgré sa répugnance à l'égard de cet homme qu'elle voyait pour la première fois, elle tomba folle de passion pour lui. Sans dire mot, elle s'approcha d'Hermann et lui donna un baiser appuyé sur ses lèvres envahies de poils hirsutes. Hermann répondit à cette caresse, la prit dans ses bras et l'amena vers sa tente sous l'œil ahuri de Ségestes et des autres témoins.

— Holà ! Attends un peu ! cria le père furieux. Que vient-il de se passer ? De quelle sorte de magie impie t'es-tu donc servi pour ensorceler ma fille ainsi ?

— N'est-ce pas ce qui était convenu ?

Le fiancé, ayant assisté à toute la scène, criait maintenant son incompréhension et sa douleur. Frustré, il sortit sa lame et s'élança vers Hermann. Mais Ségestes l'intercepta avant qu'il ne commette une bêtise et lui conseilla de s'enfuir au plus vite. Dorénavant devenu un rival d'Hermann, sa vie ne tenait plus qu'à un fil. La vue d'Olaf, de garde à l'entrée de la tente d'Hermann, qui n'avait rien manqué de cette attaque avortée, finit par le convaincre d'abandonner cette idée folle. Ségestes lui conseilla :

— Retourne vite à notre village, mon garçon, avant qu'il arrive d'autres malheurs. Nous avons été joués ! Je tâcherai de délivrer ma fille, d'une façon ou d'une autre, des griffes de ce sale chien. Je te le jure.

Le jeune guerrier éconduit cracha en direction du couple. Suivant le conseil de son chef, il partit sans un regard derrière lui et fila rejoindre les siens.

Les chefs donnèrent l'ordre d'édifier un bûcher pour les guerriers germains morts au combat. Les cadavres romains, eux, furent laissés sur place à l'intérieur même de la clairière. Lorsque tous les fêtards s'endormirent ivres morts, une fauvette tomba d'un chêne près de la clairière. Dès que le volatile toucha le sol, sa mort fut instantanée. Toutefois, il avait bien rempli sa mission.

Durant l'exil d'Hermann dans la grande capitale romaine, Malaric en avait profité pour acquérir beaucoup de nouvelles connaissances grâce au *Livre noir de Salomon*. Il en apprit sur des sciences telles que les mathématiques, l'astronomie, l'ésotérisme et surtout, la plus ancienne de toutes, la nécromancie avancée. Ce traité de démonologie s'avérait une source inépuisable de connaissances. Malaric se demandait souvent comment, autrefois, le grand roi d'Israël avait réussi à obtenir toutes ces informations. Dans l'un des passages de l'ouvrage, intégré à une section complète concernant les sept puissants démons, les Barons du Chaos, il avait réussi à déchiffrer une incantation permettant de se substituer à l'esprit d'une créature vivante durant un laps de temps défini.

Afin que le maléfice fonctionne, il devait prélever un fragment d'un joyau parmi les plus puissants et ensuite, prendre cette partie cisaillée et l'apposer sur l'être vivant sélectionné pour qu'il y ait un contact avec ce dernier. Malaric, de son côté, devait tenir le joyau d'origine dans le creux de sa main et, suite à une série d'incantations impies, l'esprit de la créature vivante était expulsé et allait se perdre dans les limbes pour l'éternité. Malaric pouvait alors transférer son esprit à l'intérieur du corps de la cible choisie.

Le sorcier en herbe avait découvert les secrets de la puissance énergétique qui se dégageait des joyaux. Selon leur catégorie, leur degré de pureté et leur volume, certains étaient plus puissants que d'autres. L'opale, par exemple, s'avéra la gemme la moins puissante tandis que le rubis se trouvait juste derrière l'émeraude qui trônait au sommet. Cependant, aucun joyau sur cette planète ne pouvait rivaliser avec la puissance colossale de l'émeraude maudite de Sathanaël.

Malaric, grâce au trésor des Phéniciens, disposait de nombreuses variétés de joyaux. Malheureusement pour lui, dans tout le lot, il ne s'y trouvait aucun joyau parmi les plus puissants hormis un rubis d'une grosseur moyenne. Celui-là même qui avait roulé jusqu'aux pieds d'Olaf. Ce rubis, dont il avait prélevé un très petit fragment, lui suffit tout de même pour accomplir son envoûtement sur la fauvette dont il s'était servi pour espionner le combat.

Pour la première fois de sa vie, et assurément le premier homme sur Terre à y parvenir, il expérimenta le vol. Il trouva l'expérience épeurante au début, mais bien vite, il prit plaisir à goûter cette incroyable sensation de légèreté et de liberté. Informé au préalable par Harald, son intendant, Malaric s'était dirigé vers le lieu de la confrontation et s'était perché sur une haute branche à l'orée de la forêt afin d'avoir une vue en plongée sur la clairière. Lorsque tout fut terminé, satisfait des informations recueillies, la partie de l'esprit de Malaric demeurée à la caverne avait lâché le rubis et simultanément, le sort sur la fauvette prit fin. L'oiseau, n'ayant plus désormais d'esprit pour contrôler son corps, tomba et alla s'écraser au sol.

Dans la caverne, Malaric, ayant retrouvé l'intégralité de son esprit, était fou de rage. Comme c'était maintenant devenu son habitude, il conversa tout haut, comme un pauvre dément :

— Hermann aurait-il menti à Ségestes en lui mentionnant que Luna était morte dans le seul désir de culbuter la grande rousse ? Une chose est sûre en tout cas, il a bien ramené de Rome ce que je l'avais envoyé quérir ! Aucun doute là-dessus !

Selon leur accord, dès le lendemain de sa victoire, Hermann devait lui remettre l'objet tant convoité.

Malgré son impatience d'en savoir plus à propos de sa fille mais surtout de s'approprier l'émeraude, Malaric décida tout de même d'attendre que le Chérusque se présente à lui, comme convenu.

Une semaine passa et Hermann ne se montrait toujours pas le bout du nez. Excédé, Malaric quitta sa caverne, se rendit à son village et là, accompagné d'Harald et d'une douzaine de guerriers, il fit gréer l'un des vaisseaux de la flotte. Malaric se retira quelques instants à l'intérieur de son atelier. Une heure plus tard, dès qu'il en ressortit, ils appareillèrent et se rendirent armés jusqu'aux dents au village chérusque. Suite au débarquement sur les berges de l'Elbe, les Frisons marchèrent pendant quelques heures. En arrivant près de leur destination, ils entendirent les échos d'une grande fête. Hermann était l'hôte de tous les chefs de tribus qui avaient participé à sa victoire sur Varus et ses légions. Chaque Jarl était accompagné d'une faible escorte afin d'assurer sa sécurité en tout temps. Mais Ségestes ne s'y trouvait pas...

— Comme de raison ! pensa Malaric.

Hermann les avait invités pour célébrer officiellement leur victoire sur les armées romaines et, du même coup, son union avec Thusnelda. Au moment de l'arrivée des Frisons, le couple venait tout juste de terminer la cérémonie religieuse et le druide qui l'avait présidée descendait à présent l'estrade sur laquelle il était grimpé. Voyant cela, Malaric se retourna et dit à ses hommes :

— Eh bien, messieurs, il me semble que tous les clans se soient réunis pour une grande fête et que nous n'y avons pas été invités. Allons donc leur en demander la raison ! Laissez vos armes abaissées pour l'instant mais gardez l'œil ouvert !

Quand les convives prirent conscience de leur présence, ils cessèrent soudain leurs cris de réjouissance et marmonnèrent entre eux. Hermann devint soudainement nerveux et poussa sans ménagement sa nouvelle épouse loin de lui.

— File sous notre tente ! lui ordonna-t-il.

Olaf, sentant son maître menacé, laissa tomber la catin à moitié dévêtue qui était assise sur ses genoux et s'approcha à son tour de la scène. Malaric ouvrit la conversation :

— Alors Hermann ! Aurais-tu oublié les termes de notre accord ? Maintenant que tu es sorti glorieux de ton affrontement avec Varus, n'aurais-tu pas quelque chose à me remettre ?

— Tu n'es pas le bienvenu ici. Partez avant que mes guerriers ne vous égorgent, tes hommes et toi. Notre accord ne tient plus, vieux crapaud, tu m'as trompé !

— Comment cela ? Tu détiens pourtant le « caillou », il me semble ? Sinon tu n'aurais pas gagné contre les Romains. Dois-je comprendre que tu ne respecteras pas la parole donnée ?

À ces mots, les autres Jarls échangèrent des regards interrogateurs. Ce qui n'échappa pas à Hermann qui redoutait que son secret soit dévoilé. Malaric sentit le malaise de son adversaire et poursuivit :

— Eh bien, j'attends... Et que signifie cette union ? Où est ma fille ? N'es-tu pas déjà uni à elle ?

— C'est justement à cause d'elle que notre entente est annulée !

Malaric commença à redouter le pire.

— Parle, bon sang ! Qu'est-il arrivé à ma fille ?

Son escorte commençait à montrer des signes de nervosité. Connaissant leur Jarl, les guerriers frisons s'attendaient à ce qu'une de ses colères éclate d'un moment à l'autre. Contre tous ces guerriers réunis, ils ne faisaient pas le poids et leur mort était certaine.

— Tu m'as menti ! l'accusa Hermann.

— Et à propos de quoi ? Ne t'ai-je pas dit la vérité à propos du « caillou » et de tout ce qu'il pouv...

— Sur ce sujet, je n'ai rien à redire ! le coupa Hermann de peur
que Malaric n'en dise trop. Cependant, tu comprendras que j'en
ai encore besoin. Les Romains ne se laisseront pas décourager
aussi facilement. Un jour ou l'autre, ils reviendront encore plus
nombreux et mieux préparés. D'ici là, j'espère avoir le temps de
convaincre tous les clans de la nécessité de tous nous rallier sous
la même bannière.

— La tienne, je suppose ? Quoi qu'il en soit, ce n'était pas dans
notre entente. Pour la dernière fois, rends-moi ce qui me revient
et dis-moi où se trouve ma fille et je partirai. Tu n'entendras plus
jamais parler de moi.

Sentant la tension monter, Olaf se rapprocha un peu plus
d'Hermann.

— Me menacerais-tu ? Sache que ta chère fille s'est conduite de façon
éhontée durant mon absence !

Hermann raconta à Malaric tous les détails concernant le sort de
la jeune femme. Voyant que le vieux crapaud commençait à bouillir
de colère, il poursuivit cruellement :

— Comme la coutume le veut, j'ai moi-même administré le châtiment
qu'elle méritait, cette salope. Après trois jours qu'elle fut enfermée
dans une cage, n'ayant droit qu'à un peu d'eau, je l'ai sortie de là et
à l'aide de ma lame, je lui ai rasé la crâne. Ensuite, je l'ai traînée
nue à travers tout le clan. Pour finir, je lui ai lié la cheville droite à
l'un de nos canassons en voie d'être dompté. L'animal fou furieux
est allé à grands galops s'aventurer dans la forêt. J'ai bien peur que
ta chienne de fille n'ait pas survécu à cette randonnée !

Malaric ne put contrôler sa rage folle et s'élança en direction
d'Hermann. Deux gardes précédèrent Olaf et tentèrent de l'intercepter
mais celui-ci, de deux mouvements rapides de la main droite, les
terrassa tour à tour. Les pauvres hommes subirent le même sort que
Dvorak, l'ex-Jarl des Frisons. L'escorte de Malaric, en nombre inférieur et voulant protéger ce dernier, fut mise bien vite hors d'état de
nuire. Seul Harald respirait encore et voyant qu'ils ne pourraient s'en
sortir vivants son chef et lui, il prit Malaric par le bras et réussit à le
traîner avec lui jusque dans la sombre forêt. Juste avant, Malaric se
retourna et cria à Hermann :

— Tu as manqué à ta parole Chérusque ! Tu as assassiné ma fille sans
aucune vraie preuve du crime dont tu l'accusais ! Pour ces raisons,

jamais je n'aurai la paix tant que tu seras en vie, sale traître! Pour une dernière fois, remets-moi l'émeraude et j'apaiserai peut-être ma colère à ton endroit!

Pour toute réponse, Hermann ordonna qu'on lâche trois molosses à leur poursuite. Malaric prit les devants. Harald, sérieusement blessé d'un coup de hache dans les côtes, défendait leurs arrières. Malaric, voyant les bêtes arriver sur eux à toute allure, se retourna et donna un solide coup de pied dans les genoux d'Harald qui s'écroula, abasourdi.

— Désolé, mais ta mort ne sera pas inutile!

Les bêtes eurent tôt fait de mettre le grappin sur l'intendant. Aidés de leurs puissantes mâchoires, ils le mirent en charpie en un rien de temps. Cependant, cette diversion laissa le temps à Malaric d'échapper aux chiens. En sueur, il atteignit son navire sous le regard ahuri du reste de l'équipage. Intrigué, le capitaine demanda:

— Que s'est-il passé? Où sont les autres?

— Largue les amarres et quittons cet endroit rapidement! maugréa Malaric.

— Mais... et nos hommes?

— Ils ne viendront pas! Ils sont tous morts! Tués par les Chérusques. Dorénavant, entre eux et nous, c'est la guerre. Partons vite et ne me pose plus de questions, j'ai horreur des curieux! Maintenant, je descends dans ma cabine et qu'on ne me dérange sous aucun prétexte jusqu'à notre arrivée.

— D'accord Jarl, dit l'homme tout blême.

Malaric fulminait toujours:

— Il m'a trahi! Ce fils de pute m'a trahi! Comment a-t-il pu oser!

Cependant, il ignorait si c'était la perte de sa chère fille qui lui causait tant de chagrin ou le fait qu'il n'avait pu entrer en possession de l'émeraude maudite tant espérée depuis des mois. S'il ne pouvait plus rien faire pour sa fille, il en était autrement pour le joyau vert. Désormais, il mettrait toutes ses connaissances nouvellement acquises afin de le subtiliser à Hermann et de découvrir ce qui se trouvait derrière la porte close. Il conclut que, sitôt rentré à son village, il nommerait un nouvel intendant, regagnerait ensuite sa caverne et élaborerait un plan lui permettant d'acquérir l'émeraude. Voyant un peu d'espoir luire à l'horizon, il s'étendit sur sa couche et bientôt les voiles du sommeil vinrent danser devant ses yeux. Mais une question le tarabustait juste avant qu'il ne sombre:

— Qu'est-il advenu de mon petit-fils ? Hermann l'aurait-il fait tuer lui aussi ? Pourtant si cela avait été le cas, il n'aurait pas manqué de me le souligner !

Malgré toutes ses interrogations, il finit par s'endormir profondément.

Dès que Malaric et son intendant furent hors de vue, Hermann ordonna à quelques guerriers de ramener leurs dépouilles avant que les chiens ne les rendent méconnaissables. Après un court instant, les hommes revinrent avec ce qui restait d'Harald.

— Nous n'avons pas trouvé le Jarl ! Il a probablement réussi à semer les bêtes et à gagner son navire.

— Peu importe. Cessez les recherches mais soyez aux aguets ! Cet homme est très dangereux comme vous avez pu le constater. Si jamais vous le voyez traîner dans le coin, abattez-le à vue.

Hermann désigna les deux gardes que Malaric avait touchés du bout de son doigt :

— Observez les effets malsains du pouvoir de ce sorcier.

Les victimes, après un court moment d'évanouissement, s'étaient réveillées complètement aveugles et criaient tout leur désespoir à leur entourage. Dans ce monde barbare, les deux malheureux savaient bien qu'il n'y avait plus aucune place pour des infirmes tels qu'eux.

— Quelle est cette magie ? demanda l'un des guerriers, médusé.

— Mieux vaut pour toi que tu l'ignores. Aide ces pauvres hommes à regagner leur foyer maintenant.

Hermann, frustré de cette interruption, s'adressa à ses convives :

— Messieurs, je pense que notre petite fête est terminée ! Rentrez chez vous pendant qu'il fait encore jour. Nous nous reverrons bientôt, j'en suis certain !

Ceux-ci ne se firent pas prier et vidèrent les lieux en peu de temps. Après coup, Hermann se dirigea d'un pas décidé vers la tente de sa vieille mère, Anna. Il ouvrit les battants violemment et chercha du regard la doyenne du clan. Celle-ci se trouvait au fond de la mansarde en compagnie d'une esclave répondant au nom d'Ermengarde, capturée de la tribu des Angles lors d'une razzia alors qu'elle était toute petite. Nouvellement mère, elle servait de nourrice au bébé de Luna. Lorsque Hermann fit irruption dans la pièce, celle-ci donnait le sein au petit garçon.

— Mère, pour la dernière fois, donnez-moi ce petit bâtard qu'on en finisse une bonne fois pour toutes! dit-il à la vieille femme sans faire cas de la présence de l'esclave.

— Non, mon fils, je te l'ai déjà dit mille fois! Tu ne toucheras pas à un seul de ses cheveux sans quoi, il t'arrivera malheur. M'entends-tu? Que les dieux m'en soient témoins!

— Mais comprenez ma position! Je ne peux accepter sa présence dans ce clan! Chaque fois que je le vois, cela me rappelle mon déshonneur! De plus, chaque jour il devient une menace grandissante! Lorsqu'il sera en mesure de comprendre ce qui est arrivé à sa mère infidèle, il cherchera sûrement à se venger!

— Ça, mon garçon, c'est *ton* problème! Tu aurais dû y songer avant. Ma position n'a pas changé concernant cette affreuse histoire. Je suis toujours convaincue de l'innocence de Luna. Maintenant, laisse-nous, tu déranges le petit pendant qu'il prend son repas!

Hermann bouillait de colère. Un court instant, il fut tenté de se servir du pouvoir de l'émeraude afin de forcer sa mère à agir contre son gré mais il ne pouvait s'y résoudre. De plus, sa menace concernant les dieux le troublait fortement.

— Va-t'en maintenant, mon fils. La discussion est close!

Il sortit de la cabane aussi violemment qu'il en était entré et se précipita vers sa propre demeure. À l'intérieur, sa nouvelle épouse l'y attendait toujours dans sa robe de noce. À cette vue, il se détendit et sa colère passa. Cependant, elle semblait quelque peu déboussolée. Thusnelda regardait partout autour d'elle et quand elle vit Hermann dans l'embrasure de la porte, elle se demanda qui pouvait bien être cet homme et ce qu'elle faisait dans cet endroit. Elle se sentait comme au sortir d'un rêve qui semblait très réel.

Le pouvoir de l'émeraude s'estompait après un certain temps lorsque la victime n'était plus en contact visuel avec le détenteur du joyau. Hermann connaissait cette particularité et quand il s'aperçut du malaise de la plantureuse rousse, il s'empressa de glisser sa main à l'intérieur de sa poche. Ensuite, en serrant bien fort le joyau dans le creux de sa main, il s'approcha d'elle tranquillement et lui demanda de se dévêtir. Subitement, les yeux de Thusnelda redevinrent hagards. La jeune femme retomba en pâmoison devant son nouveau mari, l'amour de sa vie, et telle une chatte en chaleur, se cambra et laissa glisser délicatement sa robe. Pour la deuxième fois, elle offrit son superbe corps à Hermann.

Au même moment, dans la demeure d'Anna, le petit Elrik venait de terminer son boire et Ermengarde l'installa dans son berceau. Cette dernière salua ensuite la vieille femme et sortit afin d'aller s'occuper de sa progéniture. Maintenant seule avec le bébé, Anna, qui se sentait malade depuis quelques mois, comme si la vie désirait la quitter, approcha son banc du berceau et s'amusa un peu avec l'enfant. Âgé maintenant de quatre mois, le bébé la regardait de ses yeux verts insondables et d'une façon si intelligente qu'il sembla à la vieille femme qu'il comprenait tout ce qui se passait autour de lui. Comme s'il était beaucoup plus âgé qu'il n'y paraissait... Du revers de la main, elle chassa cette pensée stupide et poursuivit ses activités quotidiennes.

Le jour prenant fin, elle couvrit l'enfant d'une chaude fourrure de loutre et gagna sa paillasse à son tour. Au beau milieu de la nuit, elle fut réveillée par un bruit étrange. Malgré sa somnolence, elle s'assura de voir si le petit dormait et se portait bien. Un brin affolée, elle enfila un vêtement, alluma une torche et se rendit dans la pièce adjacente. À son grand étonnement, Elrik n'était plus dans son berceau.

— Comment a-t-il pu réussir à passer par-dessus les barreaux tout seul? Quelqu'un l'aurait-il aidé... ou kidnappé?

Aussi vite que ses vieux os pouvaient le lui permettre, elle se pressa jusqu'à la porte d'entrée. Curieusement, elle était entrouverte... Une vive appréhension l'assaillit d'un coup:

— Mon fils serait-il venu prendre l'enfant durant la nuit?

Elle en doutait. Jamais il n'aurait transgressé son interdit de peur de subir la colère des dieux. Néanmoins, quelqu'un avait perpétré ce rapt sous son nez. Anna sortit dans la nuit et regarda autour d'elle. Rien. La noirceur totale. Aucune âme n'était visible. Par contre, au sol, elle vit une série de petites empreintes qui se dirigeaient tout droit vers la forêt:

— Un gnome?

De peur qu'on ne la prenne pour une folle, elle n'osa réveiller personne et décida de suivre les empreintes. Tenant sa torche devant elle, Anna s'aventura dans les sous-bois. Sachant très bien qu'il ne pouvait lui répondre, elle appela tout de même le petit.

Sans résultat.

Soudain, elle entendit une voix d'outre-tombe provenant de sa gauche. En femme courageuse qu'elle était, elle s'approcha de l'endroit. Ce qu'elle y découvrit lui causa un tel choc que son cœur se mit aussitôt à battre la chamade.

— Mais qu'est-ce que... ?

Le petit Elrik se tenait là. Il lui faisait dos et était assis nu sur le sol, au centre d'une petite clairière.

— Comment a-t-il pu réussir à se traîner jusqu'ici ? s'exclama la grand-mère abasourdie.

Elle se rapprocha du bébé et sentit alors une présence maligne tout près, tapie dans les fourrés. Elle s'arrêta net et scruta l'obscurité. Pour son plus grand malheur, de nombreux points rouges brillaient parmi les arbres tout autour d'elle et du petit garçon.

— Des loups ! gémit-elle. Ah non, nous sommes perdus !

Suite à un calcul rapide, une douzaine de ces canidés infernaux les encerclaient. D'une main, elle agrippa rapidement l'enfant et de l'autre, tint fermement sa torche devant elle en amorçant une retraite. À ce moment, les bêtes s'approchèrent furtivement malgré la menace de sa flamme. Découvrant leurs terribles crocs, les affreuses bêtes grognèrent, visiblement mécontentes d'avoir été ainsi privées d'un repas gratuit. La vieille continua de reculer doucement, espérant ne pas les provoquer par un geste brusque. Curieusement, les maîtres de la forêt restaient toujours un peu en retrait depuis qu'elle avait débuté son repli. Elle regarda le petit et lui murmura :

— Mais qu'est-ce que tu faisais là, toi ? Qui t'a amené jusqu'à cet endroit ? C'est dangereux ici. Rentrons vite à la maison ! Je t'ai cherché partout, tu sais ?

Soudain, en dérision des paroles qui seront prononcées par le fils de Dieu dans le Grand Temple de Jérusalem trois ans plus tard, Elrik regarda Anna de façon étrange et, malgré qu'il ne soit au monde que depuis peu, lui dit de la même voix d'outre-tombe qu'elle avait entendue quelques minutes auparavant :

— Pourquoi me cherchiez-vous ainsi ? Ne savez-vous pas qu'il est temps que je m'occupe des affaires de mon Père !

Ce phénomène inouï fut le point culminant d'une journée riche en émotions et le cœur de la doyenne chérusque cessa complètement de battre. Elle échappa le bébé au sol, poussa un cri étouffé et s'affaissa de tout son long... morte, avec sur le visage, l'expression d'une terreur sans nom.

CHAPITRE XIV

VENGEANCE AVEUGLE

Jérusalem. An 30 après J-C.

Longinus poursuivit la narration de son récit à Joseph :

« Je suivais Lucius du mieux que je le pouvais. La dixième heure du jour venait de passer et le soleil éblouissant rendait pour moi toutes choses encore plus embrouillées et confuses. Mon ami me signala que Barrabas avait rejoint un groupe de partisans à la sortie de la ville, quatre hommes en tout, qui lui cédèrent une monture et filèrent ensuite en direction sud-est, vers la ville de Qumram située sur les rives de la mer Morte.

Mon compagnon me précisa :

— On m'a raconté qu'il y a un nombre incroyable de cavernes creusées à même les pentes désertiques tout autour de cette petite bourgade. Il paraît qu'une secte, les esséniens, y a élu domicile.

J'ignorais que les zélotes avaient une quelconque relation avec eux. Néanmoins, s'ils réussissent à s'y cacher, jamais nous ne les retrouverons dans ces dédales obscurs.

— Dans ce cas, ne les laissons pas prendre trop de distance. Mais prenons garde de ne pas nous faire remarquer, lui répondis-je.

Par chance, le sable soulevé lors du passage des montures des zélotes voilait notre présence et nous permettait ainsi de les suivre sans mal. Cependant, une bourrasque vint changer la donne. Au bout d'un moment, Lucius m'intima de nous arrêter.

— Qu'y a-t-il? Pourquoi stoppons-nous?

— Je pense que je les ai perdus.

— Poursuivons tout de même dans cette direction, proposai-je.

— Mais Cassius, rien ne me confirme qu'il a continué par ce chemin!

— Je suis certain que nous sommes sur la bonne voie. Continuons te dis-je.

— Il y a une petite surélévation sur notre gauche, je vais y monter pour mieux y voir.

— Très bien, je t'accompagne.

Nous grimpâmes donc la butte et Lucius tenta de repérer la présence de Barrabas et sa bande. Mais sans succès. Aucune trace à l'horizon.

— Par Jupiter, où peuvent-ils bien être? s'interrogea mon ami. Ils n'ont pourtant pas disparu comme ça dans la nature?

Hélas, je n'étais d'aucune utilité. Par contre, mon ouïe hyper-développée me permit d'entendre des pas derrière nous.

— Lucius, attention; quelqu'un vient!

Une voix aux accents gutturaux qui ne nous était pas inconnue se fit entendre.

— C'est donc vous, mes gaillards, qui me suivez depuis mon départ de la ville! Saisissez-vous d'eux! cria Barrabas à ses compères.

Les zélotes se ruèrent sur nous et nous désarmèrent aisément.

— Amenez-les!

— Pourquoi ne pas les tuer tout de suite? demanda l'un de ses hommes de main qui plaqua la lame de son poignard sur ma gorge.

— Cela serait bien trop doux pour ces vermines. Ne t'inquiète pas, Youssouf, leur tour viendra. Auparavant, j'ai une autre idée en tête qui pourrait nous rapporter gros.

On nous lia les mains derrière le dos et, poussés sans ménagement, nous nous dirigeâmes vers la ville de Qumran. Contrairement à ce que je croyais, à mi-chemin, nous bifurquâmes pour pénétrer à l'intérieur d'un tunnel souterrain, au milieu des plaines désertiques.

Les sbires de Barrabas nous poussâmes jusqu'à ce que l'on se retrouve à plusieurs pieds sous la surface. En descendant la série de marches menant à l'étage inférieur, j'eus la malchance de perdre pied et l'homme qui avait proposé de nous occire en profita pour m'asséner un retentissant coup de botte dans les côtes.

— Relève-toi, sale rat de Rome, ou je te fais bouffer ma semelle !

Je me redressai péniblement, le souffle court. Au bout de cinq minutes, nous nous arrêtâmes dans une petite salle rectangulaire remplie de victuailles, d'armes et de toutes sortes d'artéfacts prélevés sur de nombreux butins. À l'entrée, j'aperçus de nombreuses jarres d'argiles. Pendant que je m'interrogeais sur leurs contenus, des coups de bâton donnés derrière mes genoux me forcèrent à m'agenouiller. Le chef des zélotes s'approcha de nous. Un grand sourire, auquel quelques dents manquaient, lui fendait le visage en deux. Visiblement, il était satisfait de ses prises. Il ordonna à ses hommes de nous attacher à une poutre qui se trouvait juste au-dessus de nos têtes. Ensuite, ils nous soulevèrent grâce à un système de poulies. Cette position était des plus inconfortables car nous avions toujours les mains liées derrière le dos, et soulevés ainsi de quelques pieds, la pression exercée sur nos bras était insupportable. De plus, les liens qui m'entravaient étaient si serrés que très vite, je ne sentis plus le bout de mes doigts.

— Eh bien, Romain. Tu fais moins le fanfaron maintenant ? me cracha Barrabas.

Il s'était penché vers moi et je ne pouvais échapper à son haleine fétide.

— Que veux-tu de nous ? lui criai-je. Tue-nous donc qu'on en finisse. Ainsi Pilate aura une autre bonne raison de te clouer sur le Golgotha.

— Te tuer, dis-tu ? Pour que je passe à côté d'une fortune ! Tu es fou ou quoi ?

À ce moment, je compris ses sombres intentions. Il comptait nous utiliser afin d'exiger une rançon en échange de nos vies. Deux officiers comme nous devaient sûrement appartenir à des familles riches... Il n'avait pas tort dans le cas de Lucius mais moi, à moins qu'il n'y ait une autre raison, je ne valais pas grand-chose... Je lui répliquai :

— Si tu penses obtenir de l'or en échange de nos vies, tu perds ton temps. Nous sommes tous les deux de familles modestes.

— Me prends-tu pour un imbécile, Romain ? J'ai de bonnes sources qui m'affirment le contraire. Je sais que toi, par exemple, centurion Longinus, personnellement, tu ne possèdes pas grand-chose. Cependant, ta belle famille, elle... Quant à l'homme qui t'accompagne, j'ignore qui il est et je m'en contrefiche éperdument. C'est toi qui m'intéresses !

J'étais heureux d'apprendre qu'il ne connaissait pas l'identité de mon compagnon. Celui-ci répliqua à son tour :

— Tes sources te mentent, idiot ! Il a raison ! Jamais tu n'obtiendras la moindre richesse grâce à nous !

Barrabas jeta un œil à son voisin de droite et celui-ci s'avança jusqu'à mon ami. Du pommeau de sa courte épée, il l'envoya dans le pays des rêves.

— Allez chercher notre autre prise, ordonna Barrabas à deux autres de ses comparses.

Ils revinrent très vite en tirant derrière eux une forme physique que je ne pouvais distinguer même à courte distance car ses traits étaient recouverts d'une capuche. Ils l'approchèrent de moi et je constatai que le nouvel arrivant était en fait une femme.

— Découvrez-lui le visage, ordonna Barrabas.

Là, mon cœur bondit d'un coup ; devant moi se tenait accroupie ma Livia ! Ses yeux étaient cernés et tuméfiés. Sa peau délicate était écorchée à plusieurs endroits. Visiblement, elle avait été molestée mais sa robe n'avait pas été déchirée. Ce fait me rassura un peu. Elle avait beaucoup maigri et semblait très affaiblie. Lentement, elle leva son regard vers moi. L'éclat des torches sembla l'irriter pendant un court instant mais elle parvint enfin à me reconnaître :

— Cassius, mon amour... est-ce bien toi ? dit-elle d'une voix cassée.

Je m'empressai de le lui confirmer :

— Je suis là, ma chérie. Ils ne t'ont pas fait trop de mal ?

— Oh, mon amour, tu es venu pour me secourir ? Tu n'aurais pas dû. Nous sommes condamnés tous les deux maintenant. Qui est l'homme à tes côtés ? Il ressemble à mon frè...

— C'est l'un de mes amis, l'interrompis-je. Tu ne le connais pas! Dis-moi, est-ce que tu vas bien malgré tout?

Je ne voulais pas que Barrabas se doute qu'il y avait un lien familial qui unissait les deux êtres que j'aimais le plus au monde.

— Ta gueule sale chien! tonna ce dernier. C'est moi qui pose les questions ici. Alors, Romain, n'était-ce pas ton désir de retrouver ta chère épouse? La voilà. Maintenant, nous allons parler un peu affaires. J'espère que tu te montreras plus intelligent que ta stupide femelle. Inutile de me mentir, je sais qu'elle provient d'une riche famille. Nous avons en notre possession tous ses bagages et les gens qui l'accompagnaient ont tous été vendus aux marchés des esclaves. Ils m'avouèrent auparavant que leur maître est un sénateur, donc un homme très riche. Par contre, aucun n'a voulu m'en dire davantage et ta femme refuse de nous dévoiler l'identité de son père afin que nous lui demandions une rançon. Tu n'es pas sans savoir que cela nous coûtera des sommes astronomiques si nous voulons que notre révolte soit une réussite. J'ai donc besoin de tout l'or que je pourrai obtenir. Maintenant, si tu ne veux pas être responsable du sort réservé à ton épouse, tu serais mieux de collaborer. Révèle-moi ce que je désire savoir et dès la réception de la rançon, je vous libérerai tous les trois.

— Qu'est-ce qui me prouve qu'après avoir reçu la rançon, tu ne nous tueras pas de toute façon?

— C'est une chance à prendre. Tu peux penser ce que tu veux de moi mais je suis un homme de parole et je jure devant mon dieu qu'il en sera ainsi.

Je craignais de mettre inutilement la vie de mon beau-père, le sénateur, en jeu. Je lui fis donc une proposition à mon tour:

— Garde-moi captif et libère mon épouse et mon ami. Ensuite je jure de tout te révéler.

Barrabas sembla réfléchir ardemment à la question. Visiblement contrarié, il s'approcha de nouveau vers moi et tonna:

— Penses-tu vraiment être en position de marchander? De toute façon, si je la libère, elle, qu'aurai-je comme monnaie d'échange?

— Tu m'auras, moi. Je suis très estimé de mon beau-père et de Rome en entier. L'Empereur lui-même paiera une somme colossale pour ma liberté.

Je mentais, bien sûr, mais je devais tenter l'impossible pour sauver Livia et peut-être aussi son frère. Hélas, pour mon grand malheur, un évènement inattendu survint. Alors que le zélote semblait finalement abdiquer en ma faveur, Lucius reprit ses esprits. Quand il releva la tête et ouvrit les yeux, il ne put s'empêcher de s'écrier :

— Livia ? C'est bien toi, ma chère sœur ?

À ces mots, le regard de Barrabas s'illumina.

— Quelle belle petite réunion de famille que voilà ! Se pourrait-il que la chance ait enfin tourné en ma faveur ? Après avoir échappé à la crucifixion ce matin, voilà maintenant que la somme de ma future fortune vient de doubler.

Il marcha vers Lucius et lui agrippa la chevelure :

— Comment te nommes-tu, toi, le frère ? Réponds-moi ou je te crève les yeux !

— Va en enfer, charogne !

Cette réplique lui mérita une retentissante gifle et le sang éjecté de sa lèvre inférieure vint m'asperger le visage.

— Réponds, sinon je pourrais décider de tuer l'un de vous et de me contenter d'une moindre somme.

Lucius ne desserrait pas les dents. Devant son entêtement, Barrabas se tourna de nouveau vers moi :

— Bien. Vous ne voulez pas parler. C'est bon, voyons lequel de vous deux cédera le premier.

Là, il dégaina sa large épée toute rouillée et se dirigea vers mon épouse. Craintive, celle-ci recula quelque peu mais, retenue par les hommes de Barrabas, elle ne put aller bien loin. Le zélote se pencha vers elle. Deux gardes la maintinrent tandis que Barrabas lui tenait fermement le poignet gauche au-dessus d'une grosse pierre plate. Livia, comprenant ce qui lui était destiné, cria à fendre l'âme qu'on la laisse tranquille. Barrabas s'adressa de nouveau à nous :

— Voyez-vous, messieurs, pour convaincre le père de cette jolie dame, il me faut d'abord lui fournir la preuve que je la retiens bien en otage. Pour ce faire, je vais trancher l'un des doigts de sa princesse qu'il aura tôt fait de reconnaître. Seulement, c'est à vous de décider combien de doigts devrais-je lui envoyer. Commençons donc par le début.

Devant nos yeux et notre impuissance, il coupa net l'annulaire de la main gauche de ma pauvre Livia, celui orné de l'alliance de notre union. Elle poussa un autre cri, de douleur celui-là, et pleura toute sa souffrance.

Lucius et moi ragions devant cette infamie. Comment cet animal pouvait se permettre de mutiler ainsi ma tendre aimée ? Notre position était insoutenable ; je ne sentais plus mes épaules ni mes bras derrière mon dos, mais ma rage réénergisait mes forces. Je sentais que de son côté, Lucius essayait de se défaire de ses liens. Devant notre furie impuissante, les gardes zélotes se moquèrent de nous. Barrabas prit le membre coupé et le déposa sur un plateau d'argent qu'il prit à même son butin. Il continua :

— Maintenant, êtes-vous enfin disposés à me fournir le nom du père de cette femelle ?

— Libère-la et je te dirai tout ! lui dis-je de nouveau.

— Désolé. Tu n'as pas répondu à la question !

Le chef rabaissa alors sa lame pour une deuxième fois et une autre phalange fut sectionnée de la main délicate. Elle cria derechef et je sentais qu'elle était tout près de perdre conscience. Un flot de sang jaillissait des deux plaies et se répandait jusqu'au sol.

— Tu serais aussi bien de tous nous occire en cet instant même car je te jure que si je survis à cette aventure, jamais je n'aurai de paix tant que je te saurai en vie.

Je lui envoyai un long crachat qui le manqua de peu.

— Une autre mauvaise réponse !

Un troisième doigt se retrouva dans le plateau. Cette fois, Livia ne dit mot. Probablement inconsciente. C'en était trop pour sa résistance.

— Alors, allez-vous enfin me répondre ou dois-je tous les couper un par un ? vociféra Barrabas visiblement à bout de patience.

— C'est bon, lui dis-je. Je te dirai ce que tu veux savoir.

J'étais anéanti. À voir mon épouse subir un tel supplice, plus rien ne comptait désormais hormis sa sauvegarde.

— Bon ! Enfin, te voilà raisonnable ! Vous autres, cria-t-il à ses hommes. Écartez-vous et allez quérir le médecin. Voilà Romain. Je te promets que je ne la toucherai plus si tu tiens promesse.

Je lui racontai tout. Durant ce temps, les gardes avaient ramené un semblant de chirurgien. L'homme qui ne paraissait aucunement instruit, nettoya tout de même les plaies et, dans l'espoir de stopper l'hémorragie, appliqua ensuite un garrot sur chacun des trois moignons de la main atrophiée de ma Livia. Quand j'eus fini de révéler à Barrabas l'identité de mon beau-père et comment parvenir jusqu'à lui, le chef zélote mit dans un sac de toile les trois bouts de doigts enroulés dans un linge imbibé d'un liquide qui permettrait de conserver les organes morts pendant quelque temps. Il ordonna ensuite à l'un de ses hommes de se rendre jusqu'à Rome accompagné d'une missive qu'il avait rédigée auparavant.

— Va, Youssouf, et ne traîne pas en chemin.

— Mais rien ne presse, aucun navire ne partira avant...

— Peu importe ! Rends-toi sur place et attends !

Le dénommé Youssouf quitta la grotte en maugréant. Je m'efforçai de mémoriser les traits de cet individu qui m'avait menacé de sa lame quelques minutes auparavant. Je souhaitais intérieurement que Lucius avait réussi à faire de même dans l'espoir que, si nous survivions à ce moment funeste, nous puissions l'intercepter avant qu'il ne quitte le pays. De plus, j'ignorais vers quelle ville portuaire il se dirigeait. En vérité, mon espoir de nous en sortir vivants était très faible. Les zélotes ramenèrent ma femme vers sa cage, nous laissant seuls avec leur chef.

— Libère-la, maintenant que tu as eu les informations que tu désirais. Il faut qu'elle voie un médecin compétent le plus vite possible. Nous pouvons très bien la remplacer comme otages. Elle était déjà très faible avant notre arrivée et a perdu beaucoup de sang depuis ! Je t'en prie, conduis-la au plus vite à Jérusalem, le suppliai-je.

Pour toute réponse, Barrabas se plaça derrière nous et j'entendis de nouveau sa lame glisser hors de son fourreau. Craignant le pire, Lucius et moi fûmes toutefois libérés de notre fâcheuse position quand il coupa les cordes qui nous reliaient à la poutre et qui nous maintenaient dans cette position extrêmement douloureuse. Nous chutâmes au sol enfin soulagés de cette torture. Je ne sentais plus mes bras et respirais à peine tellement l'épreuve fut rude. Lucius ne semblait pas beaucoup mieux. Néanmoins, il lui restait assez d'énergie pour tenter encore une fois de se défaire de ses entraves aux poignets. Je ne pus profiter très longtemps de cette pause car Barrabas mit la main sur mes poignets liés dans mon dos et, de nouveau, me souleva brusquement, faisant presque éclater les os de mes deux bras. Ce faisant, il me nargua :

— Pourquoi voudrais-je me défaire de celle qui va me rapporter gros ?

— Je te l'ai dit ! Je ferai un parfait remplaçant ! Si elle meurt, tu ne seras pas plus avancé !

— À vrai dire, je me fous de ce qu'il adviendra d'elle. Dès que le père de cette charmante personne, que les caresses n'exciteront plus jamais aucun homme, verra ce que mon gars lui apporte, il s'empressera de me remettre la somme demandée sans poser plus de questions. Dès lors, qu'elle soit morte ou vivante, ça ne change pas grand-chose du moment que je suis en possession de mon or. Cependant, je préfère la garder près de moi jusqu'à ce que j'obtienne la rançon.

Là, il me laissa durement choir au sol. Mon visage en prit un coup mais mes bras endoloris ne demandaient pas mieux. Barrabas se tourna vers Lucius et lui administra la même torture tout en lui disant :

— Ne t'inquiète pas. Tu serviras toi aussi d'otage et vous serez, ta sœur et toi, tous les deux les grands responsables de mes succès.

— Que fais-tu de ta promesse faite à ton dieu ? lui dis-je.

— Sache qu'aucune promesse ne tient face aux chiens galeux venant de Rome. Dès que j'aurai l'argent pour ta femme, j'enverrai de nouveaux cadeaux, prélevés sur son frère, au sénateur Julius contre une seconde rançon. Je pense bien que pour son fils, dont la fierté doit être grande, il n'hésitera pas à me donner la moitié de sa fortune. Quant à toi...

À ce moment, l'épée pointant devant lui, il se rapprocha de moi et, le meurtre dans les yeux, me menaça :

— Je n'aime pas beaucoup ton attitude et je pense que nul ne paiera pour ta personne. Tu ne peux plus m'être utile à quoi que ce soit dorénavant !

Il me força à relever la tête et, doucement, il plaqua sa lame contre ma gorge. Je croyais bien que ma dernière heure venait de sonner quand soudain, comme par miracle, Lucius, libéré de ses entraves, sauta sur notre agresseur. Les deux hommes roulèrent l'un sur l'autre, fracassant dans leur lutte le mobilier vétuste. Lucius avait le dessus car la surprise de Barrabas fut grande de voir ainsi se ruer sur lui mon ami, qui était supposé être solidement attaché. Mais Lucius avait finalement réussi à se libérer grâce à son bracelet à lame rétractable et tentait maintenant de tuer notre bourreau avec l'aide de son arme artisanale.

Néanmoins, le zélote était costaud et mon ami était quelque peu affaibli par les souffrances qu'il venait d'endurer. Cependant, après un court combat des plus acharnés, il réussit à prendre le dessus pour de bon et dans une fureur telle que je n'en avais jamais vu chez lui auparavant, il planta à plusieurs reprises sa lame d'un demi-pouce dans la jugulaire de son rival. Une fontaine écarlate jaillit de l'énorme plaie et Barrabas s'écroula par devant. Dans un dernier râle, il expira.

J'étais heureux du dénouement mais Lucius, en mettant fin ainsi à la vie du chef zélote, m'avait du même coup privé d'une partie de ma vengeance. Néanmoins, je lui criai :

— Vite Lucius, détache-moi avant que les autres reviennent.

Mon ami sortit de sa bulle et revint vers moi encore habité par l'émotion de la bataille. Je le félicitai de sa victoire sur ce rapace et l'exhortai d'accélérer car j'entendais venir vers nous les gardes alertés par les bruits du duel. Sitôt que je fus libéré de mes liens, ils surgirent devant nous. Les trois hommes jetèrent un coup d'œil en direction du cadavre de Barrabas baignant dans son sang. Ils se ruèrent sur nous en vociférant des injures que nous ne comprenions pas. Sans arme, j'évitai le premier qui s'avança dans ma direction et d'un croc-en-jambe, je lui fis perdre l'équilibre. Le rebelle alla se fracasser le crâne sur le mur du fond de la salle souterraine.

Lucius, toujours aidé de son bracelet, ouvrit l'abdomen du deuxième homme qui vit ses tripes se répandre à ses pieds, sans trop comprendre ce qu'il venait de lui arriver. Nous ramassâmes nos armes qui avaient été déposées contre l'une des parois et avançâmes vers le troisième homme. Voyant cela, le zélote prit ses jambes à son cou et fila vers l'extérieur. Je criai à Lucius, qui était le plus près de la sortie :

— Vite, rattrape-le avant qu'il ne fasse fuir les montures. Pendant ce temps, je vais aller libérer Livia.

Je me rendis vers les sombres tunnels de la grotte maintenant abandonnés et en tâtonnant ici et là, je parvins au bout d'un moment à trouver la cellule dans laquelle gisait mon épouse. D'un coup de glaive, je fis sauter le loquet et m'approchai d'elle. Elle était étendue sur sa couche mais je constatai qu'elle s'était réveillée suite au vacarme que j'avais provoqué. L'endroit était insalubre et je la plaignis d'avoir eu à survivre dans un tel endroit depuis des semaines. Lorsqu'elle me reconnut dans la pénombre, malgré sa très grande faiblesse, elle parvint à me gratifier d'un sourire.

— Cassius, mon amour ! dit-elle d'une voix atone. Sommes-nous morts, réunis pour l'éternité dans l'au-delà ?

— Non, ma chérie. Nous sommes toujours vivants et ton frère aussi. C'est maintenant terminé, tu n'as plus rien à craindre. Je te ramène à la maison, ma douce Livia. Ne parle plus, garde tes forces, nous allons nous occuper de toi.

— À boire, donne-moi de l'eau, mon amour. J'ai une de ces soifs !

Je scrutai les environs et je parvins enfin à mettre la main sur un cruchon d'eau. Le liquide semblait d'une pureté relative mais tout de même buvable. J'en versai un peu dans une sorte de gobelet qui traînait près de sa couchette constituée de paille d'une couleur douteuse et nauséabonde. En la soulevant pour l'aider à absorber le liquide, je pinçai les lèvres afin de ne pas crier ma douleur. Mes bras me faisaient horriblement souffrir, mais je parvins quand même à la soulever. La perte de ses doigts n'avait certainement pas amélioré sa condition car elle avait le teint extrêmement livide et paraissait sans aucune énergie. Toutes ces semaines de privations l'avaient considérablement affaiblie et, n'eut été de ses beaux yeux couleur noisette, jamais je ne l'aurais reconnue. La voir ainsi m'affectait au plus haut point et je ne pus m'empêcher de verser une larme.

Finalement, de peine et de misère, nous atteignîmes l'extérieur de la caverne. Lucius, à la course, vint à notre rencontre :

— J'ai réussi à rattraper l'homme et je l'ai tué juste avant qu'il ne prenne une monture et ne fasse fuir les autres. Les nôtres nous attendent un peu à l'écart. J'en ai profité pour lui subtiliser sa bourse. Regarde, il y a une petite fortune là-dedans ! Comment va-t-elle ? demanda-t-il en jetant un œil sur sa sœur.

— Pas très bien ! Elle vient de perdre conscience encore une fois.

— Passe-la-moi, Cassius, je la transporterai.

— Il n'en est pas question !

— Allons, réfléchis un peu. Tu es déjà affecté par ta mauvaise vision et tes bras te font souffrir, c'est évident. Si tu veux qu'elle consulte un médecin digne de ce nom, il faut nous rendre à Jérusalem au plus vite. J'ai appris que certains Juifs étaient passés maîtres dans l'art de la guérison. Tu n'auras qu'à me suivre. Je te promets de bien prendre soin de ma petite sœur, d'accord ?

J'acquiesçai et dès qu'il eut enfourché sa monture, je lui confiai ma Livia. En retour, il me donna la bourse. J'enfourchai ma jument à mon tour et nous quittâmes cet endroit sordide. Nous devions être vers la treizième heure et nous galopâmes à toute allure en direction de Jérusalem. Après un court laps de temps, Lucius s'arrêta subitement tout près d'un monticule rocheux sur notre droite. Je m'empressai de le rejoindre et dès que je fus à sa hauteur, il m'annonça, l'air sérieux :

— Cassius, elle vient de reprendre conscience et demande à te parler.

Selon l'expression de son regard, je craignis le pire. Je m'empressai de quitter ma selle et Lucius me tendit mon épouse, que j'allongeai sur le sable.

— Je suis là ma chérie. Qu'y a-t-il ? Nous devons nous dépêcher d'atteindre la ville si tu veux te porter mieux.

Elle ouvrit, non sans mal, ses paupières munies de longs cils. Elles semblèrent peser aussi lourd que les colonnes du temple de Mars à Rome. Livia me regarda intensément, de ce regard qui m'avait toujours fait chavirer le cœur. Avec un effort suprême, elle me confia :

— Cassius, mon amour, je veux simplement te dire pendant que je le peux encore, combien je t'aime et combien je suis désolée de t'avoir impliqué dans cette histoire. Comment se porte ta vision ?

— Je te mentirais en te disant que j'y vois mieux. Pour être franc, cela a empiré depuis quelque temps.

— J'aurais dû écouter ton conseil, mon amour, et demeurer à Rome. Surtout que... Me pardonneras-tu mon erreur ? Pourtant, je suis convaincue que si j'avais réussi à rencontrer ce prophète, ce Yeshua de Nazareth, je suis certaine qu'il aurait pu te guérir.

De crainte de l'affecter davantage, je préférai ne pas lui avouer qu'on venait de le condamner à mort pour blasphème. Déjà, je sentais ses dernières forces l'abandonner. Elle m'implora de nouveau :

— Me pardonneras-tu, mon amour ?

— Mais bien sûr, voyons. Tu n'as absolument rien à te reprocher, ma chérie. Ce que tu as fait, tu l'as fait par amour pour moi. Maintenant, je t'en prie. Accroche-toi encore un peu, nous sommes presque arrivés à destination.

— C'est trop tard pour moi. Je sens que mon esprit est prêt à quitter ce monde mais je suis heureuse de partir ainsi enlacée dans tes bras. Mais qu'en est-il de mon père ?

Je lui résumai la situation et lui parlai de ce dénommé Youssouf et que j'ignorais vers où il s'était dirigé.

— Voici une information qui pourrait peut-être sauver mon père de la ruine. Alors que mes geôliers me ramenaient à ma cellule tout à l'heure, j'ai repris conscience et je les ai entendus mentionner le nom de la ville de Césarée.

— C'est bien, ma chérie, tu aurais dû te faire espionne.

J'essayais d'alléger l'atmosphère.

— Embrasse-moi une dernière fois maintenant pour que je puisse quitter cette vie tout à fait heureuse !

Je m'empressai de combler son désir. Elle poussa son dernier souffle en s'affaissant sur mon épaule. Dans ses traits figés, je ne discernai plus aucune trace de sa souffrance et de nouveau j'observai du mieux que je le pouvais la douceur et la sérénité de son visage qui la caractérisaient tant de son vivant. Lucius, un peu à l'écart, laissa couler sa peine à son tour. Je lui demandai de s'approcher et ensemble, nous pleurâmes le décès de cette femme exceptionnelle qui avait donné sa vie dans l'espoir de sauver la mienne. Nous prîmes quelques minutes pour nous recueillir et n'ayant rien à notre disposition pour un bûcher funèbre digne d'elle, nous décidâmes de la recouvrir de pierres au pied du monticule, empêchant ainsi les charognards du désert de se délecter de sa chair tendre. Le sépulcre familial se trouvait beaucoup trop loin à Rome et cet endroit en valait bien un autre. Après avoir prononcé les paroles de circonstance, je priai Lucius de reprendre la route.

— Pour quoi faire ? Il est trop tard maintenant. Notre mission ici est terminée. Il vaudrait mieux...

— Je sais tout ça mais j'ai un autre compte à régler avant qu'il ne soit trop tard !

— Que veux-tu dire ?

— Tu verras. Dépêchons-nous d'atteindre la ville. Ne t'inquiète pas, nous n'y resterons pas longtemps.

— Poursuivons plutôt l'homme parti pour Rome à la rencontre de mon père avant qu'il ne prenne un navire et ne quitte ce maudit pays de sauvages.

— Il n'a pas pris une sérieuse avance en direction de Césarée à l'heure qu'il est. Nous le retrouverons plus tard dans cette ville.

— Comment savoir qu'il a choisi cet endroit ?

— Parce que ta sœur me l'a dit avant de mourir.

— Très bien alors, faisons comme tu veux !

Lucius semblait passablement perturbé par les derniers évènements. Avec raison d'ailleurs. Après un dernier adieu à ma Livia, je poussai ma jument à la suite de mon compagnon et peu de temps après, nous arrivâmes en vue de Jérusalem. Près de l'entrée sud-ouest de la ville se trouvait le lieu de supplice que l'on nomme « Le Golgotha ». Un monticule d'une centaine de pieds de haut. Tout prisonnier condamné à mort y trouve son dernier repos. À son sommet étaient érigées trois grandes croix de bois sur lesquelles y était cloué un homme. Une foule considérable s'y était amassée.

— Laissons nos montures et grimpons au sommet. Je veux voir ça de plus près, dis-je à Lucius.

— Qu'est-ce que tu cherches à faire, Cassius? Tu ne crois pas que ce pauvre bougre a déjà bien assez payé sa faute? Si faute il y a eu!

— Allons! Ne recommence pas! Guide-moi jusqu'au sommet! Il faut que je m'y rende, j'ai une dernière chose à accomplir.

À contrecœur, Lucius m'aida à me faufiler à travers la foule et, chemin faisant, je constatai que ma vision venait encore de diminuer. Je n'y voyais presque plus rien, même à trois pieds devant moi.

— Dépêchons-nous, Lucius. Je pense que bientôt je n'y verrai plus rien du tout!

— Pourquoi ne pas aller consulter l'un de ces médecins juifs dont je t'ai parlé au lieu de traîner ici?

— C'est trop tard pour ça.

— Que comptes-tu faire? Ce prophète, si ce n'est pas déjà fait, va bientôt mourir de toute façon.

Soudain le bruit du tonnerre se fit entendre juste au-dessus de nos têtes et un orage se déclencha subitement. Un vent puissant venant du nord nous fit chanceler dans notre progression, mais nous atteignîmes finalement le sommet. Lucius m'expliqua qu'une décurie, sous les ordres du préfet Abénader lui-même, avait été mandatée pour effectuer ce sinistre travail. Lucius éleva la voix, ordonnant au peuple de nous céder le passage. Nous gravîmes finalement la butte et atteignîmes le plateau.

— Voilà! nous y sommes. Que faisons-nous maintenant?

— Dis-moi, sur laquelle des trois croix l'ont-ils cloué?

— Comment? Tu ne vois même plus à cette distance? Nous ne sommes qu'à quelques pieds de lui, mon pauvre ami! Ta vision s'est réellement dégradée!

— Oui, Lucius. Je ne voulais pas t'alarmer mais à chaque jour qui passe, cela empire. Tout est devenu embrouillé, même de près. Alors, il est sur laquelle ?

— C'est celle du centre et il semble encore vivant le pauvre bougre. Quelles souffrances doit-il endurer ! Je ne comprends toujours pas ce que nous faisons ici, Cassius !

Soudain, un bruit sourd semblant provenir de sous nos pieds se fit entendre et le mont du Calvaire subit une secousse qui fendit la roche en plusieurs endroits. Au même instant, le tonnerre gronda derechef et un éclair alla frapper l'un des gardes en pleine poitrine. L'homme trépassa dans la seconde. Ce spectacle fit fuir de nombreux superstitieux qui s'étaient amassés aux pieds du moribond, mais les plus fidèles restèrent malgré le déchaînement des éléments. Et là, celui que tu reconnais comme étant le fils de ton dieu cria au ciel quelque chose dans sa langue que je n'ai pu saisir et pencha la tête par-devant. Certains dirent qu'il venait de mourir mais moi-même, je ne peux l'affirmer. Le ciel était complètement obscurci d'un gris sombre. Sur le coup, je pensai que ma vision venait d'être perdue à jamais, mais Lucius me confirma qu'il n'en était rien :

— C'est seulement un gros nuage mais... il est... comment dire... assez curieux ! Je n'en ai jamais vu de cette forme !

L'un des prêtres, qui de sa distance ignorait si le prophète venait de mourir, cria au préfet d'accélérer le processus avant que la tempête ne se déchaîne pour de bon. Abénader le regarda un instant et soudain le sol se mit à bouger de nouveau. Il ordonna à l'un des gardes de prendre un gourdin et de briser les jambes, à la hauteur des genoux des suppliciés afin d'accélérer leur trépas.

— Tout cela, je l'entendis plus que je ne le vis. Satisfaits, les religieux s'enfuirent du site et regagnèrent l'enceinte de la ville. Le garde choisi s'avança vers les suppliciés. Armé de sa lourde arme, il se tourna vers celui qui se trouvait à la droite du prophète et lui asséna deux formidables coups qui lui firent éclater les articulations des jambes. Celui-ci, qui était toujours bien vivant avant ce geste, cria à fendre l'âme et décéda dans les minutes suivantes. Le garde s'avança vers le prophète mais, au passage, il jeta un coup d'œil à une femme tout de noir vêtue qui l'implorait de ne pas agir ainsi avec son fils. Je compris qu'il devait s'agir de la mère de Yeshua. Celle-ci était accompagnée de deux autres femmes et d'un homme.

Le garde, sans que j'en comprenne la raison, décida de poursuivre sa sombre besogne sur l'autre condamné avec le même résultat que le premier. Finalement, il poussa délicatement la mère du prophète de côté. Il leva sa masse, regarda le condamné et la laissa retomber aussitôt à ses pieds. Il se retourna vers son supérieur et lui dit :

— Je crois bien que celui-ci est déjà mort !

— Sois-en sûr, alors ! Poursuis ta besogne.

C'est à ce moment que j'accomplis la pire bêtise de ma chienne de vie. Lorsque Abénader donna son ordre au garde, j'intervins en hurlant :

— Non ! Il est à moi ! Personne ne me privera de nouveau de ma vengeance !

Je courus jusqu'au crucifié. En chemin, je happai une lance plantée au sol par l'un des gardes et, fou de rage, j'assénai un coup en plein cœur à celui que j'avais identifié comme le principal coupable de la mort de ma Livia. À ce moment, en une fraction de seconde, plusieurs évènements survinrent.

Dès que le fer de lance toucha sa cible, l'arme se fragmenta en plusieurs endroits dans un bruit d'éclatement. Sur le coup, je fus projeté au sol et une énorme quantité de sang mêlé à une autre sorte de liquide que je ne saurais identifier, sortit de la blessure que je venais d'infliger au condamné et vint m'asperger tout le corps. J'en eus plein la bouche, tellement, que je faillis m'étouffer à quelques reprises. Par réflexe, je sortis mon glaive de sa gaine et frappai en vain le vide autour de moi. La fontaine sanguine cessa et je tentai de me relever, mais je glissai sur le sol visqueux.

J'entendis la foule s'exclamer de surprise, disant que c'était là l'accomplissement d'un autre miracle. Bien vite, un autre bruit attira mon attention sur ma gauche. Le râle d'un mourant ; Lucius, mon cher et loyal ami, m'avait suivi dans mon élan et avait tenté de m'arrêter avant que je n'accomplisse mon geste fatal. Malheureusement pour lui, lorsque la lance éclata, un bout de bois provenant du manche l'avait atteint au visage et s'était enfoncé de quelques pouces en plein centre de son front. Je rengainai mon arme et pataugeai dans la mare de sang jusqu'à lui. Voyant son état grave, je me penchai à son chevet et lui dis :

— Lucius, je suis désolé. Tout est de ma faute. Je t'en prie ! Ne meurs pas toi aussi. Que deviendrai-je sans ton aide ?

Je lui pris la main et, tout en crachant un filet de sang, il me dit :

— Ne t'en fais pas, Cassius, je... je vais bientôt rejoindre ma petite sœur. Je suis heureux de t'avoir connu et compté parmi mes amis. Cependant, la vie de mon père est en jeu. Pr... promets-moi de le sauver, Cassius. Retourne à Rome avant que ce chien de zélote ne parvienne jusqu'à lui... Jure-le.

— C'est juré. Mais nous y retournerons tous les deux.

Sur ces mots réconfortants, il eut un rictus de douleur et s'éteignit dans mes bras. Tout comme sa sœur, mon épouse, quelques heures auparavant. Je hurlai bien fort mon désespoir. Pourquoi tous ces malheurs m'arrivaient-ils ? Qu'avais-je donc fait pour mériter ainsi la colère des dieux ? Dans la même journée, je venais de perdre les deux êtres que j'aimais le plus. Mon désespoir était immense et durant un bref instant, je fus tenté de me transpercer de ma lame à mon tour et ainsi quitter ce monde cruel.

Abénader s'avança jusqu'à nous et, constatant l'état de Lucius, ordonna à deux gardes d'amener sa dépouille à la caserne en me laissant seul avec ma peine. Les autres légionnaires restèrent pour surveiller l'endroit et le préfet quitta les lieux.

Trop absorbé par mon chagrin, je n'avais jusqu'alors rien remarqué de particulier dans ma condition. C'est seulement lorsque je relevai les yeux et vis les femmes en noir pleurer de plus belle aussi clairement qu'il y a quatorze ans, que je soupçonnai qu'un évènement extraordinaire venait tout juste de se produire. Sur le coup, je n'y croyais pas. Je m'essuyai les yeux du revers de la main et fixai de nouveau les femmes. Celle que j'avais reconnue comme étant la mère du prophète resplendissait de blancheur. C'était comme si un halo d'une clarté inouïe émanait de sa personne et illuminait tout ce qui se trouvait dans un rayon de trois pieds malgré la noirceur qui régnait.

Je pris conscience que ma vision était revenue. Cependant, il y avait une nouveauté que je ne pouvais m'expliquer. Sur l'instant, j'étais simplement si soulagé de retrouver la vue que je ne me suis pas posé de questions. Après tous mes déboires, ma maladie s'était enfin estompée. Hélas, ma réjouissance fut de courte durée.

Alors que je me relevais, mon regard fut attiré en direction des gardes chargés de surveiller l'emplacement jusqu'à ce que la foule entière se soit dispersée. Ce furent les premières visions d'horreur qu'il m'était donné de voir. Trois des gardes n'avaient plus rien d'humain. Leur aspect me rappelait certaines statues de chimères effrayantes qui ornaient les édifices importants de la capitale. Devant ce cauchemar, je hurlai ma peur et fuis l'endroit à toute vitesse. En chemin, je croisai d'autres de ces monstres et je crus que j'étais mort moi aussi et que mon esprit avait abouti dans l'antre de Pluton. Toutefois, la pluie froide qui tombait ardemment me ramena bien vite à la réalité. À mon grand désarroi et ne comprenant pas ce qui m'arrivait, je poursuivis ma course tel un fou, sans trop savoir où mes pas m'amèneraient. Voulant échapper à ces démons de l'enfer, je me cachai sous l'ombre d'un porche à l'abri de la tempête. C'est là que, peu de temps après, tu m'as trouvé. Voilà, c'est tout! J'en profite pour te remercier encore une fois des soins dont j'ai pu bénéficier grâce à toi, vieillard.

Le centurion avait maintenant terminé son incroyable récit et sitôt, il s'empressa de remplir son gobelet de vin et cala une autre longue gorgée. Il ne se rappelait pas la fois où il avait parlé aussi longtemps. De son côté, Joseph, complètement subjugué par les propos de son invité, ne l'avait pas interrompu une seule fois. Il ressassait toutes ces informations et tentait d'y trouver un quelconque raisonnement logique. N'y parvenant pas pour l'instant, il se contenta de dire au centurion:

— Eh bien, mon ami, quelle histoire!

— Je te jure que tout ce que je t'ai confié est la stricte vérité. N'oublie pas que tu avais promis de me prendre au sérieux avant que je débute mon récit.

— Oh! Ne t'inquiète pas pour ça, je te crois volontiers. Une chose m'intrigue par contre...

— Une seule?

— Pour le moment, du moins. Ma grande connaissance des Saintes Écritures pourrait peut-être nous éclairer un peu. Pour débuter, selon moi, je pense que tu as été choisi par l'Éternel pour accomplir une quelconque mission.

— Laquelle?

— Ça je l'ignore, mais c'est une évidence. Tu m'as dit avoir rencontré un drôle de petit bonhomme tout en blanc peu après ton arrivée en Germanie il y a plus de quatorze ans. T'en souviens-tu?

— Et comment! Jamais je ne l'oublierai, celui-là!

— Qui était ce jeune enfant d'après toi?

— Aucune idée. Je te l'ai dit, il ne semblait pas du tout cadrer avec l'environnement...

— Comme s'il venait d'un autre monde ?

— Quel autre monde ? J'ignore à quoi tu fais allusion. Maintenant que j'y réfléchis après coup, j'ai l'impression que le triste sourire qu'il m'adressait voulait dire qu'il savait ce qu'il était pour m'arriver plus tard lors de ma rencontre avec Malaric, le sorcier germain.

— Probablement un envoyé de Dieu, ou Lui-même... Sachant le sort qu'il t'avait destiné, il se montrait désolé pour toi. En bref, tu as été choisi par Lui.

— Dans quel but ?

— Pour une quelconque mission. Peut-être celle de démasquer les démons qui rôdent sur terre, sans doute...

— Pourquoi ton dieu aurait-il jeté son dévolu sur moi ?

— Ça, mon ami, je l'ignore. Cependant, les voies du Seigneur sont impénétrables. Assurément, tu dois posséder des aptitudes que d'autres n'ont pas !

— Quelles aptitudes ? Vraiment, je n'y comprends rien à rien !

— Certains sont nés pour enseigner, d'autres pour diriger. Peut-être mon Dieu estime-t-il que... là où la parole ne peut agir, par l'épée, sa Volonté doit s'accomplir. Les jours prochains nous éclaireront sûrement plus à ce sujet.

— Que faire alors ? Je devrais peut-être partir tout de suite pour Césarée ? J'ai promis à Lucius de tenter de rattraper l'homme !

— Je pense qu'il a dû embarquer ce matin. Tu arriverais trop tard ! Ta seule chance, c'est de tenter de le retrouver directement à Rome en prenant le navire que je t'ai proposé. N'oublie pas que tu es recherché. Ta description doit sûrement circuler dans tous les ports des villes côtières à l'heure qu'il est. Pour l'instant, en plein jour, je pense qu'il te sera très difficile de sortir de Jérusalem. Mais, en attendant que le soleil soit couché, j'aimerais savoir : l'arme que tu dis avoir utilisée lors du coup mortel asséné à Yeshua, sais-tu où elle serait passée ?

— Aucunement. Tout ce que je sais, c'est qu'elle a éclaté et ses fragments ont dû être projetés un peu partout autour du site. Je n'en ai trouvé qu'un seul morceau jusqu'ici. C'était une partie du manche en bois et elle était fichée dans le crâne de mon ami.

— Je sympathise avec toi, mais, sans vouloir remuer plus de mauvais souvenirs qu'il ne le faut, moi aussi je détiens une partie de cette arme. Te souviens-tu de nous avoir accompagnés, mes amis et moi, lors de la mise au caveau funèbre du corps du supplicié ?

— Oui, heu... vaguement, j'étais encore très perturbé à ce moment-là. Pourquoi cette question ?

— As-tu eu conscience du phénomène auquel nous avons assisté ?

— De quoi parles-tu, vieillard ?

Longinus devint de plus en plus intrigué.

— Je parle de cette mystérieuse lumière qui a soudainement jailli du cadavre étendu devant nous. Cela ne te rappelle vraiment rien ?

— Maintenant que tu en parles, je me rappelle que le caveau s'est illuminé tout d'un coup comme en plein jour mais la plupart du temps, je gardais les yeux voilés par crainte d'apercevoir d'autres créatures de l'enfer. J'ai alors cru que vous aviez allumé plusieurs torches et que...

— Non, non, aucunement.

— Qu'était-ce donc, alors ?

— Un bout de métal du fer de lance provenant de ton arme, selon les témoignages reçus !

— Comment est-ce possible ? De quelle manière un fragment d'un banal fer de lance pourrait irradier ainsi ?

— Voilà tout le mystère... J'ai gardé le fragment avec moi. Si tu veux, je peux aller le quérir afin que tu le voies par toi-même. Par contre, la curieuse lueur a disparu depuis.

— Allons le voir quand même. Où l'as-tu mis ?

— Il se trouve présentement dans ma chambre, dans l'une des poches de ma veste.

— Parfait, je t'accompagne. J'ai besoin de me dégourdir un peu les jambes.

Les deux hommes rentrèrent à l'intérieur de la somptueuse demeure et gagnèrent l'escalier qui menait à la chambre de Joseph qui se trouvait au deuxième palier. Tout en gravissant les marches, ils entendirent un cri venant de la pièce. En vitesse, ils s'y rendirent. La porte avait été fermée à clé et d'un bon coup de pied, Longinus l'ouvrit sans peine. Ce qu'ils virent à l'intérieur restera gravé dans leur mémoire à jamais.

La vieille servante de Joseph, Téréza, était allongée sur le sol et se tortillait de douleur. Ses gémissements aigus trahissaient une grande souffrance. Les deux hommes regardèrent avec incrédulité la source de tous ses maux. Ils constatèrent qu'elle était grièvement brûlée dans la région de l'abdomen et tentait désespérément d'éteindre l'incendie avec ses mains. Déjà, les flammes incandescentes s'étaient propagées à sa chevelure et y faisaient un ravage. La source des brûlures semblait provenir de l'intérieur même de la vieille femme. En quelques instants, sans que les deux hommes puissent réagir, ce fut tout le corps de Téréza qui s'enflamma. Les yeux exorbités de terreur, elle poussa un dernier cri et s'effondra dans un amas de flammes et de morceaux de chair roussis. Un gros nuage de fumée noire et malodorante se dégagea du cadavre et vint empester la pièce. Joseph, un mouchoir sous le nez, s'avança vers la fenêtre et s'empressa d'ouvrir les panneaux qui bloquaient l'accès, permettant ainsi l'évacuation de l'exhalaison vers l'extérieur du bâtiment.

Lorsque l'air de la pièce fut respirable à nouveau et que les flammes eurent passablement diminué, Joseph s'approcha de la victime désormais méconnaissable et l'aspergea du contenu d'un pot de fleurs qui traînait sur la table de chevet. Ses vêtements étaient en cendres et sa chair, brûlée atrocement.

— Au nom de l'Éternel, quel est ce maléfice ? échappa-t-il.

— Je n'en sais rien, répondit Longinus qui, lui, venait de voir l'un des démons qui le tourmentaient mourir devant ses yeux. Rassuré de savoir qu'ils pouvaient être détruits comme de simples mortels, il ajouta toutefois à l'adresse du marchand :

— Regarde, on dirait qu'elle tient toujours quelque chose dans son poing gauche.

Joseph approcha sa main du corps brûlant et la retira aussitôt :

— Ouille ! C'est trop chaud !

Longinus s'approcha à son tour et, n'écoutant que son courage, tenta de desserrer les doigts crochus encore fumants de la vieille femme. Curieusement, lorsqu'il s'exécuta, il ne sentit absolument aucune douleur malgré que les bouts de ses doigts rougissaient. Il s'en confia à Joseph qui se contenta de le regarder, l'air ahuri. Le centurion réussit à ouvrir la petite main squelettique et découvrit l'objet qui s'y trouvait.

— Qu'est-ce que ceci ? demanda-t-il à Joseph.

Le vieil homme prit la chose.

— C'est le petit morceau de métal prélevé dans la blessure que tu as infligée à Yeshua. C'est exactement le curieux objet que je voulais te montrer. Il était dans l'une de mes poches... Comment s'est-il retrouvé dans les mains de... ?

— C'est simple. Cette femme, ou ce monstre, était une voleuse. Elle vient de payer très cher son dernier larcin. Regarde un peu plus sur sa gauche, c'est la petite bourse qu'elle m'a subtilisée pendant qu'elle prenait soin de moi. Cependant, étant donné sa hideur avancée, elle ne devait pas simplement te faire les poches, vieillard.

Joseph constata qu'effectivement, sa veste gisait par terre. De combien d'argent Téréza l'avait-elle soulagé depuis toutes les années qu'elle était à son service ? Il l'ignorait et en fut grandement déçu car il avait eu une grande confiance envers cette femme.

— Tu penses alors que ce bout de lance serait la cause de sa mort ?

— Je l'ignore mais elle le tenait fermement lorsque c'est arrivé. Peut-être y a-t-il un lien. C'est toi même qui m'as raconté qu'il possédait des aptitudes spéciales.

— Tu as peut-être raison. La question mérite d'être étudiée. Toutefois, pour l'instant, nettoyons un peu cette pièce.

Alertés par les cris de la vieille femme, les autres serviteurs avaient laissé leurs tâches respectives et étaient accourus jusqu'au pied de l'escalier. Joseph, qui détestait mentir, leur expliqua néanmoins que Téréza, par mégarde, avait renversé sur elle une lampe à l'huile et qu'elle en était décédée à la suite de terribles brûlures. Il ordonna à deux domestiques de sortir le corps à l'extérieur et de disposer de la dépouille. Une femme fut désignée pour ranger la pièce.

Plus tard, lorsque Joseph se retrouva de nouveau seul en compagnie de Longinus au jardin, il lui confia son trouble :

— Comment ce simple petit fragment de lance peut-il causer la mort ainsi ?

— Je l'ignore, je te l'ai dit. Comment le saurais-je ? Tout ce que je sais, c'est que voilà un démon de moins à rôder sur cette Terre.

Joseph le fixa sérieusement.

— En passant, n'aurais-tu pas démasqué par hasard, un autre de ces démons au sein de mes domestiques ?

— Non, du moins, pas parmi ceux que j'ai croisés.

— Bien. Je suis soulagé de ce constat. Maintenant, tentons d'y voir un peu plus clair et reprenons depuis le début. Selon toi, Téréza avait l'aspect d'un démon et cela pourrait être causé suite à des actes répréhensibles qu'elle aurait commis depuis nul ne sait combien d'années ?

— Exactement, c'est ce que je crois.

— Alors, cela voudrait dire que ta nouvelle vision te permettrait de voir à travers la chair et d'y découvrir l'âme habitant chaque individu. L'âme ; les Saintes Écritures en parlent abondamment. Donc, depuis l'incident sur le Golgotha, tu serais dorénavant en mesure de percer sous son vrai jour chaque individu que tu croises. Certains d'entre eux ayant versé dans le mal t'apparaîtraient sous la forme de démons plus ou moins hideux selon leur degré de malveillance ou la répétition de leurs actes répréhensibles. C'est bien cela ?

— Ta théorie se tient, vieillard. Tu sembles avoir raison. Mais qu'en est-il du fragment ? Pourquoi toi et moi pouvons-nous le manipuler sans risque alors que tout semble indiquer qu'il est responsable de la mort de cette... créature ?

— J'y venais justement. À première vue, je dirais qu'après avoir trempé dans le sang divin, et ce, dans le cœur même de Yeshua, cet objet est devenu le fléau pour tous ceux que tu désignes comme étant « démons ». Peut-être est-ce seulement une coïncidence, mais ce fragment a déjà démontré au caveau qu'il possédait des propriétés spéciales.

— Il faudrait tenter une autre expérience pour s'en assurer, hasarda Longinus.

— Comment comptes-tu t'y prendre ?

— C'est simple. Nous donnerons le fragment au premier démon que nous rencontrerons, ça ne sera pas bien difficile, ils sont légions. De cette façon, nous serons certains du pouvoir qu'il recèle.

— Mais si cela s'avère concluant, ça voudra dire que nous sommes des meurtriers ? Ma foi ne me permet pas de faire ce genre de choses, mon ami. Déjà que j'ai dû mentir à mes domestiques !

— Ce sont des créatures de l'enfer, te dis-je ! Ils ne méritent pas la vie.

— Qui es-tu pour te rendre juge de ces gens ?

— Si ton Dieu m'a redonné la vue et qu'il y a apporté quelques modifications, c'est sûrement pour une raison.

— Celle d'occire toutes les âmes perverties de ce monde ? Ta mission risque d'être longue et ardue. Le monde dans lequel nous vivons est peuplé d'âmes en perdition et ce depuis fort longtemps.

— C'est justement pour cette raison qu'il faut en exterminer le plus possible. Allons, accompagne-moi dans les quartiers malfamés de Jérusalem et nous vérifierons si tout cela vaut la peine qu'on en discute.

— Quoi ? En plein jour ?

— La foule sera notre meilleure alliée et je porte tes accoutrements ; je doute que quiconque puisse me reconnaître. Personne ne soupçonnera notre présence en ces lieux. De plus, je ne pense pas que tu serais très intéressé à te promener en ces lieux le jour tombé.

Joseph finit par consentir et avisa son majordome Apollonios qu'il s'absentait pour quelques instants et qu'il serait de retour avant la nuit.

Les deux hommes prirent des montures à l'écurie et galopèrent jusque dans les bas-fonds de la ville. Puis, ils descendirent de cheval et gagnèrent une sombre ruelle, là où l'astre solaire ne pouvait traverser le toit des mansardes. L'endroit respirait la misère humaine. Partout autour d'eux jonchaient des détritus de toutes sortes. Les enfants qui traînaient çà et là, crottés jusqu'aux oreilles, jouaient à travers ces immondices répugnantes. Quelques prostituées hélaient les clients à leur passage et quand Joseph et Longinus les eurent dépassées, le vieux marchand demanda à son compagnon :

— Et ces femmes-là, mon ami ? Les vois-tu elles aussi comme des démons ?

— Deux d'entre elles ne présentent rien de particulier. Par contre, la grosse femme qui semblait être leur tenancière est d'une monstruosité extrême. Si ses clients la voyaient ainsi, elle serait ruinée en peu de temps.

— Et les autres ?

— Elles ont un degré de laideur moyen. J'ignore pour quelles raisons.

— Peut-être que si elles se repentent assez vite de leurs actes, elles auront une chance de sauver leur âme et de redevenir normales selon ta vue...

— Je l'ignore, te dis-je, vieillard.

Au tournant du sentier se tenait un pauvre hère affublé de cécité complète. Longinus, l'apercevant, eut pitié de lui et prit une pièce d'or dans sa bourse récupérée dans la chambre de Joseph et la donna au pauvre type en lui conseillant :

— Prends ceci et quitte cet endroit si tu tiens à ta sécurité.

Le pauvre bougre, tout heureux de cette offrande inespérée, remercia son bienfaiteur et fila. Un peu plus loin, à l'avant d'une taverne douteuse, ils avaient aperçu un trio d'hommes à la mine patibulaire. Joseph demanda au centurion :

— Alors mon ami, est-ce que l'un d'eux conviendrait pour notre expérience ? Car pour ma part, avec ma vision qui est tout ce qu'il a de plus commun, je dois t'avouer que je les trouve assez repoussants.

— Cette vision n'est rien comparée à la mienne. Sur lequel veux-tu que l'on fasse notre petit test ? Selon toi, lequel est le pire ?

Joseph n'eut pas le temps de répondre à la question car le plus grand des coupe-gorge s'avança vers eux en exhibant son long cimeterre.

— Eh bien, qu'avons-nous là ! Deux gentilshommes, dont l'un semble assez fortuné si l'on en juge par les riches vêtements qu'il arbore ! Ne savez-vous pas, messieurs, qu'il est dangereux de traîner dans le coin ?

Ses deux compagnons s'esclaffèrent d'un rire gras. Longinus s'avança pour protéger son bienfaiteur.

— Ne le touche pas ! Si c'est notre or que vous voulez, prenez-le et laissez-nous partir en paix !

D'un clin d'œil discret à l'adresse du vieux marchand, ce dernier comprit à l'instant les intentions du centurion. Il répondit au malfrat :

— Oui, oui, mon ami a raison. Tenez, prenez cet objet, cela vaut une fortune.

Joseph lui tendit le fragment du fer de lance et le brigand s'en saisit vivement. Il fut fâché de découvrir que ce qu'il tenait entre les doigts ne lui semblait d'aucune valeur. Il ouvrit la bouche pour protester et sentit alors une douleur vive à la main qui se propagea bien vite dans tout le corps. Tellement, qu'il lâcha son arme et s'effondra sur le sol humide en gesticulant comme un possédé. Les deux autres s'approchèrent de lui mais reculèrent d'un pas lorsqu'ils constatèrent avec horreur le même phénomène auquel Joseph et Longinus avaient assisté plus tôt dans la journée. Croyant à de sombres maléfices, les deux hommes se tournèrent vers eux toutes lames sorties. Longinus, bien qu'il eût écouté les conseils de Joseph en ce qui avait trait à ses habits ridicules, avait tenu à apporter son glaive qu'il cachait sous les replis de sa tunique. Il dégaina et d'un seul coup, sectionna la tête du premier homme comme s'il ne s'était agi que d'une pastèque. Le centurion connaissait bien son arme et jamais, il ne l'avait vue aussi efficace. Il sortit de sa torpeur lorsque Joseph, d'un cri, l'avertit que l'autre fripouille se précipitait sur lui. Longinus se retourna juste au moment où l'homme lui assénait un terrible coup sur le crâne à l'aide son gourdin. Étourdi, il vit la canaille réitérer son geste pour le coup fatal. Joseph l'interpella :

— Eh ! Attrape !

Par réflexe, l'homme qui ne paraissait pas tellement intelligent capta ce que le vieux marchand venait de ramasser et de lui lancer. Il subit le même sort que son congénère. Reprenant leur souffle, Joseph et Longinus s'éclipsèrent. Le vieux marchand, qui avait eu le temps de ramasser de nouveau le fragment maléfique, dit au centurion :

— Ouf ! Quelle expérience traumatisante ! Mais quoi qu'il en soit, elle s'avère concluante.

— Maintenant, quittons ces lieux au plus vite. Le jour va bientôt tomber et il vaudrait mieux ne pas traîner dans les parages lorsque cela surviendra.

— Je suis tout à fait d'accord avec toi, mon ami.

En chemin, une question surgit soudainement dans l'esprit de Joseph. Comme s'ils étaient passés bien près à côté d'un élément essentiel à toute l'histoire. Anxieux, il demanda à son compagnon :

— Tu affirmes que tu n'as pas retrouvé le fer de lance, n'est-ce pas ?

— Oui, mais je ne l'ai pas cherché non plus. Pourquoi cette question ?

En posant cette question à Joseph, Longinus comprit le raisonnement du marchand et répondit lui-même à voix haute :

— Si un simple petit bout provenant de cette arme peut s'avérer mortel pour les démons, qu'en est-il du reste du fer de lance ?

— Exactement ! Il faut le retrouver. Il pourrait nous être très utile ! s'enthousiasma Joseph.

— Gagnons immédiatement le Golgotha, proposa Longinus.

— Il ne serait pas tellement prudent de se montrer en ce lieu en plein jour. L'endroit fourmille toujours de gardes romains qui auront tôt fait de trouver louche que nous passions le site au peigne fin. Revenons plutôt cette nuit, avant que tu prennes la route pour Jaffa, et, équipés d'une faible lampe à l'huile, nous nous mettrons à sa recherche. En espérant que personne ne l'ait trouvée avant nous... Enfin, pour l'instant, le mieux à faire est de regagner ma villa.

Longinus se plia au conseil de Joseph.

Arrivé à un croisement près de la sortie de la ville, visiblement pris d'une terrible épouvante, le centurion stoppa net sa marche et poussa Joseph dans l'ombre d'un mur. Le vieillard, secoué par la violence du geste, lui demanda :

— Mais... que t'arrive-t-il ?

— Chut ! Tais-toi. Je viens d'apercevoir la plus horrible créature qu'il m'ait été donné de voir depuis que j'ai cette malédiction.

— Qu'a-t-elle de spécial comparativement aux autres ?

— C'est difficile à décrire mais sa laideur n'a pas d'égale et elle est auréolée d'un nuage grisâtre, presque noir, qui m'empêche de distinguer clairement ses traits. On dirait qu'elle est habillée d'une sorte de toge, mais je n'en suis pas sûr. Cependant, une chose est certaine, elle m'inspire une crainte sans pareille.

Joseph, impressionné par les propos alarmants de son compagnon, ne put s'empêcher de lui demander :

— Où se trouve-t-elle ?

— Là-bas, de l'autre côté de la rue près d'une échoppe de tissus, je crois.

— Je suis curieux de découvrir qui est ce mystérieux personnage.

— Non, n'y va pas. Ce... monstre est mortellement dangereux, je le sens.

Joseph convainquit tout de même Longinus de lui permettre de jeter un œil.

— Je serai très prudent, mon ami, je te le promets. De toute façon, il ne peut se douter que tu le perçois tel qu'il est vraiment. Reste ici si tu le désires, je reviens le plus tôt possible.

— Très bien alors, mais fais vite ! Tu ne peux le manquer, il était seul devant la boutique voilà quelques instants à peine.

Le vieux marchand s'avança prudemment jusqu'à ce qu'il soit en vue de l'échoppe. Des gamins couraient après un chien et quelques mégères discutaient de la pluie et du beau temps. Mais Joseph ne voyait rien d'autre de particulier. Soudain, il le vit ; le mystérieux personnage était entré dans le magasin et en ressortait quand Joseph s'était avancé. Jamais il n'aurait pu deviner l'ampleur de la stupéfaction qui l'assaillit comme une gifle en plein visage à l'instant où il reconnut l'individu désigné par le centurion. Secoué, Joseph se hâta de rejoindre un Longinus encore tout tremblant des suites de sa vision d'horreur. Ensemble, ils quittèrent les lieux en vitesse. En route, il lui confia :

— Eh bien, si tout ce que tu m'as dit s'avère exact, nous ne sommes pas au bout de nos peines.

— Comment cela ? Tu connais cette aberration ?

— Oooh oui ! C'est quelqu'un de très important ici à Jérusalem et qui m'est très familier, du moins je le pensais, avant tes confidences. Heureusement, je ne crois pas qu'il ait senti ma présence.

— Mais qui est-il, bon sang ?

— Il vaudrait mieux ne pas discuter ici. Ce n'est pas très prudent. Rentrons à la villa et je te dirai tout.

Les deux hommes, passablement perturbés par les derniers évènements, reprirent leurs montures à la sortie des bas-fonds de la ville et regagnèrent la demeure du riche marchand sans échanger un seul mot de tout le trajet, chacun perdu dans ses propres réflexions.

CHAPITRE XV

LE BÂTARD

Germanie. An 9 après J-C.

Comme tous les matins, Ermengarde, la nourrice du petit Elrik, quitta sa demeure dans le quartier des esclaves et se rendit vers la cabane de la vieille Anna. La jeune mère, après avoir nourri son propre enfant, se pressa d'aller rejoindre le petit orphelin afin de lui donner son boire. Elle enfila ses fourrures et emprunta le chemin. Jugeant le temps maussade, elle accéléra le pas et, arrivée devant la demeure de l'aïeule du clan, elle ouvrit la porte et pénétra à l'intérieur.

— Anna? Êtes-vous là?

N'obtenant aucune réponse, elle se rendit en direction de la paillasse de la vieille, prévoyant la trouver encore endormie comme c'était quelquefois son habitude. Elle eut la surprise de trouver la couchette vide. Intriguée, elle se dirigea ensuite vers le berceau du petit Elrik pour constater son absence à lui aussi.

— Mais où sont-ils allés à cette heure si matinale ? s'interrogea-t-elle.

Effectivement, il était curieux que la vieille femme ait quitté sa demeure avec le petit sous le bras, seuls les dieux savaient où ! Brusquement, une sombre pensée lui traversa l'esprit.

— Et s'il leur était arrivé malheur ?

Rarement son intuition ne l'avait trahie. Hésitante et ne sachant trop quoi faire, elle se rendit chez le Jarl afin de le prévenir de la situation. Ermengarde savait bien qu'Hermann n'aurait pas souhaité mieux dans le cas du bébé mais il s'inquiéterait peut-être un peu plus de l'absence de sa propre mère.

— À moins que ce soit lui qui soit derrière tout ça ? pensa-t-elle.

Bien sûr, si cela s'avérait être le cas, elle ne pourrait rien y changer. Mais au moins, elle saurait la vérité sur ce mystère. Elle s'était de plus en plus attachée au poupon et cela au détriment quelquefois de son propre petit garçon âgé d'à peine dix mois. Son époux, esclave tout comme elle, lui en faisait souvent le reproche, avec raison, mais c'était plus fort qu'elle. Dès qu'elle quittait la cabane d'Anna et regagnait sa propre mansarde, elle ne pouvait s'empêcher de penser au petit de la pauvre Luna, se demandant constamment s'il n'avait pas besoin de sa présence ou de ses soins. Alors, voyant ce matin qu'il ne se trouvait plus dans son petit berceau, elle en fut doublement inquiète. Comme si cela avait été son propre enfant, et peut-être même plus. L'averse appréhendée par la jeune esclave venait de débuter et c'est tout trempée qu'elle frappa plusieurs fois du plat de sa main sur la porte d'entrée du Jarl. Au bout d'un moment, elle entendit une grosse voix grave crier derrière l'énorme porte de chêne :

— Fichez-moi le camp ! cria Hermann en blasphémant.

— Monseigneur, s'égosilla Ermengarde, il faut que je vous parle. Je crois qu'il est arrivé malheur à votre mère et... au petit.

La jeune femme attendit une réponse durant plusieurs secondes quand soudainement, le lourd verrou glissa et la porte s'ouvrit toute grande sur un Hermann dans son plus simple appareil. À cette vision, la jeune esclave releva les yeux et s'efforça de ne pas se montrer trop intimidée par cette vision obscène.

— Entre ! lui dit-il sans prendre compte de son malaise.

Ermengarde pénétra dans la vaste demeure et s'approcha du foyer dans lequel brûlait un feu incandescent. Cependant, il n'y avait pas seulement ces flammes qui réchauffaient l'ambiance. Elle aperçut au fond de la pièce où se trouvait le grand lit d'Hermann, Thusnelda, sa toute nouvelle épouse. Elle s'y trouvait étendue de tout son long et tout aussi nue que son époux. La grande rousse, comme tout le village se plaisait à l'appeler depuis sa venue parmi eux, ne semblait éprouver aucune gêne particulière à se montrer ainsi en sa présence. Même qu'elle tentait de ramener Hermann dans leur couche afin qu'ils puissent poursuivre leurs ébats. Le Jarl mit fin au silence :

— Eh bien, femme, que veux-tu ? Qu'est-il arrivé à ma mère ? Parle donc, ou préférerais-tu te joindre un peu à nous avant ? C'est que, comme tu peux le constater, j'étais occupé en ce moment.

Ermengarde, à l'énoncé de cette proposition écœurante, se retourna vivement et faisant fi de sa timidité, exposa la situation. Hermann, en entendant cela, haussa le ton :

— Pourquoi me déranger pour des peccadilles de la sorte ! Ma mère a probablement amené le petit en visite chez quelqu'un.

— Permettez-moi de vous rappeler qu'étant donné son grand âge, votre mère n'a pas comme habitude de se lever si tôt dans la matinée et encore moins de partir ainsi avec le bébé à pied sans qu'il ait eu son boire auparavant ! Je suis sûre qu'il lui est arrivé quelque chose de fâcheux !

Hermann, suite à ces évidences, enfila un vêtement, s'arma de sa longue épée et agrippa la nourrice par le bras :

— Viens, et si jamais tout cela s'avère une mauvaise plaisanterie, tu le paieras cher, ma petite !

À ce moment, Flavius se présenta lui aussi à la demeure du Jarl.

— Que viens-tu faire ici, toi ? lui dit ce dernier, visiblement contrarié par l'arrivée impromptue de son frère.

Le grand blond n'en fit pas de cas et lui annonça l'objet de sa présence :

— J'aimerais discuter avec toi à propos de ce qui s'est passé hier. J'avoue que je me questionne à propos de plusieurs choses.

— Comme tu peux le constater, j'étais sur le point de partir. Reviens plus tard si tu veux. Nous discuterons alors.

— Et où vas-tu ainsi en traînant cette esclave ?

— Il parait que notre mère ne se trouve pas à sa cabane. Selon cette femme, qui se trouve être la nourrice du petit bâtard, il lui serait peut-être arrivé malheur et...

Flavius, étant un homme près de ses sentiments, éprouva une vive inquiétude devant cet énoncé :

— Vite, dépêchons-nous de nous en assurer !

Le trio courut en direction de la demeure d'Anna. Dès leur arrivée, ils constatèrent que la jeune esclave avait dit vrai. Flavius proposa :

— Réveillons le village et effectuons une battue dans les alentours.

Hermann ne savait plus trop comment réagir. La disparition du morveux le soulageait, mais d'un autre côté, il se devait de s'inquiéter pour sa vieille mère. Pourtant, il n'éprouvait aucun sentiment particulier face à sa disparition. Cette femme autoritaire lui avait toujours tenu tête.

— De toute façon, se dit-il, elle était vieille et devait tôt ou tard mourir.

Flavius le sortit de ses rêvasseries et le ramena vite à la réalité :

— Hermann, dépêche-toi. Tu es le Jarl. Donne vite l'ordre d'effectuer les recherches !

— Tu as raison, elle n'est sûrement pas bien loin.

Hermann, qui ne voulait surtout pas se froisser avec son frangin, fit réveiller les hommes, et tout ce beau monde, sous la pluie battante, inspecta les bois en quête des deux disparus. Peu de temps s'écoula avant que trois guerriers retrouvent la vieille femme dans le boisé derrière sa propre demeure. La pauvre Anna était étendue au sol, le visage baignant dans une flaque d'eau de pluie accumulée. Dès qu'ils furent avertis, les deux frères se précipitèrent vers l'endroit désigné. Flavius fut le premier à arriver sur les lieux et dès qu'il aperçut sa mère dans cette position, il s'empressa d'aller la relever et de la couvrir de sa propre veste. Ses plus grandes appréhensions s'étaient réalisées. Selon l'état rigide de son corps, Anna avait probablement péri au cours de la nuit. Cependant, elle ne semblait pas avoir souffert d'aucune blessure apparente. La jeune esclave éclata en sanglots et se pressa de demander aux hommes qui avaient effectué la battue :

— Et le bébé ? Personne ne l'a trouvé ?

— Non. Nous pensons que les loups l'ont probablement emporté.

À cette nouvelle désastreuse, Ermengarde quitta le site et s'empressa de rentrer chez elle. Le Jarl pria quelques hommes d'emporter la dépouille de sa mère à l'intérieur de sa propre demeure et d'y préparer les funérailles. Après le départ des hommes, Flavius remarqua de curieuses empreintes autour de la scène. Heureusement, l'averse n'ayant débuté que depuis peu, l'eau n'avait pas encore complètement réussi à les effacer. Intrigué par sa découverte, il observa le sol plus attentivement. Hermann le suivit et demanda :

— Eh bien, mon frère, que penses-tu de tout ceci ? J'avoue que, pour ma part, je n'y comprends rien. Que faisait mère en pleine nuit au beau milieu de la forêt ?

— Je l'ignore. Mais regarde ces curieux pas qui se dirigent vers la forêt !

Hermann s'accroupit :

— On dirait de tout petits pieds ! dit-il surpris.

— Oui. Et remarque les autres tout autour. Ne les reconnais-tu pas ?

— Des loups...

Au nombre d'empreintes qu'ils comptèrent, ceux-ci devaient bien être plus d'une douzaine d'individus. Hermann questionna :

— Serait-ce ces créatures qui auraient causé la mort de mère ?

— J'en doute. Elle n'affichait pas de blessures apparentes. S'ils étaient les coupables, nous n'aurions rien retrouvé d'elle. Les bêtes l'auraient amenée au cœur de la forêt et entièrement dévorée à l'heure qu'il est. C'est bien cela qui m'intrigue. Pourquoi ne l'ont-ils pas fait ?

Hermann, comme presque tous les barbares peuplant la Germanie, était assez superstitieux. Il réfléchit silencieusement pendant quelques instants et avoua :

— Tout cela est bien curieux en effet. Et ces petites empreintes, à quel genre de créatures peuvent-elles donc bien appartenir ?

— Voilà une énigme que nous ne sommes pas près de résoudre, je pense. Dis-moi, la nourrice, que t'a-t-elle dit à propos du bébé ?

— Qu'il avait disparu lui aussi. Elle pensait que Mère l'avait amené avec elle mais tout semble indiquer que ce ne soit pas le cas car si les loups avaient pris l'enfant, comme les hommes l'ont suggéré plus tôt, pourquoi n'auraient-ils pas attaqué Mère ?

— Où serait le petit dans ce cas ? s'interrogea Flavius.

— Je n'en sais rien et je m'en contrefous complètement.

— C'est justement l'un des sujets dont je voulais m'entretenir avec toi. Es-tu certain qu'il n'est pas ton fils ?

— Tout à fait. Je t'ai tout raconté hier il me semble ?

— Oui mais... je ne peux admettre que Luna se soit comportée de la sorte. Enfin... Bon. Tu étais son époux et tu avais le droit d'agir ainsi si tu pensais qu'elle t'avait trahi. De toute façon, c'est la loi et il est trop tard maintenant.

Hermann le regarda malicieusement et lui dit :

— J'aime mieux ça. Pendant un instant, j'ai cru que tu pouvais être l'homme avec qui elle m'a trompé !

Flavius, insulté, riposta avec véhémence :

— Je te jure que jamais je n'ai accompli ou même penser accomplir un tel geste !

— Allez, ne t'en fais pas. Je te crois et je retire mes paroles, lui répondit Hermann tout sourire. As-tu d'autres sujets dont tu voudrais m'entretenir, tandis qu'on y est ?

— Ce Malaric, le Jarl des Frisons et le père de Luna, dont nous avons eu la visite inattendue hier durant la célébration, que voulait-il au juste ?

— Le joyau que je t'ai montré lors de mon retour.

— C'est bien ce que je pensais. Vas-tu enfin m'expliquer ce qu'il a de si particulier pour causer toute cette histoire ?

Hermann, comme il l'avait promis auparavant à son frère, lui dévoila tout ce qui concernait l'émeraude maléfique qu'il avait rapportée, non sans mal, de la capitale romaine. Le grand blond en fut grandement impressionné et confia à son frère :

— Je comprends maintenant. Selon toi, en quoi peut-il être utile à Malaric si ce n'est pour prendre la destinée de la Germanie sous son contrôle ?

— Ça, je l'ignore. Il n'a pas voulu m'en dire plus, mais il paiera son affront. Sois-en sûr.

— Dans les faits, mon cher frère, ne sois pas si surpris de sa réaction. Il a déjà pas mal payé, je crois. Tu n'as pas vraiment respecté ton entente avec lui. Il est normal qu'il ait réagi ainsi et il va certainement chercher à se venger de nouveau et tenter de s'approprier l'émeraude. Tu aurais peut-être dû la lui céder ! Surtout si tu avais juré sur les dieux...

— Ta gueule ! N'as-tu pas compris ? Le comportement de sa fille a mis fin à notre entente ! hurla Hermann à son frère.

Cependant, Flavius connaissait le tempérament colérique de son aîné et il ne fit pas de cas de cette dernière boutade. Il répliqua calmement mais avec aplomb :

— Allons, ne me prends pas pour un imbécile. Ce n'est sûrement pas pour une femelle que tu déclarerais ainsi une guerre ouverte avec l'un des plus féroces clans de notre patrie! D'autant plus que tu tentes par tous les moyens depuis presque trois années déjà de tous nous réunir pour la même cause! Avoue que ça ressemble à une drôle de politique d'agir comme tu l'as fait. Cesse ta colère à mon égard. Je te jure que tu n'as rien à craindre de moi et que je suis à tes côtés, mon frère. Je sais bien que tu désires garder le joyau pour toi. De peur de te faire supplanter, je suppose, mais je peux te comprendre. Jamais je ne te trahirai et surtout, ne voudrai te le voler. Je n'ai pas trop confiance dans ces objets magiques. Toutefois, en retour et en mémoire de notre pauvre mère qui vient de trépasser, jure-moi à ton tour que jamais tu ne te serviras de son pouvoir contre moi ni sur aucun de nos frères et sœurs de clan!

Le Jarl regarda Flavius dans le blanc des yeux et se radoucit. D'un ton mielleux, il lui jura de faire ainsi. Étant habité par une forte personnalité, Flavius ignorait que c'était là vaine promesse en ce qui le concernait car l'émeraude était inefficace sur lui.

— Que fait-on pour le petit Elrik? Doit-on poursuivre les recherches? demanda Flavius.

— Non, qu'il crève et bon débarras. Maintenant que Mère est morte, j'espère que jamais plus nous n'entendrons parler de ce bâtard. Dès que je l'ai vu, cet enfant m'a donné froid dans le dos sans que j'en comprenne la raison.

— Comment un bébé d'à peine quelques mois pourrait effrayer le Grand Hermann, libérateur de la Germanie?

Là-dessus, Flavius lui administra une retentissante claque dans le dos et les deux frères se mirent à rire un bon coup.

— Ouais, tu as raison. Oublie ça et retournons nous mettre à l'abri chez moi, proposa Hermann. Je t'offre le déjeuner, mon frère.

— Je te suis. Cependant, j'avoue que toutes ces traces de loups indiquant leur présence ici pas plus tard que la nuit dernière et les autres plus petites empreintes qui semblent les accompagner m'intriguent grandement.

— Allons, Flavius, oublie tout ça! Rentrons, je suis trempé jusqu'à la moelle.

Les deux hommes se retirèrent à l'abri des intempéries en laissant derrière eux tous ces mystères.

Trois semaines plus tard, dans les profondeurs de la caverne maudite qu'il n'avait pas quittée depuis sa visite au clan chérusque,

Malaric ruminait toujours sa colère face à l'affront que lui avait fait Hermann.

— Cet arrogant chien galeux n'a pas respecté sa parole !

Il leva les deux poings vers la voûte et hurla sa rage. En proie à la déprime, il s'affaissa sur le sol humide de la grotte et tel un enfant trop gâté, se mit en position fœtale et pleura toute sa peine en frappant du poing la surface dure. Ses nerfs avaient subi beaucoup de tension dernièrement. En plus d'avoir mis fin à la vie de la seule personne qu'il aimait au monde, Hermann avait refusé de lui remettre le joyau, la clé lui permettant d'ouvrir la porte close et d'accéder enfin à la connaissance suprême.

Cependant, entre deux crises de frustration, il s'était remis à l'étude du *Livre noir de Salomon* et avait fait d'autres découvertes surprenantes. Au cours de l'une de ses nuits blanches, il avait poursuivi sa lecture du texte écrit en grec et était tombé sur un paragraphe intrigant. Selon le scribe du grand Roi, les armées d'Israël avaient autrefois combattu un « Titan » et avaient réussi à l'exterminer. Malaric pensa tout haut :

— Ce Salomon a certainement eu recours au pouvoir du joyau pour réussir cet exploit.

Il poursuivit sa lecture :

« ... *Lorsque nous avons réussi à tuer l'énorme animal, quelle ne fut pas notre surprise de constater que celui-ci était seulement l'esclave d'une entité hautement plus dangereuse. Furieuse de l'assassinat de son valet, celle-ci se présenta et nous menaça des plus abominables fléaux. Mes armées prirent l'offensive mais les tirs de nos archers et de nos lanciers s'avérèrent inutiles contre sa carapace inaltérable aux flammes. De plus, le joyau maudit semblait inopérant contre elle et nous avons été dans l'obligation d'effectuer une retraite à l'intérieur même de nos fortifications dans l'espoir de trouver une solution face à ce nouveau problème. Durant ce temps, mon royaume subit la peste, la famine et la sécheresse et vécut sous la peur durant des mois.*

Le démon, car c'en était bel et bien un, s'exprimait aisément dans notre langue. Il se vantait qu'il était l'un des puissants Barons du Chaos et qu'il se nommait Moloch. Après six mois de ravages causés par ses sorts immondes, mon conseiller et architecte personnel Hiram Abif, versé dans les arts ésotériques et qui avait conçu les plans du Grand Temple, trouva une solution des plus mystérieuses mais efficace afin de neutraliser cette abomination. Son succès ne fit aucun doute et le démon gagna la geôle spéciale-ment conçue pour lui dans les soubassements du Temple. Grâce au procédé d'Hiram, l'entité malsaine fut mise hors d'état de nuire... »

Suite à cette lecture des plus instructives, Malaric eut une révélation :
— Qu'est-ce que cet officier romain, propriétaire de ce livre avant moi, était allé faire à Jérusalem juste avant que Ragnard et ses hommes ne l'interceptent ?

Cette énigme demeura sans réponse et Malaric, exténué, gagna sa paillasse et s'endormit rapidement. Le lendemain, il reprit son astreignante besogne. Depuis le jour où Hermann était parti avec Luna, la curieuse brume verdâtre ne s'était plus montrée et Malaric en ressentait les effets car il avait l'impression que le déchiffrage du traité de démonologie lui était plus ardu qu'auparavant. Comme si son potentiel intellectuel avait diminué depuis. Entêté comme il l'était, le vieux sorcier ne s'avouait pas vaincu pour autant et redoubla d'efforts en espérant trouver un moyen de réaliser ses désirs.

Ce soir-là, encore une fois, il s'endormit très tard, le nez entre les pages jaunies du vieux traité et s'éveilla à l'aube, les muscles tout endoloris. Il coupa un énorme quartier de viande d'un cerf fraîche-ment abattu la veille et se dirigea ensuite vers l'enclos de La Terreur. L'animal attendait son repas avec impatience et savoura la chair dès que son maître la lui eut lancée.
— Bonne bête, lui dit Malaric affectueusement. Toi au moins, je suis sûr que tu ne me trahiras pas.

Sur ces mots, le vieux sorcier reprit son ascension et se prépara à sortir de la grotte en vue d'aller cueillir quelques plantes et racines possédant des qualités particulières. Quelle ne fut pas sa surprise de découvrir au bas des marches de pierre menant à l'entrée un fait inattendu.
— Mais qu'est-ce que... ?

Malaric n'en revenait tout simplement pas. Là, juste devant ses yeux, complètement nu, se tenait un tout petit bébé.
— Qui serait assez fou pour déposer un enfant aussi jeune à cet endroit ? se dit-il. Et comment cette même personne a-t-elle réussi à découvrir mon repère ?

Il sauta par-dessus l'enfant et se précipita sur la grève voir s'il n'y avait pas une quelconque embarcation. Rien. Le vieux sorcier sentit l'inquiétude le gagner.

— Mais comment est-il arrivé jusqu'ici ? se dit-il. À moins qu'il ne soit venu par les terres ? Impossible non plus que quelqu'un de sain d'esprit ait pensé emprunter cette voie. Il lui aurait fallu traverser la forêt remplie de loups affamés sur des lieues et des lieues. Aucune chance de ce côté. Intrigué au plus haut point, il revint vers l'entrée de la caverne et retrouva le petit qui le gratifia d'un sourire édenté.

— Mais qui es-tu donc ?

Il s'assit à côté de son invité surprise et le regarda plus attentivement. Apparemment, le garçon n'était pas âgé de plus de quatre mois et n'était pas encore sevré. De tout son petit être, ce qui impressionnait le plus Malaric, c'était son étrange regard... lui rappelant un peu celui qu'avait... Luna.

— Se pourrait-il que...

Malaric ne termina pas sa phrase et se leva vivement en s'adressant de nouveau au poupon :

— Je ne comprends pas cette énigme mais quoi qu'il en soit et qui que tu sois, je ne peux m'occuper de toi, petit. De toute façon, bientôt, tu auras faim et je n'ai rien d'une nourrice. Que faire alors ? Je crains que tu ne sois condamné à mourir, fiston.

Le bébé le regarda bizarrement et Malaric en fut quelque peu bouleversé. Il lui semblait que des éons d'existence étaient contenus dans ce regard. Pris d'un trouble inexplicable, le Jarl des Frisons pressentait qu'une terrible calamité accompagnait la venue de ce drôle d'enfant. Le tenant par l'une de ses petites jambes, il retourna à l'intérieur de la grotte, décrocha l'une des torches de la paroi et se dirigea ensuite vers le couloir sombre afin de gagner la cellule de La Terreur. Tout en marchant, il confia au petit :

— Désolé mon gars, mais tant qu'à mourir, aussi bien accélérer les choses.

Sur cette dernière phrase, il ouvrit la porte de l'enclos de l'énorme mammifère et balança le bébé à l'intérieur.

— Adieu petit, la vie se montre parfois cruelle, n'est-ce pas ? Quel dommage ; aussitôt arrivé et déjà tu dois la quitter !

Il referma la barrière du solide enclos qu'il avait lui-même construit et observa la scène de ses grands yeux exorbités, salivant déjà au spectacle morbide qui s'y déroulerait dans quelques secondes...

Le petit garçon, maintenant assis sur le sol humide, ne semblait pas trop dérangé par la situation dangereuse dans laquelle il se retrouvait. Il émettait des gargouillis et des petits rires, semblant s'amuser dans son nouvel environnement comme s'il se trouvait dans une aire de jeu. Soudain, dans un sourd grondement, La Terreur, tapie au fond de la pièce, avança sa lourde masse à la lueur de la torche de son maître. S'attendant à ce que l'ours n'en fasse qu'une bouchée, Malaric constata plutôt que la grosse bête se coucha de tout son long devant l'enfant et se couvrit les yeux de ses énormes pattes poilues, comme en signe de respect.

— Incroyable! se dit-il. Pourtant, il aurait dû l'avaler tout rond!

Malaric cria à la bête:

— Allez, mon vieux, vas-y! Il est pour toi, je t'ai apporté un petit dessert. Ne te gêne pas et régale-toi de sa tendre chair.

Rien n'y fit, la bête ne bougea pas. Prostrée devant le bébé, elle était visiblement en état de soumission devant cet étrange enfant. N'y tenant plus, Malaric rouvrit la porte de l'enclos, chassa l'ours au fond de sa cage à grands coups de pieds et maints jurons et se saisit de nouveau du bébé. Irrité et à bout de patience, le vieux sorcier décida d'en finir lui-même. Il remonta dans la salle principale et chercha son épée du regard, mais ne la trouva nulle part. Pourtant, il était sûr qu'il l'avait déposée près de l'entrée, à l'endroit habituel. Peu importait, il gardait toujours son coutelas d'ivoire sur lui. Il déposa l'enfant sur une grosse roche et dégaina son arme. Malaric, tentant d'éviter le regard intense de l'enfant, leva bien haut son coutelas et, alors qu'il s'apprêtait à commettre l'irréparable, le cor du crâne retentit bruyamment. Rengainant son coutelas, Malaric laissa l'enfant en plan et sortit rapidement de la grotte. Seul le souffle d'un homme extrêmement puissant pouvait pousser une telle note assourdissante. Il dévala le sentier et une fois rendu sur place, constata qu'il ne s'y trouvait personne.

— Quel est ce nouveau prodige? se questionna-t-il. Puis, il hurla:

— Qui que vous soyez, montrez-vous!

Aucune réponse. Il attendit quelques instants dans l'espoir que l'inconnu sortirait des fourrés, mais en vain. Constatant l'évidence, il décida de faire demi-tour et de reprendre sa sombre besogne. Chemin faisant, il songea :

— C'est peut-être mon imagination. Après tout, depuis la mort de Harald, personne n'est supposé connaître mon repère secret...

Déboussolé, il regagna la grotte et se prépara à poursuivre sa basse besogne. Cependant, il n'était pas au bout de ses peines. Une autre surprise l'attendait.

— Mais où est-il allé ?

Malaric, croyant que le petit avait probablement glissé en bas de la roche, chercha sa présence tout autour mais sans succès.

— Comment peut-il se déplacer seul à son âge ?

Il scruta la grotte dans son entier mais bien vite, il se rendit à l'évidence : le bébé avait bel et bien disparu, échappant ainsi à une mort atroce. Finalement, Malaric abandonna ses recherches se disant que de toute façon, il était débarrassé de lui. Il vaqua à ses occupations et n'y pensa plus. Pour le moment du moins.

Sept années passèrent et durant toute cette période Malaric avait tenté par toutes sortes de moyens de s'approprier l'émeraude maléfique. Mais toutes ses tentatives avaient échoué jusqu'à présent. Lors de l'une d'elles, il avait de nouveau recouru aux pouvoirs provenant du seul rubis en sa possession et avait formulé l'incantation qui subtilise et prend le contrôle de l'esprit d'une créature organique.

Cette fois-là, son choix s'était arrêté sur un superbe aigle des steppes avec des ailes d'une envergure de presque six pieds. Malaric, pour la seconde fois, avait fortement apprécié de goûter à la sensation grisante du vol de cet oiseau de proie. Cette tentative avait failli rapporter ; Malaric, à l'intérieur de ce corps d'emprunt, avait réussi à survoler le village chérusque et avait pénétré sans difficulté à l'intérieur de la demeure d'Hermann. Celui-ci, ivre comme à son habitude, s'était endormi la tête entre les seins volumineux de son épouse. Dans son élan, il avait laissé traîner au sol sa veste de poils de chevreau qu'il portait constamment. Malaric soupçonnait que l'objet tant désiré devait y être caché dans l'une des poches intérieures. À sa grande joie, il avait constaté qu'il avait raison. Ce fut la première fois qu'il eut la chance d'admirer l'émeraude dans toute sa splendeur et il en fut grandement émerveillé. Les dessins sommaires du *Livre noir de Salomon* qui le représentaient étaient loin de rendre hommage à la beauté pure du volumineux joyau vert taillé par le plus grand artisan que la Terre ait connu. Il était encore plus beau et étincelant qu'il l'imaginait dans ses rêves.

Excité de sa réussite, il avait pris l'émeraude dans ses serres et s'était préparé à quitter les lieux en vitesse. Malheureusement, Thusnelda, qui adorait les chats, avait convaincu Hermann de garder l'un d'eux à l'intérieur de la demeure comme compagnon. Le félin, qui avait senti la présence de l'aigle, s'était approché prudemment de lui. L'oiseau était bien trop gros pour qu'il s'attaque à lui mais le matou avait semblé oublier ce détail... Comme si l'instinct du félin lui avait indiqué qu'en réalité, cet oiseau n'en était pas totalement un... Il avait grimpé sur le lit conjugal et dans le même élan, avait sauté sur Malaric alors que celui-ci s'était rapproché de la fenêtre ouverte par où il était entré. Les deux bêtes s'étaient affrontées dans un combat violent. Soudain, l'aigle avait glati et son cri perçant avait réveillé Hermann et sa compagne.

Lorsque le Jarl chérusque eut compris ce qui se passait réellement en voyant l'émeraude dans les serres de l'aigle, il lui avait lancé une de ses bottes. Heureusement pour Malaric, le coup avait raté sa cible et il avait réussi, d'un coup de bec, à se débarrasser du chat et de prendre son envol. Hermann, par contre, n'avait pas encore abandonné la partie. Il s'était levé prestement du lit, avait pris son arc, et d'une flèche bien visée, avait réussi à atteindre l'intérieur de l'aile droite. L'oiseau, sur le coup, avait perdu de l'altitude et s'était fracassé le crâne sur l'un des hêtres bordant la forêt. L'émeraude était tombée au sol et Hermann s'était empressé d'aller la récupérer. Malaric, qui n'était jamais passé aussi près d'obtenir le puissant joyau, s'en était sorti avec une vilaine blessure au bras droit et un mal de tête tel qu'il n'en avait jamais connu. Il en avait conclu que ce sortilège, bien que très utile, comportait quelques risques malgré tout. Mais au final, il avait encore échoué. Depuis, Hermann s'était montré particulièrement suspicieux et avait pris toutes les précautions possibles afin que personne ne puisse s'emparer du précieux joyau.

Au cours d'une visite à son clan, Malaric entendit dire que huit légions de Romains, sous la gouverne du général Germanicus, s'apprêtaient à effectuer une offensive majeure à l'intérieur du pays. Il sentit que la chance était enfin pour tourner en sa faveur. Il élabora un plan machiavélique des plus prometteurs. Cela lui demanda beaucoup d'énergie et de temps car son exécution devait être sans faille sinon il pouvait dire adieu pour toujours à l'émeraude.

Malaric espérait donc que rien ni personne ne viendrait le perturber dans sa concentration. Lorsqu'il pensa « personne », il faisait surtout référence au jeune garçon d'à peine sept ans qu'il avait surpris, par deux fois déjà, à l'intérieur de la caverne en train d'observer la porte close. Il était persuadé que c'était bien le même enfant qu'il avait trouvé bébé sur le seuil de la grotte. Vêtu d'une fourrure de loup et les cheveux hirsutes, il avait beaucoup grandi depuis ces dernières années mais il avait conservé ses yeux d'un vert profond.

— Comment a-t-il pu survivre toutes ces années seul dans la forêt avec les loups comme seule compagnie ? se demanda Malaric.

À chacune des occasions où il voulut le saisir, le petit avait réussi à s'esquiver et s'était enfui à une vitesse surprenante vers les bois. Malaric, étonné de cette rapidité, n'osait toutefois pas le suivre dans cette direction mais il se promettait bien de lui tendre un piège un de ces jours. Les deux fois qu'il avait surpris l'enfant assis dans l'obscurité devant la porte close, il avait vérifié si le contenu de son trésor était toujours intact et bien en sûreté à l'intérieur de l'enclos de La Terreur. Dans l'affirmative, il s'était senti soulagé. À l'évidence, ce n'était pas cela qui intéressait le jeune garçon et Malaric commençait sérieusement à se poser des questions par rapport à ce mystérieux gamin.

— Mais que me veut-il à la fin, ce petit sauvage ? se questionna-t-il.

Pour l'instant cependant, d'autres urgences avaient priorité.

Le lendemain, une fois le plan établi, il regagna son village. Dès qu'il amarra sa barque et mit pied sur terre ferme, tous fuirent à sa vue et allèrent se blottir dans leur demeure. Les seuls qui restèrent sur place étaient ses gardes personnels chargés du bon maintien du clan pendant ses absences. Depuis la mort d'Harald, personne n'avait hérité du poste d'intendant.

Malaric ordonna que l'on fasse gréer un navire comprenant un équipage d'une quarantaine d'hommes. Ensuite, il demanda au reste des guerriers, cinq mille hommes en tout, de se diriger par voie terrestre sur la rive est de la rivière Wesser et de se cacher dans les bois en attendant sa venue. Il leur annonça que dans quelques jours il viendrait les rejoindre accompagné de l'armée de Germanicus. Cependant, il les exhorta :

— Assurez-vous de ne pas vous faire repérer par aucun clan rival. Cela pourrait risquer de faire échouer toute l'opération. Pour cette raison, aucune femme n'accompagnera son époux dans cette expédition.

— Allons-nous guerroyer ? demanda un homme craintivement.

— Tout dépend. Il se pourrait bien que vous n'ayez pas à le faire et que vous rentriez tous chez vous sains et saufs. Tout ce que je vous demande, c'est d'atteindre cette position le plus discrètement possible.

— Mais qui seront nos adversaires s'il y a risque d'affrontement ?

— Suffit. Ferme-la si tu tiens à la vie, sale fouine ! Ne sais-tu pas que j'ai horreur des curieux ? Ne pose pas de questions et obéis-moi !

Redoutant ses pouvoirs de sorcier, l'homme se renfrogna et personne d'autre n'osa protester. Malaric pensa pour lui-même :

— Bientôt, enfin, j'obtiendrai vengeance et tiendrai dans ma main l'objet de tous mes désirs !

À cette vision enivrante, il éclata d'un rire sadique. Les femmes, effrayées, s'empressèrent de fermer les volets de leurs fenêtres.

CHAPITRE XVI

Un baron dans la ville

Jérusalem. An 30 après J-C.

Dès qu'ils furent de nouveau à l'intérieur de la villa, les deux hommes descendirent au sous-sol et se dirigèrent vers une vaste pièce que Joseph avait aménagée comme bibliothèque personnelle. La vaste salle de lecture était meublée d'artéfacts hétéroclites provenant de tous les pays du monde connus. Les étagères qui tapissaient les murs étaient remplies des plus précieux manuscrits et ouvrages littéraires que l'on pouvait se procurer, bien à l'abri du regard des curieux. Visiblement nerveux, Joseph referma la porte derrière lui et offrit un fauteuil coussiné au centurion. Longinus semblait encore sous le coup de la terreur suite à sa rencontre avec l'effroyable entité qu'il avait aperçue en ville quelques minutes auparavant. La voix chevrotante, il demanda à son hôte :
— Eh bien, vas-tu me révéler qui est ce... ce monstre ?

— Auparavant, j'aimerais que tu m'aides à mettre tout ceci au clair. Tu m'as mentionné que les créatures qu'il t'était permis de voir appartenaient à différentes catégories ?

— Oui et alors ?

— Reprenons, si tu n'en vois pas d'inconvénients. J'en profiterai pour coucher le tout par écrit.

— Pourquoi donc ?

— Pour ne rien oublier. À mon âge, la mémoire part et revient quand bon lui semble. Et cela m'apparaît pertinent d'en conserver des traces tangibles.

— Si tu étais à ma place, je pense que tu ne serais pas près d'oublier quoi que ce soit ! Au fait, quel âge as-tu, vieillard ?

— J'ai fêté mon soixante-quatrième anniversaire de naissance il n'y a pas si longtemps.

— Tu sembles drôlement vigoureux pour un homme aussi vieux !

— N'est-ce pas ? Merci pour le compliment. J'en suis étonné moi-même. Donc, en résumé : depuis que tu as recouvré la vue, certaines personnes t'apparaissent tout à fait normales, c'est-à-dire comme n'importe qui vu par son voisin, quoi ! ? Dans les faits, elles ne présentent aucune différence à tes yeux depuis l'incident du Golgotha, c'est cela ?

— La différence est qu'elles ne sont plus embrouillées désormais. Je les vois clairement et heureusement, elles sont beaucoup plus nombreuses que les autres.

— Pour le moment peut-être... laissa sous-entendre Joseph.

— Que veux-tu dire ?

— Nous verrons cela plus tard. En ce qui concerne cette première catégorie, elle représente des hommes et des femmes qui selon moi, agissent en accord avec les lois prescrites par l'Éternel mon Dieu. Les désigner sous le nom des « **Normaux** » s'avère un excellent choix.

Joseph trempa sa plume d'oie dans l'encrier égyptien et inscrivit d'une calligraphie fine et appliquée le premier paragraphe de ce qu'il intitulerait plus tard « **Visions du centurion** ». Lorsqu'il eut écrit cette première catégorie, il demanda à son invité :

— Deuxièmement, il y aurait des individus présentant un degré de laideur variable, comme les prostituées de tout à l'heure. Est-ce bien cela ?

— Oui. Sauf que, comme je te l'ai mentionné, deux des femmes de joie faisaient partie de la première catégorie, les « normaux » mais la grosse... elle...

Joseph poursuivit :

— Donc, si ces deux filles-là ne présentaient aucune métamorphose particulière, cela signifierait qu'elles doivent probablement être forcées d'accomplir ce sombre métier et qu'elles offrent leur corps contre leur gré. Ainsi, leur âme immortelle serait toujours préservée. Selon moi, la deuxième catégorie représente des humains en voie de perdition mais qui n'ont pas encore traversé le point de non-retour qui les bannirait à jamais du Royaume des cieux. Par contre, s'ils prennent conscience de leur errance du droit chemin et se repentent avant que la mort ne les appelle, ils pourraient de nouveau avoir une apparence humaine normale à tes yeux et à ceux de l'Éternel mon Dieu. Ainsi, leur âme serait sauvée... Dis-m'en plus à leur sujet. À quoi ressemblent-ils ?

— À des cadavres en putréfaction. Certains présentent un état avancé de décomposition et d'autres, on dirait qu'ils sont déjà morts depuis deux ou trois jours.

— Attends ! Tu vas trop vite. Laisse-moi le temps d'inscrire tout cela.

Joseph prit des notes et trempa à nouveau sa plume dans l'encrier, puis enchaîna :

— Donc leur degré de laideur pourrait démontrer s'ils sont plus au moins près du point de non-retour.

— Tout cela semble tenir la route si, bien sûr, tout ce que tu dis est vrai en ce qui concerne ces histoires d'âmes. Tu m'excuseras mais j'ai toujours été sceptique pour ce genre de choses.

Joseph, convaincu de la pertinence de ses propos, continua sa réflexion :

— Étant donné qu'ils peuvent sombrer irréversiblement à n'importe quel moment, nommons cette deuxième catégorie les « **Suspects** ». Une question demeure cependant : est-ce que le fragment divin pourrait s'avérer dangereux pour eux ?

— Je l'ignore. Nous aurions dû le vérifier cet après-midi.

— Peut-être, en effet. Mais, s'il y a une chance de les sauver, notre premier devoir serait d'essayer de les éloigner du point de non-retour en les convainquant de revenir vers le droit chemin et ainsi faire disparaître cette laideur en eux.... Enfin, passons à la catégorie suivante.

De nouveau, Joseph inscrivit les dernières remarques sur le papyrus.

— Arrête-moi si je me trompe : le troisième type de visions dont tu es victime représenterait des individus qui ont franchi le point de non-retour et ne peuvent plus revenir en arrière. Ils semblent t'apparaître sous des traits démoniaques et seraient le résultat de nombreux crimes et actes répréhensibles indignes d'un être humain. Ou peut-être est-ce de vrais démons ayant pris possession de leurs victimes ?

— Ou un mélange des deux, suggéra Longinus.

— Ah oui ! Cela a du sens. Dès qu'ils franchissent cette limite, ces humains trop corrompus seraient appelés à rejoindre les démons déjà existants qui parcourent cette Terre depuis l'aube des temps. Quoi qu'il en soit, dans un cas comme dans l'autre, je pense qu'il n'y a guère d'espoir de les sauver de l'abîme et que les âmes de ces individus sont d'ores et déjà condamnées à croupir en enfer rejoindre les armées de l'Ennemi.

Longinus intervint de nouveau :

— Mais d'où tiens-tu tous ces renseignements ?

— Tu oublies que je suis un docteur de la Loi et membre de la confrérie du Sanhédrin, voué aux Saintes Écritures... Donc... les êtres de cette troisième catégorie, à quoi ressemblent-ils au juste ?

Longinus tenta de décrire le mieux possible les apparitions cauchemardesques dont il était témoin :

— Ils sont d'une laideur sans nom, similaires aux fresques fantastiques représentant les sujets de Pluton que j'ai pu voir lors d'une visite avec ma femme dans l'un des palais impériaux à Rome du temps que ma vision me permettait d'en admirer tous les détails. Ta défunte servante Téréza était de cette catégorie.

— Comme tu disais, son crime n'a probablement pas été juste le vol pour qu'elle soit devenue comme cela. Pauvre femme, ses égarements l'ont conduite à la damnation.

— Ne la plains pas trop, vieillard. D'après son aspect, elle n'a eu que ce qu'elle méritait.

Dans les faits, Téréza avait commis des crimes atroces tout au cours de sa longue vie. Le premier et le plus grave d'entre eux avait été de décimer sa famille alors qu'elle était mariée depuis cinq années à un homme brutal à qui elle avait donné trois beaux enfants ; deux garçons et une fillette. Téréza détestait cet homme à qui son père l'avait forcée de s'unir. Les naissances des enfants lui avaient occasionné plus d'irritation que de bonheur, elle qui rêvait de liberté et de mener une vie à sa guise.

Une nuit, alors que tout le monde dormait à poings fermés, elle avait commis son geste fatal et s'était enfuie du logis n'emportant rien avec elle. Les autorités, lorsqu'ils découvrirent les pauvres victimes la gorge tranchée de bord en bord à l'aide d'une lame incurvée qu'ils trouvèrent sur place, crurent à l'époque qu'une bande de nomades venant du désert avait pénétré dans l'enceinte du petit village au nord de Jérusalem et avait attaqué cette cabane. Ils en conclurent qu'ils avaient tué les membres de la famille sauf la femme, encore jeune, qu'ils avaient amenée avec eux et qui valait encore plusieurs sesterces au marché des esclaves. Le dossier fut clos et jamais plus on n'entendit parler de Téréza.

Celle-ci, enfin libre, gagna la grande ville de Jérusalem. Pour survivre, elle se prostituait et trucidait certains hommes à qui elle venait de faire l'amour, afin de les soulager de leur bourse. Les affaires roulaient drôlement bien jusqu'à ce qu'un proxénète sans scrupules l'ait remarquée et menacée des pires sévices si elle refusait de lui remettre une partie de ses gains en échange de sa protection. L'homme fut retrouvé quelques jours plus tard dans une sombre ruelle, un poignard planté entre les omoplates. Devenue suspecte dans les environs, Téréza avait décidé de cesser ce métier et était entrée au service d'un riche marchand, Joseph, qu'elle volait depuis le premier jour de son service sans que jamais celui-ci, qui témoignait une confiance aveugle envers ses serviteurs, ne s'en rende compte.

— Ce Pluton dont tu me parles depuis deux ou trois fois déjà, qui est-il au juste ? Est-ce l'un de vos dieux ? demanda Joseph à son compagnon.

— C'est celui qui garde les Enfers. Les Grecs le nomment Hadès.

— Ah bon ! Et tu y crois, toi, à ces dieux ?

— Je n'ai jamais vraiment tenu pour réelles toutes ces sornettes, mais maintenant, après avoir assisté à nombre de phénomènes étranges, j'avoue que mes convictions sont passablement ébranlées.

— Je comprends. Nous avons, tout comme vous, au sein de notre religion, un lieu de tourments que nous appelons par le même nom. C'est là qu'aboutissent les âmes damnées. Ceux qui ont péché tout au cours de leur vie sans jamais s'en repentir. En contrepartie, il y a aussi un autre endroit, merveilleux celui-là, où se rendent les justes à l'heure de leur trépas. Nous le nommons le Paradis. Qu'en est-il de vous ?

— L'endroit dont tu parles nous est connu par les Grecs sous le nom de Champs Élysées.

— C'est curieux tout de même cette similitude entre nos religions pourtant si différentes à première vue. N'est-ce pas ?

— Effectivement. Mais je ne pense pas que le moment soit bien choisi pour discuter de nos us et coutumes respectifs et les concordances entre eux.

— Très bien, très bien ! D'après ce dont nous avons été témoins, le fragment du fer de lance, imbibé du sang de Yeshua, s'avère une calamité pour les représentants de cette dernière espèce. Imagine ce que pourrait accomplir l'arme elle-même ! Étant donné que c'est ce qu'ils sont, nommons-les « **Démons** ».

— Si cela peut te faire plaisir, vieillard.

Sur une troisième colonne, Joseph inscrivit ce troisième type de visions cauchemardesques.

— Vient la quatrième catégorie. Celle que tu as aperçue tout à l'heure et dont j'entends parler pour la première fois. Donne-moi plus de détails à son sujet. Décris-moi un peu l'aspect général de cette aberration.

— Comme je te l'ai dit, c'est la première fois que j'en croise une de ce genre. La créature était encore plus affreuse que les « démons » et les « suspects » que j'avais aperçus jusqu'alors. Le monstre, dans ses drôles d'habits, était entouré de quelque chose ressemblant à un voile de soie, d'un gris tirant sur le noir, presque opaque et qui se déplaçait constamment sur tous les côtés de son corps à une vitesse fulgurante, formant ainsi des figures fantastiques et indescriptibles, masquant par coups ses traits repoussants. Partout où la créature se déplaçait, le voile noir tentaculaire la suivait telle une ombre. Cependant, le pire de tout, c'est la terreur abyssale qu'elle inspire ! Me faisant ressentir craintes et angoisses mêlées d'un grand désespoir comme je n'en ai jamais connu... Brrr! expliqua le centurion, un frisson lui parcourant l'échine.

— Que représenterait cette autre espèce, selon toi? demanda Joseph, le regard intense.

— Je l'ignore. À toi de me le dire! C'est toi le spécialiste.

Joseph se leva et se dirigea vers l'une des étagères qui meublaient la pièce en entier et prit l'un des milliers de rouleaux de parchemin qui s'y trouvaient entreposés. Il le sortit de son étui de protection et le déroula sur la petite table d'études, juste devant son invité.

— Regarde! lui dit le vieux marchand. Ceci est un texte sacré écrit il y a fort longtemps par des hommes inspirés de Dieu, que l'on nomme les prophètes. L'un de mes amis faisant partie de la secte des esséniens, campée tout près de la mer Morte, me l'a offert au cours de l'une de nos rencontres secrètes il y a quelques mois de cela.

— Combien de religions différentes contient ce foutu pays?

— Nous avons tous la même, celle qui vient des Saintes Écritures, mais son application diffère entre les tribus établies en Israël et qui sont en désaccord les unes les autres vis-à-vis de l'application de la parole divine instaurée depuis Moïse et gérée maintenant par le Sanhédrin. Cet ordre législatif est composé de soixante et onze sages. Sa composition comporte des membres appartenant aux docteurs pharisiens d'un côté et à la caste des saducéens de l'autre. Les deux parties se font une lutte sans fin afin de faire prévaloir leur propre conception des Saintes Écritures. Bref, pour reprendre où j'en étais, nos ordres respectifs nous empêchaient mon ami essénien et moi de nous voir en plein jour. Au cours d'une nuit, il me remit l'ouvrage avant qu'il soit caché dans des jarres, comme il me le mentionna, et enfoui ensuite sous des tonnes de pierres rejoindre les autres rouleaux de même acabit afin de les soustraire pour toujours aux mains païennes des envahisseurs romains. Mon ami essénien, contrairement à ses frères de religion, voulait qu'une preuve de tout ceci soit préservée. Il y a dans ce texte un passage qui, il me semble, pourrait fortement nous instruire sur l'identité véritable de cette nouvelle vision terrifiante.

— Mais tu connais cette âme damnée. Quel est son nom?

Joseph, cherchant du doigt un passage précis dans le texte devant lui, ne répondit pas.

Longinus se leva vivement de son siège, le faisant basculer par-derrière du même coup :

— Bon sang, vieillard ! tonna-t-il. Cesse de me faire languir ou je ne réponds plus de moi. Tu m'as dit le connaître ! Qui est-il ? Vas-tu me le dire à la fin ?

— C'est le chef de mon ordre, le Grand Prêtre Caïphe !

Le centurion ne put cacher son étonnement :

— Au nom de tous les dieux du panthéon ! J'ai croisé cet homme sur le Golgotha mais je ne pouvais deviner qui il était réellement. Je n'y voyais presque rien à ce moment-là et je n'étais pas encore affecté par cette malédiction. Pourquoi cet homme m'apparaît-il comme cela, d'après toi ?

— Comment pourrais-je le savoir ? Mais j'ai remarqué une différence dans ses comportements depuis quelques années. Je pensais que c'était le poids de ses responsabilités qui le rendait ainsi. Autrefois, le Sanhédrin était dirigé par son beau-père. Celui-ci, qui est fortement âgé, a passé les rênes à son gendre. Depuis, Caïphe n'est plus le même homme. Mais si tu veux bien me laisser poursuivre mon propos, nous allons tenter d'y voir un peu plus clair. Comme tu peux le constater, ce rouleau est presque millénaire et il ne représente que l'un des nombreux autres traitant du même sujet.

— Et quel est ce sujet ?

— Il s'intitule « La guerre des fils de la Lumière contre les fils des Ténèbres ». Selon des scribes anciens au service de l'un de nos plus illustres rois de notre nation, Salomon, fils de David, notre monde serait habité depuis des éons par des entités malveillantes. Des démons au service du Mal et voués à la destruction de l'humanité. Parmi ceux-ci, il y en aurait sept qui auraient de grands pouvoirs, les Barons du Chaos. Il n'y a pas beaucoup de détails dans ce rouleau-ci mais tout cela a été couché par écrit dans un recueil de textes rédigés par des scribes au service du grand roi qui est intitulé « Traité de démonologie ». Il nous est cependant connu sous le nom du Livre noir de Salomon.

— Cet ouvrage pourrait nous être très précieux ! Comment se le procurer ?

— Hélas, il est perdu depuis des siècles. Aux dernières nouvelles, il se trouvait en sûreté dans la Grande Bibliothèque d'Alexandrie, mais depuis l'incendie survenu il y a une cinquantaine d'années, nul ne sait où il se trouve.

— Peut-être a-t-il brûlé comme la plupart des écrits anciens qui s'y trouvaient ?

— Impossible.

— Et pourquoi donc ?

— Sa couverture est constituée de la peau prélevée sur le ventre de l'un de ces Barons du Chaos et est inaltérable au feu.

— Comment quelqu'un aurait-il pu réussir cet exploit ? Je veux dire, celui de capturer l'un de ces Barons ?

— Personne ne le sait vraiment mais il paraît que, selon la légende, l'armée de Salomon aurait réussi avec l'aide d'un des plus proches conseillés du roi à emprisonner cette entité maléfique.

— Où se trouve cette prison ?

— Nul ne le sait.

— Et d'après toi, ce serait celui que l'on a vu en ville ?

— Peut-être. N'oublie pas qu'il y en aurait supposément sept. Néanmoins, si c'est le même, il aurait trouvé un moyen de s'évader de sa geôle. À moins que quelqu'un l'ait libéré. Enfin bref, selon ce rouleau, ces Barons du Chaos sont des démons d'une puissance inouïe, en compétition perpétuelle afin d'hériter du titre du Roi de toute la Terre, poste laissé vacant depuis la capture de l'Ennemi.

— L'Ennemi ? Qui c'est celui-là ?

— Pour nous, il est le Mal incarné. L'ange déchu et Maître des Enfers. Le Prince de toutes les créatures des Ténèbres vouées au mal. Au début des Temps, il a régné sur cette Terre mais suite à de nombreux forfaits aux yeux de l'Éternel mon Dieu, il a été fait prisonnier par l'Armée céleste, des anges de grande puissance, quelque part sous la surface terrestre. Nul ne connaît l'endroit exact. Toutefois, par un procédé qui échappe depuis toujours aux plus grands sages parmi nous, son essence maléfique semble toujours avoir puissance sur ce monde.

— Pluton ?

— Peut-être est-ce là l'un de ses nombreux patronymes... je l'ignore. Je n'ai pas le droit d'étudier les religions païennes ! Oups, je suis désolé, je ne voulais pas t'insulter. Dommage que Nicodème, un ami coreligionnaire et l'un de ceux qui nous ont accompagnés au caveau, ne soit pas ici ! Il a secrètement étudié les cultes de presque toutes les civilisations connues. Il pourrait nous en apprendre davantage sur tout ça. D'ailleurs, je me demande bien pourquoi il n'est pas encore arrivé. Il m'a dit qu'il passerait prendre de tes nouvelles aujourd'hui.

— De toute façon, ce n'est pas bien important. Si je te suis bien, ton grand prêtre serait donc l'un de ces démons de grand pouvoir, un Baron du Chaos?

Joseph acquiesça et poursuivit :

— Dommage que nous n'ayons pas ce recueil sous la main mais, d'après la légende les concernant, il est dit que chacun d'eux s'emploie à recruter dans leur armée respective des représentants de la race humaine qu'ils pervertissent et soumettent. Avec tout ce que j'ai appris grâce à toi, tout cela me semble prendre un sens logique maintenant. Ces gens, qu'ils incitent à la perversion, sont susceptibles de passer de « normaux » à « suspects » et de devenir par la suite des « démons » à leur tour pour rejoindre de leur vivant les hordes de démons en liberté sur Terre. Et lors de leur trépas, ils rejoignent les armées des Ténèbres en Enfer jusqu'à l'heure fatidique de leur libération, soit à l'apocalypse ! C'est ce que je pense, mais je peux me tromper.

Longinus parcourut la salle d'un pas pesant reflétant toute son anxiété. Finalement, il répondit à son hôte :

— Non. Tu as sûrement raison et cela expliquerait le zèle que Caïphe affichait lors du procès du prophète. Si, selon tes dires, Yeshua était réellement le fils de ton dieu, ce Baron devait certainement désirer sa perte à tout prix. On peut dire qu'il a bien réussi son coup si son but était d'anéantir cet homme.

Joseph intervint :

— Tu doutes toujours que Yeshua fût un être exceptionnel, n'est-ce pas ? Même après avoir constaté tous les prodiges dont tu as été témoin depuis sa mort ?

— Je t'avoue que je ne sais trop quoi penser. S'il était vraiment ce qu'il prétendait être, je ne comprends pas pourquoi il ne s'est pas libéré de ses bourreaux ?

— Avant de te répondre, laisse-moi te confier ce que j'en pense, moi. Tout d'abord, je suis convaincu qu'il était le Messie. Il m'a confié que, par sa mort, il sauverait l'humanité et les portes du Royaume des cieux seraient ouvertes à tous, à condition bien sûr que ceux qui veulent bien s'y rendre croient en lui et se repentent de leurs péchés. Laisse-moi te dire aussi qu'il connaissait, trois jours avant sa mort, la date exacte de son arrestation ! Alors que guidé par l'un de ses disciples j'allais le visiter, je l'ai exhorté à fuir le pays et de ne surtout pas se présenter aux abords de la ville. Mais il m'a dit que cela ne dépendait plus de lui désormais. Que c'était la décision de son Père dans les cieux et que tout avait été prévu à l'avance, comme il est annoncé dans les Saintes Écritures. Il m'exhortait aussi de ne pas lui tendre cette coupe, de ne pas tenter de le persuader de faire autrement.

Longinus, de plus en plus impatient, répliqua :

— Mais en quoi tout cela me concerne-t-il ? J'en ai assez de toutes ces histoires ! Qu'est-ce qui m'empêche de fuir et de me rendre chez moi en essayant d'oublier ça ? Peut-être est-ce seulement passager et que je redeviendrai tout à fait normal très bientôt.

— Tu le penses vraiment ? N'est-ce pas le désespoir qui te fait parler ainsi ? Cependant, pour répondre à ta question, je crois que tu ne peux te soustraire à cette malédiction. Personnellement, je considérerais cela plutôt comme un don.

— Ce n'est pas toi qui as à souffrir de ces visions cauchemardesques !

— Comprends bien que, suite à ton geste, tu as été choisi pour accomplir une certaine mission, qu'il nous reste toutefois à découvrir, afin de sauver *ton* âme ! Je pense aussi que si tu ne réussis pas cette tâche, tu ne pourras passer les portes du Paradis ou des Champs Élysées comme vous, les Romains, nommez cet endroit merveilleux. Cependant, si tu y parviens, de grandes récompenses te seront accordées par la grâce des cieux. Cela a toujours été ainsi en ce qui concerne les élus de l'Éternel mon Dieu.

— Perspectives des plus prometteuses ! Tu cherches à me décourager ou quoi ? Élu de ton dieu ? Moi ? Tu oublies que je suis un Romain, un impie et... un guerrier. J'ai tué moi-même des tas de gens et j'en ai envoyé tout autant vers une mort certaine ! Pourquoi mériterais-je un sort différent que ces créatures damnées qui m'entourent ?

Soudain, Longinus fut pris d'une appréhension morbide :

— Donne-moi un miroir, vieillard, vite !

Joseph alla chercher l'objet de métal et le lui tendit, hésitant.

— Es-tu certain de vouloir faire ça ?

— Je dois m'en assurer...

Longinus se saisit vivement du miroir et sans hésitation, contempla son reflet. Heureusement, à part quelques rides de plus, ses traits n'avaient pas changé. Rassuré, il rendit le miroir à son hôte. Joseph, soulagé pour son compagnon, poursuivit la conversation.

— Ça va ? Te voilà rassuré ? Écoute, je n'ai pas les réponses à tous ces mystères. Peut-être est-ce là la récompense qui t'attend au bout de la route. Être pardonné de tous tes péchés et surtout de celui d'avoir meurtri le corps du fils de Dieu, pour qu'ensuite tu puisses le voir assis à la droite de son Père. Tout cela, je ne peux te le certifier mais laisse-moi te révéler des faits ; le roi David, père de Salomon, était autrefois un guerrier lui aussi et cela ne l'a pas empêché d'être l'élu de l'Éternel. Et, même après avoir envoyé l'un de ses propres soldats à une mort certaine dans le but de lui ravir sa femme dont il était tombé follement amoureux, il put régner sur ce pays durant de longues années ! Je te l'ai dit, les voix du Seig...

— Mais quelle est donc cette maudite mission que je dois réussir ? N'y a-t-il rien d'écrit à ce sujet dans l'un de tes ouvrages couverts de poussière ? coupa Longinus, tout près de la crise de nerfs.

— Il faudrait que je vérifie. Voyons ce que nous en savons et essayons de trouver un sens à tout ça !

Joseph laissa Longinus dans ses pensées un moment et replaça le rouleau dans son emplacement sur l'étagère. Durant quelques minutes, il laissa parcourir ses doigts pour finalement en prendre un autre de même format. De nouveau, il déroula celui-ci et le tint en place à l'aide des quatre petites pierres qu'il plaça sur chacune des extrémités du vieux manuscrit. Il dit au centurion :

— Regarde ici dans cet autre texte intitulé « Les Psaumes ».

— Quel est cet ouvrage ? Je ne peux déchiffrer ce dialecte.

— Ceci est une simple copie de ce que nous, les Juifs, appelons les Saintes Écritures, dictées par Yahvé lui-même à ses prophètes depuis le début des Temps. L'ouvrage original, qui se trouve au Temple, est écrit en *Lashon Hakodesh*, la langue sacrée, de l'hébreu. Celui-ci est traduit en araméen, la langue parlée depuis l'avènement de Salomon. Ce paragraphe, dont il est question ici, concerne la venue d'un messie, d'un libérateur de l'humanité et cela a été prédit depuis des siècles ! Je crois que le messie dont parle ce texte était bel et bien Yeshua, même si certains Israélites attendaient plutôt un chef de guerre afin qu'il les libère du joug des Romains. C'est peut-être pour cette raison que certains n'ont pas voulu le reconnaître comme tel.

— La présence néfaste de ce Baron qui se fait passer pour ton Grand Prêtre, un homme ayant grande influence à ce qu'il me semble parmi la population, y est sûrement pour quelque chose !

— Je suis d'accord avec toi, mon ami. Donc, si l'on se fie à la parole divine transcrite sur ce papyrus, en accomplissant ce geste fatidique sur le Golgotha, sans le savoir, tu as réalisé l'une des prophéties annoncées. Je te lis le passage : « *... il garde tous ses os. Aucun d'eux ne sera brisé...* ».

— Je ne demande qu'à te croire, mais pour quelle raison ton dieu m'aurait-il choisi pour une quelconque mission, moi, un Romain, un païen, comme tu dis si bien ?

— En frappant ainsi Yeshua, tu as scellé ton destin.

— Tout cela me dépasse, dit-il en soupirant. Et mon glaive ; tu as vu comment j'ai tranché la tête de ce brigand d'un simple revers ?

— Ayant été aspergé par le sang du Fils de Dieu, il a probablement acquis des facultés particulières, comme tout ce qui est entré en contact avec ce liquide spécial. Toi, par exemple. Cependant, n'ayant pas touché directement le cœur, comme le fer de lance l'a fait, ses nouvelles propriétés sont probablement moindres.

— Tout cela est bien complexe pour un guerrier comme moi. Enfin, pour l'instant, que faisons-nous au sujet de ton Grand Prêtre ? Dois-je tenter de le supprimer ainsi que tous ceux qui lui ressemblent afin de réaliser les souhaits de ton dieu ? Cette tâche me semble impossible à réaliser et je n'ai pas de temps pour ça ! Tu sembles oublier que j'ai un homme à rattraper et que je suis recherché !

— Premièrement, dès lors que je sais qui il est réellement, ne l'appelle plus ainsi. Il est indigne de porter ce titre.

— Désolé, mais que faut-il que je fasse selon toi ? Je ne peux tout de même pas laisser mon beau-père payer cette rançon en retour des cadavres de ses deux enfants ! Je dois partir cette nuit. Je comprends ton dilemme et je promets de t'aider du mieux que je le pourrai dès mon retour.

— Pour l'instant, je te l'ai déjà dit, cesse de t'inquiéter pour ce zélote et reprenons notre réflexion sur tes visions.

— Très bien ! maugréa le Romain.

Joseph y alla d'une hypothèse :

— Une chose est sûre. Tu as hérité d'une vision spéciale pouvant te permettre d'identifier les créatures maléfiques qui influencent les populations et les poussent vers le mal, alimentant ainsi les armées de l'ennemi. Je pense que ta mission est d'en anéantir le plus possible avant qu'ils ne poussent l'humanité vers sa destruction finale. Mais tu dois tenter d'exterminer seulement ceux faisant partis de la catégorie des « démons » et si possible, ceux que l'on nomme les « Barons du Chaos », tout en essayant de ramener les « suspects » dans le droit chemin avant qu'il ne soit trop tard pour eux et surtout de protéger les « normaux ».

— Comment pourrais-je accomplir toutes ces choses ? Les « démons » doivent bien être des milliers juste dans Jérusalem. Et ce Baron, nous ignorons encore si les armes conventionnelles peuvent faire quoi que ce soit contre lui et si le fragment du fer de lance suffira à l'anéantir !

— Pour l'instant, tiens-toi éloigné de lui et des six autres le plus possible. Si par malheur il t'arrive d'en croiser, tu devras agir avec discernement et grande prudence. N'oublie pas que pour le commun des mortels, tu vas assassiner des humains tout ce qu'il y a de plus ordinaire ! Les autorités rechercheront assurément un meurtrier en liberté si elles découvrent les nombreux corps que tu auras laissé traîner un peu partout sur ton passage. J'ignore ce que tes nouveaux dons t'accordent mais il ne faudrait surtout pas que tu te fasses tuer avant d'avoir réussi ta mission.

— Donc, si je te comprends bien, je serai dorénavant le sauveur de l'humanité ? Pourquoi ton Yeshua, qui était si fort, ne s'est pas acquitté de cette tâche ingrate ?

— Peut-être n'en a-t-il pas eu le temps ! Toutefois, j'ai reçu des témoignages certifiant qu'il avait exorcisé plusieurs personnes possédées par des esprits impurs, ces démons inférieurs des premiers âges.

— Admettons qu'il me soit possible d'accomplir une telle chose, cela exigera des années, des centaines d'années en fait, avant d'en voir le bout !

— Un jour à la fois, comme il est dit. Peut-être que lorsque plusieurs démons auront été anéantis, les autres, les « suspects » reviendront vers les sentiers du bien.

— Cet Ennemi, comme tu l'appelles, en quoi peut bien lui servir d'avoir des armées de démons si ceux-ci sont emprisonnés en sa compagnie ?

— Premièrement, l'Ennemi possède plusieurs noms acquis au cours de l'histoire mais les textes les plus anciens l'ont surnommé Sathanaël. Il est dit aussi dans le premier texte que je t'ai montré tout à l'heure que, lorsque la fin des Temps approchera, les portes de l'enfer s'ouvriront et il se déversera des entrailles de la Terre, des hordes de damnés qui s'évertueront à la destruction définitive de l'humanité. Ce sera la guerre finale entre les fils de la Lumière et les fils des Ténèbres.

— Tout ça est bien instructif mais rien ne nous prouve que tous ces évènements se réaliseront. Pour l'instant, contentons-nous de nous occuper de problèmes plus concrets. Que faire avec ton Grand Prêt... Pardon, ce Baron ?

— Selon ce qui est écrit, ce rejeton du Mal s'avère un puissant adversaire.

— Essayons de lui faire tenir le fragment. Peut-être que ça aura le même effet que sur les « démons ».

— C'est une chance à prendre mais je doute que cela fonctionne. Cette quatrième catégorie est d'un niveau supérieur et ce fragment est si minuscule... Ce qu'il nous faudrait, c'est le reste de l'arme. Le fer de lance même.

— Il doit forcément se trouver quelque part autour du lieu de l'exécution. Partons donc de suite à sa recherche et tuons cette horreur au plus vite, que je puisse prendre mon navire et sauver mon beau-père.

— Patience, mon ami. Tout vient à point à qui sait attendre...

— Oh ! épargne-moi tes sornettes, vieux radoteur superstitieux !

Longinus avait atteint sa limite de tolérance et montrait des signes d'impatience telle une bête prise en cage. Comprenant ses émotions, Joseph réussit toutefois à le calmer en lui proposant une autre carafe de vin. Il lui dit ensuite :

— Tu es très éprouvé par toute cette histoire et les deuils qui t'ont frappé aujourd'hui. Prenons quelques minutes de repos et dès que le jour s'achèvera, nous irons voir pour le fer de lance.

Joseph désigna un long divan à son invité et le centurion ne se fit pas prier pour s'y allonger. Lui, de son côté, retourna s'asseoir devant sa table de travail et se replongea dans la lecture des vieux manuscrits. Cependant, une question le chicotait et il ne put se retenir de la poser :

— Te sens-tu prêt à accomplir cette destinée qui t'est imposée ? demanda-t-il à son compagnon.

— Non. Pas vraiment. Et je n'en ai pas le goût non plus mais ai-je le choix ? L'éventualité que je me retrouve à croupir en enfer pour l'éternité ne m'enchante guère. Si ma femme, bonne comme elle était, se trouve présentement dans ton paradis, je tiens à la rejoindre suite à mon trépas.

Quelque deux heures plus tard, l'astre solaire se coucha enfin et Longinus réveilla le vieux marchand qui s'était assoupi sur ses rouleaux si précieux. Les deux hommes avalèrent une bouchée en vitesse et Joseph ordonna au palefrenier de seller deux de ses chevaux. Longinus avait malheureusement perdu sa fidèle jument le jour de la crucifixion, elle qui lui avait rendu de si bons services. Un voleur avait sans doute profité de la cohue installée au sein de la population pour commettre son larcin en plein jour. En contrepartie, l'étalon arabe que lui avait offert Joseph s'avéra une vraie perle. Il était issu d'une race pur-sang et sa robe était entièrement noire, hormis quelques petites taches blanches ici et là qui lui ornaient le centre du front et l'extrémité des pattes.

Le Juif et le Romain galopèrent côte à côte jusqu'à l'entrée de la ville. En chemin, Joseph en profita pour avertir son compagnon :

— N'oublie pas de contenir tes émotions et surtout laisse ton glaive dans son étui. Nous risquons de rencontrer quelques coupe-gorge à la tombée de la nuit et il ne faudrait pas que tu te mettes à les trucider les uns après les autres. N'attirons pas l'attention. Attends d'avoir le fer de lance avant d'entreprendre quoi que ce soit de ce genre et surtout ne t'avise pas à raconter à quiconque tout ce que tu m'as confié au cours de la journée.

— Ne t'inquiète pas. Qui me croirait de toute façon ?

Arrivés aux portes de la ville, les deux compères descendirent de leur monture le plus silencieusement possible et, tels deux voleurs à la tire, longèrent les murailles ombragées. Arrivés au Golgotha, ils constatèrent que l'endroit était désert et le vieux marchand se risqua d'allumer la petite lampe à l'huile qu'il avait amenée avec lui afin de les aider dans leur investigation. Ils scrutèrent scrupuleusement les ténèbres à la recherche du précieux fer de lance, mais au bout d'une demi-heure de vaines recherches, Longinus, dépité, dit à son compagnon :

— Mais où pourrait-il bien se trouver si ce n'est pas ici ? Nous avons cherché partout à l'intérieur d'un large périmètre et aucune trace de celui-ci.

— Quelqu'un l'aurait ramassé, dit Joseph.

— À ce que je me souvienne, lors de mon départ précipité, peu des gens qui s'y trouvaient toujours auraient pu le saisir sans danger pour eux-mêmes. De plus, si la théorie que tu m'as exposée est exacte, aucun des trois Romains qui surveillaient les lieux n'aurait pu le prendre sans périr.

— Alors dans ce cas, cela limiterait nos recherches : Celui ou celle qui l'a ramassé ne l'a pas nécessairement fait le jour même de l'exécution mais plutôt le lendemain...

— Tu m'as dit toi-même que les gens se terraient dans leurs demeures durant tout le temps du sabbat !

— La majorité oui, mais pas tous.

— Il y a une autre possibilité. Dans les catégories de créatures qu'il m'est donné de voir, il y a une autre sorte de vision que je ne t'ai pas encore mentionnée.

— Ah oui ? ! Pourquoi ne pas m'en avoir parlé tout à l'heure ? J'en aurais profité pour l'inscrire !

— J'hésitais avant de t'en parler. Mais maintenant, je pense qu'il serait mieux que tu sois au courant.

— Et quelle est cette autre abomination ?

— Oh ! Ce n'en est pas une ! J'ajouterais que ce serait même le contraire. Les rencontrer s'avère un spectacle magnifique et très... sécurisant, pour un homme maudit comme je le suis !

— Continue, le pria Joseph, avide d'en savoir plus.

— C'est très difficile de mettre des mots qui parviendraient vraiment à décrire ce phénomène des plus étranges mais combien enchanteur. Car, je dois te le mentionner, leur présence s'avère d'un réconfort inouï. C'est tout à fait le contraire de ce que me font ressentir les démons et surtout ce Baron du Chaos. Pour ce qui est de leur apparence en tant que telle, ces entités sont voilées elles aussi d'une étrange substance, tout comme le Baron. Mais à la différence de celui-ci, le voile diaphane est éclatant de blancheur et je peux facilement distinguer leurs traits gracieux sans mal car il y a comme une lumière qui émane de l'intérieur d'eux que même la noirceur de la nuit n'arrive pas à chasser.

— Quand as-tu rencontré ces êtres merveilleux ?

— Jusqu'ici, il m'a été donné de croiser cinq de ces entités. Il y en avait trois ici même le jour fatidique. La mère du prophète crucifié et deux autres personnes qui l'accompagnaient dans sa douleur.

— Bonté divine ! Marie, surnommée la vierge, la mère du prophète, ainsi que Marie de Magdala et Jean, l'un des disciples de Yeshua ! s'exclama Joseph.

— Celui que tu considères comme ton ami depuis toujours est du lot lui aussi.

— Nicodème ? Mon Dieu... Mais tu m'as dit en avoir vu cinq, qui est le dernier ?

— Je croyais que tu avais déjà compris, vieillard. Le cinquième, c'est toi !

Abasourdi de cette affirmation des plus incroyables, Joseph, pris d'un vertige soudain, chancela et Longinus s'empressa d'éteindre sa lampe et de l'aider à s'asseoir près d'une grosse roche au pied du Golgotha, à l'ombre des lumières de la ville. Oubliant la présence du centurion un moment, Joseph se questionna à voix haute :

— Serait-ce que je suis d'ores et déjà promis à franchir les portes du Royaume des cieux ?

Longinus, penché à sa hauteur et croyant que la question lui était adressée, lui répondit :

— Comment pourrais-je savoir cela ? Je n'ai aucune idée de ce que peut représenter cette dernière catégorie ni comment tu es parvenu à devenir ainsi !

— Oh ! excuse-moi, je me parlais à moi-même. Est-ce ainsi depuis notre première rencontre ?

— Oui, et c'est pour cette raison que je t'ai suivi et fait confiance.

— Comment allons-nous appeler ce... ce que je suis... Cette nouvelle catégorie ? demanda Joseph.

— Je pense que « Lumineux » serait tout à fait approprié. Cependant, le temps presse ! Quittons ces lieux avant que quelqu'un nous aperçoive et prévienne la garde. Dommage pour ce fer de lance mais je pense qu'il vaudrait mieux cesser nos recherches afin que je puisse tenter d'emprunter la route pour Jaffa avant que l'aube ne pointe. Dans une seule journée, j'ai perdu mon épouse et son frère, mon meilleur ami et compagnon d'armes. Il n'est pas question que je risque aussi la vie de mon beau-père. Comme je le connais, le sénateur pourrait bien entrer en furie et sauter à la gorge du mécréant lorsqu'il verra les doigts coupés de sa chère fille. Étant donné son âge avancé, le zélote aura tôt fait de le trucider et de prendre tout l'or qui lui conviendra. Si l'arme ne se trouve pas ici, espérons qu'elle est entre bonnes mains. Plus tard, peut-être, je reviendrai et tenterai de la retrouver.

— Tu as probablement raison. On ne trouvera rien ici ce soir. Partons !

Malheureusement, lors de leur arrivée au mont du Calvaire, le vieux marchand, en allumant sa lampe, avait du même coup, sans s'en être aperçu, attiré l'attention d'Ari, un garde du Temple qui traînait dans les quartiers sales de la ville tout près de la porte sud-ouest, à la recherche de prostituées pouvant le soulager de cette folle envie de copuler à toute heure du jour et de la nuit. Il avait réussi à dénicher une fille de joie adéquate pour accomplir ses fantasmes les plus obscènes et l'avait ensuite entraînée jusqu'à l'extérieur de l'enceinte de la ville, de peur que sa femme, la mère de ses six enfants, n'entende parler de ce qu'il faisait dans son dos.

Tout juste à quelques pieds de Joseph et de Longinus, caché dans l'ombre du monticule sinistre, le garde israélite plaqua la putain contre la muraille et lui releva la robe avec empressement. La lueur subite dégagée par la lampe de Joseph mit fin à ses ébats, d'un coup. Croyant être surpris en plein délit d'adultère, le garde prit peur et se coucha au sol en entraînant la fille avec lui.

— Eh... Qu'est-ce que tu fais ? se lamenta-t-elle.

— Chut ! La ferme ! Sinon je te coupe la langue et tu n'auras plus un seul client de ta vie.

Lorsqu'il reconnut le vieux marchand accompagné d'un grand gaillard, il chassa la fille et s'empressa de gagner le Temple faire part de sa découverte au Grand Prêtre. Dès qu'il en fut averti, Caïphe s'entoura d'une escorte de trois hommes et s'empressa de suivre le garde sur le lieu mentionné.

Joseph, encore estomaqué de l'image qu'avait de lui Longinus, essayait d'en comprendre toute la signification. Il se releva doucement de derrière la grosse roche quand soudain, une voix qu'il avait espéré ne plus jamais entendre perça le silence de la nuit :

— Joseph d'Arimathie ! Que fais-tu en ces lieux à cette heure avancée ?

Pris au dépourvu, le vieillard eut quand même la présence d'esprit d'effectuer un signe discret de la main gauche, exhortant Longinus de ne pas bouger de sa position, bien dissimulé comme il était dans l'ombre du gros rocher.

— Eh bien, mon vieux coreligionnaire, tu ne daignes pas me répondre ? demanda Caïphe à Joseph.

Celui-ci s'efforça du mieux qu'il le pouvait d'oublier à qui il s'adressait véritablement. Voulant faire diversion afin que Longinus puisse fuir par-derrière, il avança courageusement vers son interlocuteur et répondit finalement :

— N'arrivant pas à trouver le sommeil, je suis venu me recueillir en cet endroit.

— Pourquoi donc ? dit Caïphe d'une voix mauvaise. Cet homme, ce Yeshua, car je sais bien que c'est de lui dont il est question ici, était un imposteur et a été jugé par nos pairs comme tel. Il a eu le châtiment qu'il méritait, crois-moi. Dieu m'a parlé et il me la dit.

Joseph aurait voulu argumenter avec lui mais cela, il le savait, était peine perdue. Il avait affaire à l'un des démons supérieurs de la pire espèce. Longinus, dont la voix du nouvel arrivant lui rappelait vaguement quelqu'un, risqua un œil en leur direction et le regretta immédiatement.

— Quelle catastrophe ! pensa-t-il. Le Baron du Chaos nous a découverts !

Cependant, il suivit le conseil de Joseph et resta tapi dans l'obscurité. La terreur qui accompagnait cette entité de l'enfer commençait à se faire sentir. Joseph avançait toujours en direction de Caïphe et de sa garde. Lorsqu'il fut à une dizaine de pieds du démon, il ne put s'empêcher de lui demander :

— L'Éternel notre Dieu t'a vraiment affirmé cela ? En es-tu bien certain, ô Grand Prêtre ?

Le démon encaissa le coup et sans se laisser démonter, ajouta :

— Puisque je te le dis ! Alors que je dormais, Il m'a tout révélé. Douterais-tu de ton supérieur hiérarchique maintenant ? Voilà ce qu'a apporté ce maudit fils de... Conflits et perturbations au sein même du Sanhédrin !

Joseph décida d'abandonner la partie. Cela devenait dangereux pour lui. Toutefois, il osa une autre question :

— Pourquoi es-tu venu ainsi à ma rencontre ?

— Où est l'autre homme qui était avec toi ?

— Pardonne-moi, Caïphe, mais je pense que tu te trompes. Je suis seul en ce lieu.

— Ce garde ici présent m'affirme que vous étiez deux à flâner dans les environs.

— Ton homme a dû boire un pot de trop. Je t'assure que je suis tout à fait seul.

Effectivement, Ari sentait l'alcool à plein nez. Ce qui mit Caïphe dans le doute durant un instant. Finalement, il chassa l'homme d'un coup de pied. Joseph renchérit :

— Si tu ne me crois pas, viens t'en assurer par toi-même.

Caïphe ordonna à deux des gardes d'aller vérifier. Heureusement, Longinus avait profité du moment pour changer de cachette, un peu plus en retrait. Les gardes du Temple confirmèrent les dires de Joseph et revinrent auprès de leur maître. Ne comprenant pas trop en quoi voulait en venir Caïphe, il lui demanda sans détour :

— Me répondras-tu maintenant ?

— Je te cherchais, Joseph.

Le vieux marchand ne cacha pas sa surprise.

— Et pourquoi donc ?

— Ignorerais-tu la nouvelle, par hasard ?

— Quelle nouvelle ? Que se passe-t-il ?

— Mais mon pauvre ami, tout le monde ne parle que de ça en ville, où étais-tu donc durant tout le jour ? Le corps de Yeshua a disparu la nuit dernière. Ce matin, deux femmes venues pour lui administrer les derniers préparatifs ont trouvé la pierre roulée et lorsqu'elles pénétrèrent dans le caveau, le cadavre n'était plus là.

— Comment ? Que me racontes-tu là ?

— Les Romains qui en avaient la garde ne peuvent l'expliquer, mais moi, je les soupçonne d'avoir été soudoyés par quelqu'un qui était proche de cet imposteur. Nous recherchons présentement ses disciples ainsi que les deux femmes en question, mais tout ce beau monde semble s'être évaporé dans la nature.

Joseph n'en croyait pas ses oreilles. Le corps de Yeshua avait été enlevé! Comment cela avait-il pu arriver? Ses réflexions furent de courte durée lorsqu'il sentit soudainement deux étaux lui enserrer les bras.

— Mais... Qu'est-ce que vous faites, voyons? Lâchez-moi, vous me faites mal! Pourquoi usez-vous de violence envers moi?

Caïphe le regarda de façon condescendante et lui expliqua:

— Ne fais pas l'innocent, Joseph. Je sais bien que tu as trempé dans ce complot d'une manière ou d'une autre. De plus, les Romains auraient, eux aussi, quelques petites questions à te poser au sujet de l'hébergement que tu aurais supposément offert à un centurion recherché comme déserteur.

Joseph était stupéfait d'entendre cela. Qui avait bien pu aller le dénoncer aux autorités? Un serviteur malheureux sans doute. Caïphe poursuivit:

— Présentement, mes sources m'affirment qu'ils ont envoyé une patrouille à ta villa afin de t'interroger à ce sujet. Je crains qu'ils ne détruisent tout lorsqu'ils verront que tu n'y es point. Par contre, ils seront heureux de ma contribution, je pense. Mais avant, je désirerais m'entretenir plus longuement avec toi. Dis-moi où se cachent les disciples et je t'épargnerai.

— Même si je le savais, jamais je ne les trahirais! Je suis certain qu'ils n'y sont pour rien, laisse-les en paix!

— Je n'apprécie guère ta dévotion envers ce faux prophète. Je pense qu'une petite correction te permettra de reprendre le droit chemin. Amenez-le! cria-t-il aux gardes.

Ceux-ci s'activèrent à lier les poignets du vieillard quand l'un d'eux vit que Joseph cachait quelque chose dans sa main fermée qu'il ne voulait pas lâcher. Caïphe s'avança vers lui et demanda gentiment:

— Joseph, mon vieil ami, je vois que ce que tu tiens là t'est précieux. De quoi s'agit-il au juste? Allez, donne-le-moi sans résister. Tu sais bien que d'une façon ou d'une autre, tu finiras bien par le lâcher.

Caïphe tendit le bras et présenta sa paume ouverte. Joseph attendait ce moment. Il n'aurait pas voulu donner le fragment à l'un des gardes, car ce dernier aurait risqué d'être anéanti, ce qui aurait permis au Baron de découvrir sa ruse. Il préférait l'essayer sur le Baron lui-même en espérant que l'objet s'avère assez puissant pour le supprimer. Simulant un regret, Joseph laissa tomber le fragment du fer de lance dans la main de Caïphe.

— Qu'est-ce que c'est que ce truc?

De toute évidence, l'effet escompté n'arriva point. Caïphe se contenta de regarder cet objet quelconque de manière dédaigneuse.

— Qu'est-ce donc? demanda-t-il à nouveau à son prisonnier.

Constatant avec regret que le fragment n'avait eu aucun effet sur lui, Joseph lui affirma qu'il l'avait trouvé il y avait quelques instants à peine, au pied du Golgotha. Croyant qu'il tenait un bout de métal anodin, Caïphe le jeta au loin.

— Pourquoi t'approprier de cette... chose?

— Je l'ai prise, comme ça tout bonnement, mentit-il.

— C'est bon. Nous avons perdu assez de temps comme ça. Allons-y, ordonna Caïphe.

La troupe se remit en marche, filant en direction du Grand Temple. Longinus, qui avait surmonté sa frayeur du mieux qu'il le pouvait, avait tout vu et tout entendu. Il s'empressa de les suivre à une distance raisonnable. En chemin, il retrouva le fragment et le fourra dans sa bourse accrochée à son ceinturon.

Les gardes du Temple abusaient de la position précaire du vieillard et ils l'assaillirent de coups tout au long du parcours jusqu'à ce que le Grand Prêtre lui-même intervienne :

— Ne le molestez pas trop! J'ai besoin qu'il reste en vie. Du moins pour un moment encore!

Caïphe et sa suite arrivèrent finalement à destination et pénétrèrent à l'intérieur du Temple. Ne pouvant se résoudre à abandonner son débiteur à son triste sort, le centurion se trouvait une fois de plus dans l'obligation de retarder son départ. Cependant, il ne douta pas une seconde de la pertinence de sa décision. Telle une grande ombre parmi les ombres, il s'accroupit tout près des portes de l'imposant édifice et attendit le moment propice. Lorsque le garde laissé là par Caïphe pour vérifier si personne ne les avait suivis passa tout près de lui, il le saisit et l'égorgea sans qu'il ait eu le temps de souffler une plainte. Longinus essuya sa lame ruisselante sur les vêtements du mort et profita du moment pour se faufiler à l'intérieur en catimini.

Dès qu'il mit les pieds sur la surface marbrée, le centurion ne put s'empêcher d'admirer l'architecture grandiose dont bénéficiait ce Temple dédié au dieu d'Israël. Il parcourut les salles immenses, truffées de colonnes majestueuses et réussit à retrouver la piste des ravisseurs. Un indice laissé par Joseph lui indiquait qu'ils avaient emprunté une porte dissimulée derrière un long rideau menant au sous-sol de l'édifice. Longinus ramassa la sandale de haut prix, la glissa dans sa ceinture et descendit prudemment l'escalier donnant sur les ténèbres. Tâtonnant dans la noirceur, les poils de sa nuque redressés, il descendit le long escalier taillé dans le roc. Une forte odeur d'encens envahissait l'atmosphère environnante. Telle une grande panthère à l'affût, le centurion s'enfonça plus avant dans les entrailles du Temple. Soudain, parmi les ombres, il aperçut une lueur tout en bas et se dirigea vers celle-ci. Il aboutit sur un petit palier donnant une vue d'ensemble sur la pièce. Une autre série de marches menait jusqu'au plancher de cette salle de forme rectangulaire entourée de deux rangées de colonnes de pierres qui semblaient avoir été entièrement creusées dans la roche même. Joseph et ses ravisseurs se trouvaient bien là.

Longinus descendit l'escalier, s'approcha du groupe et se blottit derrière l'une des grosses colonnes d'où il pouvait assister à la scène sans se trahir. Le spectacle qui se déroulait à quelques pieds devant lui n'annonçait rien de bon.

Visiblement essoufflé, Joseph s'était agenouillé devant celui qui se faisait passer pour le Grand Prêtre. Longinus compta deux gardes pour surveiller le bon déroulement de l'interrogatoire, des « démons » tous les deux, comme celui qu'il venait de tuer. Un siège de pierre trônait au centre de la pièce souterraine. Derrière et de chaque côté de ce trône incongru se trouvaient deux longs rideaux qui partaient du plafond et descendaient jusqu'au sol, semblables à celui qui camouflait l'entrée de cet endroit secret. De couleur rouge et tissés d'une laine épaisse, ils devaient peser des tonnes. Juste devant ces rideaux archaïques, un feu flambait dans un large brasero.

Cherchant une solution pour sortir son ami de cette situation désastreuse, Longinus porta son regard un moment sur le Baron et la terreur surgit de nouveau en lui. Il se cala plus profondément dans sa cachette et tenta de maîtriser sa frayeur. Soudain, la voix sourde du démon supérieur se répercuta sur les murs de la grande salle et Longinus se força à regarder de nouveau.

— Pour commencer, cher confrère, dit la créature à Joseph, je dois t'avouer que je t'ai menti tout à l'heure en te mentionnant que les Romains se dirigeaient vers ta villa pour t'arrêter. Je tentais de te faire avouer l'emplacement de la cachette des disciples sans que tu en paies un peu trop le prix. Face à ton entêtement, j'ai dû réviser mes plans. Mais ne t'inquiète surtout pas ; dès l'aube, tu comparaîtras devant Pilate. Sois-en sûr. D'ici là, tu aurais intérêt à me dire ce que je désire savoir. Alors, pour une dernière fois, dis-moi de quelle manière vous vous y êtes pris, tes comparses et toi, pour subtiliser le corps du crucifié ?

Joseph, après avoir suffisamment repris son souffle, lui répondit :

— N'as-tu pas remarqué ma surprise lorsque tu m'as annoncé cette étrange nouvelle ? Je jure devant l'Éternel mon Dieu que je n'y suis pour rien !

Caïphe, aucunement convaincu de la véracité des dires de son prisonnier, se pencha à sa hauteur et lui cracha au visage :

— Dis-moi où se cachent ses disciples et alors je te relâcherai peut-être !

— Je m'évertue à te dire que je n'y suis pour rien dans toute cette histoire.

— Tu n'es qu'un sale menteur, vieux fou ! Tu penses peut-être, comme tous les autres illuminés qui t'ont aidé dans cette entreprise, qu'en subtilisant sa carcasse pourrissante, le peuple croira à cette supercherie voulant qu'il soit ressuscité ? Comme paraît-il, il l'aurait prédit de son vivant ?

Joseph soupesa cette nouvelle hypothèse et, maintenant convaincu plus que jamais dans sa foi en Yeshua, il répliqua au Baron :

— Et si c'était vrai ?

— Que veux-tu insinuer ?

— Mais sa résurrection, bien sûr !

Sur un signe de Caïphe, le garde qui se trouvait à la gauche de Joseph le gifla violemment. Le vieillard, maintenant couché de tout son long sur le sol, sentit qu'une de ses dents branlantes avait cédé sous le choc. Longinus, devant cet acte déloyal, se retint d'occire ce garde dans la minute. Caïphe reprit l'interrogatoire :

— Vieil imbécile. Ne sais-tu pas ce qu'il en coûte de se moquer de moi ? Étant donné que tu ne veux pas collaborer, je vais être obligé d'appliquer la manière forte. Cependant, pour ce soir, j'ai d'autres préoccupations. Gardes ! cria-t-il aux deux hommes. Conduisez ce traître dans l'un des cachots.

— Si je peux me permettre ? s'aventura l'un des gardes. C'est qu'il n'y en a plus aucun de libre depuis l'arrestation effectuée cet après-midi, monseigneur !

— Vous n'avez qu'à les mettre dans la même cellule tous les deux ! Qui se ressemble s'assemble !

— Mais... ces cachots sont très étroits et...

Devant le regard foudroyant de son supérieur, le garde ravala son objection et s'empressa d'exécuter les ordres donnés. Secondé par l'autre garde, il releva durement Joseph et le conduisit vers l'un des sentiers menant aux geôles secrètes du Temple. Longinus se releva et, dans un geste désespéré, opta pour les surprendre par-derrière et de tenter de les tuer les deux du même coup avant qu'ils n'enferment Joseph à double tour. Le fait que la lame de son glaive soit grandement plus efficace qu'auparavant lui donna le courage nécessaire. S'apprêtant à quitter la salle et à gagner les cellules à son tour, la voix du Baron du Chaos l'interpella :

— Je sais que tu es là, intrus !

Longinus figea. La désagréable voix se fit entendre de nouveau :

— J'ignore qui tu es mais je sens ta présence et je sais que tu nous files depuis le Golgotha ! Serais-tu celui qui y accompagnait ce vieux fou d'Arimathie, par hasard ? Celui que les Romains recherchent désespérément depuis des jours ? Allons, sors de ta cachette que nous puissions discuter d'homme à homme !

— Comment le Baron du Chaos a-t-il pu se rendre compte de ma présence, bien caché comme je le suis ? se demanda Longinus.

Maintenant confortablement assis sur le trône magistral taillé à même le roc, Caïphe, ou plutôt le Baron, semblait détendu et parlait posément sans démontrer ni colère, ni haine. Cependant, les formidables spirales noires accéléraient leur rythme endiablé autour de lui. Tel un matou jouant avec sa proie, le Baron poursuivit :

— Montre-toi donc ! Mes gardes ne sont pas présents et je ne suis pas armé ! Viens donc, ne sois pas poltron ! Que viens-tu faire en ces lieux ?

Longinus, n'ayant plus le choix, sortit de l'ombre le glaive à la main et s'avança vers la clarté occasionnée par les deux torches juchées sur le mur derrière le trône ainsi que par brasero à la droite, dans lequel brûlait l'encens.

— Eh bien, qu'avons-nous là ? Le centurion recherché par les Romains, je présume ! Que viens-tu faire ici ? Allons, tu n'as rien à craindre de moi !

— Je suis venu libérer mon ami de tes griffes ! Il dit vrai quand il affirme qu'il n'y est pour rien dans la disparition du corps du Nazaréen. Il a un bon alibi car j'étais effectivement en sa compagnie toute la journée et jamais il ne m'a quitté plus de cinq minutes.

— On pense que le crime s'est fait de nuit. Ce que tu dis ne prouve rien, imbécile, et je n'ai pas de temps à perdre avec toi. Pars pendant que tu le peux, sinon j'appelle ma garde !

— Libère Joseph et je te promets de quitter ces lieux sans coup férir.

— Comment ? Tu ne manques pas de culot d'oser me menacer, moi, le Grand Prêtre du Temple ! Je suppose que toi aussi tu y es pour quelque chose dans le vol du cadavre de cet imposteur ?

La créature semblait soudainement prise de colère. Ses spirales noires s'étendaient tout autour d'elle comme des excroissances se déployant sur toute leur longueur. Cependant, Longinus tenta de ne pas se laisser intimider par cette vision insolite :

— Dans toute cette histoire, s'il y a un imposteur ici, c'est bien toi !

— Que me racontes-tu là ? Serais-tu devenu complètement fou par hasard ?

— Je sais QUI tu es réellement !

À ces mots, celui qui se faisait passer pour le Grand Prêtre ouvrit grand les yeux et fixa le centurion de manière inquiétante. La vision qu'en eut Longinus à ce moment le fit vaciller quelque peu et une partie du courage qu'il avait réussi à emmagasiner jusque-là baissa d'un cran. Le Baron se leva de son trône et, faisant fi du glaive tranchant pointé en sa direction, marcha tranquillement vers le centurion.

— Que veux-tu dire par là ? Réponds-moi, insecte ! Qui es-tu au juste ? dit la créature qui venait de reprendre sa voix d'origine. Un son qui rappelait à Longinus le rugissement des grands félins habitant le continent noir. C'était la voix naturelle de Moloch, l'un des sept Barons du Chaos. Sous le coup de la surprise, Longinus recula de quelques pas et voyant qu'aucun garde n'était dans les environs, saisit l'opportunité qui s'offrait à lui. En l'espace d'une fraction de seconde et malgré sa crainte, il leva son glaive et attaqua sauvagement l'entité maléfique. Hélas, son coup de lame, qui aurait été fatal pour n'importe quel être humain ordinaire, rebondit sur la volute opaque qui lui servait de bouclier. L'arme glissa de sa main et dans son élan, Longinus alla percuter le brasero dans lequel brûlait l'encens et les braises incandescentes tombèrent au sol. Elles enflammèrent d'un coup les longs rideaux derrière le trône. L'un de ceux-ci cachait une ouverture taillée dans la pierre ; un passage secret menant sur de nombreux dédales débouchant un peu partout à l'intérieur du Grand Temple. Seuls les Grands Prêtres nommés à la tête du Sanhédrin et informés lors de leur nomination en connaissaient l'existence.

Bien vite, l'incendie se propagea jusque dans les hauteurs de l'édifice. Aucunement inquiète de la situation, la créature démoniaque se retourna en direction du centurion encore étourdi par sa chute. Reprenant la voix de Caïphe, Moloch dit d'un ton condescendant :

— Mon pauvre ami, je crains que tu ignores à qui tu te mesures !

Cette fois, il poursuivit en reprenant sa voix caverneuse qui lui était propre :

— Je t'avais laissé une chance de sauver ta vie mais étant donné que tu sembles connaître mon secret, je dois t'éliminer. Il ne faudrait surtout pas que tu contrecarres mes projets. Cependant, j'aimerais bien savoir, comment m'as-tu découvert ?

— Quels projets ? Ceux de faire périr l'humanité, par exemple ? lui cracha le centurion.

— Je constate que tu es bien informé. Aurais-tu été aidé du *Livre noir de Salomon* par hasard ? Celui pour lequel j'ai participé à la rédaction alors que j'étais prisonnier de ce roi maudit en échange de petites faveurs ? Bien sûr, tu ne me répondras pas. À moins que je ne t'y force un peu !

Longinus ignorait tout de ce livre excepté le peu que Joseph lui avait mentionné. Le démon progressa de nouveau vers lui. Par chance, le feu bloquait le passage qui séparait les deux opposants. Mais l'espoir du centurion fut de courte durée lorsqu'il eut la preuve devant lui de ce que Joseph avait avancé un peu plus tôt. Ce Baron du Chaos était effectivement insensible aux flammes et marchait tranquillement à travers les braises surchauffées. La chaleur extrême fit fondre en quelques instants les sandales qu'il portait aux pieds mais cela ne l'empêcha pas de continuer d'approcher dangereusement vers sa proie. Puis ce furent les vêtements dont il était affublé qui prirent feu d'un coup. En quelques secondes, il ne resta plus rien des grandes robes sacerdotales appartenant anciennement au vrai Caïphe. Le démon se retrouva complètement nu. Pour n'importe qui, trouver ainsi le très estimé Grand Prêtre dans son plus simple appareil aurait été un spectacle grotesque. Cependant, pour Longinus, cette vision n'avait rien d'hilarant. Pour la première fois, il vit le démon dans toute sa laideur. Le voile d'ombres était devenu presque transparent et avait arrêté sa course folle. Il semblait maintenant former un genre de cara-pace tout autour de son physique monstrueux. Cela permit au centurion de distinguer plus clairement ses traits hideux. Deux excroissances pointues, semblables à des cornes de bouc, lui sortaient du front et son corps était couvert de pustules. Son visage dont les yeux étaient injectés de sang reflétait le Mal à l'état pur. Une grande partie de sa peau se trouvant sur son abdomen avait été arrachée naguère et une nouvelle couche plus rosée y était apparue, ressemblant au ventre flasque d'une grenouille. L'ensemble lui donnait un aspect des plus répugnants.

La créature millénaire était presque sur lui et Longinus, toujours ébranlé, tenta de se relever mais il fut arrêté dans son mouvement à l'instant même où elle allongea le bras vers lui et le frappa d'un sort qui le souleva du sol :

— Quel est donc ce pouvoir qui te permet de me percer à jour ? Seuls les envoyés du Grand Architecte de l'Univers peuvent réussir cet exploit ! Posséderais-tu la vision des Archanges par hasard ? Quel est ton secret ? Je dois savoir. Réponds-moi sinon je te ferai subir des tourments inimaginables et tu me supplieras de t'achever au plus vite, humain stupide !

— Retourne pourrir en enfer y rejoindre ton maître, sale monstre repoussant ! Même si je meurs, un autre élu sera nommé et viendra vous anéantir, tes semblables et toi.

Longinus ignorait d'où lui venait cette certitude. Analysant rapidement la situation, la créature cauchemardesque réfléchit un bref instant. Le regard mauvais, elle ouvrit de nouveau sa gueule, découvrant une dentition meurtrière :

— Un « élu », toi ? Un sale représentant de Rome, imbu de lui-même comme tous tes semblables. Tu te moques de moi, insecte ! Quels sont tes pouvoirs alors, « élu », à part de me repérer malgré mes sortilèges ? Tu ne veux toujours pas me répondre, n'est-ce pas ? Peut-être l'ignores-tu toi-même ? Eh bien, nous allons les découvrir ensemble !

Longinus lévitait toujours dans les hauteurs de la salle souterraine quand, d'un mouvement de son index droit tout racorni et muni d'une griffe démesurée, le Baron fit un geste de droite à gauche. Au même moment, sans qu'il ait touché Longinus, une grande lanière de peau vint s'arracher du dessus de sa cuisse gauche. Curieusement, aucun cri de souffrance de sa part ne vint se répercuter sur les murs.

La fumée de l'incendie gagnait désormais le couloir des cellules et envahissait dangereusement l'atmosphère. Lorsqu'ils prirent conscience du danger, les gardes du Temple venaient de tirer le verrou de la cellule dans laquelle ils avaient incarcéré Joseph. Ils s'empressèrent alors d'aller rejoindre leur maître. Joseph comprit que son ami le Romain les avait suivis et avait quelque chose à voir avec l'incendie. Il craignit toutefois qu'il se soit fait prendre. Malgré son positivisme exemplaire, le vieillard sentit un énorme désespoir l'envahir et se confia à son voisin de cellule :
— Bon sang, tout est perdu maintenant !
— J'espère que tu te trompes, Joseph, lui répondit l'autre...

Entre-temps, le Baron poursuivait ses sévices corporels sur le centurion et deux autres lanières de chair furent prélevées sur sa jambe :
— Aucun cri. Aucune plainte. Je constate que pour un élu tu n'es pas indestructible mais tu ne sembles pas souffrir de tes blessures ! Serais-tu devenu insensible à la douleur physique ?

Longinus était surpris de constater le même phénomène que lorsqu'il s'était brûlé le bout des doigts dans la chambre de Joseph. Toujours en état d'apesanteur, Longinus baissa les yeux et constata l'ampleur de la gravité de ses trois nouvelles plaies.
— Je ne ressens aucune douleur... *Rien*... Pas même un léger picotement...? Comment est-ce possible ? se questionnait Longinus, ébahi.

Le Baron poursuivit :
— Impressionnant. Voyons voir maintenant au plan mental !

D'un autre mouvement, Moloch, grâce à un procédé qui échappait à toute compréhension, introduisit dans le crâne de sa victime, une migraine insupportable. Cette fois, le centurion ressentit de la douleur et hurla sans retenue.

— Ah... Enfin une réaction normale ! gloussa le Baron.

Satisfait, il intensifia son maléfice impie :

— Toi qui te prétends un défenseur de Yeshua, connais alors les tourments qu'il a endurés.

Longinus sentit son crâne vouloir se fendre en deux. Sous la torture, il poussa un hurlement de souffrance comme jamais ces murs n'en avaient répercuté l'écho. Le Baron, insensible aux tourments de son adversaire, poursuivit sa tirade :

— Quand j'ai su tout le pouvoir dont disposait Yeshua, je me suis fait passer pour mon ancien Maître et j'ai tenté de le convaincre de s'allier à moi. Mais ce fou a refusé l'offre généreuse que je lui tendais et m'a chassé comme un vulgaire voleur ! Voyant que je ne pouvais le corrompre, j'ai dû m'organiser pour qu'il soit exécuté dans les plus brefs délais !

Longinus, malgré son immense douleur, ne perdait rien des propos tenus par le démon.

— Eh bien, cher élu du Grand Architecte de l'Univers ! dit ce dernier. Je me demande bien quel danger tu représentes pour mes frères et moi !

Sur ces entrefaites, les deux gardes revinrent à la salle du trône et furent stupéfiés de voir la scène se déroulant devant leurs yeux. Caïphe, complètement nu se tenant dans les flammes, sans brûler pour autant et faisant des gestes bizarres dans le vide devant lui. N'étant pas des démons des premiers âges, les deux hommes, lorsqu'ils virent ensuite le centurion flotter littéralement à dix pieds du plafond de la salle, prirent leurs jambes à leur cou et détalèrent comme des lapins en direction de la sortie.

Sans se préoccuper d'eux, le Baron poursuivit ses sévices sur le centurion :

— Bon. Voyons maintenant si tu es à l'abri de la maladie !

D'un large mouvement de rotation du bras, le démon s'élança pour lui transmettre une peste des plus dévastatrices qui devait normalement le faire périr dans les secondes suivantes. Sentant sa dernière heure arrivée et pris d'une rage folle, Longinus stoppa l'élan du Baron et cria :

— Quoi qu'il m'arrive, démon, je jure que je te retrouverai. Ici dans ce monde ou dans un autre qui nous attend tous les deux !

— Je savoure ta bravoure, humain ! Dommage que je ne t'aie pas rencontré avant ce Joseph d'Arimathie, je t'aurais pris sous mon aile et tu aurais pu m'être très utile pour mes projets.

Sur ce, le Baron du Chaos reprit son élan pour frapper Longinus de son sort mortel. Ignorant s'il en était immunisé, le centurion ferma les yeux et se surprit à prier le prophète crucifié de lui permettre de poursuivre sa tâche.

Subitement, le puissant démon évadé des catacombes du Grand Temple fut de nouveau stoppé lorsqu'un évènement des plus inexplicables survint.

CHAPITRE XVII

La porte close ne l'est plus !

Germanie. An 16 après J-C.

Malaric, vainqueur de son duel contre Longinus, revint vite vers l'emplacement où se trouvait Hermann, mortellement blessé. Sa main gauche le faisait atrocement souffrir, brûlée par l'explosion de la partie du rubis qu'il tenait lorsque celle que portait Olaf au cou avait éclaté. Malgré sa douleur, il reprit sa course. Il était impératif qu'il s'empare de l'objet de ses désirs avant que les Romains ne le trouvent. Lorsqu'il atteignit la clairière, une surprise l'attendait. Le chef de la coalition germaine n'y était plus.

— Mais que s'est-il passé ici ? se questionna-t-il.

Les légionnaires affectés à la garde des lieux étaient morts tous les deux, la gorge ouverte. Malaric s'approcha de la scène et constata la marque des loups qui, de leurs crocs acérés, avaient complètement arraché une partie du cou des victimes. Le sang romain imbibait maintenant le sol de la Germanie. Malaric, comme à son habitude, s'exclama tout haut :

— Curieux tout de même que, contrairement à leur habitude, ces bêtes immondes se soient attaquées à deux hommes bien armés. Et en plein jour de surcroît !

Aux côtés des Romains, il retrouva Olaf le berserk, lui aussi face contre terre et criblé de traits. L'immense brute qui lui avait presque permis de récupérer l'émeraude, au moment où il contrôlait son esprit, avait fini par périr de ses nombreuses blessures. À deux pas de lui, il aperçut les fragments de la partie du rubis qu'Olaf portait comme médaillon ainsi que l'étoile toute distordue dans laquelle il était incrusté. Hélas, il n'en restait presque plus rien.

— Si ce n'avait pas été de l'intervention de ce maudit centurion, mon sort aurait fonctionné à merveille et à l'heure qu'il est, je serais déjà en train d'ouvrir la porte close !

Tandis qu'il recherchait Hermann, qui ne devait pas être bien loin dans l'état où il se trouvait, des souvenirs l'assaillirent :

« Avant de se rendre auprès du général Germanicus, il s'était rendu à sa forge située auprès de sa demeure. Depuis que sa fille Luna était décédée, il n'était revenu qu'occasionnellement sur ses propriétés. Son peuple, Malaric le savait pertinemment, ne demandait pas mieux car tous le craignaient et le haïssaient. Il avait pénétré à l'intérieur de la sombre pièce et s'était empressé d'allumer le foyer et de préparer ses outils.

Dans sa lecture du *Livre noir de Salomon*, il avait découvert que pour neutraliser les effets du pouvoir de l'émeraude sur l'esprit d'une victime, celle-ci devait porter sur elle une étoile à cinq branches en or pur, comme sur les fresques qui ornaient la surface de la porte close. Il avait ensuite inséré au centre du bijou une grosse partie du seul rubis qu'il possédait. Grâce à ce procédé, Malaric s'était ainsi assuré qu'il pourrait transférer son esprit à une cible choisie, comme il l'avait fait sur deux volatiles jusqu'à présent, sans que celle-ci ne subisse l'influence de l'émeraude. Ainsi, le rubis lui permettrait de contrôler l'esprit du berserk telle une vulgaire marionnette et l'étoile soustrairait Olaf de la domination d'Hermann. Malaric savait que c'était là sa dernière chance de récupérer l'émeraude.

Quand le médaillon fut achevé et l'équipage prêt à prendre la mer, Malaric avait désigné un nouvel intendant, un nommé Hagan, parmi les hommes de sa garde en remplacement de Harald qui avait péri sept années auparavant. Il l'avait informé de l'itinéraire à suivre afin qu'il puisse se rendre jusqu'au repère secret :

— Une fois par semaine, tu m'apporteras des vivres et un rapport complet de tout ce qui s'est passé au village. Et si jamais tu révèles ce secret à quiconque...

Sur ce, il était monté à bord et avait donné ses recommandations au capitaine du navire.

Deux jours plus tard, sa rencontre avec les Romains s'était déroulée aussi bien qu'il l'avait espéré. Sa ruse avait fonctionné à merveille à part le fait que le général ait gardé en otages ses hommes d'équipage. Mais cela, il n'en avait eu cure. Peu importait ce qui pouvait leur arriver, seule sa quête du précieux joyau comptait.

Averti secrètement par ses éclaireurs, Malaric avait su qu'Hermann et sa coalition ne se trouvaient plus au village chérusque. Dans le but d'affaiblir le plus possible les presque cinquante mille légionnaires dont l'armada de Germanicus disposait et dans le but d'équilibrer les forces, Malaric les avait influencés par des conseils erronés. Après de nombreux détours, les Romains avaient finalement atteint la rive est de la rivière Wesser et y avaient fait construire un fort juste en vue du campement de la coalition d'Hermann.

La nuit venue, Malaric avait profité de la noirceur pour sortir du camp en catimini et avait réveillé ses cinq mille guerriers qui l'avaient rejoint en cours de route et qui campaient sur une colline à proximité. Il leur avait ordonné de fuir en silence et de regagner en vitesse le clan. Les hommes, croyant passer pour des trouillards en vue d'un combat imminent, avaient été surpris et déçus tout à la fois de cette nouvelle. Pourtant, nul n'avait osé protester et tous étaient partis sous le nez des Romains sans dire un seul mot. Ceci fait, Malaric avait filé à travers bois et s'était approché furtivement du campement d'Hermann et de ses quarante mille guerriers.

La majorité de ceux-ci dormaient à poings fermés mais il était convaincu que sa proie, elle, était en faction. Malgré les ténèbres environnantes, il parvint à retrouver aisément la tente d'Hermann. Comme il l'avait prévu, Olaf, tel un chien de troupeau, en gardait l'entrée. L'énorme brute était assise sur une grosse pierre et sirotait un fût. Comme la plupart des Barbares, l'homme sans langue adorait l'effet grisant provoqué par l'alcool. Malaric s'était rapproché de lui et s'était caché dans les buissons à proximité en attendant le moment propice.

— À voir la vitesse à laquelle ce géant boit son liquide enivrant, l'attente ne devrait pas être trop longue, s'était dit Malaric.

Comme prévu, cinq minutes plus tard, pris d'une envie pressante d'uriner, Olaf avait levé sa lourde charpente et avait titubé jusqu'à quelques pieds seulement de la cachette de Malaric. Plaqué contre un gros chêne, il s'était soulagé en émettant des borborygmes de satisfaction. Soudain, malgré son état d'ivresse avancée, il avait vu du coin de l'œil quelque chose gisant au sol et qui brillait d'une lueur magnifique. Sans prendre le temps de terminer son besoin naturel, il s'était approché du curieux objet et s'était penché pour le ramasser. Risquant de tomber par-devant, il avait tout de même réussi à le saisir. Ses yeux s'étaient écarquillés de stupéfaction lorsqu'il avait discerné, malgré la noirceur, qu'il tenait là un somptueux médaillon en forme d'étoile tout en or et incrusté en son centre d'un rubis éclatant. Le colosse avait jeté un regard autour de lui pour s'assurer qu'il était bien seul dans les parages. Le garde du corps personnel d'Hermann avait saisi sa chaîne et avait ôté d'un coup l'ancienne amulette qui y pendait, une effigie du dieu Thor, pour la remplacer par sa fabuleuse trouvaille. Malaric avait remarqué comment Olaf bavait littéralement devant la vue des pierres précieuses lorsqu'il était venu avec son maître au repère secret. Grâce à cette information, il avait pu élaborer un plan machiavélique. Après s'être assuré qu'Olaf avait bien repris sa place initiale et s'était finalement endormi comme le reste de l'armée germaine, le sorcier s'était éloigné un peu, avait bandé son arc et avait tiré une flèche en direction de la tente du chef. Le trait était passé tout près du casque à cornes du berserk et s'était fiché dans le poteau central de la tente d'Hermann.

— En plein dans le mille ! s'était-il dit, fier de sa performance.

Puis, il avait filé dans les bois en attendant la suite des évènements.

Le lendemain, Hermann n'avait pas manqué d'apercevoir le trait et surtout, d'y voir enroulé près de sa penne, un petit rouleau fait d'écorce de bouleau sur lequel était inscrit les précieuses informations concernant la présence des Romains à proximité de sa position et le nombre d'effectifs dont l'ennemi disposait. En agissant ainsi, Malaric avait voulu provoquer Hermann et avait ainsi espéré une confrontation dans les plus brefs délais. Encore une fois, son intuition ne l'avait pas trompé et tout s'était déroulé comme tel.

Plus tard ce jour-là, alors que les deux forces ennemies s'entretuaient, Malaric en avait profité pour effectuer son envoûtement sur le berserk. Par l'entremise d'Olaf, le sorcier avait presque réussi à atteindre le chef de la coalition... jusqu'à ce que ce centurion de malheur intervienne. »

— Comment a-t-il découvert le procédé de mon maléfice ? Enfin, dorénavant, il ne gênera plus personne.

Jamais Malaric ne s'était autant trompé !

Tout en se remémorant ces faits, il retrouva enfin la trace d'Hermann. Celui-ci avait réussi à se soustraire aux puissantes mâchoires des canidés sauvages et malgré son état pitoyable, s'était traîné vers les sous-bois. Des coulées de sang témoignaient qu'il se dirigeait en direction nord. Aidé de ces indices, Malaric n'eut aucun mal à le rejoindre à quelques pieds seulement de la clairière.

— Hermann ! lui cria-t-il de sa voix nasillarde.

Un râle lui confirma qu'il était encore en vie. Quand Malaric se pencha au-dessus du blessé, il fut ébahi de la force de survie dégagée par cet homme. Comme il l'avait deviné, le Chérusque, en plus des blessures infligées par le berserk, avait lui aussi subi les affres des loups et n'en avait plus pour très longtemps à vivre. Un trou béant, d'où s'écoulait pratiquement tout son sang, apparaissait sur son bras gauche près de l'épaule. Tous ses muscles pendaient lamentablement et un gros morceau de chair avait disparu, comme si plusieurs de ces bêtes s'étaient acharnées à cet endroit précis. Hermann, sentant une présence tout près de lui, pria l'inconnu :

— Qui... que vous soyez, passez-moi une arme et achevez-moi. Je vous en prie !

Malaric fit comme s'il n'avait rien entendu. Il se mit à fouiller les vêtements et la bourse du moribond en quête du précieux joyau, mais en vain. L'émeraude était introuvable !

— Vieux crapaud... c'est toi ? demanda Hermann dans un souffle entrecoupé.

La victime avait le visage couvert de boue et de sang séché et ne pouvait distinguer clairement l'inconnu.

— C'est bien moi, sale traître ! Comme on se retrouve, n'est-ce pas ? Tu paies enfin pour tous tes crimes ! Réponds-moi et j'exaucerai peut-être tes dernières volontés.

— Tr... très bien. Je te dirai tout ce que tu veux savoir. De toute façon, je vais bientôt mourir et, peu m'importe ce qui arrivera à la Germanie dès lors que je ne serai plus là pour la gouverner.

— Où est le « caillou », Hermann ?

— Il l'a pris !

— Qui ça, il ? Qu'est-il arrivé ?

— Après que les Romains eurent maîtrisé enfin ce fou d'Olaf, deux légionnaires reçurent l'ordre de me surveiller pendant que leur centurion, un fier guerrier, s'enfuyait dans les bois pour une raison que je n'ai pas saisie. Arghhh !

— Continue ! l'exhorta Malaric.

— Soudain, une meute de loups surgit de la forêt et nous tomba dessus. Habituellement, ces bêtes n'agissent jamais ainsi, surtout qu'ils s'en prirent seulement aux gardes armés et m'ignorèrent, moi, blessé comme je le suis et représentant pourtant une proie facile. Lorsque les légionnaires furent égorgés, la quinzaine de canidés sauvages se tourna finalement vers moi. Paniqué et craignant d'être dévoré à mon tour, je réussis à ramper plus profondément vers les bois en quête d'une échappatoire utopique. Arghh... je sens que je vais bientôt rejoindre mes ancêtres !

— Raconte-moi d'abord la suite ! lui répondit froidement Malaric.

— Après avoir parcouru quelques pieds, je regardai derrière moi, surpris que les bêtes ne m'aient pas déjà rejoint et attaqué. Non. Elles se contentaient seulement de me suivre à une distance rapprochée. Comme si elles se jouaient de moi. Sentant qu'il n'y avait plus aucun espoir de m'en réchapper, je m'écroulai sur place, là où tu m'as trouvé. Les loups s'approchèrent et vinrent me renifler. Je désespérai d'avoir perdu mon arme et je priai les dieux de m'accueillir en guerrier malgré l'absence de celle-ci. L'une des bêtes vint lécher une grande coulisse de sang qui s'écoulait de l'une de mes blessures. Voyant cela, les autres s'approchèrent à leur tour et imitèrent le premier. La sensation laissée par la langue de ces animaux répugnants m'était insupportable. Réunissant mes dernières forces, d'un coup de botte je réussis à atteindre l'une des bêtes à la gueule. Les autres, voyant que j'offrais encore une certaine résistance, sortirent les crocs et se préparèrent à me déchiqueter quand tout à coup, une voix impérieuse et caverneuse leur ordonna de s'arrêter. Arghh!

— Continue, insista Malaric qui craignait que le Chérusque ne meure avant de lui avoir livré le nom de celui qui lui avait subtilisé le joyau.

— La voix de l'inconnu, quoiqu'extrêmement grave, s'exprimait clairement. Il semblait être le maître de ces bêtes féroces. Il me faisait dos et j'ignorais qui était cet homme capable de contrôler les loups. Quelle ne fut pas ma stupéfaction de constater que l'être qui vint me faire face n'était en fait qu'un jeune garçon d'à peine huit ans. La chevelure hirsute, l'enfant sauvage était affublé d'une vieille peau de loup en guise de vêtement. Malgré son visage couvert de crasse, ses traits étaient d'une beauté sans pareille et ses yeux...!

À ces mots, Malaric paniqua. Cette description ressemblait fortement à l'enfant qu'il avait vu rôder près de sa grotte auparavant. Faisant fi de la condition du blessé, il l'empoigna par le col et le secoua violemment:

— Par où s'est-il enfui?

— Dès qu'il trouva l'émeraude, car de toute évidence c'est cela qu'il voulait, il a...

— Où la cachais-tu donc?

— Voyant que tu n'abandonnerais pas tes tentatives pour me la prendre, je l'avais insérée dans mon bras, entre deux couches d'épiderme. Là où il ne reste plus rien maintenant, dit-il en désignant du menton, le trou béant. Ainsi, pour l'obtenir, tu devais me tuer. De plus, de cette façon, j'avais continuellement accès à son pouvoir de persuasion.

— Quel fou tu es! Tu aurais dû me la donner comme convenu. Tu es puni pour avoir manqué à ta parole! Donne-moi vite la direction que l'enfant a prise!

— Accompagné de ses sales bêtes, l'enfant-loup s'est enfui en direction nord-est. Maintenant, je t'en prie; je t'ai tout dit, donne-moi ton arme!

— Une dernière question avant. Combien de temps s'est-il écoulé depuis?

— À peine quinze minutes... Si je ne me suis pas évanoui depuis. Vite, je n'en peux plus!

— Eh bien, crève donc alors! Mais auparavant, j'ai une information qui pourrait t'intéresser grandement. Sais-tu exactement qui est ce jeune enfant, Hermann?

— Je l'ignore totalement, bien qu'il me rappelle vaguement quelque chose...

— Je vais te le dire, moi, qui il est. C'est le fils de ma fille Luna, celui que tu as refusé de reconnaître comme tien. Aujourd'hui, sa vengeance est accomplie mais à cause de ta folie, ce sale petit morveux risque de faire échouer mes projets. Adieu Hermann, je suis désolé mais j'aurai encore besoin de mon épée, je pense! Je ne peux te l'offrir.

— Tu m'avais pourtant promis de...

— Tu es bien mal placé pour te permettre de me sermonner sur ce sujet, ne crois-tu pas?

— Oublie donc nos vieilles querelles. Tu ne peux me laisser mourir sans arme à la main. Comment ferais-je pour être admis au Valhalla? Tu es un Germain toi aussi, tu comprends l'importance que ceci représente. Non...! Reviens, je t'en supplie! Oucht!

Mais Malaric était déjà loin et les supplications d'Hermann, livré à son sort, tombèrent dans le vide. Deux minutes plus tard, des corbeaux l'ayant aperçu du haut des airs, fondirent sur Hermann. Alors que l'homme qui aspirait à devenir le Grand Jarl de la Germanie s'apprêtait à trépasser, de leurs becs acérés, ils lui crevèrent les yeux et commencèrent à débarrasser sa carcasse de ses chairs grasses.

Malaric se dirigea rapidement dans la direction indiquée par Hermann. Mais l'avance du petit sauvage était grande.

— Ah! comme je regrette de ne pas avoir pris une monture abandonnée au champ de bataille! se plaignit-il.

Soudain, un terrible pressentiment surgit dans son esprit lorsqu'il s'aperçut qu'il se rendait directement vers sa grotte. Mais par voie terrestre cette fois-ci, et non par la mer comme d'habitude.

— Ce petit bâtard connaît l'emplacement de la porte close! Se pourrait-il qu'il désirât l'émeraude pour l'ouvrir lui aussi? Mais comment cet enfant peut-il savoir tout cela?

Lui-même, un homme hautement cultivé pour son époque et aidé du *Livre noir de Salomon*, avait pris des années pour en saisir tout le sens! Il redoubla d'efforts afin d'arriver à la caverne avant qu'il ne soit trop tard. Il se consola en se disant que peut-être il pourrait intervenir avant que l'impensable ne se produise. L'ouverture par laquelle l'émeraude devait être insérée afin que l'immense porte puisse s'ouvrir et livrer ses secrets se trouvait à une hauteur démesurée. Autrefois, Malaric avait dû se fabriquer une échelle pour l'admirer de plus près. La serrure était complexe mais à l'évidence, un endroit spécialement conçu pour y recevoir le joyau se trouvait vide. Sa curiosité satisfaite, il avait caché l'échelle dans les fourrés avoisinants.

— Aucune chance que le bâtard la trouve et de toute façon, un môme de huit ans ne pourrait la transporter et ce n'est pas ses sales bêtes qui vont pouvoir l'aider cette fois! De plus, pour protéger l'endroit, je peux toujours compter sur La Terreur qui doit être affamée à l'heure qu'il est.

Stimulé par cette alternative, il reprit de la vitesse et quand le soleil atteignit presque l'horizon, il arriva à son repère secret. C'était la première fois qu'il s'y rendait par voie de terre et il fut stupéfié, au sortir des bois, d'y apercevoir à quelques pieds sous ses yeux des centaines de loups étendus sur la plaine herbeuse tout autour de la caverne. Pressé par le temps, Malaric décida de les affronter et de gagner au plus vite l'intérieur de la grotte. Heureusement, il portait sur lui sa petite bourse contenant les pierres de silex. Il dénicha une branche morte et coupa un bout de sa tunique de daim afin de se fabriquer une torche qu'il s'empressa d'allumer. Tenant son épée de son autre bras, il s'avança courageusement vers les bêtes. Malaric se surprenait lui-même de sa témérité, mais en cette situation d'urgence, il n'avait pas le choix. Lorsqu'il fut sur la plaine herbeuse, il ralentit son pas. Les bêtes, bien qu'elles sentissent sa présence, ne bougeaient pas et semblaient calmes. Nerveux, il agita sa torche dans tous les sens en tenant fermement son arme.

— Pourquoi les loups n'attaquent-ils pas? se dit-il. Si seulement je pouvais atteindre l'entrée, La Terreur pourrait me défendre!

Curieusement, malgré cette heure de la journée où elles se montraient les plus actives habituellement, les bêtes restaient calmes, couchées sur l'herbe mais éveillées, s'étirant et bâillant à la lune naissante comme si elles étaient repues suite à un repas frugal. Étonné mais soulagé de ce fait, Malaric réussit enfin à s'approcher de l'ouverture, sans qu'aucun des loups ne remue le moindre muscle. Ils se contentèrent de le regarder passer devant eux. Juste devant l'entrée de la grotte, une douzaine d'autres de ces canidés en bloquaient l'accès. Heureusement, les autres loups derrière lui ne l'avaient pas suivi. Déterminé comme il l'était, rien ne pouvait le dissuader de poursuivre son chemin afin de récupérer ce qui lui appartenait de droit. Il s'approcha davantage sur la pointe des pieds et dès qu'il fut proche de son objectif, les loups qui gardaient l'entrée se levèrent d'un trait et se mirent aussitôt en position de défense. Voyant cela, Malaric, qui refusait d'abdiquer si près de son but, s'élança vers eux en poussant un formidable cri de combat et, de son arme, asséna un puissant coup sur le dessus du crâne du premier loup qu'il croisa. Sa cervelle éclaboussa ses congénères, qui, apeurés par cette arme destructive, dégagèrent la place. Profitant de cette opportunité, Malaric courut jusqu'à l'entrée, traversa le seuil et gagna le couloir sombre qui menait jusque devant la porte close.

— Enfin en sûreté, se dit-il.

Effectivement, lorsqu'il jeta un coup d'œil derrière lui, il vit que les bêtes, bien qu'enragées, refusèrent d'aller plus avant. Comme si une peur viscérale les empêchait de pénétrer à l'intérieur de la grotte.

— L'odeur de mon compagnon doit les décourager !

Sans s'en préoccuper davantage, il fila vers le couloir et se rendit vers la porte close. Au passage, il appela l'énorme ours mais aucun grognement ne lui parvint en retour. Inquiet, il se dirigea vers son enclos et vit que la barrière avait été ouverte. Curieux, il jeta un coup d'œil à l'intérieur. À sa grande stupeur, l'immense mammifère n'y était plus. Ressentant un autre terrible pressentiment, il pénétra à l'intérieur de la cellule et s'assura que son trésor lui, s'y trouvait toujours. Dans l'affirmative, il sortit et poursuivit sa descente jusqu'à ce qu'il trouve enfin La Terreur, visiblement endormie au pied de la porte close. Mais celle-ci ne l'était plus ! Son ouverture béait maintenant sur des ténèbres opaques !

— Non ! hurla Malaric fou de rage et de frustration.

Le bâtard, d'une quelconque manière, avait amadoué la bête et avait grimpé tout le long de sa charpente. Ainsi, d'un bond, il avait atteint la serrure et y avait déposé l'émeraude qui ne s'y trouvait plus maintenant. À l'évidence, la clé avait fonctionné tel que le *Livre noir de Salomon* l'expliquait.

— Peut-être n'est-il pas trop tard. Allons voir !

Malaric donna un coup de pied à la bête afin de s'assurer qu'elle vivait toujours. Un grognement sonore lui confirma qu'elle n'était qu'assoupie. Le sorcier la contourna, enjamba l'une de ses grosses pattes et traversa l'entrée circulaire. Au passage, il en profita pour admirer l'épaisseur de la porte qui devait bien mesurer trois pieds de profondeur et les solides pentures qui lui permettaient de fonctionner. Une douzaine de barres servant de loquets, maintenant rétractées, faisaient le tour de la porte à intervalle régulier. Du côté du mur, une série de trous, d'une profondeur insondable et destinés à recevoir les barres dans la roche, en expliquait le fonctionnement. Sur la devanture de la porte, il remarqua que les nombreuses nervures creusées à sa surface étaient maintenant remplies de la même luminosité que l'émeraude. Subitement, une violente rafale venant des profondeurs de l'ouverture interdite vint souffler sa torche et le plongea dans une noirceur totale. Toutefois, malgré sa peur grandissante, Malaric traversa le porche de la salle interdite et marcha durant quelques secondes, tel un aveugle, jusqu'à ce qu'il distingue en contrebas à sa droite une faible lueur verte qui lui sembla familière.

— La brume !

Malaric reconnut la couleur particulière de l'étrange substance qui venait le visiter de temps à autre avant l'incident impliquant sa fille Luna. La timide lumière lui permettait d'admirer un peu les détails de son environnement. Il se trouvait dans une sorte de continuité du couloir sombre et au bout d'une certaine distance, le tunnel, qui descendait inexorablement vers les profondeurs de la Terre, rejoignait une autre salle circulaire, comme celle du haut, mais beaucoup plus spacieuse. Au fond de cette immense pièce se trouvaient de nombreuses autres entrées menant vers des destinations innommables. La lumière verte tamisait cette salle de sa lueur phosphorescente et Malaric fut grandement impressionné lorsqu'il découvrit enfin la source de la brume verdâtre : sur une sorte de cratère creux était installée une sphère parfaite d'une taille trois fois celle d'un homme et constituée d'une matière totalement inconnue. Cette sphère qui trônait au centre de la place avait l'apparence des alvéoles d'une ruche d'abeilles. Sa surface semblait transparente et le sorcier y distingua des formes étranges à l'intérieur effectuer des mouvements hallucinants. Comme si une force éthérée, possédant une énergie inimaginable, y était emprisonnée et cherchait visiblement à s'en libérer. À sa base, Malaric aperçut le bâtard qui tendait le bras vers la sphère. Il comprit trop tard ce que le gamin s'apprêtait à commettre.

À la base de la sphère se trouvait une légère crevasse par laquelle la brume verdâtre pouvait se faufiler et traverser ainsi tous ces dédales qui lui permettaient de se rendre jusqu'à l'extérieur de la caverne. Une parcelle de ce pouvoir, que l'entité emprisonnée pouvait déployer, passait par ce minuscule orifice et lorsque le bâtard y déposa sa main, l'énergie sembla se propager dans tout son petit corps et le transfert d'énergie débuta.

Malaric, le meurtre dans les yeux, dégaina son arme et s'approcha de l'enfant qui lui tournait le dos. À travers sa progression, il sentait que l'atmosphère qui régnait en ces lieux était oppressante et lourde de menaces. Aux nombreuses ouvertures qui se trouvaient tout autour de cette salle, le sorcier distinguait des masses sombres se mouvoir de façon étrange. Qu'était-ce ? Il l'ignorait mais tant que cela restait éloigné de lui, il pensait qu'il n'avait rien à craindre et il poursuivit sa descente. Assuré qu'il serait aisé de pourfendre ce bâtard afin de prendre sa place et de recevoir ce cadeau inestimable qui lui revenait de droit, il leva son arme et s'apprêta à frapper. Soudain, un grondement sourd se fit entendre derrière lui. Le gros mammifère qui, quelques minutes auparavant, était étendu devant l'immense porte qui bloquait l'accès à cette partie de la caverne venait de se réveiller. Déboussolé et affamé, l'animal avait émis un son plaintif et était retourné vers son enclos en espérant y trouver le repas que son maître lui servait quotidiennement. Par malheur, ce grognement, répercuté en écho sur les parois de la salle interdite, avait aussi attiré l'attention du garçon qui se retourna et vit Malaric se ruer sur lui. Sans lâcher sa prise sur la sphère d'énergie, d'un simple geste de son bras libre, il effectua un mouvement vers son agresseur. Celui-ci, déçu que sa ruse n'ait pas fonctionné, n'eut pas le temps de réagir. Soulevé de terre, telle une poussière au vent, il fut projeté jusqu'à l'extérieur de la salle interdite. Au moment même où il franchissait l'entrée, l'énorme porte se referma violemment, bloquant ainsi de nouveau le passage et laissant Malaric à l'extérieur tel un chien que l'on met à la porte. Enragé et frustré, Malaric tambourina sur la façade en vociférant :

— Maudit sois-tu, bâtard élevé par les loups ! Comme ces sales bêtes, tu n'es qu'un vil voleur ! Cette émeraude me revenait de droit ! Tu n'avais pas le droit de te l'approprier après que j'ai préparé toute cette mise en scène pour qu'elle soit mienne ! Qui es-tu au juste pour avoir deviné tout ceci ? Entends-moi bien, j'ignore comment tu as réussi à me jeter aussi facilement dehors mais sache que tes pouvoirs, quels qu'ils soient, ne me font pas peur ! Je jure que j'aurai ma vengeance. Peu importe le temps que tu resteras là-dedans, un jour ou l'autre tu devras en ressortir et à ce moment, je serai là pour t'accueillir comme il se doit !

Il cracha en direction de la porte et s'en retourna vers la salle du haut. En traversant le couloir sombre, il entendit les gémissements de mécontentement de La Terreur qui n'avait rien trouvé à se mettre sous la dent. Malaric s'approcha de l'enclos avec colère. D'une voix lourde de menaces, il reprocha à l'ours :

— Je t'avais pourtant bien averti de ne pas me décevoir à nouveau, mon cher compagnon ! Dorénavant, tes services ne me sont plus d'aucune utilité.

Il referma la grille violemment et apposa le solide loquet. Forgeron de métier, Malaric avait construit un enclos résistant afin d'être en mesure de contenir l'énorme animal si celui-ci venait un jour à se retourner contre lui. Dorénavant, cet endroit lui servira de tombeau. N'ayant pas mangé depuis deux jours déjà, La Terreur fut condamnée à périr d'inanition. Sous les grondements de protestation et des coups de pattes de l'animal sur les barreaux, Malaric, imperturbable, poursuivit sa montée et gagna la salle principale.

Il se rendit dans le coin de la salle où se trouvaient ses quartiers. Dans un petit coffre en bois qu'il avait récupéré de l'épave du navire de Ragnard avant de le saborder se trouvaient une quinzaine de petits sachets, munis chacun d'une ficelle dont un bout d'un pied environ dépassait de l'ouverture. Ses petits sachets en forme de boule contenaient chacun une légère quantité de poudre noire provenant des confins de l'Orient.

Malaric connaissait depuis longtemps les étonnantes capacités de destruction de cette curieuse substance poudreuse. Il prit les sachets et s'avança vers la sortie. Comme il s'y attendait, toutes les bêtes y étaient maintenant regroupées. Les loups se contentaient de rester à l'extérieur par groupes de cinq à six individus. De toute évidence, ils l'attendaient de pied ferme. Malaric frappa ses pierres de silex et alluma l'une des torches sur le mur. Il mit ensuite le feu à la mèche d'un premier sac d'explosifs et visa un groupe de canidés. L'effet obtenu dépassa largement ses attentes. Avec seulement quatre de ses petits sachets, il avait réussi à anéantir une trentaine de ces fléaux des bois. Étant bon tireur, Malaric avait atteint ses cibles avec précision et celles-ci moururent atrocement, déchiquetées par les déflagrations meurtrières. Les bêtes survivant au carnage s'enfuirent dans la forêt sans demander leur reste. Enhardi par ses succès, Malaric leur cria :

— Et surtout ne vous aventurez plus jamais sur mes terres sinon vous en pâtirez, sales bêtes !

Du même coup, ce dernier exercice lui donna une idée qui le remplit d'espoir. Enfin débarrassé des loups, Malaric emporta avec lui le reste des explosifs et se précipita vers la porte close. Il déposa son matériel à sa base, excepté un sachet dont il se préparait à allumer la mèche. Agissant avec prudence, il recula d'une trentaine de pieds et, dès que la flamme commença à parcourir son chemin jusqu'au sac, lança le sachet en direction des autres et se hâta de quitter l'endroit.

De tout son cœur, il espérait que cela fonctionne, mais quelque chose en lui affirmait le contraire. Alors qu'il gagnait la sortie, l'explosion eut lieu. Sous l'effet du choc, toute la caverne trembla et de nombreux éclats entourés d'une fumée grise parvinrent jusqu'à lui. Pris d'une violente toux, Malaric, couvert de poussière de roche, se releva et fila vérifier le résultat obtenu. Suite à la secousse, d'énormes pierres s'étaient détachées du plafond et obstruaient partiellement le couloir sombre. Au passage, il vit qu'un amas de roches juste au-dessus de l'enclos de La Terreur avait chuté sur l'énorme bête offrant ainsi à l'animal une fin plus rapide que Malaric, dans sa cruauté, lui avait destinée. Les barreaux de la geôle étaient distordus et la barrière était sortie de ses gonds. Le sorcier pénétra à l'intérieur de l'enclos et s'assura que les coffres contenant ses richesses étaient toujours en bon état. Heureusement, rien de fâcheux ne leur était arrivé. Soulagé, il repassa devant la dépouille de La Terreur et reprit sa descente.

La visibilité était pratiquement nulle lorsqu'il atteignit enfin la porte close, mais dès que la poussière fut presque toute retombée, Malaric constata son échec.

— C'est bien ce que je croyais. Peut-être qu'une plus grosse dose pourrait fonctionner ?

Toutefois, il connaissait déjà la réponse. Une autre déflagration, et plus forte encore cette fois-ci, pourrait causer l'écroulement définitif de la grotte, ruinant ainsi à jamais tous ses espoirs. Déçu, il examina l'immense porte circulaire. Un profond cratère causé par l'explosion était apparu devant la porte mais celle-ci n'avait pas bougé d'un iota et aucune égratignure n'avait altéré sa surface. N'eut été des preuves qui l'entouraient, Malaric aurait juré que rien de particulier ne venait de se produire. De nouveau frustré, pour la énième fois, il cria en direction de la porte close :

— Je n'ai pas dit mon dernier mot !

Sur ce, il retourna dans l'enclos et commença à transférer son trésor jusqu'à la salle du haut. Désormais, les coffres n'étaient plus en sécurité en cet endroit et Malaric tenait à toujours garder un œil dessus. Il dénicha une nouvelle cachette et y déposa ses richesses. Les chances qu'un individu découvre son repère et y trouve son trésor étaient bien minces mais, dans sa folie, Malaric ne voulait prendre aucun risque. Pourtant, tous ces joyaux de haut prix et ces pièces d'or par milliers, il les aurait bien échangés contre le privilège d'être à la place du bâtard, qui, au même moment, recevait un transfert de pouvoir inimaginable.

Malaric connaissait une partie de l'histoire concernant sa mystérieuse caverne. Une partie de ces informations avait été décodée dans le *Livre noir de Salomon*. L'autre partie, il l'avait extrapolée.

— L'ange déchu ! pensa-t-il tout haut. Un homme qui posséderait son pouvoir serait invincible !

Aveuglé par la colère et sans le moindre égard pour sa fille, la mère du bâtard, il s'écria :

— Maudit sois-tu, fils de chienne !

Soudain, le cor du crâne sur la plage se fit entendre et mit fin à ses vociférations. Sur l'instant, Malaric fut pris de panique :

— Qui cela peut-il bien être ?

Il fila vers le sentier menant à la grève et fut soulagé de constater que l'invité surprise n'était nul autre que son nouvel intendant Hagan qui venait lui faire sa visite hebdomadaire.

— Je n'y pensais plus, à celui-là !

Il s'approcha de l'homme trapu et décida de ne rien laisser transparaître de ses émotions. Malaric le salua cordialement :

— Bonjour à toi, Hagan. Que m'apportes-tu de beau aujourd'hui ?

L'homme, surpris du ton que prenait son Jarl avec lui, répondit poliment et prudemment :

— Mais... comme de coutume, Monseigneur ! Les victuailles habituelles !

— Ah ! Très bien, très bien. Cependant, j'ai une requête spéciale. J'ai besoin d'un grand filet dont on se sert pour la pêche au large ainsi que de trois douzaines de clochettes que l'on attache au cou des chèvres lorsqu'elles sont aux prés. Tu saisis ce que je veux dire ? Bon, très bien, je continue. J'ai aussi besoin d'une grande quantité de cordes d'un demi-pouce de diamètre et d'une grosse poche de sel.

— Si je puis me permettre, où trouverai-je tout cela ? s'enquit l'intendant.

— Tu vas te rendre jusqu'aux forts romains qui se trouvent sur la frontière du Rhin. Là-bas, tu trouveras tout ce qu'il me faut.

— Mais les Romains sont en guerre contre nous présentement et...

— Ne pose pas de questions ! Contente-toi de faire ce que je te dis ! tonna Malaric dont le ton venait de changer radicalement. Présentement, pour ta gouverne, Germanicus est sorti victorieux du conflit et un nombre incalculable de guerriers germains ont péri.

À cette affirmation, Hagan ne put s'empêcher d'afficher son étonnement. Malaric poursuivit :

— L'armée romaine, à l'heure qu'il est, est probablement en train de réunir ses blessés et ses morts et elle n'a pas encore repris sa route du retour. Donc, si tu fais vite, tu auras le temps de t'y rendre avant qu'ils n'y arrivent. Les légionnaires qui y sont stationnés sont sûrs que nous sommes de leur côté. Est-ce clair maintenant ?

— Beaucoup plus, mais comment les convaincre de me céder le tout ? Je doute qu'en échange ils aient besoin de bêtes de somme et c'est tout ce que le clan possède, Monseigneur.

— Attends-moi ici. Je reviens tout de suite.

Malaric gravit le sentier et disparut de la vue de Hagan. La nuit approchait à toute vitesse et ce dernier espérait que le Jarl ferait vite car il redoutait de s'aventurer en mer en pleine noirceur. Cependant, cette option était préférable à ce qu'il dorme en cet endroit lugubre en compagnie du sorcier. Pendant qu'il soupesait ces options, Malaric revint et lui remit une bourse contenant suffisamment de pièces d'or pour acheter un village en entier. Hagan en fut fortement impressionné :

— Au nom de tous les dieux d'Asgard ! Comment avez-vo...

— Ne pose pas de questions surtout ! Et les dieux que tu invoques ont quitté cette Terre depuis des éons maintenant. Ne te donne pas la peine de les prier, ils ne peuvent t'entendre là où ils sont dorénavant. Avec cette bourse, tu n'auras aucun problème à te procurer ce dont j'ai besoin. Pars maintenant et d'ici deux jours, je veux que tu sois revenu de ta mission. Ne me déçois pas !

Sans ajouter quoi que ce soit, Hagan reprit sa barque et fila.

Comme prévu, deux jours plus tard, l'intendant revint avec sa cargaison. Il débarqua le tout sur la grève et souffla dans la corne. Malaric, qui guettait son retour avec impatience, surgit des fourrés et flanqua la frousse à l'homme.

— Alors ? Tout s'est bien déroulé ? s'enquit-il.

Sans attendre de réponse, il vérifia le contenu. Satisfait, il remit quinze sesterces à son homme de main.

— Prends, ceci est pour toi ! Tu l'as bien mérité. Sache que ton Jarl n'est pas un ingrat. Sers-moi toujours fidèlement et tu ne le regretteras jamais. Maintenant, retourne au clan et assure-toi que l'ordre y règne toujours. Nous nous verrons seulement dans deux mois. D'ici là, je n'aurai pas besoin de tes services. J'ai dorénavant de quoi me nourrir pour tenir jusque-là.

Malaric avait profité de l'attente pour débiter la carcasse de La Terreur et s'était servi de sa fourrure, tout comme il l'avait fait avec celle de sa mère, pour tapisser le sol de la salle principale à l'endroit où il avait installé ses quartiers. La poche de sel devait servir pour garder la viande comestible pendant des mois.

— Va maintenant ! dit-il à Hagan.

L'homme partit sans un regard derrière lui. Chaque fois qu'il avait à rencontrer son Jarl, il se sentait nerveux et un frisson glacé lui parcourait l'échine. Tout le monde au sein du clan s'entendait pour dire que quiconque fréquente Malaric le fou finit par y perdre la vie.

Jusqu'à présent, cette maxime s'avérait fondée et Hagan espérait qu'il en serait autrement pour lui.

De son côté, Malaric transporta sa cargaison jusqu'à l'intérieur de la grotte et se mit au boulot. Son plan était simple. Devant s'absenter de son guet à certains moments de la journée où il devait aller en forêt pour y prendre sa ration d'eau de source, il craignait que le bâtard profite de son absence pour s'éclipser en douce. Voulant en être prévenu si cela arrivait, il élabora un genre de système d'alarme rudimentaire.

Pour débuter, il installa le filet de pêche à la sortie de la salle interdite et couvrit l'ensemble de la porte close. Ensuite, il fixa les cordes à quelques maillons et défila les ficelles à travers le couloir sombre jusqu'à la salle du haut. Là, il attacha les clochettes aux extrémités des cordes et en accrocha une dizaine sur les parois de la pièce. Ceci fait, il reprit les autres clochettes et se rendit jusqu'à l'extérieur de la caverne et les plaça un peu partout autour de l'entrée. Si le garçon tentait de franchir le seuil de la porte close, il aurait tôt fait de s'empêtrer dans les mailles du filet et du même coup, ferait tinter les clochettes avertissant ainsi Malaric de sa sortie. Le procédé était simple mais semblait fonctionner.

La nuit commençait et lorsque le sorcier eut terminé ses installations, il gagna ses quartiers et attendit... Il attendit pendant quatorze années...

Après toutes ces années passées à surveiller la sortie de l'enfant, le découragement l'emporta. Un après-midi, alors qu'au moment même où, à des lieues de là dans la ville de Jérusalem, un certain centurion du nom de Longinus s'apprêtait à commettre un geste qui bouleverserait sa vie à jamais, Malaric entreprit de réunir ses richesses et de les embarquer à bord de sa barque afin de regagner son clan.

À regret, il avait décidé la veille que tout cela n'en valait plus la peine. Il croyait maintenant que le bâtard avait certainement péri au cours de toutes ces années, emprisonné à l'intérieur de la salle interdite.

— Toutes ces années perdues à attendre en vain ! vociféra-t-il, dépité et amer. Néanmoins, il me reste toujours mon trésor, et surtout, l'ouvrage millénaire !

Alors qu'il gravissait le sentier pour y prendre le dernier des cinq coffres qu'il avait rafistolés, celui dans lequel se trouvait le *Livre noir de Salomon*, les clochettes à chèvre se mirent à carillonner à l'unisson. À ce tintamarre inattendu, Malaric sursauta et faillit tomber à la renverse. Étonné, il s'exclama:

— Se pourrait-il que...?

Le destin était vraiment une chose étrange. Alors qu'il s'avouait vaincu et lâchait prise, voilà que tous ses espoirs revinrent d'un coup. À la course, il atteignit l'entrée de la grotte. Il décrocha l'une des torches sur le mur et se dirigea vers le couloir sombre. À quelques pas de la porte close, il vit que quelque chose d'inusité s'était produit. Le filet était sorti de ses amarres et une forme dense s'y trouvait emmêlée. Pourtant, la porte n'avait bas bougé d'un pouce.

— Qu'est-ce que ceci?

Malaric ne pouvait identifier la chose responsable de cette fausse alerte, prise comme elle était dans tout cet amas de cordes entremêlées. N'hésitant pas un instant, il sortit sa grande épée et tâtonna du bout de sa lame la créature qui se débattait en tous sens et cherchait désespérément à se libérer de ses entraves. D'un coup, le sorcier lui taillada tout le côté droit et la chose émit un son plaintif que Malaric reconnut sans mal.

— Un foutu sanglier! Mais que vient-il faire ici?

L'animal, sans doute égaré, s'était faufilé à l'intérieur de la grotte pendant que Malaric chargeait sa précieuse cargaison, et, dans l'obscurité du couloir sombre, avait vu sa course folle stoppée par la porte close et s'était ainsi pris dans le piège. Malaric acheva le pauvre animal et songea pour se consoler:

— Au moins, ce stupide porc aura prouvé l'efficacité de mon système!

Alors qu'il regagnait la salle du haut, un bruit sourd, provenant des entrailles du monde, se fit entendre et le sol trembla; faiblement au début, mais la secousse sismique s'intensifia très vite.

— Que se passe-t-il encore? s'exclama Malaric.

Des stalagmites accrochées aux voûtes de la caverne commencèrent à se fragmenter et d'énormes morceaux de roc vinrent s'écraser à deux pieds d'un Malaric de plus en plus inquiet. Croyant à un tremblement de terre, il s'empressa de rejoindre son dernier coffre en espérant qu'il réussirait à atteindre sa barque avant que la grotte ne s'effondre sur sa tête. Avant qu'il n'ait pu faire deux pas, une autre violente secousse, accompagnée d'un tumulte assourdissant, vint ébranler de nouveau les fondations mêmes de la caverne. Sur le coup, Malaric se retourna et perçut, malgré l'intense nuage de poussière qui couvrait les lieux, qu'au bout de tout ce temps, l'immense porte close venait subitement de s'ouvrir de nouveau avec fracas. Comme si un troupeau d'éléphants venant d'Afrique l'avait chargée et enfoncée dans le mur derrière elle.

Une large crevasse fit son apparition dans le sol du couloir sombre et Malaric faillit tomber dedans. Il se remit toutefois debout et scruta les ténèbres, essayant de voir ce qui avait ouvert la porte de cette façon. Une fois la poussière retombée, un être d'une grandeur exceptionnelle surgit de la noirceur et s'avança à la clarté offerte par la torche de Malaric. Lorsqu'il vit enfin dans toute sa netteté l'individu qui sortait ainsi de la salle interdite, il ne put s'empêcher de l'admirer.

Se tenait là, le plus magnifique être humain, du moins en apparence, que Malaric n'ait jamais vu de sa vie : le bâtard.

Car c'était bien lui. Bien sûr, il avait grandement changé au cours de ces quatorze années, cloîtré dans cette salle interdite. Il devait mesurer autant qu'Olaf le berserk. Mais alors que ce dernier n'était qu'une masse de muscles et de graisse, celui-ci était finement découpé tel un athlète des anciens jeux grecs. Les cheveux couleur de blé tombant sur les épaules et la peau d'une blancheur ivoirienne, tout son être reflétait une magnificence sans bornes. Le port altier, il se déplaçait avec grâce et assurance. Cependant, ses yeux cruels, maintenant d'un vert éblouissant comme l'émeraude elle-même qu'il portait à son cou, suspendue par une chaîne, trahissaient sa nature profonde. En une fraction de seconde, de nombreuses pensées surgirent dans l'esprit du vieux sorcier :

— Que s'est-il donc passé dans cette salle interdite ? Comment ce bâtard avait-il réussi à survivre toutes ces années ?

Alors qu'il cherchait des réponses, l'homme complètement nu, car c'est ce qu'il semblait être pour le commun des mortels, s'avança vers lui. Il semblait en émoi et pressé de gagner la sortie. Sans le moindre regard pour Malaric, il le dépassa tout en lui disant d'une voix insondable :

— Si tu tiens à la vie, sors vite de ce trou !

Malaric n'en croyait pas ses oreilles. Comment cet effronté pouvait se permettre de lui donner des ordres ! Ne savait-il pas qu'il avait passé ses dernières années à alimenter une colère sans bornes envers lui ?

N'écoutant que sa haine et sa rancœur, Malaric ignora le conseil et dégaina sa longue épée. Comme il se préparait à le faire jadis, il s'élança de toutes ses forces et lui asséna un coup meurtrier derrière la nuque. À sa grande stupéfaction, la lame, dès qu'elle atteignit sa cible, devint bleutée puis d'un rouge incandescent. Elle grésilla un court instant avant de fondre comme si elle était passée de nouveau sous les feux de la forge.

— Quel est ce prodigue ? Mais qui es-tu au juste ? s'exclama-t-il.

Ce dernier, qui ne semblait pas se préoccuper de cette agression, se retourna tranquillement et lui confia :

— Je suis ton petit-fils Elrik. Pauvre grand-père, tu perds ton temps. Aucune arme fabriquée par la main de l'homme ne peut me terrasser. Maintenant, cesse tes folies et viens vite ! Nous avons encore besoin de tes services.

— Comment ! Qui ça, nous ?

— Mon Père et moi !

— Ton père... n'était-ce pas Hermann ?

— Non. Aucunement.

— Qui est-il alors et pourquoi t'aiderais-je, sale petit voleur ?

— Il est vrai que j'ai obtenu le joyau avant toi. Mais si cela n'avait pas été le cas, tu t'en serais servi pour accéder au pouvoir suprême et par cette action, tu y aurais laissé ta vie. Seul mon corps physique possédant une partie de l'ADN de mon géniteur était habilité à recevoir toute cette énergie. Donc, je t'ai sauvé la vie en quelque sorte.

— De quoi parles-tu ? Je n'y comprends rien à rien. Qu'est-ce que de l'ADN et... qui est ce père dont tu me parles ? J'étais persuadé que c'était Hermann ton paternel, bien qu'il le nie depuis le premier jour.

— Et il avait raison. Je satisferai ta curiosité et te permettrai de partager mes succès futurs à mes côtés si tu m'aides à quitter cette presqu'île et si tu m'offres ton allégeance.

— Jamais, maudit fils bâtard !

— Très bien alors. Fais comme tu le veux.

Sur ce, Elrik, facilité par ses grandes enjambées, fila rapidement en direction de la salle principale, prit la peau de La Terreur qui servait de tapis, s'en couvrit le corps et gagna la sortie. Malaric, consterné par toute cette histoire, contempla le métal fondu qui gisait sur le plancher du couloir sombre. Seul le manche de l'arme était resté intact. De nouveau, une nouvelle secousse retentit et le sol se remit à bouger de façon beaucoup plus violente cette fois-ci. Le vieux sorcier sortit de sa torpeur et fila à son tour. Alors qu'il franchissait le seuil d'entrée, il se souvint brusquement :

— Le dernier coffre !

Cet élément qui lui restait à transporter jusque dans sa barque s'avérait le plus précieux du lot et il n'était pas question qu'il l'abandonne. Malgré la chute de plusieurs roches qui continuaient de se détacher du plafond et de s'écraser au sol, il revint sur ses pas et se dirigea vers ses anciens quartiers. Une large crevasse commençait à lézarder le roc en deux et menaçait de lui barrer le passage du retour s'il ne se pressait pas. Il atteignit enfin son objectif et commença à traîner le lourd coffre derrière lui. Dans un nouveau séisme, la fissure acheva sa course jusqu'à l'autre paroi, ouvrant ainsi un gouffre profond devant Malaric.

— Saloperie de... !

Le coffre étant trop lourd pour que Malaric puisse franchir la crevasse tout en le tenant dans ses bras, il n'eut d'autre choix que de l'abandonner sur place. Mais avant, il prit le traité de démonologie avec lui et sauta par-dessus l'obstacle. Il atteignit enfin la sortie en se disant pour se consoler que, par chance, les quatre autres coffres se trouvaient déjà dans la barque et qu'avec cette fortune, il n'avait pas à craindre la pauvreté pour le reste de ses jours. Dès qu'il mit pied sur l'herbe fraîche, une troisième secousse, encore plus forte que la dernière, fit trembler toute la presqu'île. L'amas rocheux qui surplombait la caverne commença à s'écrouler sur lui-même. De grosses roches provenant du sommet dévalèrent la pente et roulèrent jusqu'à la plaine herbeuse. L'une des plus volumineuses d'entre elles dévala le sommet et roula en direction de Malaric. Prenant conscience du danger immédiat, il courut droit devant lui et se retrouva face à la falaise. Devant cette impasse, il se résigna à sauter dans le vide et à mourir comme Sven et son fils naguère, en se fracassant le crâne contre les récifs tout en bas plutôt que de finir écrasé par ce gros rocher. Curieusement, sa dernière pensée fut pour le *Livre noir de Salomon* qui serait perdu à jamais. Il ferma les yeux, serra contre son cœur le précieux manuscrit et sauta. Alors qu'il amorçait sa descente mortelle, il sentit la roche qui le poursuivait passer tout près de lui et finir sa course dans l'eau salée dans un magistral *splash*. Dans une seconde, ce serait son tour. Il ferma les yeux, espérant qu'il ne souffrirait pas trop et se prépara mentalement à rejoindre le Royaume des morts. Bizarrement, le choc fut moins brutal que prévu. Il rouvrit les yeux et s'aperçut qu'une paire de bras musclés l'avait attrapé et sauvé d'une mort assurée. Aucun individu normal n'aurait pu réussir un tel exploit. De la hauteur à laquelle Malaric tombait, tous deux auraient dû périr.

— Elrik !

Celui-ci déposa le vieil homme sur la banquette de sa barque qu'il avait prise et amenée jusqu'à cette position. La stupeur passée, le vieux sorcier questionna :

— Comment pouvais-tu savoir ?

— Ce n'est qu'un faible exemple de ma puissance que j'ai pu me permettre d'exploiter sans me faire démasquer ! Je connaissais la cachette où tu accostes ta barque. J'ai pris ton embarcation et je t'ai attendu ici. Je savais ce qu'il était pour se passer ; c'est pour cette raison que je n'ai pas insisté auprès de toi tout à l'heure.

— Te faire démasquer ? Par qui, par quoi ?

— Par l'Être le plus puissant descendu sur cette planète depuis sa création.

— Je n'y comprends rien. Que s'est-il passé au juste dans cette salle interdite ?

— J'ai reçu un héritage... enfin une partie. Alors que les Barons du Chaos possèdent un centième du pouvoir incommensurable de mon Père, moi, j'en ai obtenu un dixième. Si tu veux me seconder de bon gré dans mes projets, tu obtiendras toutes les explications concernant les nombreux mystères dont tu as été témoin depuis le premier jour où tu as déposé les pieds sur cette presqu'île.

— Qu'attends-tu de moi ?

— Étant donné tes bons services, nous désirons que tu deviennes l'intermédiaire entre les hommes et moi. Mon laquais en quelque sorte.

— Comment ? Je croyais que c'était moi qui étais l'élu, le futur possesseur de ce pouvoir que tu détiens maintenant !

— N'oublie pas ce que je t'ai déjà dit ; tu aurais péri dans la seconde.

— Mais alors, pourquoi m'avoir attiré là-dedans si ce n'était pas moi qui devais prendre la relève de ton...

— Mon Père ? N'aie pas peur des mots, c'est ce qu'il est ! En fait, c'est de Luna, ta fille, qui est aussi ma mère, dont il avait besoin. Cependant, tu étais le seul homme de ce temps qui pouvait comprendre et résoudre les indices laissés par Lui.

— Les noms sur les parois ?

— Exactement. Autrefois, il y a de cela des milliers d'années, des hommes primitifs ont trouvé cette grotte et y ont élu domicile. Malheureusement, leur intellect n'était pas assez développé à l'époque pour qu'ils puissent interpréter les indices laissés par mon Père à leur attention.

Malaric pensait aux plus vieux écrits et dessins qui tapissaient les murs de la grotte et qui jouxtaient les vieilles illustrations d'animaux fantastiques réalisées par la main de ces hommes de l'âge de pierre.

— Maintenant, quittons ces rives et dirigeons-nous vers Jérusalem. Je tâcherai de t'instruire en cours de route. Pour l'instant, il ne faut surtout pas rester ici.

Malaric prit soudain conscience d'un détail qui lui avait échappé jusque-là :

— Non ! Où sont mes coffres ? Qu'est-ce que tu en as fait ?

— Avec nous deux à bord, ils devenaient beaucoup trop lourds pour cette embarcation. Ils gisent tous les quatre au fond de l'eau.

— Arghhh ! Mais qu'est-ce que je vais devenir sans mon trésor ?

— Toutes ces richesses ne sont que futilités juste bonnes à corrompre les hommes. Elles ont servi à t'attirer à l'intérieur de cette caverne. Jamais, sans leur présence, tu n'y aurais pénétré. C'est dans ce but précis qu'elles se sont retrouvées ici.

— Mais... les joyaux pouvaient m'être utiles à cause de leurs propriétés magiques ?

— Dorénavant, tu n'as plus besoin de ces pacotilles. Avec moi comme Maître, tu seras au-dessus de tout cela et tu ne manqueras de rien. De toute façon, là où se trouvent les coffres, ils pourraient servir mes intérêts l'un de ces jours.

— Mon Maître ? Tu oublies que je suis Jarl et que...

— Le pouvoir qui est tien, tu ne l'aurais point eu s'il ne t'avait été donné par mon Père qui règne dans le Royaume d'en bas !

Décidément, Elrik connaissait les phrases les plus célèbres prononcées par Yeshua de son vivant et, pour la deuxième fois et de façon ironique, il s'amusait à les répéter afin de servir ses propres dires. Malaric se laissa tomber sur la banquette et observa l'étrange personnage qui lui faisait face. Devait-il suivre ce bâtard qui racontait des choses incroyables ? Avait-il le choix ? Pendant que son cerveau surchauffait à mettre de l'ordre dans toutes ces nouvelles affirmations, la presqu'île continuait de subir d'énormes secousses assourdissantes. En peu de temps, la bande de terre qui séparait le repère de Malaric du reste du continent se fendit en plusieurs endroits et peu à peu fut engloutie par les flots. La presqu'île se retrouva alors complètement isolée. À cette cadence, dans quelques minutes, elle disparaîtrait en entier au fond de la mer.

— Mais que se passe-t-il au juste ? Pourquoi tout s'écroule ? demanda Malaric à celui qui l'avait sauvé.

— Un grand malheur va bientôt survenir !

— Mais qu'est-ce qui est responsable de ce désastre ?

— Tout ça est de la faute d'un imbécile de Baron du Chaos. Par sa folie, les armées que mon Père a réussi à former depuis le début de son emprisonnement seront complètement anéanties. De plus, alors qu'il aurait fallu vingt ans pour que s'accomplisse ma métamorphose complète, le transfert d'énergie a été interrompu en cours de route par sa faute. Cet arrogant prétentieux le paiera très cher !

— Un Baron du Chaos ? L'un de ces démons de grande puissance comme il est mentionné dans ce manuscrit ?

Malaric sortit le *Livre noir de Salomon* de sous ses fourrures et le montra à Elrik.

— C'est bien cela. Ce livre t'est maintenant inutile. Mais tu peux le conserver si cela te chante.

— Tu m'as dit vouloir te rendre à Jérusalem. Pourquoi donc ? C'est à cet endroit qu'il se trouve ? Je veux dire, le Baron.

— Oui.

— Et tu veux t'y rendre avec l'intention de te venger de lui et le détruire ?

— Le détruire ? Non, surtout pas ! S'il disparaît, ainsi que les six autres Barons, c'est une partie de mes pouvoirs qui disparaîtraient du même coup. Ces puissants démons ainsi que les nombreux autres de moindre importance sont une partie de l'essence de mon Père. De son esprit divin. En tuer un équivaudrait à couper l'un de tes doigts et ainsi ta main serait beaucoup moins efficace par la suite. J'ai donc un besoin essentiel que les Barons du Chaos, ces démons supérieurs comme tu dis, demeurent en vie mais pas nécessairement en liberté. Pour ce qui est des autres, les démons inférieurs qui parcourent cette Terre depuis l'aube de sa création, si l'un d'eux venait à disparaître, cela m'affecterait aussi, mais beaucoup moins gravement. Ils pourraient tous disparaître que cela ne me rendrait pas moins extrêmement puissant.

— Alors si j'ai bien compris, tu serais bien le fils de ma Luna et de... de cette entité qui est enfermée dans la sphère se trouvant au centre de la salle interdite? Son héritier en quelque sorte, à qui il aurait cédé ses pouvoirs et ses connaissances?

— C'est cela! Mais je n'en possède qu'une partie. Comme je te l'ai dit, le processus a été interrompu.

— Selon cet ouvrage que j'ai réussi à décoder en partie, il se nomme Sathanaël. Est-ce exact?

— Bien que les hommes de tous les peuples et de tous les temps l'aient appelé de maintes manières différentes, c'est bien là son vrai nom. Ce livre que tu détiens, je t'aiderai à le déchiffrer et ainsi tu sauras toute la vérité à ce propos.

— Mais comment, et surtout quand, l'esprit de cette entité a-t-il pu engrosser ma fille?

— Plus tard, grand-père, plus tard.

Elrik continuait de ramer à une vitesse folle et la barque s'était passablement éloignée de la presqu'île. Malaric observa la scène et une autre question surgit en lui:

— Tu ne m'as toujours pas dit ce qui causait cette catastrophe.

— Notre ennemi à mon Père et moi.

— Qui est-il et quel est son pouvoir que tu sembles craindre?

— Il s'est fait connaître des hommes sous le nom de Yeshua le Nazaréen. Cet imbécile de Baron, celui qui se nomme Moloch, a usurpé l'identité de mon Père et a tenté de convaincre Yeshua, lui le fils du Grand Architecte de l'Univers, de se joindre à lui afin qu'ils puissent régner en maîtres absolus sur cette planète. Mais Yeshua est beaucoup trop puissant pour le Baron et même... pour moi. Il a déjoué toutes ses tentatives de séduction et l'a envoyé paître. Moloch, constatant sa toute-puissance et le fait qu'il ne pouvait réussir à le soudoyer et le convaincre de s'allier à lui, décida de le faire mettre à mort en se servant des Romains et de la population locale.

— À mort?

— Oui. Une mort physique simplement. Ce que Moloch ne pouvait prévoir, c'est que par sa mort, Yeshua convaincra les plus sceptiques de qui il est véritablement.

— Comment ça?

— Dans trois jours, il ressuscitera des morts, mais auparavant, comme des prophètes l'ont annoncé, il descendra aux enfers...

— Qu'est-ce que tu me chantes là! C'est impossible, voyons. Personne ne peut revenir à la vie.

— Impossible pour ceux de ton espèce, mais non pas pour des esprits d'une puissance infinie tels que nous.

— Mais s'il est mort pour le moment, en quoi peut-il être une menace pour toi et comment peut-il provoquer ce désastre?

— Par sa mort, il a sauvé une grande partie des âmes humaines. Cela, je te l'expliquerai plus en détail lorsque l'occasion se présentera. D'ici à ce qu'il revienne se présenter devant ses disciples, l'esprit de Yeshua est libre de voyager partout où il le désire et est tout-puissant. Alors, connaissant l'endroit où sont gardées prisonnières les âmes interceptées par la force d'attraction dégagée par l'esprit de mon Père, il va venir ici pour tenter de les libérer.

— Comment fera-t-il une telle chose?

— Celles qui le reconnaîtront comme le Fils de Dieu le suivront au Royaume des cieux. Les autres, trop perverties par l'esprit de mon Père et qui resteront à ses côtés, périront.

— Et ton... Père?

— Rien ni personne ne peut l'anéantir. Par contre, il sera alors fortement diminué.

— J'avoue que tout cela me dépasse beaucoup. J'ai énormément de difficulté à comprendre toutes ces données. Mais dis-moi donc, quels pouvoirs possède ce Yeshua pour qu'il soit en mesure de faire ce que tu prétends? Comment y arrivera-t-il?

Elrik arrêta la progression de l'embarcation, déposa les avirons sur le plancher de bois et dit:

— Je pense qu'ici nous serons en sûreté. Pour répondre à ta dernière question, retourne-toi et regarde attentivement. Je pense que ça va bientôt être l'heure. Dans quelques instants, tu vas assister à l'anéantissement des armées de mon Père. Ces âmes égarées qui engraissaient de plus en plus ses effectifs en vue de la Grande Bataille finale.

Malaric se retourna et observa le spectacle de ses grands yeux exorbités. Dans son dos, Elrik poursuivait :

— Auparavant, observe bien ce qui va précéder.

Anxieux mais surtout excité de connaître la suite, Malaric observa la presqu'île s'enfoncer de plus en plus dans l'océan. De sa position, il pouvait encore apercevoir l'entrée de son cher repère secret. Juste avant qu'il ne soit complètement bouché par les éboulements, une série de créatures bizarres, monstrueuses et démesurées en sortirent en hâte. L'entrée étant trop étroite, elle s'émoussa de chaque côté, accélérant ainsi l'écroulement du mont rocheux, mais permit aussi aux monstres géants de s'évader de cet endroit devenu extrêmement dangereux.

— Qu'est-ce donc que cela ? Jamais je n'ai vu l'une de ces... ignominies !

— Ces créatures, les premiers résidents de cette Terre, se trouvaient dans les couloirs tout autour de la salle interdite et elles ont enfin compris qu'elles ne pourraient survivre plus longtemps si elles restaient aux côtés de l'esprit de mon Père. Maintenant, dans leur panique, elles tentent de fuir l'endroit.

— Qui sont-elles ?

— On les nomme les Titans.

Le sorcier observa de plus belle la scène et assistait en direct à la sortie spectaculaire de ces aberrations possédant des physiques énormes, disgracieux et repoussants. Ces Titans, qui au début des Temps avaient suivi Sathanaël dans sa cachette suite à sa chute aux mains de l'Armée céleste, avaient subi le même sort que lui ; emprisonnés pour l'éternité dans la salle interdite. Malaric vit les Titans, maintenant paniqués, causer une formidable bousculade en tentant désespérément de sortir de la caverne. Abominables grands lézards, serpents possédant un corps de la grosseur du tronc d'un chêne, panthères géantes ayant des crocs démesurés et reptiles volants, tous, dans un terrible tohu-bohu cherchaient à fuir l'endroit et ainsi regagner la liberté, pour le plus grand malheur des hommes qui les croiseraient. Soudain, une troupe entière de créatures plus petites mais d'une laideur sans pareille se faufilèrent à travers les énormes pattes entremêlées des Titans, les dépassèrent et filèrent directement vers les bois.

— Qui sont-ils, ceux-là ?

— Des démons inférieurs ayant gardé leur forme physique originelle. Des milliers d'autres comme eux ainsi que de nombreux Titans toujours à l'intérieur périront très bientôt.

Soudain, un amas de pierres grosses comme des demeures chutèrent du sommet du mont rocheux et vinrent s'écraser juste devant l'entrée de la caverne. Les créatures prises en dessous périrent sur le coup et l'entrée se retrouva complètement bouchée. Quelques Titans survivants réussirent à rejoindre la forêt à leur tour tandis que d'autres optèrent pour la mer. Tous disparurent aux yeux des deux témoins dans la barque.

— Incroyable ! s'exclama Malaric.

— Attends, tu n'as encore rien vu. Observe bien ! lui conseilla son étrange compagnon.

Tout le mont rocheux s'était presque écroulé maintenant. Il ne restait pratiquement plus rien du repère de Malaric. Il prit conscience qu'aucun brouillard n'obstruait l'emplacement en ce jour, ce qui lui permettait de ne rien manquer de ce qui se déroulait sous ses yeux. Alors que la journée était ensoleillée, le ciel s'obscurcit d'un coup.

— Voilà, ça y est ! affirma Elrik avec une certaine fébrilité dans la voix.

Malaric tourna son regard vers les cieux et vit ce qui obstruait ainsi l'astre solaire. Un drôle de gros nuage venant du sud-est, de forme inexplicable et entouré de nuées moins denses, se déplaçait rapidement. Il passa au-dessus de la tête des deux témoins et s'immobilisa juste au-dessus de la presqu'île maintenant méconnaissable. Il faisait presque aussi noir que lors d'une nuit sans lune. Malaric constata, non sans un étonnement grandissant, que des étranges faisceaux de lumières de couleurs vives et surnaturelles traversaient le cumulonimbus de gauche à droite. Subitement, le gros nuage gris émit un très léger sifflement. L'instant suivant, un rai de lumière d'une blancheur éblouissante fut projeté de l'étrange nuage à une vitesse inimaginable vers ce qui restait de la presqu'île. Tout tremblement cessa d'un coup et elle sembla se figer.

— Qu'est-ce que...? s'exclama Malaric, apeuré et maintenant accroupi au fond de la barque.

Toute cette suite de phénomènes étranges commençait à l'affecter grandement.

— Chut! Silence et observe! ordonna Elrik tout aussi attentif.

Durant un court moment, plus rien ne bougea. Le gros nuage refusait toujours de poursuivre sa course et la presqu'île avait cessé sa chute dans la mer. Mais surtout, aucun son n'était perceptible, quel qu'il soit. Alors qu'il croyait le spectacle terminé, Malaric vit le rai aveuglant ressortir tranquillement et s'élever dans les cieux jusqu'à ce qu'il se trouve à mi-chemin entre le sol et le gros nuage gris. Ensuite, le rayon se transforma peu à peu pour adopter une forme rappelant celle d'un... homme. L'Être de lumière, par de grands gestes, semblait inviter à le suivre jusqu'au nuage quelqu'un ou quelque chose que Malaric ne pouvait identifier. C'est alors qu'il sut à qui il s'adressait ainsi. De nombreuses formes éthérées, spectrales, s'élevèrent du fond de la grotte, passèrent à travers l'ouverture causée par le rayon blanc lors de son entrée et voltigèrent comme des feuilles au vent jusqu'au nuage bizarre qui ne bougeait toujours pas malgré les forts vents qui l'avaient accompagné lors de sa venue subite. Le défilement de cette suite de formes transparentes dura plusieurs minutes et quand tout cela cessa, le gros nuage reprit sa course. Mais contrairement à ce que Malaric avait cru, il ne poursuivit pas sa course vers le nord-ouest mais effectua plutôt un demi-tour et revint par où il était venu.

Suite à son départ, la presqu'île sombra totalement dans un profond gouffre qui s'était ouvert au fond de la mer, engloutie à jamais et emportant avec elle dans l'abysse sans fond la sphère d'isolement dans laquelle était enfermé l'esprit de Sathanaël. L'onde de choc fut si grande qu'elle fit presque chavirer la frêle embarcation.

Ensuite, les choses redevinrent calmes et la vie reprit son cours normal. Les oiseaux revinrent tranquillement comme si rien ne s'était passé en cet endroit. Effectivement, pour quelqu'un qui en ignorait l'existence, aucun indice ne permettait de croire qu'à peine quelques instants auparavant s'y trouvait une presqu'île de bonnes dimensions. Les vagues tumultueuses s'étaient calmées et le soleil de nouveau vint réchauffer la peau parcourue de frissons de Malaric. Cependant, ce n'était pas de froid dont il souffrait mais d'une peur incontrôlable. Aucune puissance ne pouvait rivaliser avec celle dont il venait d'être témoin. Malaric comprit que tout était fini. Il demanda à son petit-fils :

— Qu'était cette chose qui flottait ainsi dans les airs et ressemblait à un homme portant barbe et longue tunique, d'une blancheur sans pareille ?

— C'était Yeshua, du moins son esprit. Son corps physique repose présentement dans un caveau jusqu'à ce qu'il le reprenne dans deux jours.

— Et les autres formes, semblables à des fantômes, qui sont-elles ?

— Ce sont les âmes interceptées par mon Père depuis le début de l'humanité. Yeshua s'est présenté à elles et celles qui l'ont reconnu comme étant le fils du Grand Architecte de l'Univers l'ont suivi et ont été ainsi libérées de leur servitude à l'égard de mon Père.

— Elles l'ont suivi jusque dans ce gros nuage inhabituel ?

— Si je te dévoile ce qu'est réellement ce nuage, comme tu dis, tu en perdrais la raison. Cela dépasse ton entendement.

Devant tous ces prodiges et ces affirmations déconcertantes, Malaric s'empourpra :

— Qu'attends-tu de moi au juste ? Toi qui te dis si puissant ! À l'âge où je suis rendu, je vais bientôt mourir de toute façon.

— N'as-tu pas encore compris ? C'est au contact de mon Père que ces Titans ont survécu durant toutes ces années, tout comme l'énorme ourse, la mère de celui que tu appelais « La Terreur ». Ce spécimen, ancêtre du grizzli commun, appartenait à l'espèce des *Ursus deningeri* et datait de la période du Pléistocène, disparue depuis au moins dix mille ans. La femelle s'était introduite à l'époque, alors que la famille d'hommes primitifs y dormait profondément. Tous ont été massacrés et la bête y aménagea et y demeura durant des centaines et des centaines d'années. Ainsi, toujours à proximité de l'esprit de mon Père, l'énorme femelle survécut. Toi aussi, tu as bénéficié des bienfaits de la caverne. En plus de t'empêcher de vieillir, la brume qui te visitait et qui est en fait une infime partie du pouvoir de mon Père t'inspirait et te suggérait des pistes.

— C'est donc cette brume qui inscrivait les noms en lettres de sang !

— Oui.

Malaric réfléchit quelques instants.

— Je ne comprends pas trop bien... commença-t-il.

— Reste auprès de moi et ta soif de connaissances sera enfin rassasiée.

— Mais après ce qui vient de se produire, tout est fini maintenant? Je veux dire, ton père a perdu finalement?

— C'est ce que notre ennemi va croire, pour un temps du moins. Mais mon Père, même là où il se trouve maintenant, est toujours très puissant et est encore en mesure d'attirer à lui les âmes égarées. Hélas, toutes celles qu'il avait patiemment attirées à Lui au cours des siècles sont soit parties avec Yeshua, soit détruites à jamais. C'est-à-dire des millions et des millions. De ce côté, tout est à recommencer et la tâche sera encore un peu plus ardue qu'auparavant.

— Comment cela?

— Toujours à cause de la venue de Yeshua. Dorénavant, toutes les âmes immortelles des humains qui croiront en lui et regretteront leurs actes répréhensibles à l'heure de leur trépas ne pourront être interceptées par mon Père. C'est justement pour contrer cela que j'ai été conçu. Mon devoir est de persuader l'humanité par tous les moyens possibles que Yeshua n'est qu'un imposteur et qu'il n'a rien de divin. Ce mensonge est la clé de tout. Quand tout sera accompli et que dans des siècles à venir plus personne ne croira en sa divinité, ni même à sa venue sur Terre, son nom tombera dans l'oubli et mon Père remportera enfin la victoire et obtiendra justice pour les torts qu'il a subis.

— Qu'arrivera-t-il après, lorsque Yeshua reprendra son corps physique?

— Il demeurera ici-bas durant quelques jours et partira ensuite.

— Pour aller où?

— Je l'ignore, mais c'est quelque part dans cette galaxie car il désire toujours pouvoir garder un œil sur cette Terre.

— Et dès qu'il ne sera plus ici, tu seras libre de démontrer ton vrai pouvoir?

— Un peu. Mais si je me dévoile avant mon temps, c'est-à-dire à l'aube de la Grande Bataille finale, Yeshua et l'Armée céleste viendront m'anéantir aussitôt. Je me dois de rester incognito et de ne pas exploiter mes pouvoirs au vu et au su de tout un chacun. C'est pourquoi tes services seraient utiles.

— Et quand aura-t-elle lieu, cette fameuse Grande Bataille?

— Oh ! pas tout de suite, grand-père, pas tout de suite ! Alors, que décides-tu ? Es-tu prêt à me servir de ton bon gré ? De plus, si tu t'éloignes trop longtemps de moi, les années te rattraperont car les créatures qui me côtoient, comme celles qui côtoient mon Père, voient le temps se suspendre et ainsi ne vieillissent plus.

Malaric, très impressionné par tout ce qui venait de se passer, réfléchit à la proposition d'Elrik. Qu'avait-il à perdre ? D'un côté, Elrik lui promettait une vie longue et remplie d'action. Sa soif de connaissances serait assouvie car il obtiendrait assurément réponses à toutes ses questions. De l'autre, c'est la mort qui l'attendait dans très peu de temps vu son âge déjà avancé et sa frustration de ne pas avoir de réponses à ses nombreux questionnements... Malaric regarda droit dans les yeux celui qui était son petit-fils et répondit finalement :

— C'est bon, je te suivrai, mais dis-moi : l'émeraude que tu portes maintenant autour du cou, à quoi te sert-elle dorénavant ?

Un sourire étincelant apparut sur le visage angélique d'Elrik :

— Avec ce joyau, je formerai des conquérants, grand-père, et cette Terre reviendra à son Roi et Maître et moi j'en serai le Prince.

— Et moi dans tout ça ? Je veux dire quand tout sera accompli ? s'informa Malaric, anxieux.

— Sers-nous fidèlement et une place importance te sera réservée au sein de notre royaume.

— Maintenant, où allons-nous ?

— Je te l'ai déjà dit. À Jérusalem. Nous devons y être avant que Yeshua ne reprenne son corps physique dans deux jours.

— Mais comment serons-nous arrivés si vite, vu la distance à parcourir pour se rendre là-bas ?

— Étant donné que Yeshua est actuellement occupé à sauver les âmes, je peux utiliser parcimonieusement mes pouvoirs.

Sur ces mots, Elrik fit une démonstration à son laquais. La barque se souleva hors des eaux et s'éleva jusqu'aux nuages, leur servant d'écran. Ainsi camouflés et sous le regard incrédule de Malaric, les deux hommes filèrent à vive allure vers la ville sainte.

CHAPITRE XVIII

DUEL DANS LE GRAND TEMPLE

Jérusalem. An 30 après J-C.

Souffrant d'une insupportable migraine, Longinus flottait toujours dans les hauteurs du plafond de la salle souterraine du Grand Temple, s'attendant à périr dans peu de temps d'une virulente peste que Moloch lui destinait. Tout à coup, le sort qui le maintenait ainsi en apesanteur prit fin et le centurion s'échoua durement au sol. Il remarqua que des côtes s'étaient déplacées suite à sa chute et constata qu'encore une fois, il n'en souffrait pas. Il en profita donc pour les remettre en place d'un bon coup de poing. Lorsqu'il se remit debout, il remarqua qu'aucune goutte de sang ne s'échappait des longues lanières tranchées dans sa chair, de l'aine jusqu'au genou. C'était comme si les plaies s'étaient suturées d'elles-mêmes... Seules trois horribles cicatrices témoigneraient de cette torture qu'il avait subie.

Avec la fin du sortilège, sa migraine était disparue aussi vite qu'elle était apparue. Par réflexe, il se blottit derrière une colonne et comprit ce qui avait mis fin abruptement à son supplice.

À quelques pieds de sa position, le Baron du Chaos se tenait toujours au beau milieu des flammes qui le léchaient sans l'affecter pour autant. Il semblait avoir été déconcentré de sa tâche morbide. Avec étonnement, il fixait le bout des doigts de sa main gauche irradier d'une lueur étrange.

— Mais qu'est-ce que... ? commença-t-il.

Il n'eut pas le temps d'exprimer le reste de sa pensée car les évènements s'accélérèrent. Sa main, celle-là même qui avait tenu le fragment du fer de lance, s'enflamma totalement d'un coup sec.

— Argggh ! Mais c'est impossible ! Le quatrième élément ne peut rien contre moi ! hurlait-il maintenant.

Longinus assistait à la scène et comprit que contrairement aux démons inférieurs qui avaient péri dès l'instant où ils avaient touché le fragment, le Baron, lui, avait pu survivre pendant plus d'une heure avant que l'effet se fasse ressentir. Dans quelques secondes, ce serait au tour de son poignet et puis au reste de son bras. Ensuite, c'est tout son corps qui brûlerait s'il ne trouvait pas une solution au plus vite. Pourtant, le Baron du Chaos semblait médusé par le phénomène et regardait, toujours hébété, son membre enflammé :

— Quelle drôle de sensation ! se dit-il. De toute mon existence, jamais je n'ai ressenti de douleur aussi vive. Même pas le jour où autrefois ce salaud d'Hiram Abif m'a vaincu grâce à des procédés inspirés d'entités célestes, pour ensuite m'enfermer dans un cachot spécialement conçu à mon intention à une demi-lieue sous la surface terrestre, ici même sous ce Temple...

D'un mouvement rapide, il se tourna vers le centurion :

— Tu en connais la raison, n'est-ce pas ? Je le vois dans ton regard ! Explique-moi la cause, insecte, ou je te ferai vivre des souffrances atroces.

Les flammes, semblant provenir de l'intérieur même du monstre, poursuivaient leur progression. Mais Moloch ne se préoccupait pas de ce fait jusqu'à ce qu'elles atteignissent son coude. À ce moment-là, la panique s'empara de lui et il se précipita droit sur le centurion. La vision qu'en avait en cet instant Longinus était terrifiante. Chargé de haine, le démon supérieur allongea son autre bras dont la peau couleur marron était couverte de pustules répugnantes.

— Vas-tu me dire quelle est la cause de ce phénomène ou dois-je encore te martyriser ? aboya-t-il.

Alors qu'il croyait qu'il était pour bondir sur lui, Longinus suivit le regard du Baron qui avait aperçu quelque chose traînant au sol et reflétant la lumière des flammes qui faisaient rage tout autour d'eux. Un peu sur sa gauche entre son adversaire et lui gisait son glaive. Estimant que ses chances étaient bonnes, il s'élança le premier et réussit à prendre de court son ennemi. Cependant, le Baron le rejoignit très vite et d'un formidable coup de pied, l'envoya s'écraser contre un pilier plus au loin. Bien qu'étourdi, le centurion ne ressentait toujours aucun mal physique. En se relevant, il entendit cependant tous les os de son dos craquer un par un. Le Baron tenait maintenant la courte épée de son bras valide et, en prélude à un puissant lancer, il la leva bien haut. Alors qu'il croyait recevoir son glaive en pleine poitrine, Longinus vit plutôt son opposant s'élancer et sans l'ombre d'une hésitation faire bifurquer son arme juste sous son épaule afin de trancher son bras enflammé. Le membre sectionné tomba au sol, effectua quelques soubresauts et roula jusqu'aux pieds du centurion. Avec horreur, ce dernier regarda les doigts munis de longues griffes acérées comme des rasoirs qui cherchaient dans un ultime effort à s'agripper à quelque chose de tangible, mais en vain. La seconde suivante, ils cessèrent leur danse incongrue et se consumèrent complètement. Longinus était stupéfié. Jamais il n'avait assisté à une scène semblable.

Moloch, visiblement débarrassé d'une vive douleur, se pencha ensuite, déposa l'arme du centurion au sol et ramassa une pleine poignée de braises incandescentes qui se trouvaient juste à côté de lui. Ensuite, comme si de rien n'était, il plaça le tas de briquettes brûlantes sur sa blessure cicatrisant ainsi son moignon qui suintait d'un sang noir et visqueux. L'odeur dégagée par ce geste fut abominable au nez de Longinus. Quand la plaie fut cautérisée, le Baron lâcha les braises, reprit le glaive et d'une force doublée d'une mortelle précision, le lança sur Longinus. Ce dernier avait prévu le coup et il retraita juste à temps derrière la colonne contre laquelle il s'était écrasé auparavant. La lame passa à un cheveu de sa tête, lui sectionnant une longue mèche de sa tignasse au passage et alla se ficher derrière lui dans la paroi rocheuse.

Des cris de détresse provenant du couloir menant aux cellules attirèrent l'attention des deux adversaires. L'épaisse fumée dégagée par l'incendie des longs rideaux se propageait maintenant jusqu'à cet endroit. Joseph et son compagnon d'infortune, ainsi que tous les autres prisonniers, exhortaient leurs geôliers de venir les libérer avant qu'ils ne meurent tous d'asphyxie.

Le centurion tenta de déloger sa lame en espérant que, s'il parvenait à s'en saisir, il pourrait asséner un violent coup dans l'abdomen de la créature millénaire, le seul endroit qui lui semblait le plus susceptible d'être son point sensible. Mais peine perdue ; la lame de son glaive était enfoncée de moitié dans le bloc de granit et malgré toute la force déployée, il n'arriva même pas à la faire bouger d'un tantinet. Il abandonna rapidement cette option lorsqu'il vit du coin de l'œil le Baron charger sur lui. Encore une fois et remerciant ses réflexes de soldat aguerri, il effectua une roulade sur le côté et tenta de se rapprocher subtilement du couloir menant aux geôles. Hélas, Moloch, devinant son intention, lui barra le passage à la dernière seconde.

La substance noirâtre qui l'entourait et qui formait des arabesques compliquées tout autour de lui semblait s'étirer par endroits. Ces formes complexes agissaient telles des tentacules qui se déposaient plus à l'avant et entraînaient le Baron avec elles lorsqu'elles se rétractaient, permettant ainsi à Moloch de parcourir une énorme distance en un rien de temps. Cela rappelait vaguement à Longinus le mouvement qu'effectue la chenille en se déplaçant. Le centurion contourna Moloch vers la droite et se terra derrière une autre colonne située à proximité du corridor, celle-là. Par chance, les rideaux enflammés, maintenant tombés sur le plancher rugueux, n'en obstruaient pas l'entrée. Pendant qu'il se préparait pour son second essai, le Baron le questionna de nouveau :

— Allez, dis-moi, serait-ce le petit objet ridicule que d'Arimathie m'a donné au Golgotha qui est la cause de mon malheur ? Si c'est le cas, comment peut-il m'infliger un tel dommage ?

N'ayant aucune réponse en retour, il poursuivit :

— Ton silence en dit long. Explique-moi ce qui le rend si spécial ?

Longinus, constatant l'urgence de la situation et fatigué de jouer à cache-cache avec son ennemi, sortit de l'obscurité et de la protection offerte par la colonne et décida d'affronter de face la créature maléfique.

Se souvenant de la manœuvre de Joseph dans les bas quartiers de la ville, il sortit le fragment de sa bourse et le montra à son adversaire :

— Est-ce de ceci dont tu parles ? Eh bien, attrape, je te le donne !

Il lança le fragment du fer de lance vers le Baron, espérant qu'il se servirait de sa main unique pour le saisir au vol. Cependant, il n'avait pas devant lui un vulgaire voleur à la petite semaine, dénué d'intelligence. Moloch avait deviné la ruse et ne bougea pas d'un poil. Il laissa le mini-objet chuter devant lui et rebondir au sol. Relevant la tête, il lut la déception dans le regard du centurion, ce qui lui confirma ses doutes au sujet de cette petite chose de métal qui semblait si insignifiante à première vue. Fixant Longinus droit dans les yeux, il ajouta :

— J'avais donc raison. C'est ce bout de métal qui est la cause de tout ceci, dit-il en agitant son moignon. Qu'est-ce que c'est au juste ? De quelle arme provient-il ?

— Jamais tu ne l'apprendras. Et si jamais l'occasion se présente, je n'hésiterai pas à me servir de cette arme contre toi, rejeton du Mal.

— Tu ne saurais si bien dire. Mais je veux des réponses et je les aurai.

Longinus, qui se trouvait maintenant à quelques pas du couloir menant aux prisons, vit ses chances anéanties quand le Baron du Chaos ouvrit toute grande la gueule et, dans un formidable crachat, projeta vers le couloir menant aux cellules un gros amas de liquide pâteux, noir et visqueux comme la peau d'une anguille. La substance nauséabonde aspergea l'entrée du couloir et dès que l'incendie s'en approcha d'un peu trop près, le goudron liquide s'enflamma instantanément.

— Dis adieu à ton ami maintenant, sa fin ne saurait tarder ! railla Moloch.

Longinus était défait. Les toussotements des prisonniers s'intensifièrent et il se sentit totalement impuissant. Lorsqu'il se retourna en direction de la créature, à sa grande stupéfaction, celle-ci avait disparu. Il regarda tout autour de lui mais ne vit rien. Avec précaution, il s'avança de quelques pas vers le centre de la salle, sortit son petit poignard qu'il tenait toujours à sa ceinture et tourna sur lui-même, aux aguets.

— Mais où est-il passé ? songea-t-il.

Soudain, une vive appréhension surgit en lui. Il leva la tête et évita de peu un éclair chargé d'un sort impie, lancé à partir des hauteurs de l'édifice par le Baron qui s'y était niché. La foudre s'abattit une seconde fois et frappa le pilier contre lequel il s'était terré de nouveau. Moloch, bouillant de rage d'avoir raté sa cible, se laissa tomber de son perchoir et plongea directement sur Longinus. À la toute dernière fraction de seconde, ce dernier sauta de côté et la créature vint s'écraser dans le roc causant du même coup, dans un fracas assourdissant, un cratère peu profond. De grandes fissures lézardèrent le sol d'un bord à l'autre de la salle. Longinus perdit l'équilibre et tomba. Pendant un court instant, il crut que c'en était fait de son ennemi mais dès que le nuage de poussière fut retombé, il aperçut la main de la créature s'agripper sur le rebord. Constatant que la main était dénuée de l'étrange substance qui habituellement entourait le Baron et lui servait de bouclier, Longinus se leva et prit l'un des supports en bronze du brasero brisé qui gisait non loin et asséna un puissant coup sur les doigts crochus.

— Aïe!! s'écria Moloch. Tu me paieras ça, insecte. Cette fois, je n'espère plus de réponses de ta part. Je les trouverai bien tout seul. C'est ton sang que je désire voir inonder cette salle.

Furieux à l'extrême, le Baron du Chaos reforma son voile qui ressembla à cet instant à d'énormes ailes membraneuses et, telle une chauve-souris géante, prit son envol, effectua une boucle complète et replongea vers le centurion. Cette fois, dans une percutante collision, il l'atteignit de plein fouet. Une roulade suivit et les deux adversaires aboutirent au centre de l'immense pièce. Le coup encaissé par Longinus lui fit presque perdre conscience. Il tenta désespérément de se relever mais en fut totalement incapable et plia le genou. Le Baron, qui lui ne semblait aucunement affecté par l'impact, l'agrippa par le col de la longue tunique que Joseph lui avait donnée et le projeta tel un simple chiffon sur l'une des colonnes tout près de l'entrée des cellules. Cette fois, c'en fut trop pour Longinus qui perdit le souffle complètement et s'affaissa au pied de la colonne à demi conscient.

Profitant de son avantage, le Baron chargea. Par chance, encore une fois son instinct sauva le Romain d'une mort certaine. Il roula sur le côté et se dissimula derrière la colonne en désespoir de cause. Tous ces entraînements harassants auxquels la discipline de l'armée romaine l'avait soumis quotidiennement servaient enfin à quelque chose! Hélas, ce n'était que repousser l'inévitable. Plus loin, les prisonniers toussotaient toujours à pleins poumons. Quelques instants encore et ce serait la mort pour eux. Ses forces, quoique surprenantes jusque-là, étaient à plat quand soudain il vit, inaccessible pourtant, le fragment sur sa droite juste un peu derrière son ennemi. Par malheur, ce dernier, telle une panthère en quête d'une proie facile, amorçait son coup fatal. Le Baron se ramassa sur lui-même, comme lorsque l'on arme une catapulte, et bondit.

Croyant recevoir la raclée de sa vie, Longinus vit plutôt son hideux adversaire se faire projeter en plein vol dans le mur du fond de la pièce par une rafale aussi violente que subite et provenant de l'entrée principale. L'arrogant et terrible Moloch, telle une brique dans la vase, alla s'enfoncer à une profondeur surprenante dans la paroi rocheuse. Lui-même avait été sauvé de cette bourrasque surnaturelle grâce à la colonne derrière laquelle il avait roulé.

— Qu'est-ce qui a pu produire une telle rafale ? se questionna le centurion.

— Moloch ! dit d'une voix caverneuse le nouvel arrivant à l'adresse du Baron, qui, affecté par son bras manquant, s'extirpait difficilement de sa fâcheuse position.

Écoutant de nouveau son instinct, Longinus demeura bien à l'abri des regards, reprit son souffle et écouta la suite avec attention. Celui qui s'était exprimé d'une voix autoritaire et forte avait descendu l'escalier menant jusqu'à la salle et marchait maintenant en direction du Baron :

— Enfin je te retrouve, espèce d'imbécile prétentieux ! Je t'ai fait chercher partout en ville jusqu'à ce que par hasard, nous tombions sur des gardes du Temple complètement affolés qui nous avouèrent qu'il se passait ici des choses... disons, assez spéciales.

À cet instant, le centurion se rendit compte que l'inconnu n'était pas seul quand celui qui déambulait à sa droite prit la parole à son tour :

— Mais en quoi ce ridicule vieillard manchot et complètement nu pourrait être coupable de quoi que ce soit ? demanda-t-il au premier.

Au son de cette voix nasillarde et reconnaissable entre toutes, Longinus ne put s'empêcher de jeter un regard furtif en direction des deux visiteurs inattendus :

— Serait-il possible que... pensa-t-il.

Ce qu'il y vit surclassa tout ce dont il avait été témoin jusque-là. Le premier des deux personnages, celui qui parlait avec autorité et qui, manifestement, avait infligé cette formidable poussée sur le Baron, représentait aux yeux de Longinus l'entité la plus malveillante qu'il avait croisée jusqu'alors. À travers sa vision particulière, il vit que l'Être d'une hauteur exceptionnelle qui s'avançait en direction du Baron était complètement embrasé et auréolé d'une flamme verdâtre. Par contre, impossible de distinguer clairement ses traits. Tout ce que Longinus parvenait à voir, c'était une silhouette noire et intangible comme l'espace sidéral, dotée de deux yeux sans paupière luisant d'un vert fluorescent. Contrairement au Baron, dont le cuir était d'un marron très foncé, la noirceur de ce visiteur inattendu était causée par l'absence totale de couleur et de lumière, le vide absolu, le néant. Cet être représentait pourtant le Mal à l'état pur. Celui que nul ne pourrait représenter par des fresques ou des mots couchés sur le papyrus.

L'homme sidéral, sur son passage, absorbait toute la lumière environnante et les couleurs des objets qui se trouvaient autour de lui à l'intérieur d'un périmètre d'une vingtaine de pas. Il semblait à Longinus qu'il leur siphonnait l'essence vitale par une force d'attraction magnétique incroyablement puissante et qu'il les vidait complètement de toute énergie. Chose étonnante, la créature dans son sillage laissait les éléments derrière elle en... noir et blanc. Cependant, une terreur inégalée dépassa tout ce qu'il avait vécu jusque-là. Même celle occasionnée par Moloch. Si jamais Joseph et lui survivaient à cette mésaventure, ils s'empresseraient d'inscrire cette nouvelle catégorie d'entités en tête de la liste des créatures les plus maléfiques qu'ils avaient répertoriées. Le centurion, à la seconde même où il l'avait regardée, avait ressenti aussitôt un froid intense engourdissant tous ses membres, et une frayeur jusqu'alors inégalée lui tenailla les tripes.

L'autre individu qui le suivait pas à pas tel un chien de compagnie appartenait sans aucun doute à la classe des Démons et si ce n'avait été de son timbre de voix suraigu et de son accoutrement de Barbare, jamais Longinus ne l'aurait reconnu, tellement le changement était grand depuis leur dernière rencontre, avant qu'il n'hérite de ses pouvoirs divins. Déjà qu'il était loin d'être l'exemple de la beauté d'Apollon, ce deuxième visiteur était horrible à voir.

— Malaric ! ne put-il s'empêcher de siffler entre ses dents. Qu'est-ce qu'il fout ici avec cette... ?

Heureusement pour Longinus, qui était bien dissimulé derrière le gros pilier, les deux cauchemars vivants ne semblaient pas avoir remarqué sa présence. Leur attention était entièrement consacrée au Baron, qui s'était finalement extirpé du mur et regardait les deux personnages avec grand étonnement. Profitant de cette diversion, le centurion tenta d'atteindre le couloir des cellules et courut vers la droite jusqu'à la colonne suivante. Par chance, le violent coup de vent avait mis fin à l'incendie et avait passablement dispersé la fumée qui en obstruait l'entrée. Les prisonniers avaient cessé leurs cris de détresse et il se demanda l'espace d'un instant s'il n'était pas trop tard pour ces malheureux. D'un autre bond, il atteignit le dernier pilier avant l'entrée. Là, il dut s'arrêter dans son élan et patienter car le monstrueux trio à sa gauche, tout droit sorti de l'imagination d'un fou, se trouvait en plein dans son champ de vision. Il en profita pour saisir l'échange verbal qui se déroulait.

— Qui... qui êtes-vous ? demanda le Baron aux deux autres.

— Ne reconnais-tu donc pas ton Maître lorsqu'il se trouve juste devant toi ? dit l'homme sidéral nimbé de flammes vertes.

— Mon Maître ? Je ne comprends pas... ? Qui es-tu au juste ?

— Le fils de celui pour qui tu t'es fait passer aux yeux de Yeshua !

À cette affirmation, Moloch se mit sur la défensive et recula jusqu'au mur. Visiblement très nerveux tout d'un coup, il questionna de nouveau :

— Tu veux dire... le rejeton de Sathanaël ? Comment cela est-il possible ? Là où il réside depuis des centaines de milliers d'années, nul ne peut y accéder !

— Et pourtant, je suis ! En partie grâce à l'aide de mon compagnon ci-présent. Le comment et le pourquoi importent peu. Si je me trouve ici malgré le danger que cela représente pour moi, c'est pour t'infliger le châtiment que tu mérites suite à tes agissements insensés.

Malaric, témoin de la scène, se remémora les paroles qu'Elrik lui avait mentionnées alors qu'ils quittaient la presqu'île en ruine : « Au troisième jour, Yeshua reparaîtra devant ses disciples. »

Voilà que ce jour était arrivé et qu'ils se trouvaient tous les deux là où ils ne devaient pas être. Le Baron répliqua :

— Mes agiss... Mais de quoi parles-tu ? Où est l'homme que je combattais juste avant votre arrivée ?

Pendant que Malaric, intrigué, jetait un œil de gauche à droite pour tenter de discerner quelque chose dans la faible clarté dégagée par les deux torches accrochées au mur du fond derrière le trône de pierre, Elrik poursuivit :

— Tais-toi et tremble, stupide arrogant. Ne vois-tu pas que ton sort est entre mes mains ? tonna-t-il d'une voix imposant le respect.

Soudain, le Baron, insulté, se retourna vers son accusateur :

— Apprends que je suis Moloch, l'un des sept Barons du Chaos ! Et aucune autre créature de la noirceur n'est plus puissante que mes frères et moi ! J'ignore ce dont tu m'accuses mais je veux bien te laisser une petite chance. Fichez le camp tous les deux, j'ai autre chose à faire que de m'occuper de fous tels que vous.

À ces mots, Malaric ne put s'empêcher de pousser un petit ricanement. Car à ses yeux c'était plutôt ce Moloch qui semblait ridicule sous l'apparence de Caïphe dans son plus simple appareil. Cependant, le Grand Prêtre reprit, la voix pleine d'assurance :

— N'attendez pas que je me fâche vraiment ! Partez, j'ai à faire !

Le Baron cherchait désespérément Longinus du regard. Il avait saisi combien l'arme à laquelle appartenait ce bout de métal étrange pourrait s'avérer un très grand danger pour lui et ceux de sa race. Il avait aussi compris que le centurion ne la possédait pas. Il devait coûte que coûte en apprendre davantage. Là-dessus, il tourna le dos aux deux inconnus et reprit sa recherche du Romain. Sans ressentir le moindre mal ou la moindre brûlure, il marcha pieds nus sur les braises causées par l'incendie et commença à s'éloigner. Voyant cela, Malaric se demanda s'il avait pris la bonne décision en suivant Elrik, car ce Baron lui sembla tout à coup très puissant. Toutefois, son Maître, aucunement impressionné par cette petite démonstration, ouvrit la bouche et d'une voix jusqu'alors inégalée en puissance et en basse tonalité, commanda :

— Reste où tu es ! Je n'en ai pas fini avec toi !

Les tympans de tous les témoins sur place vibrèrent comme jamais. Ce fut encore pire quand les murs de la salle répercutèrent l'écho de ce son assourdissant. Quelques-unes des pierres de granit qui se trouvaient dans les hauteurs se mirent à choir au sol et se brisèrent en mille miettes. Constatant la fragilité de cette section du plafond, Moloch, aidé de ses volutes tentaculaires, frappa sur la structure affaiblie afin que l'une des plus grosses roches chute directement sur la tête d'Elrik qui n'avait pas bougé d'un poil. Le Baron sourit, anticipant déjà la réussite de son coup. Mais, presque arrivée sur sa cible, la roche stoppa net sa course et se mit à fondre, telle de la lave en fusion. La matière liquéfiée coula de chaque côté de la grande silhouette noire, finit sa course au sol et se durcit de nouveau à son contact froid.

Les témoins sur place, même Malaric, furent stupéfiés de ce spectacle inusité. Le Baron, sur le coup d'une terreur qu'il n'avait jamais ressentie depuis la venue de l'Armée céleste, se mit à trembler de tout son corps.

— Comment est-ce possible ? Même moi je ne suis pas capable d'accomplir une telle chose ! s'enquit-il paniqué.

— Mon Père et moi ne faisons qu'un. J'espère t'avoir convaincu de ma puissance et de la véracité de mes dires. Jure-moi allégeance maintenant !

Pour toute réponse, Moloch, insulté, se rua sur son ennemi. Dans un fracassement épouvantable, les deux puissances ténébreuses s'empoignèrent durement. L'un dégageant une chaleur extrême capable de faire fondre le roc et l'autre, immunisé contre les flammes. Malaric s'éloigna un peu de la scène. C'était l'occasion que Longinus attendait. Il se précipita dans le couloir des cellules et y chercha son ami Joseph. En passant devant les geôles, il vit que les occupants qui devaient s'y trouver depuis quelque temps déjà avaient été libérés de leur souffrance, tous morts, les poumons remplis de fumée. Alarmé, il continua ses recherches et trouva enfin son ami un peu plus loin. Joseph était enfermé dans l'une de ces minuscules cages de forme oblongue et encastrée dans la pierre, en compagnie d'un autre homme que Longinus reconnut sans mal.

— Nicodème ! s'écria-t-il.

Par chance, les deux hommes, bien que passablement affaiblis d'avoir respiré toute cette boucane, vivaient toujours. N'ayant pas assez de place pour pouvoir étendre leurs jambes dans cet espace restreint, les deux vieillards, à demi conscients, s'étaient recroquevillés l'un sur l'autre, le nez caché dans un bout de leur tunique. La rafale causée par l'arrivée des étranges visiteurs avait chassé la fumée juste à temps. Encore un peu et ils ne se seraient jamais réveillés. Le centurion s'aperçut qu'il n'y avait aucune serrure sur la porte mais simplement un verrou qui se fermait de l'extérieur. Il s'empressa de le faire glisser, ouvrit vivement la porte rouillée et jeta hors de la cellule les deux pauvres hommes. Un par un, il les tira de là et les étendit au milieu du couloir. Dans la salle du trône en pierre, le combat spectaculaire faisait toujours rage. Longinus jugea que la situation devenait urgente et se pencha au chevet de son vieil ami :

— Reprends tes esprits, vieillard ! Il faut que nous quittions ces lieux au plus vite.

À cette voix familière et réconfortante, quoique romaine, le vieux marchand ouvrit tranquillement les yeux, les fit papilloter quelques secondes et reconnut finalement son sauveur :

— Ah ! Longinus, Yahvé est grand. Il t'a permis de nous libérer, moi et... !

Soudainement inquiet, il regarda autour de lui et aperçut Nicodème étendu de tout son long à travers le corridor. Anxieux, il demanda au centurion :

— Est-il... ?

— Ne t'inquiète pas, il vit. Mais nous mourrons tous si nous demeurons ici plus longtemps. Tiens, j'ai retrouvé ta sandale.

— Ah oui, je l'avais laissé tomber exprès pour que tu puisses suivre ma piste.

— Je sais.

— Qu'est-il arrivé après que Caïphe, ou du moins celui qui a usurpé son identité, m'a fait enfermer ici ? Où sont passés les gardes du Temple ?

— Ils ont fui.

Pendant qu'ils essayaient de faire émerger Nicodème de son inconscience, Longinus fit un bref résumé de la situation à Joseph. Quand il eut terminé de parler, ce dernier s'exclama :

— Aux noms de tous les prophètes ! Quelle calamité ! Si ce que tu me racontes là est vrai, cela voudrait dire que l'Antéchrist, celui dont les Saintes Écritures mentionnent la venue après celle du Fils du Très Haut, est déjà là ! Je possède de nombreux rouleaux chez moi qui en parlent de long en large. Tu es sûr de ce dont tu avances ? Il n'est pas supposé se révéler avant des milliers d'années !

— Va y jeter un œil toi-même si tu le désires.

Les bruits du combat et les hurlements bestiaux des deux antagonistes hors du commun se rapprochèrent un peu de leur position. Entendant cela, Joseph répondit :

— Non, ça va... Je pense que je peux me fier à toi, mon ami.

Nicodème choisit ce moment pour sortir de sa torpeur :

— Oh ! s'exclama-t-il lorsqu'il eut enfin fini de recracher tous les résidus polluant ses poumons. Que s'est-il passé ?

En apercevant le centurion, la mémoire lui revint d'un coup.

— De tout cœur, merci ! Il ne sera pas dit que les représentants de Rome sont tous des salauds ! Joseph m'a informé à ton sujet et pour le bien de ta mission, je suis à jamais ton dévoué serviteur.

— Je n'en demande pas tant. Pouvez-vous marcher ? demanda Longinus.

— Je l'ignore, je suis ici depuis la fin de la matinée et impossible de s'assoir, enfermé là-dedans. Résultat : j'ai des fourmis dans les jambes.

— Allons, je vais vous aider. Il faut se dépêcher !

Joseph, qui se sentait beaucoup mieux déjà, offrit son aide et les deux hommes mirent sur pied le vieux religieux à la longue barbe toute blanche. Le centurion s'informa auprès d'eux :

— Vous qui êtes des habitués des lieux, savez-vous s'il existe une autre sortie au bout de ce corridor qui aboutirait à l'extérieur ?

Les deux coreligionnaires, l'air perplexe, s'interrogèrent du regard et Joseph conclut :

— Nous n'en savons rien... Personnellement, j'ignorais même l'existence de cette salle du trône et de ces sordides prisons infectées de rats gros comme des chatons.

— Impossible de sortir par où l'on est entré. Il faut tenter notre chance de l'autre côté et espérer que ce couloir nous mène jusqu'au dehors, suggéra Longinus.

Juste avant d'emboîter le pas au Romain, Joseph se rappela subitement des paroles mentionnées par celui-ci au cours de son résumé :

— Mais qu'as-tu fait du fragment ?

— Il est resté dans la salle. Oublie-le et partons vite d'ici.

— Attends ! Nous ne pouvons pas l'abandonner ! Tu oublies son importance ; il est très précieux pour espérer la réussite de ta mission ! Du moins, jusqu'à ce qu'on retrouve le fer de lance lui-même.

— Comment crois-tu que je puisse pénétrer dans cette salle, y chercher l'objet minuscule, le prendre et tout ça sans me faire remarquer ?

— Pourtant, il faut que nous le récupérions d'une façon ou d'une autre, c'est impératif! l'exhorta Joseph avec conviction.

Longinus avoua qu'il avait sans doute raison mais qu'il ne voyait pas comment il pourrait procéder sans danger. Nicodème y alla d'une suggestion:

— Peut-être pourrions-nous revenir demain quand ce duel démoniaque aura pris fin?

— S'il prend fin... Mais moi je dois quitter la ville dès cette nuit. Déjà que le temps a beaucoup filé depuis notre entrée ici, répondit Longinus. Tentons notre chance vers une autre issue et oublions ce fragment.

Malgré les supplications de Joseph, le centurion poussa devant lui les deux vieillards et ils déambulèrent ainsi à travers le couloir à la recherche d'une issue. À intervalles réguliers, ils rencontrèrent des portails de chaque côté du couloir. Tous fermés à clé et donnant accès à d'autres passes menant vers des destinations inconnues. Nicodème, les articulations des jambes moins ankylosées, ne put s'empêcher de commenter:

— Brrr! Même si ces portes étaient grandes ouvertes, j'hésiterais à prendre l'une de ces directions. Effectivement, dans le haut de la porte faite de bois d'olivier épais se trouvait une ouverture grillagée et tous purent discerner, malgré les ténèbres oppressantes, que ces escaliers menaient encore plus loin vers des profondeurs abyssales.

— Ne nous attardons pas ici. Continuons! proposa Longinus.

Les deux membres du Sanhédrin consentirent avec joie et empressement. Au bout d'un moment, ils constatèrent à leur plus grand désarroi que le corridor aboutissait finalement à un cul-de-sac. Déçu et irrité, Longinus vociférait et blasphémait à en faire rougir les deux religieux.

— Quelle catastrophe! Que fait-on maintenant? s'enquit Joseph auprès du centurion.

Ce dernier, colérique, lui cracha:

— Comment veux-tu que je le sache, vieillard? Je n'ai pas réponse à tout!

— Je pense que nous n'avons pas trop le choix alors. Nous devons revenir sur nos pas et tenter de traverser la salle afin de gagner la sortie en haut de l'escalier du fond.

Les deux Juifs n'avaient pas assisté au combat qui s'y déroulait comme Longinus l'avait fait. Ils purent toutefois comprendre la gravité de la situation lorsqu'ils virent une frayeur sans nom dans son regard bleu acier.

— Nous n'avons plus le choix, soupira-t-il. Faisons demi-tour. Dépêchez-vous ! conclut Longinus frustré de la situation et angoissé par cette alternative.

Alors qu'ils s'approchaient de leur ancienne cellule de fer, tout droit devant eux, les trois hommes entendirent de nouveau le bruit du combat qui faisait toujours rage.

— Attendez ici. Je vais aller voir si la voie est dégagée, conseilla Longinus à ses deux compagnons.

Le centurion s'approcha de l'embrasure de l'entrée du couloir, s'y blottit un instant et jeta un regard à l'intérieur de la salle. Par une chance inespérée, dans leur lutte acharnée, les deux belligérants s'étaient déplacés vers le fond de la pièce. Protégé derrière l'un des piliers et lui faisant dos, il aperçut Malaric qui assistait au combat grandiose. Les entités maléfiques, telles deux bêtes enragées, étaient impliquées dans une lutte où aucun être humain normal n'aurait pu espérer remporter la victoire. Les puissants coups échangés faisaient trembler tout l'édifice. D'énormes trous parsemaient les parois tout autour de la pièce rectangulaire et plusieurs colonnes gisaient maintenant au sol, fracassées. Même le trône de Moloch n'était que ruine à présent. Cependant, tous ces dommages mettaient en danger la stabilité du Grand Temple. Estimant qu'ils avaient l'opportunité de fuir immédiatement, Longinus se hâta d'aller quérir ses deux amis et leur ordonna de gagner l'escalier le plus rapidement possible. Avant de filer, Joseph s'informa :

— As-tu retrouvé le fragment ?

— Non, et je ne l'ai pas vraiment cherché non plus. Oublie-le te dis-je ! Rends-toi bien compte de la situation, il faut atteindre la sortie au plus vite !

Joseph qui n'en démordait pas, jeta un regard sur la scène à son tour :

— Par Yahvé le Tout Puissant ! s'exclama-t-il lorsqu'il vit au fond de la salle Caïphe en costume d'Adam, ayant perdu son bras gauche, comme s'il avait été sectionné par une lame hyper tranchante.

Il combattait comme un déchaîné un jeune homme blond, de haute taille et dont la beauté du physique et du visage n'était inégalée par aucun autre être humain sur Terre. Habillé de ce qui semblait être une fourrure de grizzli, il assénait des coups terribles à Caïphe et celui-ci se trouvait projeté sur de longues distances et causait d'énormes dégâts lors de ses atterrissages. Joseph savait bien que ce qu'il voyait dans le cas de Caïphe n'était qu'illusion. Toutefois, en ce qui concernait l'autre individu, il devait faire confiance aux dires du centurion. Son regard tomba ensuite sur le Barbare, le Jarl des Frisons.

— C'est lui n'est-ce pas ? C'est Malaric ? demanda-t-il à Longinus.

Sur un signe de tête affirmatif, il observa de nouveau cet homme dont le Romain lui avait tant parlé lors de sa confession sur la terrasse à l'arrière de sa villa. Soudain, une question surgit en lui :

— Comment le vois-tu maintenant ? À quoi ressemble-t-il ?

— Sans entrer dans les détails, car le temps nous est compté, je peux te certifier qu'il fait partie de la catégorie des Démons. Et j'ajouterai qu'il est l'un des plus repoussants que j'ai croisés jusqu'à maintenant.

— Avec tout ce que tu m'as dit à propos de lui, c'était à prévoir.

— Maintenant, si ta curiosité est satisfaite, profitons du fait que leur attention n'est pas sur nous et fuyons.

Alors qu'ils amorçaient leur course, Joseph jeta un dernier coup d'œil en direction de Malaric. Soudain, tout près de l'une de ses bottes, il aperçut le petit fragment gisant au sol.

— Attends, centurion. Regarde ! susurra-t-il.

Les deux autres regardèrent dans la direction que Joseph indiquait de son index.

— Et qu'est-ce que c'est au juste ? demanda Nicodème, ne voyant qu'un léger reflet.

— C'est le fragment du fer de lance. Rappelle-toi, je t'en ai parlé brièvement tout à l'heure.

— Oh oui ! Je me souviens maintenant, juste avant que la fumée ne nous incommode. Comment se le procurer sans attirer l'attention de ce Germain ? demanda-t-il encore.

— On ne peut le récupérer sans attirer les regards. C'est ce que je m'évertue à expliquer depuis vingt minutes déjà, répéta Longinus. Assez parlé. Gagnons l'escalier maintenant, vite !

— Je vais aller le prendre, décida Nicodème.

— Holà, ce Germain est extrêmement sournois et dangereux. Pourquoi te sacrifierais-tu ainsi ? intervint Longinus.

Joseph, en accord avec lui, ajouta :

— Il a raison, mon vieil ami. Comment comptes-tu t'y prendre sans attirer l'attention de ce sombre personnage ?

— J'improviserai. Mais quoi qu'il arrive, promets-moi de veiller sur ma famille, Joseph.

— Mais bien sûr voyons, quelle idée ! Mais pourquoi serait-ce à toi de le faire ? Je ne comprends pas ?

— Parce que vous deux, vous êtes trop importants pour le bien de la mission. Cet élu doit bénéficier de toute l'aide que toi seul peux lui offrir.

— Mais que racontes-tu, voyons !

— C'est bon, je vais le faire ! dit à contrecœur Longinus.

— Non. C'est à moi d'y aller. Je tiens à apporter ma contribution, insista Nicodème.

Voyant l'air triste de son ami de toujours, il poursuivit :

— Ne t'en fais pas Joseph. De toute façon, avec les confidences que tu m'as faites tout à l'heure, si jamais j'y laisse ma vie, ma place dans le Royaume des cieux est déjà réservée.

— Il faut se décider maintenant ! répéta Longinus.

Sur ce, le vieillard quitta ses compagnons et pendant que les deux autres gagnaient l'escalier à la hâte, Nicodème se dirigea à pas feutrés vers le fragment. Sautillant d'une colonne à l'autre, il réussit à s'approcher en douce de Malaric, toujours absorbé par le spectacle déchaîné qui se déroulait devant lui. Dès qu'ils atteignirent le haut des marches, le Romain et le Juif s'arrêtèrent et observèrent la scène. À une longueur de bras de distance de son objectif, Nicodème s'accroupit et tendit la main vers le petit objet de métal. Au moment même où il saisissait le fragment sans que Malaric se doute encore de sa présence, la lutte entre les deux forces des Ténèbres se déplaça vers la gauche. Et à ce moment précis, le Jarl des Frisons tourna la tête pour suivre le déroulement de l'action. Ce faisant, il s'aperçut de la présence du vieux religieux.

Joseph voulut crier pour avertir son vieil ami mais Longinus lui plaqua sa grande main sur la bouche :

— Chut ! Tu vas nous faire repérer.

— Mais il faut l'aider !

— Écoute. Je connais l'affection que tu as pour lui mais il en connaissait les conséquences. Si je descends et que l'une ou l'autre de ces créatures de l'enfer m'attrape, je ne donne pas cher de ma carcasse. Surtout sans aucune arme avec moi.

— Tu oublies ton petit poignard !

— Qu'est-ce que tu espères que je peux faire avec cette arme ?

— Lance-la sur Malaric. Empêche-le de rattraper Nicodème ! Il faut l'aider !

Malaric qui avait vu Nicodème saisir quelque chose au sol s'était élancé vers lui, sa longue épée dans la main :

— Eh toi ! Ne bouge plus ! ordonna-t-il à Nicodème. Reste où tu es sinon je te pourfends de ma lame !

Se sachant découvert, ce dernier s'empressa de rejoindre ses compagnons. Malaric était presque sur lui quand Longinus dégaina son petit poignard et le visa. Hélas, la présence du religieux, qui se trouvait juste devant, lui nuisait considérablement. Alors que Malaric, qui ignorait la présence des deux autres dans le haut l'escalier, levait sa longue épée et se préparait pour un formidable coup dans le dos du fugitif, ce dernier se prit les pieds dans les plis de son long vêtement et se retrouva face contre terre. Cet incident dégagea la voie à Longinus qui saisit l'occasion pour lancer son arme. Malaric leva les yeux et juste avant que le poignard ne l'atteigne, il put discerner qui était son assaillant :

— Le centurion ! s'exclama-t-il.

Par chance pour le sorcier, l'arme projetée par Longinus lui présenta son manche au lieu de sa lame. Elle vint frapper sa tempe gauche avec une telle force que Malaric fut pris d'étourdissements et s'effondra, inconscient.

— Ouf ! tu l'as manqué mais heureusement il n'a pu donner l'alarme avant de s'évanouir. Les deux autres se battent toujours avec véhémence et ils ne se sont toujours pas aperçus de notre présence. Profitons-en, dit Joseph au Romain.

Tous deux descendirent en vitesse le grand escalier de pierre et aidèrent le pauvre Nicodème à se relever et à remonter les marches.

— Merci mes amis, dit ce dernier. Regardez : j'ai réussi. J'ai récupéré l'objet !

— Félicitations. Je vais le prendre. Maintenant, sortons vite de ce trou, conseilla Longinus.

Alors qu'ils avaient atteint la moitié du chemin, le bruit du combat derrière eux cessa complètement.

— Vite, ne restons pas dans l'escalier, ils pourraient nous voir, dit Joseph.

Les trois hommes s'empressèrent de gagner le palier et rendus à cet endroit, la curiosité l'emporta. Ils s'accroupirent dans l'ombre de la sortie et regardèrent ce qui se déroulait au-dessous d'eux. Aux yeux de Joseph et de Nicodème, le grand blond, qui venait de remporter le duel, se tenait au-dessus de son ennemi défait et fortement amoché, qui le suppliait éperdument de l'épargner.

— C'est bon, tu as gagné ! Je reconnais en toi l'héritier de notre Maître à tous. Je t'offre mon allégeance et me soumets à ta volonté, mon Prince !

— Tu as entendu, Joseph ? Il l'a appelé Prince ! susurra Nicodème à son voisin.

— Oui. C'est bien ce que je craignais : l'Antéchrist.

— Chut ! Taisez-vous tous les deux, intervint le centurion. Nous devrions déjà être loin à l'heure qu'il est.

— Attendons encore un peu. Les informations recueillies pourraient être cruciales pour l'avenir.

Longinus accepta et jeta de nouveau son regard spécial sur la scène. À ses yeux, ce qui s'y déroulait était hautement plus effrayant que ce à quoi ses amis assistaient.

L'Être sidéral avait déposé l'un de ses pieds, qui semblait peser des tonnes, sur la gorge de son adversaire, dont l'enveloppe diaphane qui lui servait de bouclier était maintenant toute repliée. Toute la morgue et l'arrogance du Baron avaient disparu et avaient fait place à de la soumission et à de la repentance devant celui qui venait de le rosser sévèrement, celui qu'il nommait « Son Prince ». Pendant que Malaric était toujours au pays des rêves, le Baron implorait son adversaire :

— Épargne-moi ! Je promets de me conduire loyalement. Jamais je ne commettrai d'autres erreurs qui pourraient vous nuire ! J'ignorais les conséquences. C'est vrai quoi ! Comment pouvais-je deviner que sa mort causerait la ruine des armées de ton Père ?

— Mais il parle de la mort de qui au juste ? demanda de nouveau Nicodème qui semblait en avoir perdu des grands bouts.

— Celle de Yeshua, bien sûr, répondit Joseph.

— Selon Caïphe, il paraît que le caveau a été trouvé vide ce matin par Marie de Magdala accompagnée d'une autre femme et que...

— Mais taisez-vous donc ! Nous savons déjà tout cela. Vous tenez vraiment à ce qu'on se fasse repérer ?

De son côté, Moloch continuait ses suppliques :

— Je t'en prie, laisse-moi me relever maintenant.

Elrik, de sa voix tonitruante, lui demanda :

— Qu'est-il arrivé à ton bras ?

— Des flammes émanant de ma main s'étaient propagées dans tout mon bras et menaçaient alors le reste du corps. J'ai dû le couper car il en dépendait de ma vie.

— Comment est-ce possible ? Normalement tu es insensible au feu... Qu'est-ce qui a pu provoquer une telle chose ? demanda de nouveau Elrik, intrigué.

— Un simple fragment provenant d'une arme divine sans doute.

— Quelle arme ? Parle !

Elrik sentait que l'objet dont parlait Moloch pourrait s'avérer très dangereux. S'il avait le pouvoir d'infliger un tel mal à l'un de ces démons supérieurs, qu'en était-il pour lui ? Il poursuivit :

— Alors ? De quelle arme ce fragment provient-il ?

— Je l'ignore. C'est cette information que je tentais d'arracher à l'humain, ce centurion romain, avant que tu ne t'interposes !

— Je ne vois personne ici.

— Il s'est enfui, probablement. Heureusement, j'ai réussi à capturer l'un de ses complices, Joseph d'Arimathie. En souhaitant qu'il ne soit pas mort par asphyxie.

— Je m'en assurerai plus tard.

Constatant qu'il ne pourrait en apprendre davantage, Elrik, ne pouvant plus supporter la présence de Moloch lui ordonna :

— Quitte ce corps à l'instant. Ensuite, je déciderai ce qu'il adviendra de toi, sombre idiot !

Elrik ôta son pied et recula d'un pas. Presque aussitôt, une forme embrumée s'expulsa du corps de Caïphe et flotta en suspension dans l'air. Ainsi, dans sa forme d'origine, Joseph et Nicodème purent contempler Moloch, l'un des terribles Barons du Chaos, un bras en moins et dans toute sa laideur tel que Longinus le percevait depuis le début. Le vrai Grand Prêtre du Temple, dont l'esprit avait été chassé par le démon et était à jamais disparu dans les limbes, observait son environnement dans un état végétatif.

— Quelle horreur ! s'exclama Joseph avec empathie.

L'esprit de Moloch, tel un nuage de fumée bleutée, s'agenouilla devant Elrik. Il semblait souffrir d'un sort mental que ce dernier lui faisait subir et qui le privait de ses facultés.

— Arghhh ! Je t'en prie, cesse cette torture, se plaignit-il. Ne me détruis pas ! Je ne veux pas connaître le néant pour l'éternité.

— Te détruire, je le ferais volontiers si je le pouvais. Non, j'ai d'autres plans pour toi. Tu conserveras ton existence. Néanmoins, n'ayant aucune confiance en toi et pour être certain que tu ne nuiras plus jamais, tu retrouveras ta chère prison d'antan. Celle spécialement conçue pour toi autrefois et que tu n'aurais jamais dû quitter.

— Non ! Tout, mais pas ça ! s'écria la forme fantomatique. Je vous en prie mon Prince, ne me renvoyez pas là-dedans. Je vous promets de bien me tenir !

Moloch n'eut pas le temps de terminer sa supplication car d'un nouveau geste du bras en direction du sol, Elrik créa une ouverture à même le roc. Ce trou béant débouchait sur des caves encore plus profondes sous le Temple. Chemin direct vers l'ancienne prison de Moloch.

— Va, maintenant ! ordonna Elrik au Baron. Tu peux disposer !

Moloch laissa échapper un hurlement d'angoisse et, tel un nuage soufflé par le vent, il fut aspiré par l'ouverture nouvellement apparue et s'y engouffra graduellement jusqu'à disparaître complètement. Ensuite, Elrik, d'un second geste du bras, referma le trou et tout redevint comme avant. Nulle trace de ce qui venait de se passer.

Durant un bref instant, le temps parut suspendu. Les trois témoins de ce spectacle insolite autant qu'inexplicable demeurèrent bouche bée, inconscients du danger dans lequel ils se trouvaient et, surtout, oubliant Malaric qui sortait tranquillement de son inconscience. Le sorcier secoua la tête et prit quelques secondes pour se souvenir de l'endroit où il se trouvait. Il se passa la main sur la tempe, s'aperçut que du sang coulait, et tout lui revint en mémoire.

Fier de sa victoire, Elrik, qui ignorait ce qui s'était passé derrière lui et croyant que Malaric avait assisté au dénouement du combat, s'adressa à lui :

— Voilà ce qui arrive à ceux qui me déçoivent. Entends-moi, grand-père, et tiens-toi-le pour dit !

N'obtenant aucune réponse en retour, l'héritier des Forces du Mal se retourna et vit son laquais qui tentait de se relever. Le trio choisit ce moment pour sortir de son ébahissement et fila en vitesse vers la sortie.

— Que t'est-il arrivé ? demanda Elrik à Malaric lorsqu'il l'eut rejoint.

— J'ai reçu un projectile sur la tête.

— Comment ça ? Par qui ?

— Par un vieil ennemi. L'un de ses complices est venu derrière moi et a ramassé quelque chose au sol pour ensuite déguerpir comme un lapin. Je l'ai poursuivi, il est tombé devant moi et c'est à ce moment que j'ai reçu ce coup. J'ai perdu conscience et je viens à peine de reprendre mes esprits.

— Tu dis qu'un homme a pris quelque chose au sol ? Qu'était-ce ?

— Je l'ignore mais ça ne semblait pas tellement gros et...

— Le fragment magique dont parlait Moloch ! s'exclama Elrik.

— Quoi ? Qu'est-ce que c'est que cette histoire encore ?

— Je t'expliquerai plus tard sur le chemin du retour. Pour le moment, j'aime autant te prévenir : si tu tiens à la vie, tiens-toi loin de cet objet.

— Pourquoi ? Que représente-t-il ?

— Plus tard, te dis-je.

— Doit-on les poursuivre ?

— Non. Pour l'instant, en raison de toute cette puissance que j'ai dû démontrer pour vaincre cet imbécile de Baron, il faut quitter la ville avant que Yeshua ne finisse par déceler ma présence. Au fait, qui est ce vieil ennemi qui t'a infligé cette vilaine blessure ?

— Un centurion romain que je croyais avoir mis hors d'état de nuire il y a de cela presque quinze ans.

Malaric aperçut le poignard de Longinus qui traînait sur le sol, le ramassa et le glissa dans sa ceinture de cuir.

— Cet homme qui est venu prendre l'objet devait être celui dont parlait Moloch. L'ami de ce Romain qu'il aurait libéré au préalable. Tu me diras tout ce que tu sais à propos de cet humain au cours de notre voyage, conclut Elrik.

— Je te rappelle que tu es supposé veiller sur moi. Comment n'as-tu pas su que j'étais en danger ?

— Je n'ai pas le pouvoir de me trouver en plusieurs endroits en même temps et il en va de même pour mon esprit. Aurais-tu d'autres plaintes à formuler ?

Malaric sentit la menace à peine voilée et se contenta de répondre par la négative.

— Très bien alors, partons.

— Et où allons-nous ?

— Nous retournons vers l'est. C'est à cet endroit que j'entreprendrai mes projets car il s'y trouve là-bas un autre Baron que je dois tenter soit de le convaincre de se joindre à nous, soit de l'empêcher de nuire.

— Comment cela ? Il s'est libéré lui aussi ?

— Non, ce Baron-ci n'a jamais été capturé et rôde dans l'ombre depuis la victoire de l'Armée céleste sur mon Père. Par ses maléfices, à l'heure actuelle, il a réussi à recruter de grandes armées d'humains corrompus et se prépare à faire la guerre afin de conquérir et dominer la Terre entière. Tout cela commence sérieusement à nous irriter, mon Père et moi.

— Et alors, tant mieux ! Lorsque ces armées d'hommes finiront par mourir, ils engraisseront les armées de ton Père ! Peu importe ses intentions, n'est-ce pas la Grande Bataille finale qui compte ?

— Vrai, mais si je laisse agir impunément l'un de ces Barons et qu'il parvient à corrompre l'humanité au complet, cela pourrait changer la donne.

— Tout cela est bien compliqué.

— C'est normal pour un être aussi peu évolué que toi.

Malaric ravala l'insulte de travers mais se contenta de demander encore :

— Et comment se nomme cette horreur ?

— Tu le sauras en temps et lieu car dès que nous aurons atteint notre destination et que Yeshua aura quitté définitivement cette planète, c'est-à-dire très bientôt, je vais me présenter à lui. Maintenant, suffit avec tes questions, partons.

Ainsi, Elrik, suivi de son laquais, quitta la salle souterraine maintenant pratiquement en ruines.

Lorsque Longinus et les deux religieux atteignirent enfin l'extérieur, ils constatèrent que la nuit était fraîche et que des milliards d'étoiles illuminaient le ciel azuré. Ils respirèrent un bon coup d'air pur et Joseph proposa :

— Maintenant, retrouvons nos montures laissées au Golgotha et rentrons chez moi, si vous le voulez bien. À l'adresse de Longinus, il poursuivit :

— J'en profiterai pour te donner les ordres destinés au capitaine du navire que tu dois prendre à l'aube.

— N'est-il pas dangereux de se rendre chez toi ? Selon Caïphe, les Romains t'y attendraient, intervint Nicodème.

— Premièrement, ce n'était pas Caïphe, je te l'ai déjà dit, et deuxièmement, ce monstre m'a avoué après mon arrestation qu'il en était rien. Pour ma part, je doute que Pilate me soupçonne de quoi que ce soit.

Nicodème rajouta :

— Ne penses-tu pas, Joseph, qu'il serait mal vu aux yeux du Très-Haut que nous abandonnions le vrai Caïphe dans l'état où il se trouve... le pauvre.

Joseph avoua que son ami avait parfaitement raison :

— Attendons un peu dans l'ombre pour voir ce qui suivra.

— Mais êtes-vous suicidaires tous les deux ? Je vous rappelle le danger qu'il y a dans le Temple et que je dois prendre un bateau amarré à Jaffa. Si je m'attarde encore plus longtemps, je risque fort de le manquer. De plus, n'oubliez pas que je suis considéré comme fugitif. Si jamais quelqu'un nous repérait !

— Tu as raison, mon ami. Mieux vaut partir en effet, dit Joseph, quand soudain, du geste de la main, il stoppa ses compères dans leur élan :

— Attendez ! Regardez. Quelqu'un sort du Temple.

Les trois hommes se blottirent contre l'arête d'un des murs d'une habitation et observèrent de loin Elrik et Malaric franchissant la sortie et se diriger vers l'une des portes qui se trouvent au nord de la ville. Chemin faisant, l'héritier de l'ange déchu confia à son compagnon :

— Ton ennemi et deux complices sont juste derrière nous, grand-père.

— Comment ! Vite, pourchassons-les ! s'exclama ce dernier qui n'avait pas digéré l'attaque de Longinus contre lui. Surtout qu'il le croyait mort depuis des années.

— Reste ici ! Nous n'en avons pas le temps. Et que ce point soit très clair entre nous : c'est moi qui donne les ordres et tu iras où et quand je te dirai d'aller. Pas avant !

— D'accord, d'accord mais pourquoi ? Serait-ce parce que tu crains que Yeshua ne te découvre ? S'il avait été dans le coin, ça fait longtemps qu'il serait intervenu avec toutes vos démonstrations de tout à l'heure, à l'autre et à toi.

— C'est fort curieux effectivement, mais quoi qu'il en soit, maintenant je sens sa présence qui se rapproche dangereusement. Plus tard, nous reviendrons faire la lumière sur tout ce qui concerne ce fragment divin et l'arme à laquelle il appartient. Et pour commencer nos recherches, nous retrouverons ce Joseph d'Arimathie dont Moloch m'a parlé. Ne t'inquiète pas, tu auras la chance de régler tes comptes. Patiente pour l'instant. Allez, viens. Cesse tes questions. J'ai horreur de ce trait de caractère... Ça doit être héréditaire, n'est-ce pas, grand-père ?

Sur ce, Malaric, frustré, jeta furtivement un œil derrière lui et suivit son Maître du mieux qu'il le pouvait car il ne voulait pas être distancé ; les grandes enjambées d'Elrik l'obligeaient à courir à ses côtés.

Lorsqu'il fut assez éloigné, le trio sortit de sa cachette.

— Je vais aller chercher ce Caïphe. Vous, pendant ce temps, allez récupérer les chevaux au Golgotha et ramenez-les jusqu'ici, ordonna Longinus aux deux autres.

Bientôt, Longinus avec Caïphe en croupe et Joseph et Nicodème sur l'autre monture étaient de retour à la villa de Joseph. Deux domestiques furent mandatés pour s'occuper du Grand Prêtre qui, en plus d'avoir perdu le bras gauche, était resté dans un état second, n'étant même plus capable d'avaler sa propre salive et de retenir ses besoins naturels. La chambre dont Longinus avait bénéficié les deux jours précédents lui fut octroyée. Les deux chevaux furent amenés et soignés à l'étable et le palefrenier, sur l'ordre de Joseph, sella une toute nouvelle monture pour Longinus qui devait effectuer une longue route jusqu'à Jaffa.

— Allons dans ma bibliothèque, proposa l'hôte des lieux. Nous y serons plus à l'aise pour discuter.

Les deux autres le suivirent au sous-sol et Joseph prit son écritoire ainsi que son encrier et rédigea le pli à l'intention du capitaine. Ensuite, il le saupoudra en vue de sécher l'encre plus rapidement, le roula puis le plaça dans un étui de protection fait d'un cuir de chamelle.

— Tiens. Prends ceci, dit-il au centurion lorsqu'il le lui tendit.

Ensuite il se dirigea vers l'une des étagères et y prit le rouleau intitulé « Visions du centurion ». Il le déroula sur la table, trempa sa plume dans l'encre et demanda à Longinus :

— Donne-moi quelques détails supplémentaires au sujet de celui qui se prétend l'héritier de Sathanaël.

Avec difficulté, le Romain tenta du mieux qu'il le pouvait de décrire cet Être exceptionnel. Lorsqu'il eut terminé, Nicodème se cala dans son siège, complètement dépassé. Joseph rangea son encrier et s'approcha de Longinus, lui mit la main sur l'épaule et lui dit doucement :

— Comme tu me l'as conseillé, je l'ai placé en tête de la liste. Mais écoute-moi attentivement. Cet Être sidéral, comme tu l'appelles, est la pire chose qui pouvait nous arriver.

— Qui ça, nous ?

— L'humanité entière !

— Mais qui est-il au juste ? Quelle menace représente-t-il ?

Joseph, secondé par son vieil ami, expliqua les conséquences de la venue de l'Antéchrist sur Terre :

— Grâce à son immense charisme et avec l'aide de son laquais, son prophète maudit, il tentera de séduire tous les peuples de la Terre. Il apportera aux hommes un faux message de paix, cachant son projet de corrompre l'humanité et de provoquer guerres et désolation pour s'assurer que son Père bénéficiera de toutes les âmes disponibles le jour de la Grande Bataille finale.

— La Grande Bataille fin... C'est quoi au juste ?

— C'est l'apocalypse. La fin de ce monde. Prévue pour dans des milliers d'années comme je l'ai déjà mentionné.

— Mais pourquoi dans ce cas, cet Elrik est-il déjà présent ?

— C'est ce qui m'échappe. Quelque chose a dû se produire et changer le cours de l'Histoire et tromper ainsi les Saintes Écritures.

— Ce que tu dis là mon ami n'est pas très loin du blasphème ! intervint Nicodème.

— J'en conviens. Jusqu'à présent, ces Écrits inspirés de Yahvé lui-même n'ont jamais été démentis. Peut-être qu'un fait nous échappe. Quoi qu'il en soit, je pense que nous venons de découvrir le but premier de ta mission, mon cher Longinus.

Nicodème donna son accord à cette hypothèse :

— Il a raison. Tu dois tenter par tous les moyens de l'arrêter avant qu'il ne soit trop tard.

— Comment puis-je faire une telle chose ? N'avez-vous pas entendu ce que je vous ai raconté à propos de cet... de ce Prince de la nuit ?

— Bien sûr. De plus, j'ai même tout inscrit. D'ailleurs, j'ai des objets qui pourraient t'être très utiles. Étant donné que ton glaive extraordinairement tranchant est perdu, quoique j'essayerai d'aller le récupérer demain en compagnie d'une couple de mes hommes, et que le fer de lance est introuvable, j'ai pensé que ceci pourrait t'intéresser.

Joseph alla quérir dans le coin de la pièce le sac de jute dans lequel il avait déposé les objets ayant appartenu à Yeshua avant sa mort. Il dénoua le petit cordon qui en fermait l'ouverture et exposa le tout sur la table de lecture autour de laquelle ses deux compères avaient pris place. Clous, couronne d'épines, pagne et même le fouet, le « chat à neuf queues », dont les Romains s'étaient servis pour le châtier et qu'il avait réussi à faire acheter à grand prix par Apollonios, son majordome, s'étalèrent sur la longue table.

— Regarde, dit Joseph à l'adresse du centurion. Tous ces objets, d'une manière ou d'une autre, ont été en contact avec le sang divin de Yeshua. Comme ton glaive et une partie de ton armure. Hélas, je n'ai pu récupérer la tunique que les gardes se disputaient, ni la croix.

— Probablement que quelques disciples seraient venus la prendre de nuit, ajouta Nicodème.

D'un coup, Joseph se leva de nouveau, fouilla dans l'un des coins de la pièce souterraine et retrouva l'armure du centurion et la lui tendit.

— Regarde comme elle brille, là où le sang divin l'a aspergée. Tout ça pourrait s'avérer très utile, n'est-ce pas ? conclut-il.

— Peut-être. Nous n'en savons rien, vieillard. Tu l'as dit toi-même ; c'est le fer de lance qu'il me faudrait car lui seul a pénétré le cœur du prophète et je pense que lui seul peut venir à bout des Barons et peut-être aussi de cet Elrik, fils de Pluton.

— Tu veux dire l'Hadès des Grecs ? Ou le Loki des peuples du Nord ? Ou bien le Set des Égyptiens ? intervint Nicodème, qui, comme l'avait mentionné Joseph au centurion, en connaissait un brin sur les religions païennes.

Pris d'une soudaine évidence, il poursuivit :

— Je n'avais jamais envisagé cela sous cet angle. Peut-être que toutes ses croyances anciennes et étrangères ne sont pas si loin de la vérité après tout.

— Peut-être, mais l'heure n'est pas à la discussion, il me faut partir.

— Même sans le fer de lance ? s'enquit Joseph inquiet.

— Comment faire autrement ?

— Oublie ton voyage à Rome et reste ici pour tenter de le retrouver. Nicodème et moi t'aiderons du mieux que nous le pourrons. Mieux vaut la perte d'une vie que de millions d'autres !

— Ce que tu dis là est sensiblement raisonnable mais est indigne de toi, Joseph ! Je ne peux laisser la vie de mon beau-père être menacée par ce zélote envoyé par Barrabas sans rien faire pour tenter de le sauver. Vous qui n'avez pas voulu abandonner votre Grand Prêtre, vous devriez être en mesure de comprendre, non ?

Au bout d'un moment, Joseph s'excusa et, ainsi que Nicodème, donna raison au centurion. Joseph conclut :

— Eh bien, soit ! Promets-moi de revenir aussitôt que cette tâche sera acquittée.

— Je vous le promets, mes amis. Je ferai aussi vite que je le pourrai.

— Très bien alors. Il n'y a plus à discuter. Prends ces objets avec toi et durant ton absence, nous tenterons de retrouver le fer de lance.

Suite à des adieux vite faits, Joseph remit un panier de victuailles à Longinus et le pria d'être très prudent.

— Bonne route et n'oublie pas ta promesse.

— Ne t'en fais pas, vieillard. Je reviendrai le plus vite possible.

Longinus, qui n'était pas le genre d'homme à exprimer ses sentiments avec facilité, se racla la gorge et dit pourtant :

— Au fait, vieillard, je te remercie pour tout ce que tu as fait pour moi jusqu'à présent. Si tu ne m'avais pas abordé cette fameuse nuit, je pense bien que je serais mort ou fou à lier en ce moment.

— Ce n'est rien, mon ami. Prends ceci. Je t'offre ce cimeterre. Il n'est pas aussi efficace que ton glaive mais c'est tout de même une très bonne arme. Quoiqu'il arrive, peu importe les épreuves que tu pourrais rencontrer, ne prends pas à la légère le fait que le sort de ce monde est entre tes mains dorénavant.

— Maintenant, après tout ce que j'ai vu et vécu, j'accepte de plus en plus cette responsabilité et il me tarde de faire sauter la tête de tous les démons que je croiserai.

Longinus grimpa sur un autre des superbes étalons arabes que Joseph semblait affectionner tout particulièrement. Sur un dernier signe de la main, Longinus salua les deux religieux.

Joseph, talonné de Nicodème, rentra à l'intérieur et se dirigea de nouveau vers la bibliothèque. En passant devant l'une des étagères ornées de bibelots, il remarqua quelque chose et, se frappant le front de la main, s'exclama :

— Ah non ! J'ai oublié de lui remettre la coupe que Yeshua t'avait donnée, Nicodème.

— Peut-être est-ce là la volonté du Très-Haut, répondit ce dernier.

— De toute façon, il est trop tard. Mais... attends une seconde !

Joseph s'approcha de l'étagère, prit le calice et le montra à son compagnon :

— Regarde, je l'avais sorti du sac pour l'admirer un peu alors que le centurion se trouvait toujours dans un coma profond. J'ai remarqué qu'au fond, là où le sang divin écoulé du fragment s'était accumulé, il s'était passé un changement depuis la dernière fois que nous l'avions observé au caveau.

Nicodème s'approcha plus près et regarda le fond de la coupe :

— Et alors ? dit-il.

— Regarde bien à l'intérieur.

Tout le fond de la coupe avait dorénavant l'aspect de l'or pur.

— Que s'est-il passé selon toi ?

— C'est là toute la question. Un autre prodige sans doute. Te souviens-tu qu'il n'y avait que très peu de sang avant que j'ôte le fragment et le range dans ma poche ? Je pense que le sang s'est incrusté dans le calice et l'a transformé comme il est actuellement.

— Quelle merveille ! s'exclama Nicodème.

— Effectivement, cela pourrait rapporter gros sur le marché. Mais j'ai l'intuition que son importance est tout autre.

— Comment cela ?

— Comme je l'ai déjà mentionné, nous avons observé, le centurion et moi, que tous les objets ayant été en contact avec le sang divin ont hérité par la suite de caractéristiques spéciales.

— Et toi Joseph ? Quel changement as-tu remarqué chez toi ?

Nicodème avait posé sa question tout bonnement mais elle prit pourtant Joseph complètement de court.

— Comment ? Que veux-tu dire par là ?

— Je fais référence à ce qui s'est passé au caveau. Aurais-tu oublié ?

— Non. Mais quel rapport avec moi ? Je n'ai jamais été en contact avec le sang divin, à part bien sûr lorsque nous l'avons transporté. Mais depuis, je n'ai rien remarqué sur mes mains ou sur les vêtements que je portais ce soir-là.

— Il en va de même pour moi, mais dans ton cas, ce n'est pas pareil !

— Comment ça ?

— Tu en as bu quelques gouttes, Joseph ! Souviens-toi alors que tu croyais être blessé au doigt et qu'il n'en était rien !

Tel l'effet d'un coup de marteau au front, les souvenirs du vieux marchand refirent surface :

— Ce que tu dis là est tout à fait vrai. Comment n'y ai-je pas songé plus tôt !

— Alors ?

— Alors quoi ?

— Quels sont les effets obtenus depuis ?

— Je l'ignore totalement. J'avoue que je me porte bien pour mon âge et que depuis ma première rencontre avec Yeshua, je me sens comme revigoré mais rien de plus depuis cet événement !

— L'avenir nous en apprendra peut-être davantage.

— Oui, peut-être.

Joseph resta songeur et finit par tomber endormi sur son fauteuil. Nicodème en profita pour prendre congé de son hôte et s'empressa de rentrer chez lui. Étant donné sa longue absence, sa famille devait être folle d'inquiétude.

Le lendemain, escorté de cinq hommes, Joseph reconduisit Caïphe à sa demeure. Ensuite, sans avoir fourni la moindre explication à son épouse de ce qui avait rendu ainsi son homme, il se rendit au Temple et regagna la salle souterraine. Là, il retrouva le glaive encastré dans le roc. Ses hommes étant incapables de le retirer, il fit enlever le bloc de pierre au complet, le couvrit d'un drap et le transporta à bord d'un chariot tiré par deux chevaux, jusqu'à sa villa sans que personne ne soupçonne rien.

Trois semaines passèrent sans qu'il reçoive la moindre nouvelle concernant ce qui s'était réellement passé dans le cas de la disparition du corps supplicié de Yeshua ni sur le retour de Longinus. Pourtant, son navire était bien revenu et le capitaine lui avait affirmé que tout s'était bien déroulé comme prévu.

— J'espère que rien de fâcheux ne lui est arrivé! s'inquiéta-t-il à son sujet.

Pendant ce temps, le Sanhédrin s'était réuni au Temple, sans les inviter, Nicodème et lui, afin d'élire un nouveau Grand Prêtre. Ayant eu vent de bizarreries les impliquant de près ou de loin tous les deux, tant les pharisiens que les saducéens qui composaient l'assemblée religieuse désiraient les tenir à l'écart. Joseph avait été mis au courant de la situation par l'un de ses hommes mais il n'en avait pas fait de cas. Toutes ces intrigues de pouvoir ne l'intéressaient plus.

Alors qu'il jonglait avec tous ces mystères sur sa terrasse arrière par un bel après-midi de printemps, une missive provenant de l'île Britannia lui fut présentée par l'une de ses domestiques.

— Merci, lui dit-il dès qu'elle lui remit le pli. Tu peux disposer, ma belle enfant.

La jeune fille, rougissante, retourna à ses tâches. Avant de sortir le message de son enveloppe de cuir tanné par le soleil, il dit tout haut:

— Une seule personne peut m'envoyer ceci!

Joseph s'empressa d'en lire le contenu. Dès qu'il eut terminé, il se hâta d'ordonner qu'on lui prépare ses bagages en vue d'un long voyage. Ses pires appréhensions se concrétisaient. Deux jours plus tard, tout fut prêt pour le grand départ. Joseph visita son ami Nicodème pour lui communiquer ses intentions et revint ensuite chez lui. Il confia à Apollonios, son majordome grec, qu'il devait s'absenter pour un bon bout de temps et qu'il lui laissait la charge de la villa durant son absence.

— Prends bien soin de ma demeure et veille à ce que personne n'entre dans ma bibliothèque. La porte est fermée à clé et j'emporte avec moi dans ce chariot mes documents les plus précieux mais il en reste encore beaucoup qui me tiennent à cœur.

— Tout sera fait selon tes désirs, Maître Joseph. Tu peux avoir confiance en moi.

— Je sais, mon brave, je sais. Je te remets aussi un rouleau manuscrit scellé que tu remettras en mains propres au centurion Longinus, si jamais il passe ici durant mon absence. Il est capital que tu le gardes en sûreté jusqu'à ce moment-là. D'accord ?

— C'est bien compris.

Sur ce, Joseph grimpa à bord du chariot et ordonna au conducteur d'amorcer le voyage jusqu'à Césarée où l'un de ses navires marchands l'attendait parfaitement gréé.

— Attendez ! cria une femme qui venait en leur direction à la course. Joseph fit stopper le véhicule et tenta de discerner qui était la visiteuse. Lorsqu'elle fut parvenue à sa hauteur, il la reconnut finalement :

— Marie de Magdala ! Mais que t'arrive-t-il ?

L'ancienne prostituée était en sueur suite à cette course effrénée. Elle prit une pause afin de reprendre son souffle avant de commencer :

— Joseph, je t'en prie, écoute-moi ! J'ai appris que tu voulais entreprendre un voyage outre-mer. J'ignore où tu vas mais j'aimerais grandement t'accompagner.

— Pourquoi donc ?

— Il m'est impossible de continuer à vivre dans cette ville et même dans ce pays depuis que Yeshua n'est plus de ce monde. J'aimerais reprendre ma vie à zéro et le plus loin possible de cet endroit. Je sens que de terribles évènements s'y dérouleront dans un avenir assez rapproché et j'aimerais mieux ne pas y assister.

— Ce voyage que j'entreprends n'est pas de tout repos, ma fille. J'ai peur de devoir te dire non. De plus, cela porte malchance de voyager avec une femme à bord.

— Voyons Joseph, depuis quand crois-tu à ces sornettes ? Trouve-moi une meilleure raison que celle-ci pour refuser ma requête !

— Je comprends ton désarroi. La mort de Yeshua et surtout le vol de sa dépouille au caveau en ont laissé plus d'un triste et perplexe.

— Le vol de sa dépouille ? Mais de quoi parles-tu, Joseph ?

— Pourtant, tu devrais être au courant ! J'ai entendu dire que tu étais l'une des deux femmes qui ont découvert le caveau vide alors que vous vous y rendiez pour lui administrer les derniers préparatifs.

— Effectivement, j'y suis allée accompagnée par la mère de deux de ses disciples, une amie à moi. Nous nous sommes rendues sur les lieux et avons trouvé la pierre roulée et tous les gardes romains inconscients.

— C'est bien ce que je disais !

— Sauf que le corps n'avait pas été volé.

— Ah non ? Que s'est-il passé alors ?

— Amène-moi avec toi et je te raconterai toute l'histoire en cours de route et crois-moi, tu ne le regretteras pas. Je peux t'en assurer. En fait, ce sera probablement l'histoire la plus extraordinaire et sûrement la plus belle qu'il t'aura été donné d'entendre.

Joseph n'osait avouer à la Magdaléenne que des histoires sortant de l'ordinaire, il en avait eu son lot dernièrement. Il se montra plutôt curieux et invita finalement Marie à prendre place sur la banquette à ses côtés.

Le trajet en chariot jusqu'au port de Césarée se déroula bien et Marie, malgré les demandes incessantes de Joseph, tint sa langue durant toute la randonnée.

— Pas avant que nous soyons à bord ! disait-elle de peur que Joseph ne change d'avis.

Au port, ils embarquèrent le contenu du chariot à bord du navire et Joseph donna l'ordre au capitaine de larguer les amarres. Ensuite, il invita Marie à se reposer à l'intérieur de sa spacieuse cabine et alors qu'elle prenait place dans l'un des fauteuils en rotin, il en profita pour défaire l'une des malles qu'il avait tenu à porter lui-même jusqu'à sa cabine, ce qui avait éveillé les soupçons de quelques débardeurs qui se trouvaient non loin. Il prit quelque chose et le montra à son invitée :

— Regarde. Je sais que tout comme moi, tu aimais tendrement et sincèrement notre Seigneur Yeshua, alors tu seras heureuse de constater que j'ai gardé un souvenir en mémoire de lui.

Joseph tendit le calice à la femme et celle-ci laissa couler quelques larmes lorsqu'elle le prit dans ses mains.

— Serait-ce la même coupe que celle du caveau ? Comment se fait-il que le fond intérieur soit tout doré ! ?

— C'est bien la même. Ce changement est le résultat de son contact avec le sang divin de Yeshua.

— C'est vrai ? Tu en es sûr ?

— Tout à fait.

Joseph lui exposa ce qu'il savait au sujet des objets ayant été contact avec le sang divin.

— Alors, cela voudrait dire que...! dit la Magdaléenne, fébrile.

— Que quoi? coupa Joseph.

La femme d'une trentaine d'années fouilla dans les plis de sa longue robe d'un brun foncé et en sortit un objet enroulé dans un tissu:

— Cela voudrait dire que cette chose que j'ai ramassée le jour de son exécution est spéciale, elle aussi.

Ce qu'elle lui montra, dès qu'elle l'eut retiré du chiffon, était bien la dernière chose que le vieux marchand aurait pensé voir en cet instant.

— Le fer de lance! La lance du destin! s'exclama-t-il, ahuri.

— Oui, une partie de l'arme dont ce damné soldat s'est servi pour transpercer son cœur. Quelquefois, il brille autant que le fragment qui se trouvait dans la poitrine de Yeshua, notre Seigneur et maître.

— Puis-je? demanda Joseph.

Marie lui tendit l'arme. Il l'a pris avec respect et remarqua que, contrairement à la coupe dorée, cette pointe de fer semblait tout à fait quelconque, tout comme le fragment d'ailleurs. Pourtant, c'était bel et bien l'arme qu'ils avaient vainement tenté de retrouver, le centurion et lui, car un accroc sur le fil de la lame prouvait son authenticité. Et voilà que cette femme, arrivée à l'improviste, lui remettait tout bonnement le fer de lance entre les mains.

— Ah! Marie de Magdala, quelle femme bénie tu es! s'exclama Joseph, fou de joie. Viens que je te serre dans mes bras. Laisse-moi te confirmer, femme, que les portes du Paradis te sont d'ores et déjà grande ouvertes! Grâce à toi, tous les espoirs nous sont maintenant permis!

— Mais... Pourquoi cet emportement?

— Nous avons tout le temps devant nous pour discuter de tout cela. Pour l'instant, laisse-moi jouir de ce moment de pure joie! Même derrière le plus gros des nuages, le soleil n'arrête jamais de briller.

Et Joseph, à la surprise totale de Marie de Magdala, dansa de joie et chanta:

— Nous l'avons trouvée! Nous l'avons trouvée! Nous l'avons enfin trouvée!

Au bout d'un moment, il se calma un peu, prit un siège à son tour et soupira:

Après une telle nouvelle, il me tarde de revoir Longinus !

Mais Joseph était loin de se douter que sa prochaine rencontre avec le centurion n'aurait lieu que dans très très longtemps.

Index des noms

Abénader : *Préfet romain responsable de la sécurité dans la ville de Jérusalem.*

Akbar : *Capitaine du navire phénicien l'Astarté.*

Anna : *Mère d'Hermann. Doyenne du clan germain des Chérusques.*

Apollonios : *Majordome de Joseph d'Arimathie.*

Arhuba : *Chef des esclaves numides à bord de l'Astarté.*

Barrabas : *L'un des dirigeants de la secte religieuse des zélotes. Sauvé par le peuple de la crucifixion.*

Caïphe : *Grand Prêtre de l'ordre du Sanhédrin. Accusateur et principal responsable de la mort de Yeshua.*

Cécilia Julius : *Belle-mère du centurion Longinus.*

Claudia Procula : *Épouse du procurateur Ponce Pilate. Cousine de Livia.*

Crassus Julius : *Sénateur romain. Beau-père de Longinus.*

Danel : *Officier de pont phénicien, en service à bord de l'Astarté.*

Dvorak : *Jarl du clan des Frisons. Victime d'un sort de Malaric.*

Elrik : *Dit l'Antéchrist. Héritier légitime des pouvoirs de Sathanaël, fils de Luna.*

Ermengarde : *Jeune femme esclave de la tribu des Chérusques. Nourrice d'Elrik.*

Flavius : *Frère cadet d'Hermann. Trahit ce dernier en rejoignant les Romains juste avant la bataille d'Idistaviso.*

Fridric : *Fils aîné de Dvorak. Éperdument amoureux de Luna.*

Germanicus (Gaius) : *Général romain. Remporte la bataille d'Idistaviso en l'an 16 après J-C. Père de l'empereur Caligula.*

Hagan : *Second intendant et homme de main de Malaric.*

Hanno : *Officier de pont phénicien. Second maître à bord de l'Astarté.*

Harald : *Premier intendant de Malaric. Mort aux mains des Chérusques.*

Hermann : *Jarl des Chérusques. Initiateur de la coalition germaine victorieuse contre les armées de Varus à la bataille de Teutobourg en l'an 9 après J-C.*

Hiram Abif : *Conseiller et architecte du roi Salomon. Créateur de la geôle ésotérique conçue pour y emprisonner le Baron du Chaos, Moloch.*

Ida: *Amie et confidente de Luna. Épouse de Sven et mère de Khorr et Karan.*

Joseph d'Arimathie: *Riche marchand juif et membre éminent du Sanhédrin. Disciple secret de Yeshua. Soigne Longinus et aide ce dernier dans l'accomplissement de sa mission par ses judicieux conseils remplis de sagesse.*

Josepha: *Fils de Joseph d'Arimathie. Responsable de la mine de cuivre à l'île Britannia.*

Kanmi: *Phénicien, homme de vigie à bord de l'Astarté.*

Khorr et Karan: *Jumeaux identiques du clan des Frisons. Fils de Sven et Ida. Amis de Luna.*

Livia: *Femme romaine de famille riche et renommée. Sœur de Lucius et épouse du centurion Longinus.*

Longinus (Caius Cassius): *Centurion romain. Suite à un évènement extraordinaire survenu à Jérusalem, il reçoit des dons fabuleux et devient la terreur de tous les démons qui croisent sa route.*

Longinus (Caius Philippus): *Décurion romain. Père de Caius Cassius Longinus. Mort à la bataille de Teutobourg.*

Longinus (Gnaus): *Soldat romain. Vétéran à la retraite. Oncle de Caius Cassius Longinus.*

Lucius Julius: *Optione romain. Grand ami et beau-frère du centurion Longinus.*

Luna: *Fille chérie de Malaric. Épouse d'Hermann le chérusque et mère d'Elrik, l'Antéchrist.*

Malaric: *Sorcier germain. Jarl du clan des Frisons et père de Luna. Ennemi juré de Longinus.*

Malchus: *Garde israélite qui eut l'oreille tranchée par la lame de l'apôtre Pierre.*

Marie de Magdala: *Femme adultère repentante. Disciple de Yeshua depuis l'écoute de l'un de ses sermons.*

Marobod: *Jarl du clan des Marcomans. Allié d'Hermann.*

Nicodème: *Grand ami et coreligionnaire de Joseph d'Arimathie.*

Olaf: *Guerrier berserk germain et garde du corps personnel d'Hermann le Chérusque.*

Pétronius: *Décurion romain responsable du sépulcre de Yeshua.*

Pilate (Ponce): *Procurateur de toute la Judée. Ordonne la mort de Yeshua à Jérusalem.*

Ragnard: *Mercenaire saxon. Engagé par Malaric afin d'aller cueillir des informations au sujet du roi Salomon. Revient avec le* Livre noir de Salomon.

Salomon: *Grand roi d'Israël (-970 à -931 avant J-C.). Fils de David et de Bethsabée. Constructeur du Grand Temple de Jérusalem.*

Ségestes: *Jarl du clan des Quades. Père de Thusnelda. Rejoint le camp de Germanicus.*

Ségimérus: *Père d'Hermann le Chérusque.*

Sven: *Germain du clan des Frisons. Père des jumeaux Khorr et Karan.*

Téréza: *Vieille servante travaillant pour Joseph d'Arimathie.*

Thusnelda: *Deuxième épouse d'Hermann le Chérusque. Fille de Ségestes.*

Varus (Publius Quintilius): *Général romain. Meurt à la bataille de Teutobourg en l'an 9 après J-C.*

Yeshua le Nazaréen: *Fils du Grand Architecte de l'Univers. Crucifié par les Romains sur le Golgotha.*

Youssouf: *Fanatique religieux de la secte des zélotes. Mandaté par Barrabas pour se rendre à Rome.*